Collection David Colon
Programme 2012

l'Histoire

Term L, ES

SOUS LA DIRECTION DE
David Colon
Professeur agrégé d'histoire, Sciences Po, Paris

COORDINATEURS PÉDAGOGIQUES
Philippe Masanet
Professeur agrégé d'histoire, Lycée Henri-IV, P
Jean-Baptiste Picard
Professeur agrégé d'histoire, Paris-I Panthéon-

RESPONSABLE NUMÉRIQUE
Claude Robinot
Professeur agrégé d'histoire-géographie, Académie de Versailles

AUTEURS
Florent Bonaventure
Professeur agrégé d'histoire, Académie de Créteil
David Colon
Professeur agrégé d'histoire, Sciences Po, Paris
Nicolas Davieau
Professeur agrégé d'histoire, Lycée Marie-Curie, Sceaux
Sylvain Dépit
Professeur agrégé d'histoire, Lycée Edmond-Rostand, Saint-Ouen-l'Aumône
Marianne Durand-Lacaze
Professeur certifié d'histoire-géographie, Institut de France, Paris
Frédéric Fogacci
Professeur agrégé d'histoire, Lycée Samuel-Champlain, Chennevières-sur-Marne
Louis-Pascal Jacquemond
IA-IPR honoraire, Académie de Grenoble
Emmanuel Jousse
Professeur agrégé d'histoire, ATER à Sciences Po, Paris
Victor Louzon
Professeur agrégé d'histoire, Doctorant à Sciences Po, Paris
Claire Marynower
Professeur agrégé d'histoire, ATER à l'Université Paris-Est, Marne-la-Vallée
Philippe Masanet
Professeur agrégé d'histoire, Lycée Henri-IV, Paris
Simon Perego
Professeur agrégé d'histoire, Doctorant à Sciences Po, Paris
Jean-Baptiste Picard
Professeur agrégé d'histoire, Paris-I Panthéon-Sorbonne
Zohra Picard-Mawji
Professeur agrégé d'histoire, Doctorante à l'Université Paris-IV Paris-Sorbonne
Sophie Pousset
Professeur agrégé d'histoire, Lycée Lucie-Aubrac, Courbevoie
Vanina Profizi
Professeur agrégé d'histoire, Lycée Jean-Paul-de-Rocca-Serra, Porto-Vecchio
Pierre Royer
Professeur agrégé d'histoire, Lycée Georges-Brassens, Paris

Les Éditions Belin remercient Benjamin Stora, professeur à Paris-XIII et Antoine Sfeir, professeur au CELSA (Paris), pour leurs relectures respectives des chapitres 5 et 11.

Belin: ÉDITEUR INDÉPENDANT DEPUIS 1777

170 BIS, BOULEVARD DU MONTPARNASSE 75680 PARIS CEDEX 14
WWW.BELIN-EDUCATION.COM

DÉCOUVREZ VOTRE MANUEL

OUVERTURE DE THÈME

Le thème du programme éclairé
par une introduction problématisée

CLÉS DU THÈME

Une double page qui relie le thème
du programme à sa mise en œuvre

Des questions clés pour
comprendre le thème

Des textes fondateurs et des
documents de référence

OUVERTURE DE CHAPITRE

La problématique
du chapitre

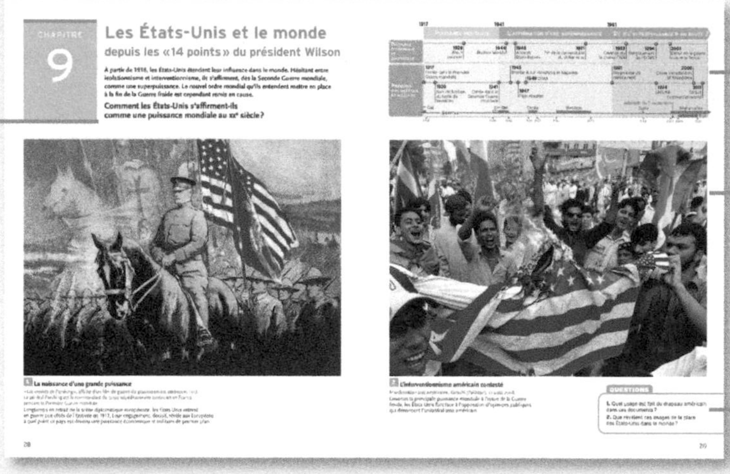

Le cadrage
chronologique
du chapitre

Deux documents
à confronter

Un questionnement
sur les documents

GRAND ANGLE

Le cadrage spatial du chapitre

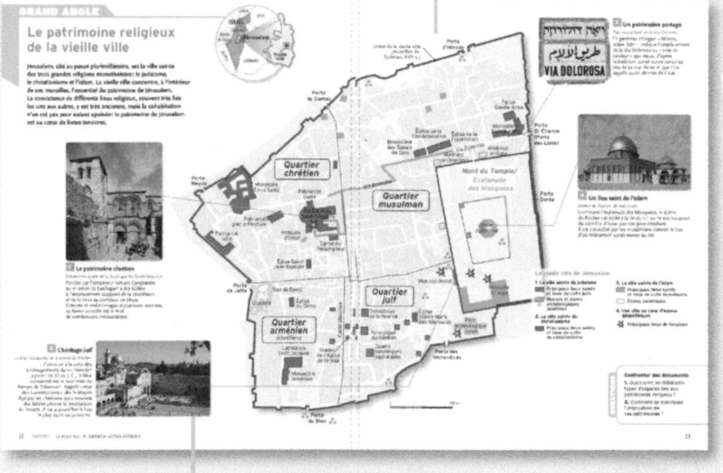

COURS

La problématique
du cours

Des documents questionnés
pour entrer dans le chapitre

Un cours synthétique
et structuré

Des encadrés
(biographies, mots clés)
pour éclairer la leçon

Des documents
questionnés

2 © Éditions Belin 2011 • ISBN 978-2-7011-6228-7

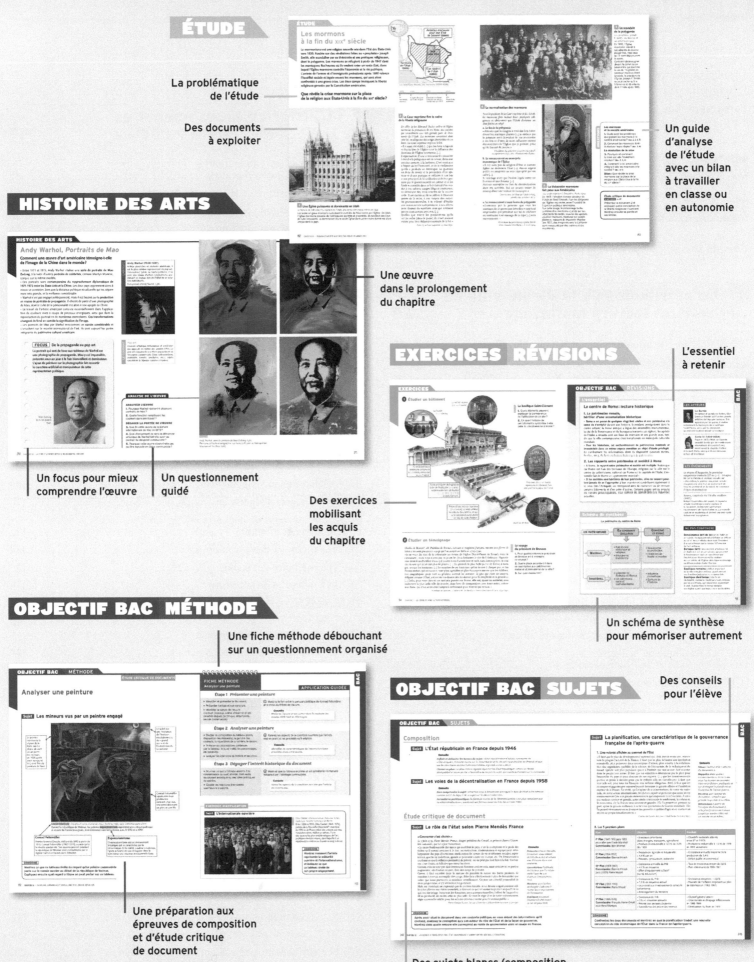

ÉTUDE

La problématique de l'étude

Des documents à exploiter

Un guide d'analyse de l'étude avec un bilan à travailler en classe ou en autonomie

HISTOIRE DES ARTS

Une œuvre dans le prolongement du chapitre

Un focus pour mieux comprendre l'œuvre

Un questionnement guidé

EXERCICES RÉVISIONS

L'essentiel à retenir

Des exercices mobilisant les acquis du chapitre

Un schéma de synthèse pour mémoriser autrement

OBJECTIF BAC MÉTHODE

Une fiche méthode débouchant sur un questionnement organisé

Une préparation aux épreuves de composition et d'étude critique de document

OBJECTIF BAC SUJETS

Des conseils pour l'élève

Des sujets blancs (composition et étude critique de documents)

SOMMAIRE

THÈME 1
LES RAPPORTS DES SOCIÉTÉS À LEUR PASSÉ   16

THÈME 2
IDÉOLOGIES, RELIGIONS ET CROYANCES EN EUROPE ET AUX ÉTATS-UNIS DE LA FIN DU XIXe SIÈCLE À NOS JOURS   126

THÈME 3
PUISSANCES ET TENSIONS DANS LE MONDE DE LA FIN DE LA PREMIÈRE GUERRE MONDIALE À NOS JOURS 214

OBJECTIF BAC   MÉTHODE

OBJECTIF BAC   SUJETS

PRÉAMBULE

La classe de première a permis d'approfondir l'approche synthétique et problématisée propre à l'enseignement de l'histoire et de la géographie au lycée et de répondre, grâce à la recherche du sens et à l'exercice du raisonnement et de l'esprit critique, aux finalités culturelles, civiques et intellectuelles de cet enseignement.

En classe de terminale des séries ES et L, l'histoire et la géographie font partie des enseignements obligatoires.

Les programmes de cette classe, identiques pour les deux séries, donnent des clés pour une lecture historique et géographique du monde actuel. Les modalités de leur mise en œuvre s'inscrivent dans la continuité de celles des programmes des classes de seconde et de première: parité horaire entre les deux disciplines; place importante des études de cas en géographie et des études délimitées et mises en perspective en histoire; utilisation des technologies de l'information et de la communication; liberté et responsabilité pédagogiques du professeur qui peut construire son itinéraire, non seulement au sein de chacun des programmes d'histoire et de géographie, mais encore en les articulant, autant qu'il le jugera nécessaire, autour de points de convergence.

Cette mise en œuvre doit également préparer les élèves à la poursuite d'études supérieures grâce à l'acquisition de connaissances et à l'approfondissement des capacités et des méthodes figurant dans le tableau qui suit et qui ont été progressivement maîtrisées de la seconde à la première. Dans cette perspective, une attention soutenue sera particulièrement accordée au développement du sens critique et à l'organisation d'un travail autonome.

CAPACITÉS ET MÉTHODES

I - MAÎTRISER DES REPÈRES CHRONOLOGIQUES ET SPATIAUX

1) Identifier et localiser	• Nommer et périodiser les continuités et ruptures chronologiques • Nommer et localiser les grands repères géographiques terrestres
	• Situer et caractériser une date dans un contexte chronologique • Nommer et localiser un lieu dans un espace géographique
2) Changer les échelles et mettre en relation	• Situer un événement dans le temps court ou le temps long • Repérer un lieu ou un espace sur des cartes à échelles ou systèmes de projections différents
	• Mettre en relation des faits ou événements de natures, de périodes, de localisations spatiales différentes (approches diachroniques et synchroniques)
	• Confronter des situations historiques ou/et géographiques

II - MAÎTRISER DES OUTILS ET MÉTHODES SPÉCIFIQUES

1) Exploiter et confronter des informations	• Identifier des documents (nature, auteur, date, conditions de production)
	• Prélever, hiérarchiser et confronter des informations selon des approches spécifiques en fonction du document ou du corpus documentaire
	• Cerner le sens général d'un document ou d'un corpus documentaire, et le mettre en relation avec la situation historique ou géographique étudiée
	• Critiquer des documents de types différents (textes, images, cartes, graphes, etc.)
2) Organiser et synthétiser des informations	• Décrire et mettre en récit une situation historique ou géographique
	• Réaliser des cartes, croquis et schémas cartographiques, des organigrammes, des diagrammes et schémas fléchés, des graphes de différents types (évolution, répartition)
	• Rédiger un texte ou présenter à l'oral un exposé construit et argumenté en utilisant le vocabulaire historique et géographique spécifique
	• Lire un document (un texte ou une carte) et en exprimer oralement ou par écrit les idées clés, les parties ou composantes essentielles; passer de la carte au croquis, de l'observation à la description
3) Utiliser les TIC	• Ordinateurs, logiciels, tableaux numériques ou tablettes graphiques pour rédiger des textes, confectionner des cartes, croquis et graphes, des montages documentaires

1) Développer son expression personnelle et son sens critique	• Utiliser de manière critique les moteurs de recherche et les ressources en ligne (internet, intranet de l'établissement, blogs)
	• Développer un discours oral ou écrit construit et argumenté, apprendre à le confronter à d'autres points de vue
	• Participer à la progression du cours en intervenant à la demande du professeur ou en sollicitant des éclairages ou explications si nécessaire
2) Préparer et organiser son travail de manière autonome	• Prendre des notes, faire des fiches de révision, mémoriser les cours (plans, notions et idées clés, faits essentiels, repères chronologiques et spatiaux, documents patrimoniaux)
	• Mener à bien une recherche individuelle ou au sein d'un groupe; prendre part à une production collective
	• Utiliser le manuel comme outil de lecture complémentaire du cours, pour préparer le cours ou en approfondir des aspects.

REGARDS HISTORIQUES SUR LE MONDE ACTUEL

Introduction

Le programme de terminale des séries ES et L se situe dans la continuité de ceux de seconde et de première. Il en reprend l'organisation thématique déclinée en questions, elles-mêmes abordées à partir d'études précises. Il permet d'acquérir des connaissances et d'approfondir des capacités et des méthodes acquises lors des deux années précédentes, en accordant une grande place à l'organisation du travail autonome et au travail critique sur les sources. Parmi ces dernières, les productions artistiques doivent faire l'objet d'une attention particulière, conformément aux objectifs de l'enseignement de l'histoire des arts.

Ce programme, qui offre l'opportunité de développer une réflexion historique et d'appréhender les démarches de la discipline, est ainsi de nature à préparer les élèves aux exigences de l'enseignement supérieur en leur permettant d'approfondir leur réflexion historique et d'appréhender les démarches de la discipline.

Le fil conducteur du programme

Le programme propose un éclairage des enjeux majeurs du monde actuel à partir du regard spécifique de l'historien. Afin de faire comprendre d'emblée ce qui caractérise ce regard, le premier thème est consacré à une réflexion sur la discipline, montrant ce qui différencie l'histoire d'autres rapports des sociétés à leur passé, le rapport patrimonial et le rapport mémoriel, et mettant en évidence la démarche critique de l'historien et ses outils. Les trois thèmes suivants (« Idéologies, opinions et croyances en Europe et aux États-Unis de la fin du XIXe siècle à nos jours », « Puissances et tensions dans le monde de la fin de la Première Guerre mondiale à nos jours », « Les échelles de gouvernement dans le monde de la fin de la Seconde Guerre mondiale à nos jours ») ont été choisis de façon à ce que soient abordés des sujets essentiels à la compréhension du monde actuel, en faisant appel à des temporalités différentes adaptées à chacun des thèmes.

Pour traiter le programme

Les quatre thèmes sont déclinés en dix questions dont la mise en œuvre se fait à partir d'études reliées aux problématiques des thèmes et des questions. Loin de constituer une juxtaposition d'objets singuliers, ces études, choisies en fonction de leur pertinence pour faire comprendre une période et/ou un phénomène historique, doivent être sous-tendues par une problématique et impliquent une mise en perspective par rapport à la question traitée.

Le professeur exerce pleinement sa liberté et sa responsabilité pédagogiques. Il a la possibilité de construire son propre itinéraire en traitant les thèmes dans un ordre différent de celui de leur présentation, à l'exclusion du thème 1 qui doit ouvrir obligatoirement la mise en œuvre du programme. À l'intérieur de chaque thème, les questions peuvent être traitées dans un ordre différent.

PROGRAMME OFFICIEL

Regards historiques sur le monde actuel

THÈME 1 LE RAPPORT DES SOCIÉTÉS À LEUR PASSÉ
(9-10 HEURES)

QUESTIONS	MISE EN ŒUVRE
Le patrimoine: lecture historique	● **Une étude au choix parmi les trois suivantes:** - le centre historique de Rome; - la vieille ville de Jérusalem; - le centre historique de Paris.
Les mémoires: lecture historique	● **Une étude au choix parmi les deux suivantes:** - l'historien et les mémoires de la Seconde Guerre mondiale en France; - l'historien et les mémoires de la guerre d'Algérie.

THÈME 2 IDÉOLOGIES, OPINIONS ET CROYANCES EN EUROPE
ET AUX ÉTATS-UNIS DE LA FIN DU XIXᵉ SIÈCLE À NOS JOURS
(15-17 HEURES)

QUESTIONS	MISE EN ŒUVRE
Socialisme et mouvement ouvrier	Socialisme, communisme et syndicalisme en Allemagne depuis 1875.
Médias et opinion publique	Médias et opinion publique dans les grandes crises politiques en France depuis l'affaire Dreyfus.
Religion et société	Religion et société aux États-Unis depuis les années 1890.

THÈME 3 PUISSANCES ET TENSIONS DANS LE MONDE
DE LA FIN DE LA PREMIÈRE GUERRE MONDIALE À NOS JOURS
(17-18 HEURES)

QUESTIONS	MISE EN ŒUVRE
Les chemins de la puissance	● Les États-Unis et le monde depuis les «14 points» du Président Wilson (1918). ● La Chine et le monde depuis le «mouvement du 4 mai 1919».
Un foyer de conflits	Le Proche et le Moyen-Orient, un foyer de conflits depuis la fin de la Première Guerre mondiale.

THÈME 4 LES ÉCHELLES DE GOUVERNEMENT DANS LE MONDE
DE LA FIN DE LA SECONDE GUERRE MONDIALE À NOS JOURS
(16-17 HEURES)

QUESTIONS	MISE EN ŒUVRE
L'échelle de l'État-nation	Gouverner la France depuis 1946: État, gouvernement et administration. Héritages et évolutions.
L'échelle continentale	Le projet d'une Europe politique depuis le congrès de La Haye (1948).
L'échelle mondiale	La gouvernance économique mondiale depuis 1944.

En histoire, comme en géographie, le programme est conçu pour être traité dans un horaire annuel de 57 à 62 heures.

B.O. du 6 octobre 2011

Épreuve écrite

**Durée 4 heures, coefficient 5 (série ES)
et coefficient 4 (série L)**

L'épreuve écrite d'histoire-géographie porte sur le programme de la classe de terminale des séries ES et L. Les modalités de l'épreuve sont communes à ces deux séries.

Objectifs de l'épreuve

L'épreuve a pour objectif d'évaluer l'aptitude du candidat à :

• mobiliser, au service d'une réflexion historique et géographique, des connaissances fondamentales pour la compréhension du monde et la formation civique et culturelle du citoyen ;

• rédiger des réponses construites et argumentées, montrant une maîtrise correcte de la langue ;

• exploiter, organiser et confronter des informations ;

• analyser des documents de sources et de natures diverses et à en faire une étude critique ;

• comprendre, interpréter et pratiquer différents langages graphiques.

Structure de l'épreuve

L'épreuve est composée de deux parties.

Sa durée totale est de quatre heures dont l'utilisation est laissée à la liberté du candidat, même s'il lui est conseillé de consacrer environ deux heures et demie à la première partie. Dans la première partie, le candidat rédige une composition en réponse à un sujet d'histoire ou de géographie.

La deuxième partie se compose d'un exercice portant sur la discipline qui ne fait pas l'objet de la composition :

• en histoire, une étude critique d'un ou de deux document(s) ;

• en géographie, soit une étude critique d'un ou de deux docu-ment(s), soit une production graphique (réalisation d'un croquis ou d'un schéma d'organisation spatiale d'un territoire).

Nature des exercices

1. La composition

Le candidat traite un sujet au choix parmi deux proposés dans la même discipline.

Pour traiter le sujet choisi, en histoire comme en géographie :

• il montre qu'il sait analyser un sujet, qu'il maîtrise les connaissances nécessaires et qu'il sait les organiser ;

• il rédige un texte comportant une introduction (dégageant les enjeux du sujet et comportant une problématique), plusieurs parties structurées et une conclusion ;

• il peut y intégrer une (ou des) productions(s) graphique(s).

Le libellé du sujet peut prendre des formes diverses : reprise partielle ou totale d'intitulés du programme, question ou affirmation ; la problématique peut être explicite ou non.

2. L'étude critique de document(s) ou production graphique (réalisation d'un croquis ou d'un schéma d'organisation spatiale d'un territoire)

L'exercice d'étude critique de document(s) [...] comporte un titre, un ou deux document(s) et, si nécessaire, des notes explicatives. Il est accompagné d'une consigne visant à orienter le travail du candidat. [...] Cette étude doit permettre au candidat de rendre compte du contenu du ou des document(s) proposé(s) et d'en dégager ce qu'il(s) apporte (nt) à la compréhension des situations, des phénomènes ou des processus historiques évoqués.

Le candidat doit mettre en œuvre les démarches de l'étude de document en histoire :

• en dégageant le sens général du ou des document(s) en relation avec la question historique à laquelle il(s) se rapporte (nt) ;

• en montrant l'intérêt et les limites éventuelles du ou des document(s) pour la compréhension de cette question historique et en prenant la distance critique nécessaire ;

• en montrant, le cas échéant, l'intérêt de la confrontation des documents.

[...]

Évaluation et notation

L'évaluation de la copie du candidat est globale et doit utiliser tout l'éventail des notes de 0 à 20.

À titre indicatif, la première partie peut compter pour 12 points et la deuxième partie pour 8 points. [...]

Épreuve orale de contrôle

Durée : 20 minutes
Temps de préparation : 20 minutes

L'épreuve porte à la fois sur le programme d'histoire et sur celui de géographie de la classe de terminale. Le candidat tire au sort un sujet. Chaque sujet comporte une question d'histoire et une question de géographie.

Les questions du sujet portent sur des thèmes majeurs ou ensembles géographiques du programme. L'une des questions (histoire ou géographie) est accompagnée d'un document. L'évaluation des réponses de chaque candidat est globale et doit utiliser tout l'éventail des notes de 0 à 20. L'examinateur évalue la maîtrise des connaissances, la clarté de l'exposition et la capacité à tirer parti d'un document. Le questionnement qui suit l'exposé peut déborder le cadre strict des sujets proposés et porter sur la compréhension d'ensemble des questions étudiées.

LA COMPOSITION

La première partie de l'épreuve du baccalauréat consiste à rédiger une composition. Il s'agit de construire une réponse approfondie et organisée à un sujet (choisi parmi deux au choix) et de montrer une bonne maîtrise des connaissances acquises au cours de l'année. La formulation du sujet peut être sous la forme affirmative ou interrogative, reprendre tout ou partie d'un intitulé du programme, et avoir une problématique explicite ou non.

DURÉE DE L'EXERCICE	2 h 30
A Comprendre, délimiter et problématiser le sujet	15 mn
B Choisir et élaborer le plan	20 mn
C Rédiger le devoir	1 h 50
D Relire le devoir	5 mn

A Comprendre, délimiter et problématiser le sujet — 15 mn

1. Bien comprendre le sujet →MÉTHODE p. 77 : identifier la partie du programme concernée et bien interpréter ce qui est attendu.

- Tenir compte de l'ordre des termes, qui traduit souvent une hiérarchie au profit du premier : « Les médias et l'opinion publique » n'est pas le même sujet que « L'opinion publique et les médias ».
- Faire attention aux mots de liaison, qui orientent l'interprétation du sujet : « et » peut impliquer une comparaison, une mise en relation ou bien une mise en opposition.
- Distinguer les termes au singulier, qui invitent à étudier l'unité ou la permanence d'un phénomène, des termes au pluriel, qui invitent à aborder plutôt la spécificité de chaque élément.

2. Délimiter le sujet →MÉTHODE p. 125 : éviter de n'en traiter qu'une partie ou de faire un hors-sujet.

- Identifier tout ce que concerne le sujet (« Quoi ? »).
- Délimiter géographiquement le sujet (« Où ? »).
- Délimiter chronologiquement le sujet (« Quand ? »).

3. Problématiser le sujet →MÉTHODE p. 183 : bien en comprendre les enjeux (méthode p. 155).

- Il faut tenir compte du type de sujet, qui détermine souvent le type de problématique. →AIDE pour formuler une problématique

AIDE POUR FORMULER UNE PROBLÉMATIQUE	
Type de sujet	**Comment problématiser ?**
Sujet évolutif (diachronique), qui porte sur l'évolution d'un phénomène dans la durée.	S'interroger sur ce qui conduit de la situation historique de départ à celle qui prévaut à la fin de la période.
Sujet tableau ou comparatif (synchronique), qui concerne un thème à un moment donné, indépendamment de son évolution.	S'interroger sur la spécificité du thème abordé, en soi ou au titre d'une comparaison.
Sujet problématisé, souvent formulé sous forme de question.	Expliquer le sens de la question et justifier le fait qu'elle se pose.

B Choisir et élaborer le plan — 20 mn

1. Travail préparatoire au brouillon →MÉTHODE p. 211 : construire un plan organisé permettant de répondre au sujet.

- Choisir un type de plan adapté au sujet.
→ AIDE pour choisir un type de plan adapté au sujet

2. Mobiliser ses connaissances pour structurer le plan →MÉTHODE p. 247 : dégager l'idée principale structurant chaque partie.

- Associer une partie à chaque idée directrice permettant de répondre au sujet, et articuler les parties par des liens logiques.

3. Bâtir un plan détaillé →MÉTHODE p. 277 : structurer et organiser le plan.

- Identifier les idées qui viennent appuyer l'idée directrice de chaque partie.
- Associer à chaque idée des arguments et des exemples précis.

LES ÉCUEILS À ÉVITER
→ **Le hors-sujet** : une analyse trop rapide ou trop superficielle du sujet peut conduire à un hors-sujet complet ou partiel.
→ **La récitation du cours** : réciter son cours en cherchant à plaquer ses connaissances peut conduire au hors-sujet ou à oublier un aspect important de la question posée.
→ **La description ou le récit** : décrire ou raconter conduit souvent à négliger la réflexion, l'analyse. Il faut soigner l'argumentation et la structure du devoir.

AIDE POUR CHOISIR UN TYPE DE PLAN ADAPTÉ AU SUJET	
Type de sujet	Type de plan
Sujet diachronique: « Affirmation et contestation de la puissance américaine (1918-2011) » (p. 246). « La Chine, de la dépendance à l'affirmation d'une puissance mondiale au xxᵉ siècle » (p. 276).	**Plan chronologique,** adapté pour suivre une évolution. Le plan est découpé en périodes, à partir d'une ou de deux dates importantes qui séparent les parties: les césures.
Sujet synchronique: • Les sujets tableau invitent à faire un point exhaustif sur une question à un moment précis (« L'année 1968 dans le monde »); • Les sujets bilan demandent d'aborder les conséquences d'un événement (« L'Europe au lendemain de la Seconde Guerre mondiale »); • Les sujets comparatifs invitent à rechercher des points communs et des différences entre deux objets (« Le syndicalisme en Allemagne de l'Ouest et en Allemagne de l'Est pendant la Guerre froide »); • Le sujet analytique porte sur un événement ou un fait majeur dont il faut analyser les causes, les manifestations et les conséquences (« Les mutations de la gouvernance économique mondiale depuis 1944 », p 390).	**Plan thématique,** adapté pour mettre en évidence les aspects essentiels d'une période ou les éléments d'une comparaison. Il vise à organiser la réponse au sujet autour de quelques grandes idées, articulées de façon cohérente. L'ordre des parties doit permettre de répondre de façon organisée au sujet et à la problématique.
Sujet problématisé: • libellé sous la forme de question, il renvoie directement à des enjeux historiques (« Quel impact ont eu les grandes crises du xxᵉ siècle sur le socialisme, le communisme et le syndicalisme en Allemagne ? », p. 154).	**Plan chronologico-thématique,** qui allie une approche thématique, en dégageant les aspects essentiels, et une structure chronologique, en mettant en évidence les grandes césures chronologiques.

C Rédiger le devoir et D se relire   1h55

1. Rédiger l'introduction →MÉTHODE p. 309: en reprenant les éléments de la première étape dans trois courts paragraphes (présentation du sujet, problématique, annonce du plan).

- Présenter le sujet en débutant par une citation ou l'évocation d'un événement précis plutôt que par un propos général.
- Montrer que l'on a compris le sujet, en définissant ses éléments les plus importants, de façon concise et sans entrer dans le détail.
- Susciter l'intérêt du correcteur en insistant sur les enjeux du sujet par la problématique puis en lui montrant, par l'annonce du plan, la qualité de la réponse qui y sera apportée.

2. Rédiger le développement →MÉTHODE p. 341 et 367, en suivant le plan annoncé, en étayant l'argumentation par des exemples et en soignant la présentation du devoir. **→ AIDE** pour bien présenter le devoir

- Formuler une démonstration, c'est-à-dire une réponse argumentée, et non un simple récit ou une description.
- Donner des exemples précis à l'appui de chaque argument (pas d'idée sans exemple, pas d'exemple sans idée).
- Être précis et synthétique, en employant avec concision et sans être allusif les notions et concepts acquis pendant l'année.
- Y intégrer éventuellement une ou des productions graphiques.
  AIDE pour intégrer un schéma ou un croquis

3. Rédiger la conclusion →MÉTHODE p. 391, en présentant un bilan de la démonstration puis une ouverture.

- Montrer que l'on a répondu au sujet en reformulant les points essentiels de la démonstration.
- Montrer sa capacité de réflexion en concluant sur les perspectives qui s'ouvrent à la fin de la composition.

4. Se relire

- Prendre le temps de bien relire sa copie à la recherche d'imprécisions ou de fautes.

AIDE POUR BIEN PRÉSENTER LE DEVOIR	
Objectifs	Comment s'y prendre ?
Aérer le devoir	Organiser le devoir en plusieurs parties espacées les unes des autres et subdivisées en courts paragraphes identifiés par un retrait.
Soigner le style	Employer le présent de l'indicatif, faire des phrases simples et courtes, éviter les figures de style et toute forme personnelle.
Ne pas bâcler l'introduction	La rédiger entièrement au brouillon avant de rédiger le devoir.
Se relire	Consacrer les dernières minutes de l'épreuve à une relecture du devoir à la recherche de fautes ou d'erreurs éventuelles.

AIDE POUR INTÉGRER UN SCHÉMA OU UN CROQUIS	
Type de production graphique (à accompagner d'une légende et d'un titre)	Type d'utilisations
Croquis (présentation exacte des contours d'un objet)	Approprié pour illustrer des sujets portant sur le patrimoine d'une ville (croquis du centre historique de Paris, Rome ou Jérusalem)
Schéma (représentation simplifiée des caractères essentiels d'un objet)	Approprié pour illustrer des sujets se rapportant aux échelles de gouvernement (schémas constitutionnels ou institutionnels).

L'ÉTUDE CRITIQUE DE DOCUMENT(S)

Cet exercice de la deuxième partie de l'épreuve du baccalauréat consiste à analyser le contenu du ou des document(s) proposé(s), qui peuvent être de nature diverse, en mobilisant les connaissances et les capacités acquises tout au long de l'année. Le sujet est accompagné d'une consigne permettant de guider l'analyse et parfois de notes explicatives.

DURÉE DE L'EXERCICE	1h30
A Analyser le sujet	10 mn
B Lire et analyser des documents	30 mn
C Rédiger de la réponse au sujet	45 mn
d Se relire	5 mn

A Analyser le sujet — 10 mn

1. Étudier le titre et la consigne du sujet pour identifier les notions et concepts en jeu, les thèmes du programme qui sont abordés.

- Prendre le temps de bien lire le sujet, pour repérer les mots importants, les notions et les concepts abordés.
- Identifier les idées directrices et les thèmes du programme auxquels il se rapporte.
- Situer le(s) document(s) dans son (leur) contexte historique et géographique.
  - → **AIDE** pour bien comprendre le sujet

2. Identifier le(s) document(s) pour en déterminer l'auteur, la nature et le contexte.

- Identifier l'auteur du document, afin de le présenter, s'il est connu, ou de le replacer dans son contexte s'il ne l'est pas.
- Identifier précisément le type de document proposé pour l'interpréter de manière critique en fonction de sa nature.
  - → **AIDE** pour identifier le type d'image ou le type de texte
- Identifier le contexte du document, c'est-à-dire la période à laquelle il a été produit et celle qu'il décrit, qui ne coïncident pas toujours.

AIDE POUR BIEN COMPRENDRE LE SUJET

1. Lire attentivement le titre général, qui renvoie très souvent à des concepts, des questions ou des événements abordés en classe.

2. Bien étudier la consigne, pour identifier quelles capacités et méthodes devront être mobilisées et dans quel but.

3. Identifier les connaissances à mobiliser en lisant avec attention le titre et les informations qui accompagnent le(s) document(s).

AIDE POUR IDENTIFIER LE TYPE D'IMAGE

Œuvres d'art	Peinture (Méthode p. 153), sculpture, vitraux, tapisserie, etc.
Illustrations manuscrites	Dessin, estampe, enluminure, etc.
Illustrations imprimées	Gravure, lithographie, dessin de presse, « une » de journal (Méthode p. 181), bande-dessinée, caricature (Méthode p. 365), photographie, affiche (Méthode p. 275), poster, carte postale, tract.
Images animées	Films, vidéos.
Images construites	Graphique, document statistique (Méthode p. 389), carte (Méthode p. 307), plan.

AIDE POUR IDENTIFIER LE TYPE DE TEXTE

Textes religieux	Bible, Coran, encycliques, etc.
Textes juridiques (Méthode p. 245)	Constitutions, lois, ordonnances, résolutions, décrets, codes, règlements, chartes, conventions, pactes et traités diplomatiques, etc.
Textes administratifs	Instructions, circulaires, rapports, comptes rendus, courriers administratifs, etc.
Textes didactiques	Essais ou pamphlets philosophiques, textes polémiques, religieux, économiques, scientifiques, etc.
Textes littéraires	Romans, poésies, comédies, tragédies, contes, légendes, etc.
Textes journalistiques	Articles de journaux (Méthode p. 209), Unes de journaux (Méthode p. 181).
Témoignages	Documents privés non destinés à la publication (journaux intimes, correspondance privée, etc.) ou documents écrits pour être lus de tous (témoignages, mémoires, autobiographie, etc.)
Textes politiques	Affiches, discours (Méthode p. 339), professions de foi électorales

1. Lire attentivement le(s) document(s) pour y prélever les informations essentielles.

- Identifier les espaces, les événements, les acteurs concernés à présenter et à expliquer.
- Identifier les notions ou concepts à définir.
- Repérer les points de vue idéologiques ou politiques à caractériser.

2. Comprendre le contenu et l'apport du (des) document(s) en les lisant attentivement et en mobilisant vos connaissances et des capacités et méthodes adaptées.

→ CAPACITÉS à mobiliser pour réussir l'épreuve

- Dégager le sens général.
- Mettre en relation le(s) document(s) avec la question historique à laquelle il(s) se rapporte(nt).
- Mobiliser ses connaissances pour expliquer le(s) document(s).
- Prélever et confronter les informations du (des) document(s) et les hiérarchiser.
- Lorsque deux documents sont proposés, mettre en relation les deux documents.

3. Comprendre la portée du (des) document(s), c'est-à-dire leur intérêt pour la compréhension des phénomènes historiques étudiés.

- Critiquer le(s) document(s).
- Montrer l'apport et les limites du (des) document(s) pour la compréhension de la question étudiée. **→ AIDE** pour critiquer un document

---

CAPACITÉS À MOBILISER POUR RÉUSSIR L'ÉPREUVE

Dégager le sens général du ou des documents: bien identifier chaque document, repérer les idées principales et les replacer dans leur contexte, les mettre en rapport avec la question historique abordée.

Montrer le cas échéant l'intérêt de la confrontation des documents: lorsqu'il y a deux documents, les identifier et les analyser séparément puis les mettre en relation pour les comparer ou les opposer et en déduire leur apport respectif à la question traitée.

Montrer l'intérêt et les limites du ou des documents: prélever et confronter les informations contenues dans le ou les document(s), en tenant compte de la spécificité de chaque document et en prenant la distance critique nécessaire, puis dégager la portée du ou des documents.

AIDE POUR CRITIQUER UN DOCUMENT

Questionner le document: s'interroger sur la sincérité de l'auteur et la fiabilité des informations qu'il rapporte, sur le caractère éventuellement subjectif, polémique ou engagé du document, en fonction de sa nature.

Critiquer les informations du document: prendre du recul par rapport aux informations et montrer, le cas échéant, quels faits ou quels arguments peuvent leur être opposés, tout en identifiant les incohérences ou omissions éventuelles du document.

---

1. Organiser la réponse

- Construire la réponse au sujet en suivant les indications fournies par la consigne, qui donnent souvent des pistes pour le plan.

2. Rédiger une courte introduction

- Écrire quelques phrases qui exposent les enjeux du sujet et présentent les documents.

3. Rédiger le développement

- Rédiger de courts paragraphes reprenant les idées directrices du sujet et les appuyant par des faits précis, des références au(x) document(s), éventuellement de courtes citations.

4. Rédiger la conclusion

- Très courte, elle doit permettre de dégager la portée et les limites des documents par rapport au sujet.

5. Se relire

- Prendre le temps de relire sa copie à la recherches de fautes éventuelles.

LES ÉCUEILS À ÉVITER

→ **L'absence de mise en relation des documents:** lorsqu'il y a deux documents, la réponse au sujet ne doit pas suivre l'ordre des documents mais correspondre à une réponse structurée au sujet.

→ **La paraphrase:** paraphraser consiste à redire, même sous une autre forme, ce que le document dit déjà, sans l'expliquer ni l'éclairer. Pour éviter la paraphrase, il faut soigneusement expliquer les informations contenues dans le(s) document(s).

→ **La dissertation:** disserter consiste ici à ne pas analyser les documents mais à s'en servir comme prétexte pour réciter des connaissances. Pour éviter la dissertation, il suffit de se référer régulièrement au(x) document(s).

LE RAPPORT DES SOCIÉTÉS À LEUR PASSÉ

Le passé exerce sur les sociétés contemporaines une fascination qui se lit dans la place qu'occupent le patrimoine et la mémoire dans l'espace public. La lecture du passé est, en effet, souvent déterminée par les émotions ou les enjeux du temps présent, ce qui conduit à attribuer une valeur sélective et subjective aux traces du passé. Le regard de l'historien est indispensable pour comprendre le passé, ainsi que pour décrypter les usages contemporains de l'histoire et de la mémoire. L'histoire, en effet, se veut objective, et vise à établir la vérité des faits, mais est elle-même tributaire de l'évolution des sociétés.

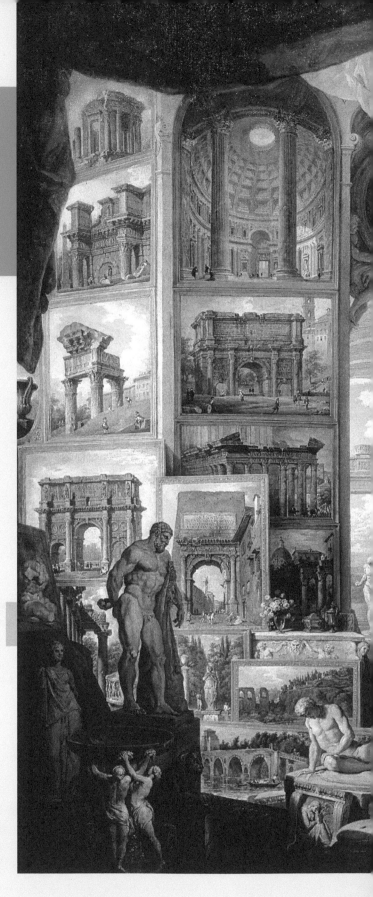

Giovanni Paolo Pannini (1691-1765), *Galerie de vues de la Rome antique*, huile sur toile (2,31m x 3,03m), 1758. Paris, musée du Louvre.
En 1758, le peintre Giovanni Paolo Pannini réalise, à la demande de l'ancien ambassadeur à Rome du roi Louis XV, un tableau présentant des vues imaginaires de monuments de la Rome antique.

1945
Fin de la Seconde Guerre mondiale

1962
Fin de la guerre d'Algérie

1972
L'Unesco crée l'inventaire du patrimoine mondial

1980 **1981**

1991

1995

1999

Inscription du centre
historique de Rome
au patrimoine de l'Unesco

Inscription de la vieille ville
de Jérusalem au patrimoine
de l'Unesco

Inscription de Paris
rives de la Seine
au patrimoine
de l'Unesco

Reconnaissance de la responsabilité
de l'État dans la déportation des juifs
pendant la Seconde Guerre mondiale

Reconnaissance
légale de la
guerre d'Algérie

L'historien et le patrimoine

Qu'est-ce que l'histoire ?

Depuis l'Antiquité, les historiens se consacrent à établir et à faire le récit des faits du passé. En intitulant, au Vᵉ siècle avant notre ère, son œuvre *Historia*, c'est-à-dire « enquête » en grec, Hérodote*, « père » de l'histoire, identifie la démarche des historiens à la recherche de la vérité. Toutefois, les historiens reconstruisent un objet, le fait historique, qui n'existe plus, et doivent donc s'appuyer sur des outils et des démarches scientifiques et critiques pour tendre vers l'objectivité. Depuis le XIXᵉ siècle, l'histoire affirme sa volonté de scientificité, et le métier d'historien s'institutionnalise. Ainsi, l'écriture de l'histoire est-elle une reconstruction du passé, selon des règles et une éthique professionnelles précises, propres aux historiens de métier.

Jules Michelet et la résurrection du passé

Joseph Court, *Portrait de Jules Michelet*, huile sur toile (179 x 127 cm), 1884. Paris, musée Carnavalet.
Jules Michelet* (1798-1874), historien romantique, est considéré comme l'un des pères de l'histoire contemporaine. Il définit sa démarche comme une « résurrection du passé » et s'appuie sur une masse considérable d'archives.

Comment travaille l'historien ?

L'historien écrit l'histoire en s'appuyant sur un ensemble de traces laissées par l'homme, les sources historiques. Il s'agit le plus souvent de documents ou d'objets conservés dans des lieux voués à la recherche : en particulier les archives, qui rassemblent des documents conservés et classés à des fins historiques, les bibliothèques, qui mettent à disposition des livres et des périodiques, ou les musées, qui conservent des collections présentant un intérêt historique ou artistique. Même en l'absence de documents, l'historien travaille à partir de traces, parfois infimes, du passé. La méthode critique des historiens repose essentiellement sur une critique externe des sources, qui vise à déterminer si un document à évaluer l'exactitude et la signification du document. Cette méthode permet de dégager l'intérêt des documents, qu'ils soient ou non authentiques et que leur auteur soit ou non sincère.

Une connaissance par traces

Historien spécialiste du Moyen Âge, fondateur avec Lucien Febvre de l'école des Annales, Marc Bloch* (1886-1944) se penche à la fin de sa vie sur le métier d'historien.*

« Les faits qu'il étudie, l'historien, nous dit-on, est, par définition, dans l'impossibilité absolue de les constater lui-même. Aucun égyptologue n'a vu Ramsès [...]. Des âges qui nous ont précédés, nous ne saurions donc parler que d'après témoins. Nous sommes, à leur égard, dans la situation du juge d'instruction qui s'efforce de reconstituer un crime auquel il n'a point assisté [...]. En un mot, par contraste avec la reconnaissance du présent, celle du passé serait nécessairement "indirecte". Qu'il y ait dans ces remarques une part de vérité, nul ne songera à le nier. Elles demandent, cependant, à être sensiblement nuancées. [...]. Toute connaissance de l'humanité [...] puisera toujours dans les témoignages d'autrui une grande part de sa substance. [...] Or, beaucoup d'autres vestiges du passé nous offrent un accès également tout de plain-pied. Tel est le cas, dans leur presque totalité, de l'immense masse des témoignages non écrits [...]. Pour premier caractère, la connaissance de tous les faits humains dans le passé, de la plupart d'entre eux dans le présent, a d'être une connaissance par traces. »

Marc Bloch, *Apologie pour l'histoire ou le métier d'historien*, Armand Colin, 1997.

Qu'est-ce que le patrimoine ?

Le patrimoine* désigne étymologiquement l'ensemble des biens hérités du père (*patrimonium*), et conservés pour être transmis aux descendants. Par analogie, il représente l'héritage commun, légué à une collectivité humaine par les générations précédentes. À l'origine essentiellement assimilé à ce qui était conservé pour sa valeur matérielle ou culturelle (monuments, œuvres d'art, musées, archives), le patrimoine, depuis les années 1970, voit son champ s'étendre à de nouveaux objets, tant matériels (architecture contemporaine, paysages) qu'immatériels (traditions, modes de vie, dialectes).

La préservation du patrimoine est, depuis l'Antiquité, le fait des générations successives, qui agissent en fonction des priorités de chaque époque. En France, une Inspection des monuments historiques, chargée de leur recensement et de leur protection, existe depuis 1830. À l'échelle mondiale, l'UNESCO* (Organisation des Nations unies pour l'éducation, la science et la culture), inventorie depuis 1972 le Patrimoine mondial.

Une notion toute récente

Un historien de l'art et un archiviste proposent, en 1980, la première définition moderne de la notion de patrimoine.

« Le patrimoine, au sens où l'on l'entend aujourd'hui dans le langage officiel et dans l'usage commun, est une notion toute récente, qui couvre de façon nécessairement vague tous les biens, tous les "trésors" du passé. En fait, cette notion comporte un certain nombre de couches superposées qu'il peut être utile de distinguer. Car elle intervient au terme d'une longue et chaotique histoire [...] de la sensibilité [...] au passé. [...] Dans toute société, dès la préhistoire [...], le sens du sacré intervient en invitant à traiter certains objets, certains lieux, certains biens matériels, comme échappant à la loi de l'utilité immédiate. L'existence des lares[1] familiaux, celle du palladium[2] de la cité doivent probablement être replacées à l'origine ou au fond du problème du patrimoine. Il faut en rapprocher le sort de certains objets usuels, armes et bijoux, et même d'édifices, qui, pour des raisons diverses, ont échappé à l'obsolescence et à la destruction fatale pour se voir doter d'un prestige particulier, susciter un attachement passionné, voire un véritable culte. »

Jean-Pierre Babelon, André Chastel, *La notion de patrimoine*, Liana Levi, 1994.

1. Divinités antiques et, par analogie, les objets de culte qui s'y rapportent.
2. Statue d'Athéna et, par extension, objet considéré comme protecteur.

Qu'apporte l'étude des monuments ?

Le patrimoine dans l'art

G. M. Griffoni, d'après G. P. Pannini, *L'Archéologue*, huile sur toile (détail), XVIIIᵉ siècle. Marseille, musée des Beaux-Arts.
Au XVIIIᵉ siècle, l'intérêt pour le patrimoine se traduit en art par de nombreux «caprices», libres adaptations de la réalité qui visent à sublimer les ruines antiques.

Les monuments sont des ouvrages d'architecture ou de sculpture destinés à perpétuer la mémoire de quelqu'un ou de quelque chose (monuments commémoratifs) ou dotés d'une valeur religieuse ou symbolique. Les historiens s'appuient sur l'archéologie*, la science des monuments anciens, et sur l'épigraphie, la science qui a pour objet l'étude des inscriptions, pour dégager l'intérêt historique de ces traces des civilisations anciennes. Les monuments constituent des témoignages matériels d'une époque passée, qui peut être celle de leur construction ou celle de leur restauration. Leur valeur symbolique au fil du temps apprend en effet beaucoup à l'historien sur les croyances et les mentalités d'une époque donnée, aussi bien que sur les techniques de construction ou de restauration dont les sociétés passées disposaient.

Le patrimoine de la vieille ville de Jérusalem : lecture historique

Les sociétés actuelles donnent une place centrale au patrimoine. L'historien étudie la façon dont celui-ci se construit, en particulier dans des lieux très symboliques comme la vieille ville de Jérusalem qui concentre des lieux saints pour les trois grandes religions monothéistes.

Comment le patrimoine de la vieille ville de Jérusalem nous renseigne-t-il sur le rapport des sociétés avec leur passé ?

1 **L'enchevêtrement des patrimoines religieux**

Vue de la vieille ville de Jérusalem.
Le patrimoine de Jérusalem est un mélange complexe d'héritages très divers, qui attirent pèlerins et touristes du monde entier.
On distingue ici au premier plan la muraille et la Citadelle et, au second plan, le Mur occidental ①, la basilique du Saint-Sépulcre ② et l'esplanade des Mosquées, avec le dôme du Rocher ③.

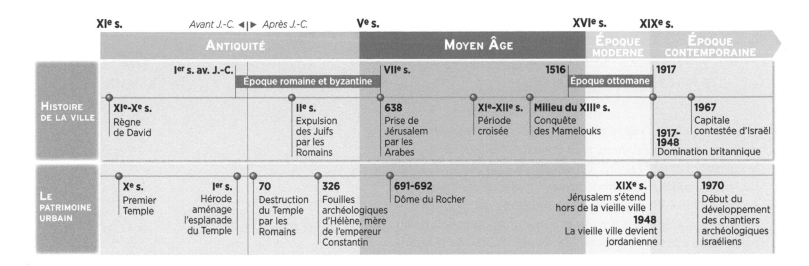

		XIe s.		Avant J.-C. ◀▕▶ Après J.-C.		Ve s.			XVIe s.	XIXe s.	

	ANTIQUITÉ			MOYEN ÂGE		ÉPOQUE MODERNE	ÉPOQUE CONTEMPORAINE

	Ier s. av. J.-C.		VIIe s.		1516		1917	
		Époque romaine et byzantine				Époque ottomane		

HISTOIRE DE LA VILLE	**XIe-Xe s.** Règne de David	**IIe s.** Expulsion des Juifs par les Romains	**638** Prise de Jérusalem par les Arabes	**XIe-XIIe s.** Période croisée	**Milieu du XIIIe s.** Conquête des Mamelouks	**1917-1948** Domination britannique	**1967** Capitale contestée d'Israël

LE PATRIMOINE URBAIN	**Xe s.** Premier Temple	**Ier s.** Hérode aménage l'esplanade du Temple	**70** Destruction du Temple par les Romains	**326** Fouilles archéologiques d'Hélène, mère de l'empereur Constantin	**691-692** Dôme du Rocher	**XIXe s.** Jérusalem s'étend hors de la vieille ville / **1948** La vieille ville devient jordanienne	**1970** Début du développement des chantiers archéologiques israéliens

2 **Une redécouverte permanente du patrimoine de Jérusalem**

Photographie des fouilles de la piscine de Bethesda, au Nord-Est de la vieille ville.
Le passé multimillénaire de Jérusalem a toujours passionné mais,
au cours des derniers siècles, cet intérêt s'est fortement renforcé,
notamment à la faveur de découvertes archéologiques
que les historiens confrontent aux sources littéraires.

QUESTIONS

1. Quels éléments montrent l'ancienneté du patrimoine de Jérusalem ?

2. Comment cet héritage s'insère-t-il dans la ville moderne ?

Le patrimoine religieux de la vieille ville

Jérusalem, cité au passé plurimillénaire, est la ville sainte des trois grandes religions monothéistes : le judaïsme, le christianisme et l'islam. La vieille ville concentre, à l'intérieur de ses murailles, l'essentiel du patrimoine de Jérusalem. La coexistence de différents lieux religieux, souvent liés les uns aux autres, y est très ancienne, mais la cohabitation n'en est pas pour autant apaisée : le patrimoine de Jérusalem est au cœur de fortes tensions.

1 Le patrimoine chrétien

Entrée de la basilique du Saint-Sépulcre.
Fondée par l'empereur romain Constantin au IVe siècle, la basilique* a été édifiée à l'emplacement supposé de la crucifixion et de la mise au tombeau de Jésus. Détruite et endommagée à plusieurs reprises, sa forme actuelle est le fruit de nombreuses restaurations.

2 L'héritage juif

Le Mur occidental et le dôme du Rocher.
Construit à la suite des aménagements du roi Hérode* à partir de 20 av. J.-C., le Mur occidental est le seul reste de l'enceinte du Second Temple. Appelé « mur des Lamentations » dès le Moyen Âge par les chrétiens qui y voyaient des fidèles juifs pleurer la destruction du Temple, il est aujourd'hui le lieu le plus saint du judaïsme.

Limite de la vieille ville
(murailles de
Soliman, XVIe s.)

Porte
d'Hérode

Église
Sainte-Anne

Monastère
Sainte-Anne

Porte
St-Étienne
(Porte
des Lions)

Église de la
Condamnation

Église de la
Flagellation

Monastère
des Sœurs
de Sion

Via Dolorosa

Madrasa
al-Aqsa

Madrasa
al-Omariyya

Via Dolorosa

Mont du Temple/
Esplanade
des Mosquées

Porte
Dorée

Quartier
musulman

Dôme
du Rocher

Madrasa
al-Achrafiya

Mur occidental

Mosquée
Al-Aqsa

Quartier
juif

Synagogue
de la Hourva

Église
Sainte-Marie
des Allemands

Parc
archéologique
de l'Ophel

N

Synagogue
du Ramban

0   200 m

Quatre
synagogues
sépharades

Porte des
Immondices

uines de l'église
de la Néa

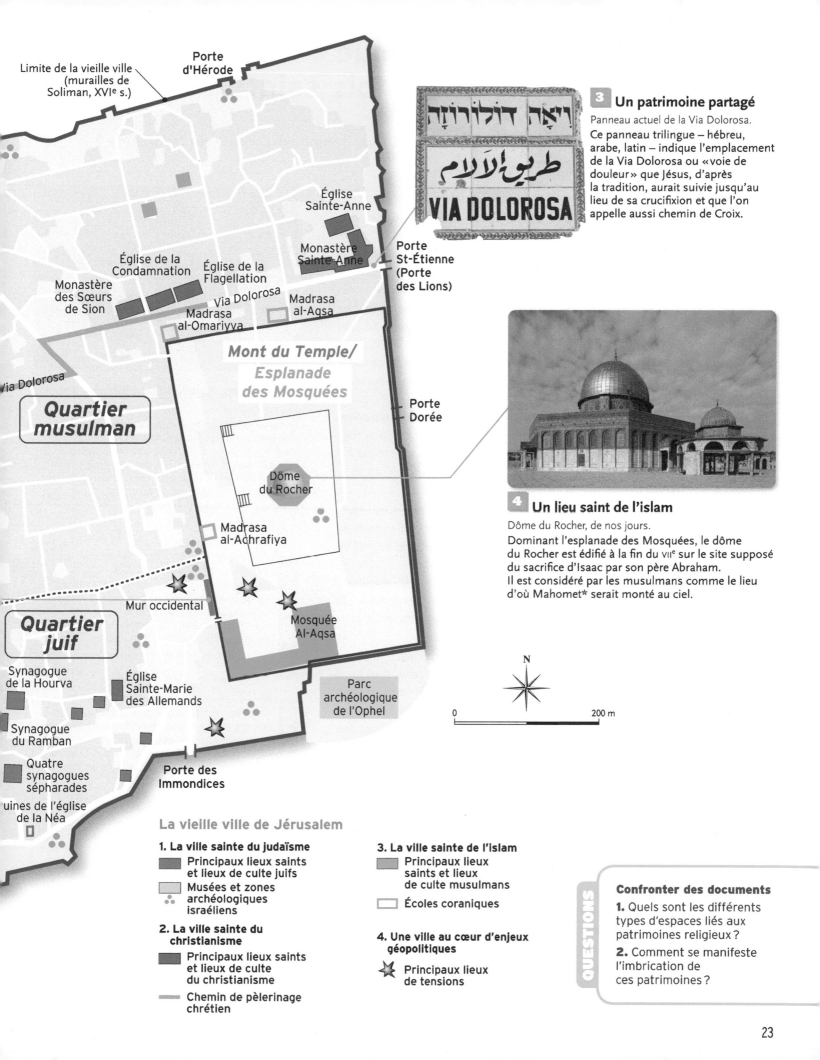

3 **Un patrimoine partagé**

Panneau actuel de la Via Dolorosa.

Ce panneau trilingue – hébreu,
arabe, latin – indique l'emplacement
de la Via Dolorosa ou «voie de
douleur» que Jésus, d'après
la tradition, aurait suivie jusqu'au
lieu de sa crucifixion et que l'on
appelle aussi chemin de Croix.

4 **Un lieu saint de l'islam**

Dôme du Rocher, de nos jours.

Dominant l'esplanade des Mosquées, le dôme
du Rocher est édifié à la fin du VIIe sur le site supposé
du sacrifice d'Isaac par son père Abraham.
Il est considéré par les musulmans comme le lieu
d'où Mahomet* serait monté au ciel.

La vieille ville de Jérusalem

1. La ville sainte du judaïsme

Principaux lieux saints
et lieux de culte juifs

Musées et zones
archéologiques
israéliens

2. La ville sainte du
christianisme

Principaux lieux saints
et lieux de culte
du christianisme

Chemin de pèlerinage
chrétien

3. La ville sainte de l'islam

Principaux lieux
saints et lieux
de culte musulmans

Écoles coraniques

4. Une ville au cœur d'enjeux
géopolitiques

Principaux lieux
de tensions

Confronter des documents

1. Quels sont les différents
types d'espaces liés aux
patrimoines religieux?

2. Comment se manifeste
l'imbrication de
ces patrimoines?

QUESTIONS

De la cité antique à la ville trois fois sainte

Quelles traces ont laissé l'Antiquité et le Moyen Âge dans l'urbanisme de Jérusalem ?

A. De la capitale juive à la cité romaine

● **La ville de Jérusalem existe au moins depuis le XIXᵉ siècle av. J.-C.** Selon la Bible, elle devient cité royale et capitale du royaume d'Israël vers le Xᵉ siècle av. J.-C. Le roi **Salomon** aurait alors fait édifier, dans la partie Est de l'actuelle vieille ville, le Premier **Temple**, détruit au VIᵉ siècle av. J.-C.

● **Les historiens et les archéologues disposent de peu de traces matérielles de ce passé**, car la ville a été plusieurs fois rasée, notamment par les Romains en 70 [doc. 2]. Parmi les monuments détruits figure le Second Temple, construit vers 515 av. J.-C. et embelli par le roi Hérode au Iᵉʳ siècle av. J.-C., qui y aménage une esplanade. Cependant, la mémoire de ce cœur de la vie religieuse et intellectuelle du judaïsme reste ensuite essentielle dans l'histoire et le patrimoine de la ville (voir p. 28).

● **Au IIᵉ siècle, les Romains expulsent les juifs de la ville et Jérusalem devient une cité romaine** de second rang. Le tracé géométrique de certaines rues actuelles, comme le cardo* [doc. 1], est un héritage de l'urbanisme romain.

B. Jérusalem et les chrétiens

● **Au Iᵉʳ siècle, la ville est le cadre des derniers jours de la vie de Jésus**, essentiels pour le christianisme. Le développement puis la reconnaissance de cette religion dans l'Empire romain au IVᵉ siècle constituent de ce fait un tournant pour la cité.

● Sous le premier empereur chrétien, Constantin (306-337), des fouilles y sont menées et on estime alors avoir découvert le lieu de la crucifixion : la cité accueille depuis cette époque de nombreux pèlerins (voir p. 30) venus prier en **Terre sainte**.

● **Le christianisme modifie et réorganise le paysage urbain** [doc. 3], détruisant les temples païens* et édifiant monastères et églises. Ces transformations se poursuivent sous l'Empire byzantin [doc. 4], héritier de l'Empire romain, qui contrôle la ville jusqu'aux conquêtes perse, puis arabe en 638. Les traces de cette période exploitables par les historiens ou les archéologues sont peu nombreuses du fait des destructions postérieures.

C. L'empreinte de l'époque médiévale

● **Du VIIᵉ au XVᵉ siècle, Jérusalem vit notamment sous la domination successive des Arabes, des croisés, puis des Mamelouks**, musulmans d'origine turque. Ces bouleversements politiques modifient l'urbanisme de la ville : des bâtiments changent de fonction, certains, comme la basilique du Saint-Sépulcre, sont plusieurs fois détruits puis reconstruits (voir p. 34).

● **La conquête arabe de la fin du VIIᵉ siècle s'accompagne d'une intense activité urbanistique**, notamment avec la construction du dôme du Rocher (691-692) : Jérusalem devient alors une ville sainte de l'islam.

● La domination des croisés, entre 1099 et 1187, ne marque Jérusalem que de manière ponctuelle mais lui donne une place importante dans l'imaginaire européen, avant que la ville ne soit conquise par **les Mamelouks, qui y laissent une empreinte surtout religieuse** [doc. 5].

1 **La réappropriation du patrimoine antique**

Le cardo couvert.

Le cardo est l'une des rues principales des villes romaines, orientée Nord-Sud, commerçante, et que les croisés couvrent d'arches. Les boutiques qui le bordent sont mises au jour par des archéologues dans les années 1970 et sont aujourd'hui réutilisées.

1. Comment le patrimoine antique et médiéval est-il mis en valeur ?

Salomon (Xᵉ siècle av. J.-C.)
Dans la Bible, troisième roi d'Israël et fils de David. Présenté comme sage et juste, il aurait écrit plusieurs livres de la Bible et fait édifier le temple dit de Salomon, premier Temple de Jérusalem.
Enluminure du XIIᵉ siècle représentant Salomon.

MOTS CLÉS

Croisés : chrétiens qui, du XIᵉ au XIIIᵉ siècle, participent aux croisades, pèlerinages armés ayant notamment pour objectif la conquête de Jérusalem. Les croisades conduisent à la création des États latins (XIᵉ et XIIᵉ siècles), dont un royaume de Jérusalem.

Temple : cœur unique et bâtiment le plus sacré de la religion juive. Il est détruit une première fois en 587, reconstruit en 515 av. J.-C. puis définitivement détruit en 70 ap. J.-C. Aujourd'hui, seul son soubassement subsiste ; l'actuel Mur occidental en est une partie.

Terre sainte : pour les chrétiens, l'ensemble des lieux où Jésus a vécu. Cette expression est également utilisée par les juifs et les musulmans.

DATES

70 Destruction de Jérusalem par les Romains
638 Prise de Jérusalem par les Arabes
691-692 Construction du dôme du Rocher
1099 Prise de Jérusalem par les croisés

2 La destruction du Temple

L'historien juif Flavius Josèphe* (1er siècle) raconte la destruction du Second Temple par les Romains en 70, suite à la révolte du peuple juif.

« Alors que le Temple brûlait, [les Romains] pillaient tout ce qu'ils trouvaient, et massacraient en grand nombre ceux qui étaient pris : ni l'âge, ni la dignité ne les arrêtait. [...] Les flammes complètement déchaînées résonnaient avec les gémissements de ceux qui succombaient. À cause de la hauteur du mont [du Temple] et de la taille gigantesque du [Temple] qui se consumait, il semblait que c'était toute la ville qui brûlait. [...] Les Romains, jugeant qu'il était vain d'épargner les bâtiments alentour, les incendièrent tous. [...]. Ils détruisirent aussi par le feu les bâtiments du Trésor, dans lesquels se trouvaient une énorme quantité d'argent, ainsi qu'un nombre immense de vêtements et d'objets précieux. Pour le dire en quelques mots, toute la richesse des juifs était là. »

Flavius Josèphe, *La Guerre des Juifs*, VI, V, 1-2.

1. Pour quelles raisons le Temple puis la ville sont-ils incendiés et détruits par les Romains ?

2. Quels liens entre les juifs et le Temple apparaissent dans ce texte ?

4 La construction de la Néa par Justinien, empereur byzantin

Procope de Césarée*, historien byzantin, raconte la construction de l'église gigantesque de la Néa par l'empereur Justinien (527-565) qui veut se présenter comme un grand empereur chrétien. Les restes de cette église découverts par les archéologues dans la deuxième moitié du XXe siècle confirment cette description.

« À Jérusalem, Justinien dédia un sanctuaire à la Mère de Dieu, auquel aucun autre ne peut être comparé. Cette église est appelée " *Nea Ecclesia* "[1] par les locaux. [...] Justinien ordonna qu'elle soit construite sur la plus haute des collines, précisant quelle longueur et quelle largeur le bâtiment devrait avoir, ainsi que d'autres détails. [...] [À cause du terrain accidenté], l'église est en partie fondée sur le roc, et en partie portée dans les airs par une grande plate-forme ajoutée artificiellement. [...] Les pierres utilisées pour construire la plate-forme ne sont pas de la taille habituelle car les bâtisseurs, pour vaincre la nature du terrain, durent abandonner toutes les méthodes familières [...]. Ils taillèrent des blocs d'une taille inhabituelle [...], construisirent des chariots à leur échelle [...], et chacun fut tiré par quarante bœufs choisis par l'empereur. [...] Ils trouvèrent une forêt dense dans laquelle poussaient des cèdres d'une taille extraordinaire, et les utilisèrent pour construire le toit, afin que la hauteur de l'église soit proportionnée à sa longueur et à sa largeur. »

Procope de Césarée, *Des Édifices*, VIe siècle.

1. « Nouvelle église », en grec.

1. Quel rôle Justinien joue-t-il dans la construction ?

2. Pourquoi Procope insiste-t-il sur les aspects extraordinaires de l'édification de ce bâtiment ?

3 Jérusalem à l'époque byzantine

Mosaïque de Madaba, VIe siècle.

Cette mosaïque représente de façon stylisée la Jérusalem byzantine.
1. Le Cardo, axe principal de la ville romaine.
2. Basilique du Saint-Sépulcre, construite par Constantin en 326.
3. Église de la Néa, bâtie par l'empereur Justinien au VIe siècle.
4. Murailles.

1. Que met en valeur cette représentation de Jérusalem ? Pourquoi ?

5 Les embellissements réalisés par les Mamelouks

La madrasa al-Achrafiya, en bordure Ouest de l'esplanade des Mosquées.

Cette madrasa, ou école coranique, a été construite à la fin du XVe siècle, dans le style raffiné et foisonnant de l'art mamelouk. Elle conserve sa fonction d'enseignement aujourd'hui.

1. Pourquoi ce monument a-t-il traversé les siècles ?

La vieille ville depuis le XVIᵉ siècle

Comment Jérusalem a-t-elle enrichi son patrimoine depuis le XVIᵉ siècle ?

A. La Jérusalem des Ottomans

- Sous domination **ottomane** entre le XVIᵉ et le début du XXᵉ siècle, Jérusalem connaît tour à tour des périodes de prospérité et de déclin.
- **L'action des premiers Ottomans**, comme Soliman Iᵉʳ* (1520-1566) [doc. **2**], **conduit à un véritable essor de la cité** et laisse de nombreuses traces dans la vieille ville, notamment les murailles actuelles construites en 1537-1541. Comme leurs prédécesseurs, les Ottomans favorisent leur religion, l'islam, ce qui se traduit par la réfection et l'édification de mosquées.
- **Entre le XVIIᵉ et le XIXᵉ siècle, l'aspect de la ville ne change pas beaucoup**, mais son organisation en quatre quartiers – chrétien, musulman, juif, arménien – continue de s'affirmer autour des principaux monuments et sanctuaires.

B. Le regain d'intérêt pour la ville au XIXᵉ siècle

- Au XIXᵉ siècle, **les Européens portent sur la Terre sainte un regard nouveau** qui interroge leurs racines et cherche les fondements historiques de la Bible. Ils créent de nombreuses institutions scientifiques, archéologiques ou religieuses comme l'École biblique et archéologique française*. Des archéologues, comme **Charles Wilson**, fouillent le sous-sol de la ville [doc. **1**].
- À la fin du XIXᵉ siècle, la ville grandit rapidement, alors que les juifs deviennent l'une des principales composantes de sa population. **Jérusalem s'étale au-delà de ses murailles**, qui séparent désormais la vieille ville de « nouveaux quartiers ».
- Dès 1917, avec la dislocation de l'Empire ottoman, **les Britanniques contrôlent la cité**, qui connaît des tensions croissantes avec le développement du projet **sioniste** et du nationalisme* palestinien (voir p. 296). Le départ des Britanniques et la naissance d'Israël en 1948 (voir p. 290) laissent juifs et Arabes face à face : ils se disputent Jérusalem, finalement partagée entre l'Est jordanien et l'Ouest israélien. **La vieille ville passe sous le contrôle de la Jordanie.** Les murailles retrouvent alors leur fonction défensive initiale puisqu'elles correspondent à un segment de la frontière israélo-jordanienne.

C. Les enjeux contemporains autour de la vieille ville

- **En 1967, l'État d'Israël conquiert la totalité de la ville et en fait symboliquement sa capitale** en annexant Jérusalem-Est [doc. **3**]. Cette unification, non reconnue à l'échelle internationale, débouche sur de grands travaux de rénovation de la vieille ville, et conduit notamment à la restauration du patrimoine juif [doc. **5**].
- **Les autorités israéliennes encouragent, dès lors, de nombreux chantiers archéologiques**, souvent controversés dans la mesure où les considérations politiques, patrimoniales et religieuses peuvent s'y mêler (voir p. 32).
- La question de Jérusalem constitue toujours l'un des points d'achoppement du conflit israélo-palestinien (voir p. 296), mais la cité n'en est pas moins **devenue une destination touristique mondiale et reste un lieu de pèlerinage** pour tous ceux qui se sentent liés à son histoire [doc. **4**]. En 1981, l'ensemble de la vieille ville avec ses murailles est classé au patrimoine mondial de l'Unesco.

1 **La redécouverte du patrimoine**

Gravure illustrative de Warren et Simpson, *La Rédécouverte de Jérusalem*, 1871.

À la fin du XIXᵉ siècle, tandis que croît en Europe l'intérêt pour la Jérusalem biblique, l'officier anglais Charles Warren* dirige les premières fouilles d'envergure à Jérusalem. Il découvre notamment un puits qui débouche sur un tunnel dans la cité du roi biblique David.

1. Quel rôle les Européens jouent-ils à Jérusalem au XIXᵉ siècle ?

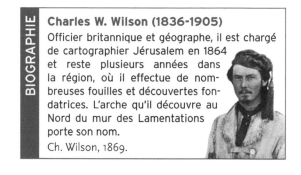

BIOGRAPHIE

Charles W. Wilson (1836-1905)

Officier britannique et géographe, il est chargé de cartographier Jérusalem en 1864 et reste plusieurs années dans la région, où il effectue de nombreuses fouilles et découvertes fondatrices. L'arche qu'il découvre au Nord du mur des Lamentations porte son nom.

Ch. Wilson, 1869.

MOTS CLÉS

Ottomans : de 1299 à 1922, dynastie turque à la tête d'un Empire qui s'étend, à son apogée, sur une partie de l'Europe, de l'Asie et de l'Afrique. Jérusalem est le chef-lieu d'une province de leur empire.

Sionisme : mouvement et idéologie nationaliste, né à la fin du XIXᵉ siècle en Europe et visant à créer un État juif en Palestine. Son nom fait référence à Sion, nom biblique qui désigne Jérusalem et son peuple.

DATES

1537-1541 Construction des murailles
1967 Unification de la ville sous domination israélienne
1981 Inscription de la vieille ville au patrimoine mondial de l'Unesco

2 Les constructions ottomanes

Le règne de Soliman représente une période de mutations pour Jérusalem, durant laquelle murailles, aqueducs et bâtiments sont construits ou rénovés. Le voyageur ottoman Evliya Çelebi, au XVIIe siècle, en donne une nouvelle explication.

« Le prophète Mahomet apparut à [Soliman] dans la nuit bénie et lui dit: "Ô, Soliman, tu vas faire de nombreuses conquêtes, et tu devrais dépenser ton butin dans l'embellissement de la Mecque, de Médine[1] et dans la fortification de Jérusalem. [...] Tu embelliras aussi son sanctuaire avec un bassin d'eau et [...] le rocher d'Allah[2], et tu reconstruiras Jérusalem ".

Suivant les ordres du prophète, il envoie [...] mille bourses à Jérusalem et [...] ordonne d'exécuter la restauration de Jérusalem, [avec] tous les meilleurs bâtisseurs, architectes et sculpteurs du Caire, de Damas et d'Alep. »

Evliya Çelebi, *Le Livre des voyages*, IX, XVIIe siècle.

1. La Mecque, Médine et Jérusalem sont les trois villes saintes de l'islam.
2. Dôme du Rocher.

1. Selon l'auteur, pourquoi Soliman veut-il restaurer la ville ?

4 Le « syndrome de Jérusalem »

Au contact du patrimoine des lieux saints de Jérusalem, certains touristes ou pèlerins sont touchés par un phénomène de nature psychiatrique dont on trouve des témoignages bien avant l'époque contemporaine.

« L'hospitalisation psychiatrique d'étrangers en lien avec leur comportement religieux en Israël a conduit à créer l'expression "syndrome de Jérusalem". Le terme est utilisé pour désigner un phénomène pathologique dans lequel l'association d'une visite en Israël (Jérusalem en particulier) et d'espérances religieuses (chrétiennes en particulier) avant le voyage déclenche ou fait empirer une maladie mentale.

[...] Elle est liée aux étrangers juifs et chrétiens qui, sur la base d'expériences religieuses, sont convaincus qu'ils ont été personnellement appelés à aller à Jérusalem et en Israël [...]. À cause de la topographie religieuse des textes bibliques, ils attribuent à Israël (en tant que Terre sainte) et en particulier à la ville de Jérusalem, une importance religieuse centrale. [...]

[Par exemple, un malade néerlandais] proclame qu'il est le Messie. [...], qu'il entend des voix et des bruits, voit des messages cachés et sent que sa façon de penser [est dirigée] par des forces extérieures à lui. »

Alexander van der Haven, « Le saint fou parle encore. Le syndrome de Jérusalem comme culture religieuse spécifique », dans T. Mayer et S. A. Mourad, *Jérusalem : idée et réalité*, Routledge, 2008.

1. En quoi ce syndrome montre-t-il le caractère universel du patrimoine de Jérusalem ?

3 Jérusalem, un enjeu stratégique

Soldats israéliens, Jérusalem, juin 1967.
À l'issue de la guerre des Six-Jours qui oppose Israël aux pays arabes, les Israéliens s'emparent de la vieille ville, qui était sous autorité jordanienne depuis 1949.

5 La mémoire ressuscitée : la synagogue de la Hourva

La synagogue de la Hourva de nos jours.
Principale synagogue du quartier juif, la Hourva est détruite en 1948 par les Jordaniens. Longtemps laissée en ruines, afin d'être un symbole mémoriel du conflit, elle est finalement reconstruite de 2008 à 2010, à partir de photographies et de dessins de l'ancienne synagogue.

1. Quels éléments montrent une inspiration à la fois ancienne et moderne ?

2. Que représente la reconstruction de cette synagogue ?

Entre mont du Temple et esplanade des Mosquées

Appelée mont du Temple par les juifs et esplanade des Mosquées par les musulmans, la colline qui s'élève à l'emplacement du Temple de Salomon constitue l'espace le plus important de Jérusalem pour ces deux religions. Le site, dont la superficie n'excède pas 0,15 km², a été le cœur de la religion juive jusqu'à la destruction du Temple par les Romains, au Iᵉʳ siècle. Après la conquête de la ville par les Arabes au VIIᵉ siècle, l'islam lui donne une nouvelle fonction religieuse. Cette superposition des histoires et des patrimoines anciens est au cœur de conflits très actuels.

Pourquoi cet espace est-il un enjeu patrimonial essentiel pour les juifs comme pour les musulmans ?

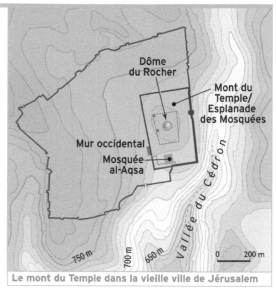

Le mont du Temple dans la vieille ville de Jérusalem

Xᵉ siècle av. J.-C.	691/692	2010
Construction du Premier Temple	Construction du Dôme du Rocher	Heurts entre Juifs et musulmans sur le site

1 La construction du Temple selon la Bible

Dans l'Ancien Testament, le Temple est construit par le roi Salomon en l'honneur de Dieu. Il abrite l'Arche de l'Alliance, qui contient la table des Dix Commandements donnés à Moïse.
«Maintenant, Yahvé mon Dieu m'a donné la tranquillité alentour [...]. Je pense donc à construire un Temple au nom de Yahvé mon Dieu, selon ce que Yahvé a dit à mon père David : "Ton fils que je mettrai à ta place sur ton trône, c'est lui qui construira le Temple pour mon Nom". [...] Le roi Salomon leva des hommes de corvée dans tout Israël ; il y eut trente mille hommes de corvée. [...] Salomon eut aussi soixante-dix mille porteurs et quatre-vingt mille carriers dans la montagne.
La parole de Yahvé fut adressée à Salomon : "Quant à cette maison que tu es en train de construire, si tu marches selon mes lois, si tu accomplis mes ordonnances et si tu suis fidèlement mes commandements, alors j'accomplirai ma parole sur toi, celle que j'ai dite à ton père David, et j'habiterai au milieu des Israélites et je n'abandonnerai pas mon peuple Israël." Salomon construisit le Temple et l'acheva. »

Premier livre des Rois, 5, 18-19, 27, 29 ; 6, 1, 12-14.

2 Le mont du Temple au Iᵉʳ siècle

Reconstitution du Temple de Jérusalem au Iᵉʳ siècle d'après les données archéologiques et littéraires.

Le Premier Temple, détruit en 587, aurait été reconstruit en 515 av. J.-C., puis fortement agrandi par Hérode, roi des Juifs, à la fin du Iᵉʳ siècle av. J.-C. Les travaux d'aménagement se poursuivent après sa mort, mais ce Second Temple est détruit par les Romains en 70 ap. J.-C.

1. Esplanade du Temple, où les pèlerins se rassemblent.
2. Temple reconstruit par Hérode.
3. Bâtiment servant à l'accueil des pèlerins et à la gestion des affaires religieuses.
4. Mur occidental.
5. Forteresse qui protège le Temple.
6. Escalier.

3 L'esplanade des Mosquées, lieu saint de l'islam

L'esplanade des Mosquées aujourd'hui.

1. Dôme du Rocher (redoré en 1994).
   Lieu d'où Mahomet serait monté au ciel.
2. Dôme du Prophète.
3. Mosquée al-Aqsa.
4. Madrasas (écoles coraniques) de l'époque des Mamelouks.

5. Mur occidental.
6. Porte des Tribus d'Israël (vers la via Dolorosa).
7. Porte Dorée (murée par les musulmans au VIIᵉ siècle).
8. Tour croisée.
9. Parc archéologique de l'Ophel.
10. Arche de Robinson, ancien escalier.

4 Un patrimoine religieux très conflictuel

La colline et ses alentours sont le lieu de heurts entre musulmans et juifs. C'est là que commence la seconde Intifada* (2000) après la visite de l'homme politique israélien Ariel Sharon*, considérée comme une provocation par les musulmans. En mars 2010, de fortes tensions réapparaissent sur le site.

« De nouveaux affrontements ont éclaté vendredi entre fidèles musulmans et police israélienne sur l'esplanade des Mosquées, le lieu le plus conflictuel de la vieille ville de Jérusalem, faisant 31 blessés, dont un grave. [...] Selon la police israélienne, des fidèles sortant de la grande prière du vendredi à la mosquée al-Aqsa, à Jérusalem, ont commencé à jeter des pierres sur les forces de l'ordre et les juifs en train de prier au mur des Lamentations, juste en contrebas de l'esplanade. [...] Selon [...] un responsable du Waqf[1] [...], le sermon a exhorté les fidèles à protéger les sites religieux musulmans des visées de l'État hébreu. Tout de suite après, environ 300 jeunes se sont mis à lancer des pierres sur la police. [...] Les forces anti-émeute stationnées aux alentours de l'esplanade sont alors intervenues pour rétablir l'ordre. [...] Des heurts similaires avaient eu lieu la semaine dernière sur ce site, qui cristallise les tensions à Jérusalem. »

« Violents affrontements sur l'esplanade des Mosquées à Jérusalem »,
Le Nouvel Observateur, 5 mars 2010.

1. Organisation musulmane chargée de la gestion de l'esplanade des Mosquées.

QUESTIONS

Un lieu saint central

1. Pourquoi l'esplanade est-elle sacrée pour les juifs comme pour les musulmans ? (doc. 1, 2, 3)

2. En quoi peut-on dire qu'elle appartient également à leurs patrimoines ? (doc. 2, 3, 4)

Un affrontement patrimonial

3. Pourquoi cet espace est-il régulièrement l'objet de tensions ? (doc. 1, 3, 4)

4. Comment ce site illustre-t-il les rapports des sociétés avec leur passé ? (doc. 1, 3, 4)

Bilan : Pourquoi cet espace est-il un enjeu patrimonial essentiel pour les juifs comme pour les musulmans ?

Étude critique de documents

Présentez les documents 2 et 3, puis montrez ce qu'ils révèlent des enjeux de ce patrimoine historique.

Jérusalem, ville de pèlerinage

Depuis plus de 2 000 ans, Jérusalem accueille des pèlerins du monde entier. Ces pèlerinages* ont pris des formes différentes à travers les époques et continuent d'évoluer aujourd'hui. Jérusalem reste en effet le principal lieu de pèlerinage juif, l'un des plus importants centres de pèlerinage chrétien et la troisième ville sacrée de l'islam. Au-delà des tensions qu'ils peuvent engendrer, ces pèlerinages montrent que le patrimoine de Jérusalem, aussi spirituel que monumental, a été l'objet d'une réappropriation constante de la part des sociétés, des pouvoirs politiques, et des pèlerins eux-mêmes.

Comment Jérusalem est-elle devenue un centre de pèlerinage des trois religions monothéistes ?

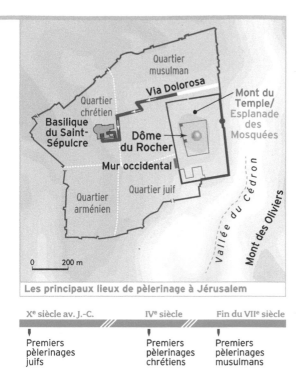

Les principaux lieux de pèlerinage à Jérusalem

Xᵉ siècle av. J.-C.	IVᵉ siècle	Fin du VIIᵉ siècle
Premiers pèlerinages juifs	Premiers pèlerinages chrétiens	Premiers pèlerinages musulmans

2 Les origines du pèlerinage musulman

Dès la fin du VIIᵉ siècle, juste après la conquête arabe, les musulmans se rendent en pèlerinage à Jérusalem, troisième ville sainte de l'islam. En 1047, le voyageur et philosophe perse Nasir Khousrau raconte son propre voyage.

« Les Syriens et les habitants de la région appellent la ville sainte al-Qods ("la Sainte")[1] et, lorsqu'ils ne peuvent pas se rendre en pèlerinage à La Mecque, ils vont dans la période sacrée[2] à Jérusalem. Ils y pratiquent les rites habituels et, le jour de la fête, ils font le sacrifice, comme on le fait à La Mecque. Il y a des années où pas moins de 20 000 personnes sont présentes à Jérusalem pendant les premiers jours du mois du pèlerinage [...]. De l'Empire byzantin et d'autres endroits viennent les chrétiens et les juifs pour se rendre dans les églises et synagogues de Jérusalem. »

Nasir Khousrau, *Livre des voyages*, « Jérusalem », traduction mod. Z. Picard-Mawji.

1. En arabe, Jérusalem est désignée ainsi.
2. Le douzième mois de l'année musulmane, celui du pèlerinage à La Mecque.

1 Le pèlerinage chrétien, héritage du judaïsme

Entrée du Christ à Jérusalem, enluminure du XVᵉ siècle, bréviaire de Jean, duc de Bedford.

La loi juive prescrit à ses fidèles de se rendre trois fois par an au Temple de Jérusalem, pour les « fêtes de pèlerinage ». Jésus, accompagné des apôtres, accomplit ce rituel lors de la Pâque juive qui est ensuite à l'origine des fêtes chrétiennes des Rameaux et de Pâques. C'est pour imiter Jésus et pour prier dans les lieux qu'il a parcourus que les chrétiens se rendent en pèlerinage dans la ville à partir du IVᵉ siècle.

3 Les croisades, un « pèlerinage armé »

E. Signol, *La prise de Jérusalem par les croisés, le 15 juillet 1099*, huile sur toile (324 x 557),1847. Versailles, musée national du Château.

Sous l'impulsion des papes, le pèlerinage chrétien devient, entre le XIᵉ et le XIIIᵉ siècle, un voyage armé, notamment entrepris pour garantir l'accès des chrétiens aux lieux saints. Au XIXᵉ siècle, les croisades restent présentes dans l'imaginaire occidental, au moment où les Européens redécouvrent Jérusalem.

4 L'encadrement des pèlerinages au XVIIIᵉ siècle

Le comte de Volney, un noble français, décrit l'organisation des pèlerinages à Jérusalem.
« Les Grecs schismatiques et catholiques, les Arméniens, les Coptes, les Abyssins, et les Francs [1] se jalousent mutuellement la possession des lieux saints [...] à prix d'argent auprès des gouverneurs turcs. [...] Est-il arrivé un pèlerin par une autre porte que celle qui est assignée, c'est un sujet de délation au gouvernement, qui ne manque pas de s'en prévaloir, pour établir des avanies et des amendes. De là des inimitiés et une guerre éternelle entre [...] les adhérents de chaque communion. Les Turcs, à qui chaque dispute rapporte de l'argent, sont [...] bien éloignés d'en tarir la source [...]. Chaque pèlerin doit une entrée de 10 piastres [2] [au gouverneur turc]. [...] L'on conçoit que le séjour de cette foule à Jérusalem pendant cinq à six mois, y laisse des sommes considérables [...]. Une partie de cet argent passe en payement de denrées au peuple et aux marchands, qui rançonnent les étrangers de tout leur pouvoir. [...] Une autre partie va au gouvernement et à ses employés. Enfin, la troisième reste dans les couvents. »

Comte de Volney, *Voyage en Égypte et en Syrie*, 1783-1785.

1. Noms de différentes confessions et peuples chrétiens.
2. Monnaie ottomane.

5 Le développement des pèlerinages de masse

Pèlerinage sur la via Dolorosa, à Pâques, 2011.

Le pèlerinage de Jérusalem attire des chrétiens de plus en plus nombreux. Particulièrement important au moment de Pâques, ce pèlerinage permet aux différentes confessions chrétiennes de commémorer la Passion décrite dans les Évangiles.

QUESTIONS

La naissance des pèlerinages

1. Pour quelles raisons juifs, chrétiens et musulmans se rendent-ils en pèlerinage à Jérusalem ? (doc. 1, 2, 3, 5)

2. Quels liens existent entre les pèlerinages chrétien, juif et musulman ? (doc. 1, 2, 5)

Les pèlerinages au fil des siècles

3. Comment évoluent les modalités du voyage à travers les siècles ? (doc. 1 à 6)

4. Comment les autorités politiques encadrent-elles les pèlerins ? (doc. 3, 4)

Bilan : Comment Jérusalem est-elle devenue un centre de pèlerinage des trois religions monothéistes ?

Étude critique de documents

Présentez et mettez en contexte les documents 3 et 4, puis montrez les liens qui peuvent exister entre les pèlerinages et les tensions religieuses ou géopolitiques.

Jérusalem, ville de fouilles

En raison de son long et riche passé, Jérusalem constitue un espace privilégié pour les archéologues. L'importance religieuse de la vieille ville et son rôle dans les livres saints expliquent que des fouilles y sont pratiquées dès l'Antiquité afin de trouver des objets ou des lieux chargés d'histoire. Les fouilles à caractère scientifique commencent au XIXe siècle mais les dernières décennies ont montré que l'archéologie moderne reste très liée aux questions religieuses et politiques.

Quels sont les enjeux des fouilles à Jérusalem depuis près de deux mille ans ?

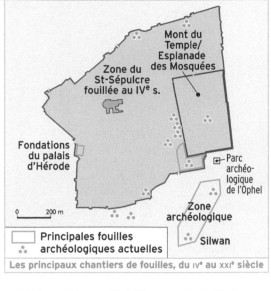

Les principaux chantiers de fouilles, du IVe au XXIe siècle

IVe siècle	638	Fin XIXe s.	Années 1970
Fouilles d'**Hélène** à Jérusalem	Conquête de la ville par le **calife Omar**	Fouilles de **Charles Warren**	Ouverture de nombreux chantiers archéologiques

1 L'invention des reliques

Agnolo Gaddi, *L'Invention de la Croix*, fresque. Église de Santa-Croce, Florence, 1380.

Selon la tradition chrétienne, Hélène, chrétienne et mère de l'empereur Constantin (306-337), se rend à Jérusalem pour y chercher des reliques* de la vie de Jésus. Elle y organise des fouilles et retrouve notamment des fragments de ce qui est alors identifié comme la « Vraie Croix », celle sur laquelle Jésus aurait été crucifié. Cette « invention » (découverte) est fêtée tous les ans par les catholiques et les orthodoxes.

2 La redécouverte du mont du Temple par le calife Omar

Les musulmans conquièrent Jérusalem en 638. D'après le chrétien Eutychius d'Alexandrie, après la prise de la ville, le calife Omar aurait demandé au patriarche chrétien Sophronius de lui donner un lieu de prières dans la ville.

« Le patriarche dit à [Omar] : "je [te] donnerai un lieu dans lequel [tu] pourra[s] construire un temple, lieu [...] qu'on appelle en hébreu le Saint des Saints "[1]. [...]

Lorsque les Romains ont embrassé la religion chrétienne et qu'Hélène, la mère de Constantin, a fait construire les églises de Jérusalem, ce lieu et ses environs ont été désertés et sont tombés en ruine. Mais ils avaient tellement jeté de débris sur la roche qu'elle était désormais recouverte d'une immense décharge. [...] Le patriarche Sophronius, ayant pris Omar par la main, l'amena dans ce lieu. Alors, Omar replia le bord de son vêtement et le remplit de déchets qu'il jeta [en contrebas]. Les musulmans, le voyant ramasser les déchets à la main, se mirent aussitôt à déblayer en utilisant leurs propres vêtements, leurs boucliers, leurs corbeilles et leurs pots, jusqu'à ce que la pierre apparaisse, nettoyée et purifiée. Alors Omar dit [...]: "Édifions un sanctuaire [ici]." »

Eutychius d'Alexandrie, *Annales*, Xe siècle.

1. Le Temple et son esplanade.

3 Une archéologie liée au contexte géopolitique et religieux

Aujourd'hui, l'archéologie à Jérusalem est une source de conflits, aux dimensions d'abord politiques et religieuses, mais aussi démographiques, comme le montre l'exemple des fouilles polémiques de Silwan, au Sud de la vieille ville.

« David Beeri [...] est à l'origine des implantations de familles juives à Silwan, un quartier arabe de Jérusalem, aux pieds de la mosquée al-Aqsa [...]. Car sous l'entrelacs de maisons et de ruelles que les Palestiniens étendent sans cesse, gisent les vestiges archéologiques les plus précieux du judaïsme et du christianisme. D'après plusieurs archéologues, [ce serait] *Ir David*, la ville que le roi David a conquise onze siècles avant notre ère pour en faire la capitale éternelle du royaume d'Israël... [...] Elad, la fondation créée [par Beeri], recueille des millions de dollars [...] pour acheter à prix d'or toutes les maisons et les terrains que les Palestiniens acceptent de vendre. Des familles juives s'y installent et permettent ensuite aux archéologues israéliens de fouiller des terrains jusqu'alors inaccessibles. [...] "Chaque fois que nous découvrons les fondations d'un palais, une pièce de monnaie, [...] nous confirmons le récit biblique. David et Salomon ont existé. [...] Ils ont construit des palais et le Premier Temple, à deux pas d'ici, là où les musulmans ont édifié al-Aqsa. Grâce aux découvertes que nous faisons, personne ne peut nier cela. [...]." [Opposé à cette évolution] Yasser Arafat[1] avait décidé que tout musulman qui accepterait de vendre une maison ou un terrain aux représentants d'Elad serait exécuté sans jugement. [...] Silwan est devenu une des principales attractions touristiques de Jérusalem. [...] Le parc archéologique créé par la fondation attire désormais 350 000 visiteurs par an. [...] En attendant, les scientifiques poursuivent leurs études avec une question brûlante sur les lèvres : comment révéler le passé de Jérusalem sans réveiller les haines ? »

Jean-Marie Hosatte, « L'autre guerre des pierres », *Le Figaro magazine*, 10 mai 2008.

1. Yasser Arafat, chef palestinien de l'Organisation de Libération de la Palestine (OLP) de 1969 à sa mort, en 2004.

4 La redécouverte du patrimoine

Fouilles de l'équipe de l'archéologue Benjamin Mazar sur le site des fondations du palais d'Hérode (Ier siècle av. J.-C.), juillet 1970.
Après la guerre des Six-Jours, des équipes d'archéologues israéliens ont accès à la vieille ville. Ils amorcent dès lors de nombreux chantiers de fouilles.

5 Les questions liées à l'archéologie biblique

En 2005, Eilat Mazar, archéologue à l'université hébraïque de Jérusalem, a découvert une structure extraordinaire dans la ville, qu'elle identifie au légendaire palais du roi David. La découverte de celle qui dit travailler « avec la Bible dans une main et des outils de fouille dans l'autre » fait débat.

« Le travail [d'Eilat Mazar] a été appuyé par un institut de recherche israélien conservateur et financé par un banquier juif américain qui veut prouver que Jérusalem était bien la capitale du royaume juif biblique. Mais d'autres universitaires doutent que les murs de fondation découverts par Mme Mazar, soient ceux du palais de David. [...] Hani Nul el-Din, un Palestinien professeur d'archéologie à l'université al-Qods explique que lui et ses collègues voient l'archéologie biblique comme un effort des Israéliens pour "faire correspondre des trouvailles archéologiques au récit biblique". Il ajoute : "le lien entre ces trouvailles et la Bible, écrite beaucoup plus tard, est largement absent. Il y a une sorte de fiction au sujet du Xe siècle av. J.-C.[1] et [les Israéliens] essaient de relier tout ce qu'ils découvrent au récit biblique." »

Steven Erlander, « Une archéologue dit avoir découvert le palais du roi David », *New York Times*, 5 août 2005.

1. Date à laquelle, selon la Bible, Jérusalem devient la capitale du royaume d'Israël.

QUESTIONS

Deux millénaires de fouilles

1. Quelles formes l'archéologie a-t-elle prises à Jérusalem à travers les siècles ? (doc. 1, 2, 4)

2. Pourquoi le site du Temple et ses alentours sont-ils au cœur des fouilles ? (doc. 2, 3, 5)

L'évolution des enjeux de l'archéologie

3. Quels rapports ont existé entre fouilles et religions jusqu'à aujourd'hui ? (doc. 1, 2, 3, 5)

4. En quoi l'archéologie moderne est-elle aussi liée à de nouveaux enjeux ? (doc. 3, 4, 5)

Bilan : Quels sont les enjeux des fouilles à Jérusalem depuis près de deux mille ans ?

Étude critique de documents

Mettez en relation les documents 3 et 5 et montrez leur intérêt et leurs limites pour comprendre les enjeux des fouilles à Jérusalem.

La basilique du Saint-Sépulcre

Comment un édifice religieux témoigne-t-il des liens complexes entre patrimoine et sociétés ?

• Selon la tradition, l'église du Saint-Sépulcre a été élevée sur un double site : celui de la crucifixion de Jésus (le Golgotha ou Calvaire) et celui de sa mise au tombeau (le sépulcre, surmonté du grand dôme). **Découvert au ive siècle, ce lieu est devenu le plus saint et le plus important de la chrétienté** : il a été et reste de ce fait le but de pèlerinages chrétiens, regroupant les cinq dernières étapes du chemin de Croix.

• **L'église elle-même a été détruite et reconstruite plusieurs fois** depuis le ive siècle, période à laquelle l'empereur Constantin et sa mère Hélène font édifier le premier lieu de culte. Au Moyen Âge, les tensions liées à ce sanctuaire – par exemple en 1009 lorsqu'il est rasé par le calife musulman al-Hakim – ont été l'une des motivations des croisés, et les bâtiments actuels datent en grande partie de cette époque (xiie siècle).

• **Les influences sont à la fois européennes**, notamment avec l'emploi du style roman au temps des croisés, **et orientales**. Ainsi, l'ouverture double du clocher avec ses petites colonnes est typique de l'art roman. En revanche, la coupole, assez récente (xixe siècle), est d'inspiration orientale, ressemblant à celles de Sainte-Sophie à Istanbul ou de Saint-Marc à Venise.

FOCUS   **Les différentes confessions du Saint-Sépulcre**

Plan du partage du Saint-Sépulcre entre les différentes confessions chrétiennes

Le partage de l'église entre six confessions chrétiennes reflète l'hétérogénéité stylistique qui caractérise le Saint-Sépulcre. Catholiques romains, orthodoxes grecs, Arméniens, coptes* d'Égypte, Éthiopiens et syriaques* ont chacun reçu la charge de l'entretien d'une partie de la basilique. Les rivalités entre ces confessions mènent régulièrement à des conflits et rendent impossible la mise en œuvre de travaux de consolidation du bâtiment. En raison de ces mésententes, les clés de l'église sont confiées depuis 1192 à deux familles musulmanes.

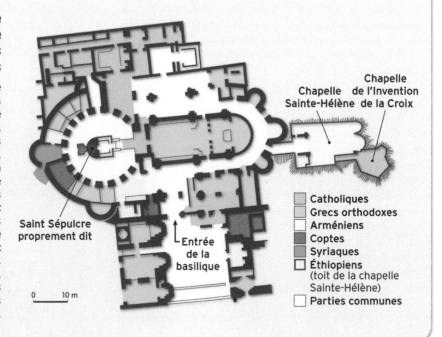

Chapelle Sainte-Hélène
Chapelle de l'Invention de la Croix
Saint Sépulcre proprement dit
Entrée de la basilique
0   10 m

- Catholiques
- Grecs orthodoxes
- Arméniens
- Coptes
- Syriaques
- Éthiopiens (toit de la chapelle Sainte-Hélène)
- Parties communes

La basilique du Saint-Sépulcre, au cœur du quartier chrétien.
L'aspect du Saint-Sépulcre reflète l'absence de continuité et de concertation
dans sa construction, bien visible dans la multiplication des dômes
et des toits.

ANALYSE DE L'ŒUVRE

ANALYSER L'ŒUVRE

1. Quels sont les différents styles visibles sur ce monument ?

2. Pour quelles raisons l'édifice semble-t-il manquer d'unité ?

3. Comment s'intègre-t-il au paysage de la vieille ville ?

DÉGAGER LA PORTÉE DE L'ŒUVRE

4. Comment se manifestent les liens entre les chrétiens des différentes confessions et le bâtiment ?

5. En quoi la basilique du Saint-Sépulcre est-elle un monument typique du patrimoine de Jérusalem ?

1 Mettre en relation deux documents

L'aménagement de l'arche de Robinson

1. Pourquoi cet espace a-t-il été aménagé ?

2. En quoi ces modifications sont-elles symboliques de l'histoire récente du patrimoine de Jérusalem ?

a. La redécouverte de l'arche
L'arche, bâtie avec l'esplanade d'Hérode au Iᵉʳ siècle av. J.-C., soutenait l'un des escaliers d'accès au mont du Temple. Identifiée au XIXᵉ siècle par le savant bibliste Edward Robinson, elle est ici en partie cachée derrière un arbre.

b. Un espace désormais aménagé
La partie subsistante de l'arche, située à proximité du mur des Lamentations, est aujourd'hui bien rénovée et mise en valeur, tandis que les alentours ont été creusés et aménagés pour retrouver le niveau antique, notamment lors des fouilles des années 1970.

2 Analyser un témoignage

En 1806, Chateaubriand entreprend un voyage en Orient pour retourner aux sources du christianisme : il part de Paris pour atteindre Jérusalem – la capitale originelle du christianisme. Il décrit en détail ses impressions, comme ici au Saint-Sépulcre où il achève le chemin de Croix.

« Le seul moyen de voir un pays tel qu'il est, c'est de le voir avec ses traditions et ses souvenirs. C'est en effet la Bible et l'Évangile à la main que l'on doit parcourir la Terre sainte. [...] [Dans le Saint-Sépulcre,] tant de choses se présentaient à la fois à mon esprit, que je ne m'arrêtais à aucune idée particulière. Je restai près d'une demi-heure à genoux [...].
Nous parcourûmes les stations jusqu'au sommet du Calvaire. Où trouver dans l'Antiquité rien d'aussi touchant, rien d'aussi merveilleux que les dernières scènes de l'Évangile ? Ce ne sont point ici les aventures bizarres d'une divinité étrangère à l'humanité : c'est l'histoire la plus pathétique, histoire qui non seulement fait couler des larmes par sa beauté, mais dont les conséquences, appliquées à l'univers, ont changé la face de la terre. Je venais de visiter les monuments de la Grèce, et j'étais encore tout rempli de leur grandeur, mais qu'ils avaient été loin de m'inspirer ce que j'éprouvais à la vue des Lieux saints ! »

F.-R. de Chateaubriand, *Itinéraire de Paris à Jérusalem et de Jérusalem à Paris*, 1812.

Le voyage en Orient de Chateaubriand

1. Comment Chateaubriand envisage-t-il son voyage à Jérusalem ?

2. Quels éléments le fascinent dans le patrimoine de la cité ? Pour quelles raisons ?

3. Quel rapport établit-il avec les lieux qu'il visite ?

3 Utiliser une base documentaire B2i

1. Rendez-vous sur le site du musée du Louvre (www.louvre.fr). Cliquez sur l'onglet « Œuvres et Palais » puis sur « Rechercher une œuvre » et sur « Bases de données » à côté de « Recherche simple ». Allez sur la base Atlas et saisissez « Jérusalem » dans la recherche en limitant les résultats aux « œuvres illustrées » en cochant la case prévue à cet effet.

2. Examinez les quarante premiers résultats et triez-les en fonction du type de patrimoine auxquels ils appartiennent (biblique ; religieux chrétien, juif ou musulman ; culturel ; historique).

3. Montrez quels sont les thèmes qui reviennent le plus souvent dans ces œuvres et ce que l'on peut en conclure sur les rapports de leurs auteurs au patrimoine de Jérusalem.

L'essentiel

Le patrimoine de la vieille ville de Jérusalem: lecture historique

1. Le patrimoine de Jérusalem, issu d'un long et riche passé

• **Durant ses trois millénaires d'histoire, la vieille ville a accumulé un patrimoine exceptionnel**, à la fois matériel et immatériel. Dans l'espace réduit défini par les murailles du XVIe siècle, les histoires et les mémoires se superposent, parfois dans un même lieu (mont du Temple) et souvent de manière conflictuelle.

• **Par son statut de «ville sainte» du judaïsme, du christianisme** (notamment à partir du IVe siècle) **et de l'islam** (depuis le VIIe siècle), Jérusalem constitue par ailleurs un objectif de pèlerinage. Elle est ainsi devenue un lieu de mémoire pour ceux dont la culture est imprégnée par ces religions, partout dans le monde.

2. Un patrimoine que les sociétés font constamment évoluer

• Pour autant, **le rapport qu'entretiennent avec Jérusalem les sociétés qui lui sont liées n'a jamais cessé de se transformer** et d'évoluer, de l'Antiquité jusqu'à nos jours. Mutations des pèlerinages, essor de l'archéologie, redécouvertes et rénovations, destructions et reconstructions, modifications démographiques et développement du tourisme constituent autant de manières très actuelles de renouveler ou de se réapproprier le patrimoine de la ville.

• **Les rapports souvent tendus entre les trois religions monothéistes** contribuent tout particulièrement à faire évoluer la manière dont ce patrimoine est ressenti et vécu.

Schéma de synthèse

La vieille ville de Jérusalem, un patrimoine fortement religieux

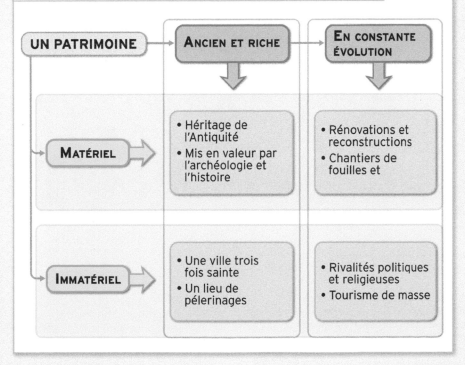

UN PATRIMOINE	ANCIEN ET RICHE	EN CONSTANTE ÉVOLUTION
MATÉRIEL	• Héritage de l'Antiquité • Mis en valeur par l'archéologie et l'histoire	• Rénovations et reconstructions • Chantiers de fouilles et
IMMATÉRIEL	• Une ville trois fois sainte • Un lieu de pèlerinages	• Rivalités politiques et religieuses • Tourisme de masse

LES ACTEURS

Salomon (Xe siècle av. J.-C.)
Dans la Bible, troisième roi d'Israël et fils de David. Présenté comme sage et juste, il aurait écrit plusieurs livres de la Bible et fait édifier le Premier Temple.

Soliman Ier (1494-1566)
Surnommé «le Magnifique» en raison de la prospérité que connaît l'Empire ottoman sous son règne, il est un grand bâtisseur, qui a notamment reconstruit les murailles millénaires de Jérusalem. Son nom est la forme arabo-turque de «Salomon».

LES ÉVÉNEMENTS

306-337: le règne de Constantin
Cette période correspond à un véritable bouleversement pour Jérusalem, qui passe du statut de cité de seconde zone à celui de ville centrale du christianisme, dans un Empire romain qui se christianise. Les fouilles d'Hélène et les constructions d'églises font affluer les pèlerins.

2008-2010: La reconstruction de la synagogue de la Hourva
Principale synagogue du quartier juif, elle est détruite en 1948 par les Jordaniens et Israël choisit de la laisser en ruines en 1967 afin d'en faire un lieu de mémoire du conflit. Elle est finalement reconstruite de 2008 à 2010, à partir de photos et de dessins de l'ancienne synagogue.

NE PAS CONFONDRE

Mont du Temple: colline qui était recouverte par le Temple de Salomon et son esplanade, et qui constitue le lieu le plus sacré de Jérusalem pour les juifs.
Esplanade des Mosquées: dénomination musulmane qui correspond au sommet de l'espace que les juifs nomment mont du Temple. Elle fait notamment référence à la mosquée d'al-Aqsa qui s'y trouve.

CHAPITRE 2

Le patrimoine du centre de Rome : lecture historique

Cœur de l'Antiquité romaine, centre du catholicisme depuis le Moyen Âge et capitale italienne depuis 1871, la ville de Rome n'a cessé de s'enrichir de nouveaux monuments. Ce patrimoine, matériel et immatériel, est un objet d'étude très particulier pour les historiens.

Que nous apprend l'étude du patrimoine historique de Rome sur le rapport des hommes à leur passé ?

1 **Un patrimoine sublimé par l'art**

Giovanni Paolo Panini, *Caprice montrant le Colisée, le guerrier Borghese, la colonne de Trajan, l'arc de Constantin, et le temple de Castor et Pollux*, huile sur toile, 1735.
Indianapolis (États-Unis), musée des Beaux-Arts.

Les monuments très anciens du patrimoine de Rome sont devenus autant de symboles de la ville. Les hommes se les réapproprient constamment, faisant ainsi évoluer ce patrimoine. Les représentations artistiques attestent bien de cette réappropriation : cette vue imaginaire (« caprice ») rassemble des monuments en réalité dispersés dans le centre historique.

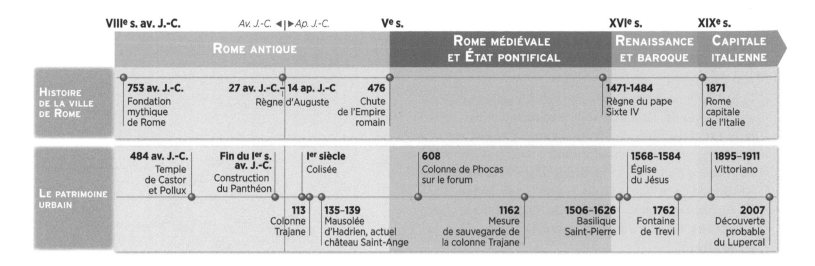

	VIIIe s. av. J.-C.		Av. J.-C. ◄|► Ap. J.-C.		Ve s.				XVIe s.		XIXe s.
	ROME ANTIQUE				ROME MÉDIÉVALE ET ÉTAT PONTIFICAL				RENAISSANCE ET BAROQUE		CAPITALE ITALIENNE
HISTOIRE DE LA VILLE DE ROME	**753 av. J.-C.** Fondation mythique de Rome		**27 av. J.-C.** Règne d'Auguste	**14 ap. J.-C**	**476** Chute de l'Empire romain				**1471-1484** Règne du pape Sixte IV		**1871** Rome capitale de l'Italie
LE PATRIMOINE URBAIN	**484 av. J.-C.** Temple de Castor et Pollux	**Fin du Ier s. av. J.-C.** Construction du Panthéon	**Ier siècle** Colisée			**608** Colonne de Phocas sur le forum			**1568-1584** Église du Jésus		**1895-1911** Vittoriano
			113 Colonne Trajane	**135-139** Mausolée d'Hadrien, actuel château Saint-Ange			**1162** Mesure de sauvegarde de la colonne Trajane	**1506-1626** Basilique Saint-Pierre	**1762** Fontaine de Trevi		**2007** Découverte probable du Lupercal

2 Rome, capitale des archéologues et des historiens

Un espace antique redécouvert lors de fouilles archéologiques au xxe siècle, sur le Largo Argentina dans le centre historique de Rome.

Le patrimoine romain antique a en partie subsisté jusqu'à nos jours et est omniprésent dans le centre de la ville. En confrontant ces restes avec les sources littéraires anciennes, historiens et archéologues écrivent l'histoire de ce patrimoine et s'efforcent de comprendre les rapports entre les sociétés et leur passé.

QUESTIONS

1. Quelle place le patrimoine occupe-t-il dans l'espace urbain ?

2. Quels rôles historiens et archéologues jouent-ils dans l'étude de ce patrimoine ?

Rome, ville-musée

Rome est aujourd'hui l'une des villes les plus visitées dans le monde. L'attraction qu'exerce cette ville plusieurs fois millénaire tient autant à son histoire mouvementée qu'à l'omniprésence d'un très riche patrimoine matériel et immatériel dans le centre historique de la ville. Les monuments symboliques de cet héritage, qu'ils soient antiques, chrétiens ou italiens, font de Rome un véritable musée à ciel ouvert.

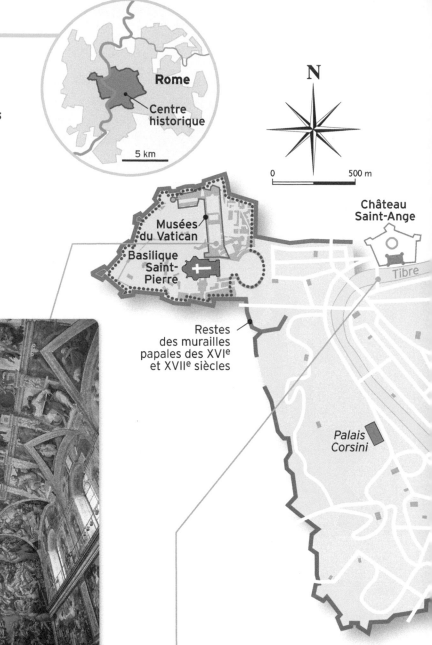

1 Un « patrimoine mondial »

La chapelle Sixtine (XVe-XVIe siècles), palais du Vatican.

La chapelle Sixtine, construite au XVe siècle, est un monument emblématique de la Renaissance et de la ville de Rome. Décorée par les plus grands artistes de l'époque, principalement Michel-Ange, elle fait partie, comme beaucoup d'autres monuments romains, du patrimoine mondial défini et protégé par l'Unesco.

2 Remaniements et transformations des monuments

Vue de la rive droite du Tibre.

Le pont Saint-Ange, construit au IIe siècle et souvent remanié ensuite, enjambe le Tibre pour mener au château Saint-Ange, mausolée romain antique transformé en prison puis en palais papal.

Restes des «murs d'Aurélien», en usage du IIIᵉ au XIXᵉ siècle

Piazza del Popolo

Mausolée d'Auguste

Siège de la présidence du Conseil (Palais Chigi)

Chambre des Députés (Palais de Montecitorio)

Fontaine de Trevi

Résidence du président de la République (Palais du Quirinal)

Palais Barberini

Musée national romain

Gare de Termini

Place Navone

Panthéon

Église du Jésus

Colonne Trajane

Basilique Sainte-Marie-Majeure

Vittoriano

Forums impériaux

Palais Spada

Capitole

Forum romain

Colisée

Basilique Saint-Clément

PALATIN

Basilique Saint-Jean-du-Latran

Tibre

Grand Cirque

Programme Alimentaire Mondial (FAO)

Thermes de Caracalla

Les trois Rome

1. Rome antique
- Zone archéologique
- Principaux musées
- Principaux monuments

2. Capitale catholique
- Basiliques majeures
- La ville aux « mille églises »
- État du Vatican

3. Capitale italienne et culturelle
- Monument célébrant l'unité italienne
- Bâtiments institutionnels
- Principaux musées

3 Conservation et mise en valeur du patrimoine

La place Navone.

Construite sur un stade antique, la place Navone est, dans son aspect actuel, un ensemble baroque (XVIᵉ-XVIIᵉ siècles) emblématique d'une période de construction intense à Rome. La réglementation concernant les monuments historiques de ce type est très stricte, afin de les protéger.

4 Les références au patrimoine antique utilisées au quotidien

Plaque d'égout à Rome.

Le sigle latin SPQR signifie *Senatus PopulusQue Romanus* (« le Sénat et le peuple romain ») et désigne la République romaine antique. Réutilisé aujourd'hui comme symbole par la municipalité de Rome, il est visible partout.

QUESTIONS

1. Quelles époques ont particulièrement contribué à la formation du patrimoine romain actuel ?

2. Comment les Romains valorisent-ils leur patrimoine ?

La permanence de la ville antique

Pourquoi les traces de l'Antiquité sont-elles si présentes dans le centre historique de Rome?

A. La découverte des origines de la ville

● **Une occupation humaine est attestée par les archéologues à partir des IXᵉ et VIIIᵉ siècles av. J.-C.** sur le Palatin, l'une des sept collines de Rome. Selon les textes antiques, c'est là que Romulus*, orphelin recueilli avec son frère jumeau par une louve [doc. 1], aurait fondé Rome en 753 av. J.-C (voir p. 46).
● Les restes des siècles qui suivent sont peu nombreux, à l'image de certaines parties des murailles archaïques du IVᵉ siècle av. J.-C. (murs dits «serviens»). Quelques monuments ont été conservés en vertu de leur utilité ou de leur caractère symbolique mais **la plupart des traces actuelles de la Rome royale et républicaine** (VIIIᵉ av.-Iᵉʳ av. J.-C.) **ont été découvertes par les archéologues à partir du XIXᵉ siècle.** Leur intégration dans le paysage urbain actuel témoigne de l'imbrication des strates historiques (voir p. 48).
● **Ces restes matériels sont très souvent associés à des textes anciens** décrivant cette période. Le travail de confrontation entre ces patrimoines matériels et immatériels est au fondement du travail des historiens.

B. Les marques de la période impériale

● **La Rome impériale**, *caput mundi*, connaît, durant les premiers siècles de notre ère, **une phase de développement urbain et monumental sans précédent**, notamment sous **Auguste** [doc. 2]. Les empereurs, qui résident dans la ville, l'organisent, y conservent les vestiges du passé et y font constamment des travaux: leur empreinte demeure visible aujourd'hui [doc. 3].
● **À la fin de l'Antiquité, la christianisation bouleverse l'urbanisme.** Certains monuments sont transformés en lieux de culte, tandis que la géographie et le paysage urbains sont peu à peu réorganisés par les chrétiens autour d'églises et de **basiliques**: cette structuration de la ville et ces bâtiments subsistent en partie aujourd'hui.
● Les marques de cette époque où **Rome est le cœur de l'Occident et du christianisme** naissant sont d'autant plus profondes qu'elles ont sans cesse été redécouvertes, conservées, admirées et utilisées par la suite [doc. 4].

C. La Rome médiévale entre héritage, déclin et renouveau

● **La période médiévale n'a laissé que peu de traces dans le centre actuel**: caractérisée par l'instabilité politique et l'insécurité, la ville, peu peuplée et souvent délaissée, décline et se replie sur elle-même, tandis que beaucoup de monuments antiques sont utilisés comme carrières de pierres.
● Pour autant, **l'affirmation du pouvoir des papes** – issus des grandes familles de Rome – puis d'un **État pontifical** à partir du VIIIᵉ siècle, **a eu des conséquences importantes sur l'urbanisme*** avec l'édification de nombreuses églises et la construction de fortifications.
● La naissance d'une **commune** romaine au XIIᵉ siècle conduit par ailleurs à des mesures de sauvegarde du patrimoine [doc. 5]. Malgré tout, l'héritage de cette époque demeure très faible par rapport à celui de la période antique, et reste de ce fait moins étudié par les historiens.

1 **Une fondation légendaire**

«La Louve capitoline», XIᵉ-XIIᵉ siècle. Rome, musée du Capitole.

Les auteurs anciens évoquent une statue antique de la louve ayant recueilli Romulus. Longtemps, on a pensé qu'il s'agissait de cette Louve capitoline mais des analyses chimiques ont montré, en 2007, qu'il s'agit d'une œuvre médiévale, certainement réalisée d'après un original antique.

1. Pourquoi a-t-on réalisé et conservé cette statue?

BIOGRAPHIE

Auguste (63 av. - 14 apr. J.-C.)
Fils adoptif de César, il devient le premier empereur romain en 27 av. J.-C. Le long règne de ce bâtisseur représente un tournant dans l'histoire de Rome, notamment dans les domaines politique, économique et social.
Statue d'Auguste, Iᵉʳ siècle.

MOTS CLÉS

Basilique: édifice de forme rectangulaire ayant une fonction judiciaire ou commerciale, dans les villes romaines antiques. Le terme désigne ensuite une église chrétienne ayant une importance particulière.

Caput mundi («tête du monde» en latin): expression signifiant que Rome, capitale d'un gigantesque empire, est le cœur du monde connu et civilisé et la plus grande ville antique.

Christianisation: processus par lequel un groupe ou un espace devient chrétien.

Commune: dans l'Italie médiévale, collectivité urbaine qui a acquis une certaine autonomie.

État pontifical: État placé sous l'autorité du pape, entre le VIIIᵉ et le XIXᵉ siècle, et correspondant selon les périodes à la région de Rome, à toute l'Italie centrale ou au seul territoire du Vatican.

DATES

753 Fondation mythique de Rome
27 av. - 14 ap. J.-C. Auguste, premier empereur romain
VIIIᵉ siècle Naissance de l'État pontifical

2 Construction et conservation sous l'empereur Auguste

L'empereur Auguste dresse le compte-rendu de son règne, et insiste sur ses activités de construction et de restauration de Rome. Les historiens ont croisé les textes sur le règne d'Auguste avec les résultats des fouilles archéologiques afin de reconstituer l'urbanisme de cette époque.

« J'ai construit la Curie[1] [...], le temple d'Apollon sur le Palatin avec ses portiques, le temple du Divin Jules, le Lupercal [...]. J'ai restauré le Capitole et le théâtre de Pompée à grands frais [...]. J'ai réparé les aqueducs qui étaient délabrés en plusieurs endroits en raison de leur âge. J'ai doublé la capacité de l'aqueduc de Marcia [...]. J'ai achevé le forum de César [...]. J'ai restauré quatre-vingt-deux temples appartenant aux divinités, sans omettre aucun de ceux qui devaient être restaurés à cette époque. [...] J'ai réparé la voie flaminienne [...]. Sur un terrain qui m'appartenait, j'ai fait construire le temple de Mars Vengeur et le forum d'Auguste [...] J'ai fait construire le théâtre situé près du temple d'Apollon sur un terrain en grande partie acheté à des particuliers, ce théâtre devait porter le nom de mon gendre Marcellus. »

Auguste, *Hauts faits du divin Auguste*, 19-21.

1. Lieu de réunion du Sénat romain antique.

1. Comment Auguste imprime-t-il sa marque dans la ville ?

2. De quelle manière traite-t-il les monuments du passé ?

3 Le Colisée, un bâtiment qui a traversé les siècles

Le Colisée et le forum, vue aérienne.

Édifié par les empereurs romains de la fin du Iᵉʳ siècle pour être un lieu de spectacle, l'amphithéâtre elliptique du Colisée pouvait accueillir plus de 50 000 personnes. Transformé tour à tour en forteresse, en carrière de pierre, en sanctuaire chrétien et en lieu d'habitation, il a en grande partie subsisté jusqu'à nos jours.

1. Comment le Colisée s'insère-t-il dans la Rome actuelle ?

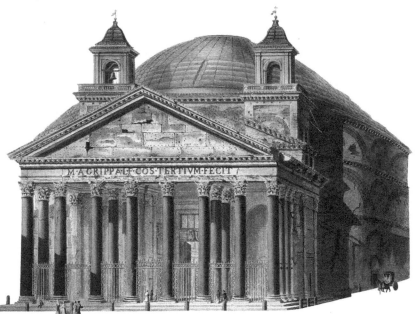

4 Le Panthéon de Rome

Gravure de Matthew Dubourg, *Le Panthéon*, vers 1815.
Édifié au Iᵉʳ siècle av. J.-C., ce temple dédié à toutes les divinités romaines est transformé en église au VIIᵉ siècle. Les clochers, ajoutés au XVIIᵉ siècle, sont détruits au XIXᵉ pour redonner au bâtiment son aspect antique.

1. Pourquoi ce monument antique a-t-il été conservé ?

5 La conservation des monuments antiques au Moyen Âge

La commune romaine, née au XIIᵉ siècle, est dirigée par un sénat qui adopte notamment des mesures pour conserver les monuments antiques. Le 27 mars 1162, elle s'occupe de la sauvegarde de la colonne érigée sur le forum de Trajan au début du IIᵉ siècle.

« Au nom de Notre Seigneur Jésus-Christ, amen. Nous, les sénateurs institués au Capitole par le vénérable et magnifique peuple romain pour rendre justice, [...] restituons l'église Saint-Nicolas avec la colonne à l'abbesse et au monastère de Saint-Cyriaque. Que soit toujours respecté [...] l'honneur public de la Ville. Que personne ne détruise jamais ni n'endommage ladite colonne, [...] mais qu'elle subsiste intègre et inviolée pour l'honneur de ladite église et du peuple romain tout entier, restant dressée ainsi tant que durera le monde. Celui qui osera l'endommager subira le châtiment suprême et ses biens seront confisqués. [...] Que cette investiture du sénat [...] soit toujours respectée. »

Codex diplomatique du sénat romain de 1144 à 1347.

La colonne Trajane.

1. Quelles mesures sont prises pour assurer la protection de la colonne Trajane ?

De la capitale papale et italienne à la « ville éternelle »

Comment le patrimoine romain s'enrichit-il depuis le XVᵉ siècle ?

A. La Rome des papes

- Les historiens ont mis en évidence le rôle déterminant des papes, comme **Sixte IV (1471-1484)**, dans la transformation de la ville de Rome, qui devient **l'unique capitale du catholicisme** aux XVᵉ et XVIᵉ siècles.
- **La Renaissance** confère en outre une place centrale à Rome dans la civilisation européenne : ce **retour à l'art et à l'architecture antiques** [doc. 2] **redonne de l'importance au patrimoine ancien de la ville**, au moment même où la culture latine classique devient de plus en plus importante dans l'esprit et la formation des élites européennes.
- D'autre part, **au XVIIᵉ siècle, la ville devient la capitale du baroque**, très présent dans le centre historique [doc. 1]. L'édifice emblématique de cette période est la basilique Saint-Pierre, symbole du pouvoir des papes*, objectif de nombreux pèlerins et objet d'étude pour les archéologues (voir p. 50).

B. Rome redécouverte à l'époque contemporaine

- **À partir de la fin du XVIIIᵉ siècle, la redécouverte et la rénovation de la ville s'accompagnent d'importantes campagnes de fouilles**, notamment sur le site des forums, longtemps laissé à l'abandon (voir p. 48). Cet intérêt archéologique pour Rome est soutenu, après 1815, par le *Risorgimento*, le courant romantique et le développement des études d'histoire romaine dans les universités européennes [doc. 3].
- L'unification de l'Italie autour du Piémont fait de Rome **la capitale du Royaume d'Italie en 1871**. La ville est alors modernisée dans le cadre d'un urbanisme politique à la gloire de la nouvelle nation italienne, qui se traduit notamment par la construction du Vittoriano (voir p. 52).
- Durant le *Ventennio* fasciste, **Benito Mussolini instrumentalise au profit du régime fasciste certains lieux associés à la puissance et au passé de Rome**. À cet effet, il multiplie les destructions d'édifices récents afin de mettre au jour des bâtiments antiques qui sont restaurés, notamment autour des forums et du Colisée.

C. Les évolutions du patrimoine dans la ville actuelle

- **Rome, déclarée « ville ouverte* », échappe aux destructions de la Seconde Guerre mondiale.** Dans l'après-guerre, alors que l'Italie est devenue une République (1946), la ville connaît une croissance importante à la périphérie. Toutefois, le centre historique ne connaît plus de bouleversements. La basilique Saint-Pierre demeure un lieu de pèlerinages catholiques massifs (voir p. 48), et Rome devient également, à partir des années 1960, l'une des principales destinations touristiques mondiales.
- **En 1980, l'Unesco inscrit au patrimoine mondial le centre historique de Rome** ainsi que le Vatican, des espaces que les autorités municipales et nationales s'efforcent également de sauvegarder et de rénover, ce qui n'est pas sans créer parfois des tensions [doc. 4].
- Au début du XXIᵉ siècle, la mise en valeur du patrimoine de Rome continue et cette richesse fait du centre historique de la ville un héritage universel [doc. 5].

1 Le patrimoine baroque

Façade de l'église du Gésù (Jésus) (XVIᵉ siècle) à Rome. Aux XVIᵉ et XVIIᵉ siècles, le centre historique se couvre d'églises baroques. L'église du Gésù est l'une des références de ce baroque romain.

1. Quelles tendances caractérisent le style baroque ?

BIOGRAPHIE

Sixte IV (1414-1484)
Pape de 1471 à 1484, ce Romain embellit la ville par de nombreuses rénovations et constructions, notamment la chapelle Sixtine, le pont Sixte et de nombreuses églises et basiliques.
Portrait de Sixte IV, vers 1476.

MOTS CLÉS

Baroque : style qui touche tous les domaines artistiques et se caractérise par l'exubérance ou le spectaculaire.

Risorgimento (« renaissance, résurgence », en italien) : le terme désigne à la fois un mouvement favorable à l'unification de l'Italie et à la résurrection de sa grandeur passée, et le processus d'unification de l'Italie, dans la seconde moitié du XIXᵉ siècle.

Ventennio (« durée de vingt ans », en italien) : période, entre 1922 et 1943, durant laquelle les fascistes sont au pouvoir en Italie.

DATES

XVIIᵉ siècle Rome capitale du baroque
1871 Rome capitale de l'Italie unifiée
1980 Inscription du centre de Rome au patrimoine mondial de l'Unesco

2 La Renaissance romaine

Place du Capitole.
La colline du Capitole, emblématique de la Rome païenne, est restructurée au XVIᵉ siècle. À la demande des papes, les plans de Michel-Ange orientent cette nouvelle place vers la basilique Saint-Pierre.

1. Quels éléments montrent l'inspiration antique ?

3 Rome vue par un historien romantique

L'historien Jules Michelet*, qui considère que l'histoire a pour objet la « résurrection du passé », a visité Rome en 1830.

« Pour comprendre Rome, il faut fouiller dans son sol, y déterrer les six civilisations qui s'y sont superposées : sous la Rome papale, la féodale, sous celle-ci la chrétienne, puis la Rome impériale, puis la Rome républicaine et au plus profond la Rome étrusco-latine. Rome est grande non seulement par ses voies mais par ses tombeaux et ses catacombes, ses aqueducs et ses cloaques. Les Grecs, fils du Dieu du jour, ont travaillé sur terre, les Étrusques et les Romains aussi sous terre. Ils ont creusé des voies arides, les catacombes, des voies vives et fraîches, les aqueducs qui gazouillent sur la tête des morts. Rome a pour base un tombeau et elle a passé toute son histoire à "ressusciter les choses mortes". »

Jules Michelet, *Cours au Collège de France*, 1840.

1. Que révèle ce texte de l'intérêt du patrimoine de Rome ?

Fontaine de Trevi
(XVIIIᵉ s.), Rome.

4 Les enjeux patrimoniaux actuels

« L'État se prépare à défendre... le Colisée, sur le point d'être envahi par 200 000 fans de foot. Et par leurs deux terrains, étendus au pied de l'arc de Constantin et du Colisée pour la finale de la Champions League. [...] Le projet a été préparé par la Commune de Rome. [...] L'archéologue de la Surintendance[1], directrice du Colisée et compétente pour tout ce qui touche la place, explique qu'elle ne peut être d'accord. [...] Le sous-secrétaire aux Biens culturels[2] [...] ajoute : "l'état d'urgence vient d'être déclaré sur cette zone archéologique du fait de son état de dégradation, et il est paradoxal que l'on veuille y permettre une manifestation aussi énorme. [...]" Mais quel est le statut de la zone ? Site archéologique ou place publique ? »

C. A. Bucci, « Au Colisée, l'affaire UEFA oppose la commune de Rome et la Surintendance », *La Repubblica*, 3 mai 2009.

1. Institution chargée de protéger le patrimoine ancien de la ville.
2. Responsable du patrimoine dans le gouvernement italien.

1. Quels acteurs s'opposent dans cette affaire ?
2. Quelles conceptions du patrimoine sont en jeu à propos du Colisée ?

5 Un héritage à l'échelle mondiale

« Caesar's palace », Las Vegas (Californie, États-Unis).
Cet immense complexe réunissant hôtel de luxe et casino au centre de Las Vegas comporte des reconstitutions de nombreux monuments romains. Au premier plan, une réplique de la fontaine de Trevi (œuvre baroque du XVIIIᵉ siècle) et, à l'arrière, une évocation du Colisée.

1. Pourquoi avoir choisi de reproduire ces monuments ?

Le mont Palatin, une colline patrimoniale

Le mont Palatin, l'une des sept collines de Rome, est considéré depuis l'Antiquité comme le berceau de la cité. Son occupation est attestée au moins à partir des IXe et VIIIe siècles av. J.-C., époque du fondateur légendaire de Rome, Romulus.
Cœur de la ville antique, il devient très rapidement un haut-lieu patrimonial aussi essentiel que fascinant pour les Romains.
Aujourd'hui, la confrontation des textes antiques avec les résultats des fouilles menées sur place permet de reconstruire le passé de la colline.

Comment le travail des archéologues et des historiens permet-il d'écrire l'histoire du Palatin ?

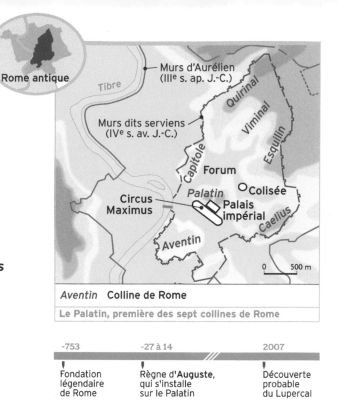

Rome antique

Tibre
Murs d'Aurélien (IIIe s. ap. J.-C.)
Quirinal
Viminal
Murs dits serviens (IVe s. av. J.-C.)
Esquilin
Capitole
Forum
Palatin ○ Colisée
Circus Maximus
Palais impérial
Caelius
Aventin

0 — 500 m

Aventin Colline de Rome

Le Palatin, première des sept collines de Rome

-753	-27 à 14	2007
Fondation légendaire de Rome	Règne d'**Auguste**, qui s'installe sur le Palatin	Découverte probable du Lupercal

1 Une colline aux origines de Rome

Denys d'Halicarnasse*, historien grec du Ier siècle av. J.-C., localise de nombreux événements fondateurs de Rome sur le Palatin.

« [Les hommes chargés d'abandonner Romulus et Remus dans une corbeille], après être descendus du haut du Palatin vers [le Tibre] très proche [...], déposent la corbeille sur l'eau. Elle flotta quelque temps [...], mais finit par chavirer. [...] Alors une louve, [...] aux mamelles remplies de lait, donna à leurs bouches ses tétines à sucer. [...] Une caverne[1] existe toujours aujourd'hui [à cet endroit], édifiée près du Palatin.
Romulus, devenu adulte, fonde Rome et habite sur le Palatin :
[Les premiers Romains] vivaient sur les collines, se bâtissant la plupart du temps des cabanes de bois et de roseau [...] De celles-ci, il y en avait encore une à mon époque, sur le côté du Palatin qui donne sur le Grand Cirque[2] ; elle est appelée la "cabane de Romulus", et est considérée sacrée par ceux qui en ont la garde. [...] Si elle souffre quelque peu des tempêtes ou du temps qui passe, ils arrangent ce qui en reste, et lui rendent son aspect originel autant que possible. »

Denys d'Halicarnasse, *Antiquités romaines*, I, 79, 5-8 et 11.

1. Caverne du Lupercal, nom qui vient de celui de la louve (*lupa* en latin).
2. Les archéologues ont dégagé des « cabanes » archaïques datant des IXe-VIIe av. J.-C. à cet endroit.

2 Un vaste chantier archéologique

Un archéologue devant le pilier qui aurait soutenu la « salle à manger » de Néron.

En 2009, une construction originale a été retrouvée : il s'agit probablement de la luxueuse « salle à manger » de l'empereur Néron (Ier siècle), qui offrait une vue panoramique sur Rome selon un historien antique.

3 Le cœur de l'Empire romain

Vue de la cour inférieure du palais impérial du Ier siècle.

Sous l'Empire romain (Ier siècle av. – Ve ap. J.-C.), le Palatin est peu à peu recouvert par un ensemble monumental de palais (mot issu du latin *Palatium*) construits par les empereurs qui choisissent d'y résider.

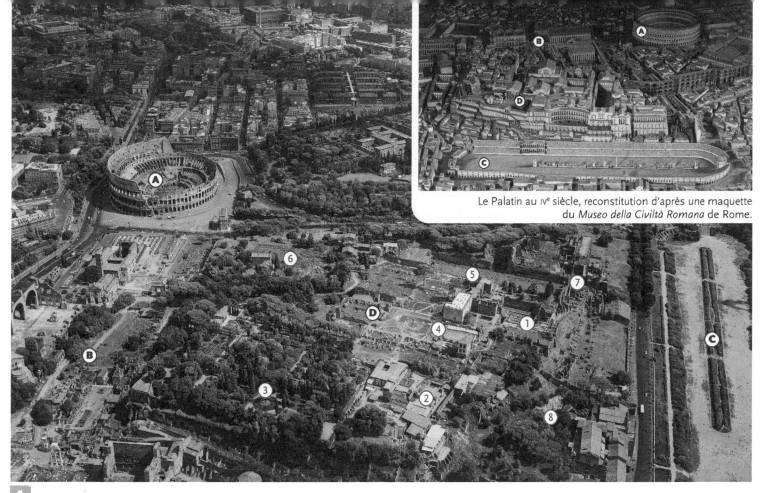

Le Palatin au IVe siècle, reconstitution d'après une maquette du *Museo della Civiltà Romana* de Rome.

4 **Les restes monumentaux sur le Palatin**

Vue actuelle du Palatin.

A. Colisée.
B. Forum romain.
C. Grand cirque (*Circus Maximus*).
D. Palatin :
    1. Palais impérial (Ier siècle).
    2. Maison privée d'Auguste (Ier siècle) ;
       « cabane de Romulus » (VIIIe siècle av. J.-C.).
    3. Palais de Tibère (empereur de 14 à 37).

4. Palais des Flaviens (empereurs de 69 à 96).
5. « Stade » de Domitien (empereur de 81 à 96).
6. Temple d'Elagabal (empereur au IIIe s.).
7. Palais de Septime Sévère (empereur au IIe-IIIe siècles) et thermes reconstruits par Maxence (empereur au IVe siècle).
8. Emplacement probable du Lupercal.

5 **La redécouverte d'un monument antique**

En 2007, une grotte magnifiquement décorée est retrouvée par les archéologues sous le Palatin, à proximité du palais d'Auguste, et identifiée par certains spécialistes au Lupercal antique. La découverte entraîne immédiatement de vifs débats entre chercheurs.

« À sept mètres sous le sol, la sonde électronique a constaté un grand vide. C'est peut-être là le cœur de l'histoire de Rome : la grotte où, selon la légende [...], la louve a offert ses mamelles aux bouches affamées de Romulus et Remus, la "nurserie" qu'Auguste a embellie solennellement pour faire de cet antre obscur [...] un lieu fondateur de l'Empire. [...]

Le lieu où on était presque certain de trouver le Lupercal a été identifié l'année dernière, cette grotte où le 15 février les Romains se rendaient pour fêter l'allaitement miraculeux des jumeaux [Romulus et Remus]. [...] "Il est incroyable de penser" disait hier le ministre pour les Biens culturels [1], Francesco Rutelli, "qu'on a finalement pu retrouver un lieu mythologique, qui devient aujourd'hui réel".

Mais l'ancien directeur des fouilles, Adriano La Regina, affirme : "Il n'y a pas de certitude. De plus, la grotte devrait se trouver plus à l'Ouest." [...] Seules les fouilles pourront confirmer cette hypothèse. »

« La grotte de Romulus et Remus, le Lupercal, a été retrouvée »
article paru dans *La Repubblica*, 21 novembre 2007.

1. En Italie, équivalent du ministre de la Culture.

QUESTIONS

Une colline fondatrice

1. Quelles sont les fonctions successives du Palatin ? (doc. 1, 2, 3, 4)

2. Quels éléments manifestent la pérennité de l'occupation du site ? (doc. 1, 4)

L'écriture de l'histoire du Palatin

3. Pourquoi le Palatin est-il un lieu de mémoire, dans l'Antiquité comme aujourd'hui ? (doc. 1, 3, 4, 5)

4. Comment est-il resté au cœur de l'écriture de l'histoire de Rome ? (doc. 1, 2, 5)

Bilan : Comment le travail des archéologues et des historiens permet-il d'écrire l'histoire du Palatin ?

Étude critique de documents
Présentez les documents 1 et 5, puis montrez comment ils illustrent la persistance du lieu de mémoire qu'est le Lupercal.

Le complexe des forums, l'Antiquité au cœur du présent

Le forum romain, principale place publique de la cité antique, constituait le centre de la vie civique, politique et économique de Rome. Agrandi ensuite du complexe des forums impériaux et sans cesse remanié, il aurait pu sombrer dans l'oubli à la fin de l'Empire romain. Bien au contraire, la place qu'il tient dans l'imaginaire de la ville a fait qu'il n'a cessé d'être ensuite un lieu symbolique de son patrimoine, sans cesse revisité et représenté, et à travers lequel l'historien peut lire et reconstruire une partie de l'histoire de Rome.

En quoi le forum est-il un lieu patrimonial de Rome ?

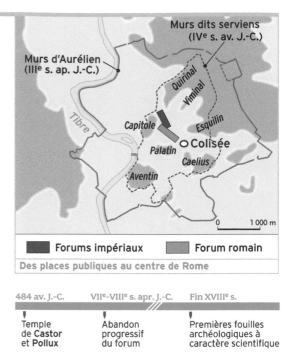

Des places publiques au centre de Rome

| ■ Forums impériaux | ■ Forum romain |

484 av. J.-C.
Temple de **Castor** et **Pollux**

VIIᵉ-VIIIᵉ s. apr. J.-C.
Abandon progressif du forum

Fin XVIIIᵉ s.
Premières fouilles archéologiques à caractère scientifique

1 Le *Campo Vaccino*, entre fascination et abandon

Paul Bril, *Marché dans le Campo Vaccino à Rome*, XVIᵉ-XVIIᵉ siècle, huile sur cuivre (27 x 35 cm). Paris, musée du Louvre.

Du Moyen Âge au XVIIIᵉ siècle, l'espace du forum, enseveli, est habité et exploité : il reçoit même le nom de *Campo Vaccino* (« champ des vaches »). L'intérêt pour ces ruines à démi ensevelies inspire de nombreuses représentations.

2 Un espace reconnu et idéalisé

À partir du XVIIᵉ siècle, les voyageurs européens qui vont à Rome décrivent les ruines du forum, qui passionnent de plus en plus à mesure que l'on redécouvre l'histoire et les monuments antiques. Ils insistent sur le contraste entre ce qu'ils voient et le passé glorieux de la ville.

« Des fenêtres du Capitole on découvre tout le Forum, les temples de la Fortune et de la Concorde, les deux colonnes du temple de Jupiter Stator, les Rostres, le temple de Faustine, le temple du Soleil, le temple de la Paix, les ruines du palais doré de Néron, celles du Colisée, les arcs de triomphe de Titus, de Septime Sévère, de Constantin ; vaste cimetière des siècles, avec leurs monuments funèbres, portant la date de leur décès. [...] Une autre singularité de la ville de Rome, ce sont les troupeaux de chèvres, et surtout ces attelages de grands bœufs aux cornes énormes, couchés au pied des obélisques égyptiens, parmi les débris du Forum et sous les arcs où ils passaient autrefois pour conduire le triomphateur romain[1] à ce Capitole que Cicéron appelle le conseil public de l'univers. »

F.-R. de Chateaubriand, *Voyage en Italie*, 1803.

1. Pendant la cérémonie du triomphe, les généraux romains vainqueurs traversaient le forum par la Voie sacrée avant de se rendre sur le Capitole.

3 Un musée à ciel ouvert

Le forum romain aujourd'hui.

En plus de son passé très ancien et son inscription au patrimoine mondial de l'Unesco, les nombreuses campagnes de fouilles et de restauration ont fait que le forum romain est devenu l'un des lieux les plus symboliques de Rome. Il reçoit plus de 5 millions de visiteurs par an, dont une majorité de touristes étrangers.

1. Voie sacrée : très ancienne voie centrale qui traverse le forum.
2. Temple de Castor et Pollux (484 av. J.-C. restauré au Iᵉʳ siècle).
3. Arc de Septime-Sévère (IIIᵉ siècle).
4. Curie : lieu de réunion du Sénat (bâtiment reconstruit au IIIᵉ-IVᵉ siècles).
5. Colonne de Phocas, dernier monument du forum (608).
6. Forums impériaux.

5 Une zone archéologique

À la Renaissance, l'importance historique et patrimoniale du forum est reconnue mais le site ne commence à être fouillé méthodiquement qu'avec le développement de l'archéologie au XIXᵉ siècle. L'historien allemand Christian Hülsen dresse un bilan des fouilles.

« [Au XVIᵉ siècle], le forum servait de carrière de pierres [...]. La première fouille à objet purement scientifique fut menée en 1788 par l'ambassadeur suédois à Rome, C. F. von Fredenheim, qui découvrit une partie de la basilique Julia. [...] Le gouvernement de la République romaine décida en 1849 de dégager complètement le forum. [...] En 1882, Guido Baccelli, ministre de l'instruction publique fit détruire les deux rues [modernes qui se trouvaient sur le forum], et, pour la première fois, toutes les ruines du forum et de la Voie sacrée furent reliées en un merveilleux ensemble du point de vue artistique et archéologique.

Durant ces six dernières années, la zone dégagée a doublé et, ce qui est plus important, les explorations ne se sont plus arrêtées au niveau de l'époque impériale. »

Christian Hülsen, *Le Forum romain*, 1905.

4 La réutilisation du site par les fascistes

Mussolini devant les forums impériaux et la statue de l'empereur Auguste, 1936.

Le complexe des forums impériaux est régulièrement utilisé par le régime fasciste : cet espace incarne en effet l'Empire romain que Mussolini voulait recréer.

QUESTIONS

L'évolution d'un site antique

1. Quelles ont été les principales évolutions du site des forums ? (doc. 1, 2, 3, 4)

2. En quoi le regard sur cet espace a-t-il lui aussi évolué avec le temps ? (doc. 1, 2, 4, 5)

Un lieu chargé de sens

3. Comment peut-on expliquer cet intérêt constant pour les forums ? (doc. 1, 2, 3, 4, 5)

4. En quoi ce site illustre-t-il le rapport des sociétés avec leur passé ? (doc. 1, 2, 3, 4, 5)

5. Comment les historiens et archéologues étudient-ils ce complexe ? (doc. 3, 5)

Bilan : En quoi le forum est-il un lieu patrimonial de Rome ?

Étude critique d'un document

Présentez le document 4 et montrez en quoi il s'agit d'une mise en scène visant à rapprocher le régime fasciste de celui de la Rome impériale.

La basilique Saint-Pierre, cœur de la Rome catholique

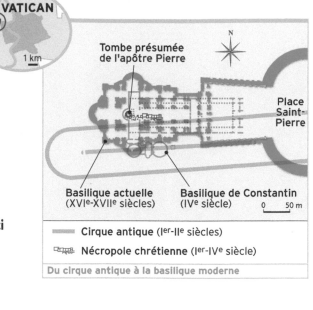

VATICAN

1 km

Tombe présumée de l'apôtre Pierre

N

Place Saint-Pierre

Basilique actuelle (XVIe-XVIIe siècles)

Basilique de Constantin (IVe siècle)

0   50 m

— Cirque antique (Ier-IIe siècles)

▭ Nécropole chrétienne (Ier-IVe siècle)

Du cirque antique à la basilique moderne

Au centre de l'État du Vatican, la basilique Saint-Pierre est le monument le plus visité de Rome et l'emblème du patrimoine chrétien de la ville. Le site, sous lequel se trouverait la tombe de l'apôtre Pierre, a été bâti dès l'Antiquité et est devenu, sous l'impulsion des papes, l'un des centres du monde chrétien. Les reconstructions de plus en plus immenses de l'édifice ont abouti à la basilique actuelle, modèle de l'art baroque et cœur de l'Église catholique. L'ensemble du site est un objet d'étude particulièrement complexe pour les historiens et les archéologues.

Qu'apporte l'étude de la basilique Saint-Pierre à l'histoire du catholicisme ?

65 — Selon la tradition, mort de l'**apôtre Pierre** à Rome

1626 — Achèvement de la basilique

1939-1950 — Fouilles de la nécropole située sous la basilique

1 Le centre de l'Europe impériale

En décembre 800, Charlemagne se fait couronner empereur des Romains, c'est-à-dire de l'Occident chrétien, à Saint-Pierre.

« Le grand roi [Charlemagne] arriva [à Rome] et se rendit à la basilique Saint-Pierre, où il fut reçu avec beaucoup d'honneurs. [...]

Vint le jour de la Nativité de Notre Seigneur Jésus-Christ [1] et tous se rendirent à nouveau à la [...] basilique du bienheureux apôtre Pierre [2]. Le vénérable et auguste Pontife [3] prit alors dans ses mains une très précieuse couronne et couronna le roi.

Alors, l'ensemble des fidèles romains, voyant combien il avait défendu et aimé la Sainte Église de Rome et son pape, poussèrent d'une voix unanime, par la volonté de Dieu et du bienheureux Pierre, porteur de la clé du royaume céleste, l'acclamation : "À Charles, très pieux auguste, couronné par Dieu, à l'empereur grand et pacifique, vie et victoire".

Ensuite, devant la confession du bienheureux apôtre Pierre [4], l'invocation de nombreux saints fut répétée trois fois et il fut établi par tous empereur des Romains. »

Livre des papes, « Léon III », trad. M. Aubrun, éditions Brépols, 2007.

1. Le 25 décembre 800.
2. La basilique constantinienne.
3. Le pape Léon III.
4. Le tombeau de Pierre.

2 Une église hors norme

Le baldaquin de la basilique Saint-Pierre.
Le baldaquin qui surmonte l'autel de la basilique et la sépulture supposée de l'apôtre Pierre, a été conçu et réalisé par Le Bernin* entre 1624 et 1633. Les immenses dimensions de ce chef-d'œuvre baroque visent à créer un espace sacré à la taille de la nouvelle basilique, conçue par les papes pour être la plus grande église du monde chrétien.

3 Le centre du catholicisme

La place Saint-Pierre, avec la colonnade du Bernin
et l'obélisque antique.

La basilique Saint-Pierre demeure le cœur du monde
catholique, et son patrimoine spécifique attire aujourd'hui
des millions de visiteurs et de pèlerins, venus notamment
assister à de grandes cérémonies ou aux audiences papales.

4 Le travail des archéologues sous la basilique

*Entre 1939 et 1950, les fouilles menées sous la basilique à
la recherche de la tombe de Pierre permettent de renouveler les connaissances sur les premiers chrétiens de Rome.*
« Bien que l'archéologie chrétienne romaine disposât
d'un nombre suffisant d'éléments pour penser alors
que la tombe de l'apôtre Pierre avait dû effectivement
se trouver en coïncidence de la basilique du Vatican,
aucune certitude n'était acquise. Le secret autour
de ces recherches fut soigneusement gardé car les
erreurs du passé, et en particulier les surinterpréta-
tions des XVIIe-XIXe siècles [1] qui avaient entraîné l'invention abusive de reliques de martyrs [...], selon des
critères discutables, ne pouvaient permettre de droit
à l'erreur. De plus, ce secret fut maintenu en prévision de l'année jubilaire [2] de 1950, qui devait être, en
cas de résultats incontestables, l'occasion d'annoncer
au monde [...] la grande nouvelle de la découverte de
la tombe de Pierre.
Ces fouilles de la nécropole du Vatican ont ainsi livré
toute une série de données qui vont bien au-delà de
la découverte des restes de la sépulture dont on peut
raisonnablement penser qu'elle fut celle de l'apôtre
Pierre. [...] Pour l'heure, c'est grâce à la fouille de
cette partie de la nécropole du Vatican que l'on est
en mesure de disposer de données sur la nature des
sépultures des premiers chrétiens. »

Philippe Pergola, « La découverte de la tombe de Saint-Pierre »,
Les dossiers d'archéologie, n°259, 2000-2001.

1. Allusion aux premières fouilles sous la basilique, qui
n'étaient pas guidées par des principes scientifiques.
2. Fête ayant lieu tous les cinquante ans.

5 Un espace exploré

Les fouilles de la nécropole vaticane
dans les années 2000.

Sous la basilique, la nécropole
antique a été en partie fouillée
par les archéologues. Aujourd'hui
visitable, elle se compose de
chambres funéraires qui mènent
à la tombe supposée de l'apôtre
Pierre, sous l'autel de l'église
actuelle. C'est la présence de cette
sépulture qui légitime la fonction
du pape, chef de l'Église catholique
car « successeur de Pierre ».

QUESTIONS

Le cœur de la Rome chrétienne

1. A quoi voit-on l'importance croissante du site de la basilique
Saint-Pierre ? **(doc. 1, 2, 3)**

2. En quoi peut-on dire que la basilique fait partie du patrimoine
des catholiques ? **(doc. 1, 2, 3, 4)**

Un patrimoine en évolution

3. Comment se manifeste la persistance d'un lieu de mémoire
religieux sur plus de deux millénaires ? **(doc. 1, 2, 3, 5)**

4. Comment la manière d'envisager le site a-t-elle évolué
au XXe siècle ? **(doc. 3, 4, 5)**

Bilan : Qu'apporte l'étude de la basilique Saint-Pierre à l'histoire
du catholicisme ?

Étude critique de documents

Identifiez et analysez les documents 4 et 5 et présentez le travail
des archéologues, puis montrez ce que l'archéologie apporte
à la compréhension de l'histoire de la basilique.

Le monument à Victor-Emmanuel II

Comment le monument à Victor-Emmanuel II manifeste-t-il le lien des Italiens du XIXᵉ siècle avec le passé antique de Rome?

● Le monument à Victor-Emmanuel II* a été érigé selon le projet de Guiseppe Sacconi, à partir de 1895, pour célébrer le *Risorgimento**. **Inauguré en 1911, à l'occasion du cinquantenaire du royaume d'Italie**, son nom fait référence au premier roi de ce pays, Victor-Emmanuel II, qui règne de 1861 à 1878 et est considéré comme le père de l'unité italienne.

● De ce monument néoclassique se dégage une impression de gigantisme et de symétrie qui donne le sentiment – recherché par ses concepteurs – que l'on se trouve face à un édifice de la Rome antique. Il n'en reste pas moins **l'emblème d'une «troisième Rome»**, italienne, qui succède à la Rome impériale du Colisée et à la Rome papale de Saint-Pierre.

● Cette œuvre s'inscrit aussi dans son quartier: **le monument, adossé à la très symbolique colline du Capitole** et voisin du complexe des forums, est bien au cœur de Rome.

● **Contesté à ses débuts, le *Vittoriano* est aujourd'hui l'un des symboles de la République italienne**. Il abrite un musée consacré à l'histoire du *Risorgimento*, ainsi que la dépouille du Soldat inconnu (depuis 1921).

L'ARCHITECTE

Giuseppe Sacconi (1854-1905)

Cet Italien, connu pour ses travaux de restauration à Rome, remporte en 1884 le concours qui doit sélectionner un projet de monument à Victor-Emmanuel II. Il en dirige ensuite la construction, mais meurt avant qu'elle ne soit achevée. Il est également député de 1884 à 1902.

G. Sacconi vers 1900.

LE COURANT

Le néoclassicisme

Ce mouvement artistique des XVIIIᵉ et XIXᵉ siècles se développe au lendemain des fouilles entreprises dans la cité antique de Pompéi. En réaction aux excès du baroque, le néoclassicisme célèbre la simplicité et la pureté de la symétrie des monuments antiques, considérés comme «classiques».

FOCUS   **Le relief de «l'Autel de la Patrie»**

Situé au cœur du monument mais conçu en 1906 seulement par le sculpteur Angelo Zanelli, il se compose de trois éléments symboliques et est centré sur une statue de Rome représentée comme une déesse, fondatrice de l'Italie.

| **Le travail**, représenté par des personnages symbolisant l'industrie et l'agriculture | **La déesse Rome** | **Le patriotisme**, représenté par des soldats et des femmes couronnant la déesse |

Centrée sur la statue équestre de Victor-Emmanuel II qui renforce l'équilibre de l'ensemble, le *Vittoriano* est construit en marbre blanc – un matériau privilégié durant l'Antiquité – tandis que son allure générale rappelle un temple romain ou un autel grec classiques. Les éléments de décor et les statues (quadriges, victoires, etc.) symbolisent et exaltent le passé de la ville. Les symboles proprement italiens et contemporains ne sont pas pour autant absents, comme le montre l'Autel de la Patrie.

ANALYSE DE L'ŒUVRE

ANALYSER L'ŒUVRE

1. Quels éléments renforcent la symétrie du monument ?

2. En quoi le Vittoriano constitue-t-il un monument à la fois romain et italien ?

3. Pourquoi a-t-il été construit sur le Capitole et à proximité des forums ?

DÉGAGER LA PORTÉE DE L'ŒUVRE

4. Pourquoi ce bâtiment reprend-il des caractéristiques de bâtiments antiques ?

5. En quoi cette œuvre est-elle le symbole d'une nouvelle Rome ?

1 Étudier un bâtiment

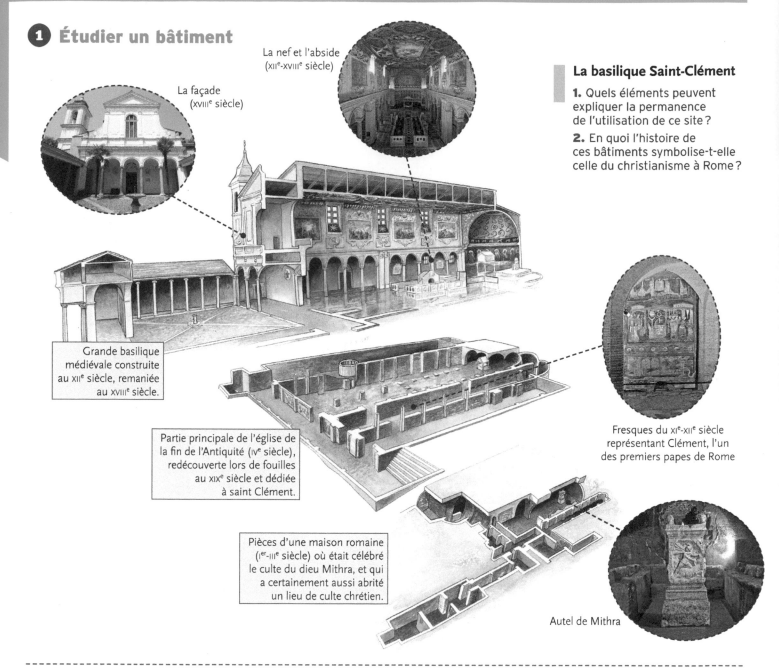

La nef et l'abside
(XIIᵉ-XVIIIᵉ siècle)

La façade
(XVIIIᵉ siècle)

Grande basilique
médiévale construite
au XIIᵉ siècle, remaniée
au XVIIIᵉ siècle.

Partie principale de l'église de
la fin de l'Antiquité (IVᵉ siècle),
redécouverte lors de fouilles
au XIXᵉ siècle et dédiée
à saint Clément.

Pièces d'une maison romaine
(Iᵉʳ-IIIᵉ siècle) où était célébré
le culte du dieu Mithra, et qui
a certainement aussi abrité
un lieu de culte chrétien.

Fresques du XIᵉ-XIIᵉ siècle
représentant Clément, l'un
des premiers papes de Rome

Autel de Mithra

La basilique Saint-Clément

1. Quels éléments peuvent
expliquer la permanence
de l'utilisation de ce site ?

2. En quoi l'histoire de
ces bâtiments symbolise-t-elle
celle du christianisme à Rome ?

---

2 Étudier un témoignage

Charles de Brosses*, dit président de Brosses, écrivain et magistrat français, raconte sous forme de lettres à ses amis français le voyage qu'il accomplit en Italie en 1739-1740.

« Je ne vous dis rien de la colonnade au-devant de l'église [Saint-Pierre de Rome]: vous la connaissez ; mais vous n'avez pas vu jouer les deux fontaines à côté de l'obélisque. Figurez-vous deux feux d'artifice d'eau qui jouent toute l'année jour et nuit, sans interruption: je n'ai rien trouvé qui m'ait fait plus de plaisir. [...] En général, la plus belle partie de Rome, à mon gré, ce sont les fontaines. [...] Le nombre de ces fontaines qu'on trouve à chaque pas, et les fleuves entiers qui en sortent, sont plus agréables et plus étonnants encore que les édifices, tout magnifiques qu'ils sont en général, surtout les anciens: le peu qui reste de ceux-ci, défiguré comme il l'est, est encore au-dessus des modernes pour la simplicité et la grandeur [...] Enfin, pour vous dire en un mot ma pensée sur Rome, elle est, quant au matériel, non seulement la plus belle ville du monde, mais hors de comparaison avec toute autre, même avec Paris, qui d'un autre côté l'emporte infiniment pour tout ce qui remue. »

Président de Brosses, « Lettre à M. de Neuilly », *Lettres familières d'Italie*, 1739-1740.

Le voyage du président de Brosses

1. Pour quelles raisons le président
de Brosses a-t-il entrepris
ce voyage ?

2. Quelle place accorde-t-il dans
sa description aux patrimoines
matériel et immatériel de la ville ?

3. Sur quoi insiste-t-il ?

L'essentiel

Le patrimoine du centre de Rome : lecture historique

1. Le patrimoine romain, héritier d'une accumulation historique

● **Rome a un passé de quelques vingt-huit siècles et son patrimoine n'a cessé de s'enrichir** durant son histoire, le rendant omniprésent dans le centre urbain : la Rome antique a légué des ensembles monumentaux, la cité de la Renaissance et du baroque a transmis ses églises, la capitale de l'Italie a ensuite créé ses lieux de mémoire et ses grands axes, tandis que la ville contemporaine s'est transformée en métropole culturelle mondiale.

● **Pour les historiens, cet enchevêtrement de patrimoines matériels et immatériels dans un même espace constitue un objet d'étude privilégié.** En confrontant les informations dont ils disposent (sources écrites, fouilles, etc.), ils font une lecture historique du patrimoine.

2. Les rapports entre patrimoine et société à Rome

● À Rome, **le rapport entre patrimoine et société est multiple** : historique car Rome est l'un des berceaux de l'Europe, religieux car la ville est le centre du catholicisme, national car Rome est la capitale de l'Italie. L'ensemble fait de Rome un « patrimoine mondial ».

● **Si les sociétés sont héritières de leur patrimoine, elles ne cessent pourtant jamais de se l'approprier** à leur manière et contribuent également à le créer. Dès l'Antiquité, on entreprend ainsi de conserver ou de rénover certains bâtiments et d'en créer d'autres. Certains papes ont eu ensuite les mêmes préoccupations, tout comme les administrations italiennes actuelles.

Schéma de synthèse

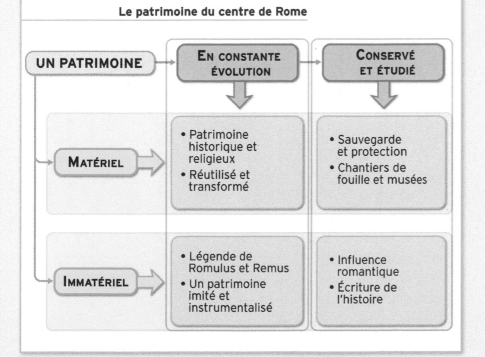

Le patrimoine du centre de Rome

UN PATRIMOINE → EN CONSTANTE ÉVOLUTION → CONSERVÉ ET ÉTUDIÉ

MATÉRIEL →
- Patrimoine historique et religieux
- Réutilisé et transformé

- Sauvegarde et protection
- Chantiers de fouille et musées

IMMATÉRIEL →
- Légende de Romulus et Remus
- Un patrimoine imité et instrumentalisé

- Influence romantique
- Écriture de l'histoire

Le Bernin
Sculpteur et architecte italien, Gian Lorenzo Bernini est l'un des grands artistes de l'époque baroque. Très apprécié par les papes, il réalisa notamment le baldaquin de la basilique Saint-Pierre, ainsi que la colonnade, qui entoure la place devant la basilique.

Sixte IV (1414-1484)
Pape de 1471 à 1484, ce Romain embellit la ville par de nombreuses rénovations et constructions, notamment la chapelle Sixtine et le pont Sixte, ainsi que de nombreuses églises et basiliques.

LES ÉVÉNEMENTS

Le règne d'Auguste, le premier empereur romain (27 av. J.-C.–14 apr.)
Né sur le Palatin et résidant ensuite sur cette colline, le premier empereur romain réorganisa la cité, tout en la rénovant de fond en comble et en la dotant de nouveaux édifices monumentaux.

Rome, capitale de l'Italie unifiée (1871)
Malgré l'opposition des papes, le royaume d'Italie veut Rome comme capitale et la conquiert, événement qui marque l'achèvement de l'unité italienne. La nouvelle capitale se modernise et devient une métropole italienne et européenne.

NE PAS CONFONDRE

Renaissance (art de la) : né en Italie au XIVe siècle, ce mouvement artistique se diffuse au XVe et au XVIe siècles dans tout l'Occident. Il se caractérise par la remise à l'honneur de l'art antique.
Baroque (art) : mouvement artistique né en Italie aux XVIe et XVIIe siècles, qui poursuit la Renaissance mais se caractérise par l'exubérance. Rome en est la capitale au XVIIe siècle, et l'Église catholique encourage sa diffusion dans toute l'Europe.

Basilique romaine : édifice important de la ville romaine antique, ayant surtout une fonction judiciaire ou commerciale.
Basilique chrétienne : à la fin de l'Antiquité, certaines basiliques sont utilisées par les chrétiens, qui conservent également le mot. Aujourd'hui, le terme désigne une église ayant une importance particulière.

CHAPITRE 3

Le patrimoine du centre de Paris : lecture historique

Le patrimoine est omniprésent dans le centre de la capitale française. Celle-ci n'a pas connu de destructions majeures et il s'y mêle des héritages de l'Antiquité, du Moyen Âge et, surtout, des périodes moderne et contemporaine, ce qui fait de Paris un objet d'étude d'une richesse extraordinaire pour l'historien.

Comment le patrimoine du centre historique de Paris nous renseigne-t-il sur le rapport des sociétés avec leur passé ?

1 Le patrimoine, une construction des sociétés

B. Roubaud, « Panthéon charivarique », *Le Charivari*, 1841. Caricature de V. Hugo (1802-1885) montrant l'écrivain assis sur ses œuvres, au milieu de scènes de celles-ci (personnages) ainsi que de lieux de Paris associés à sa vie (théâtres, Académie française) et à ses écrits (*Notre-Dame de Paris*, 1831).

Le patrimoine parisien est un héritage qui n'est pas seulement matériel. Sa construction s'accompagne de l'élaboration d'un récit collectif, comme l'illustre cette caricature, présentant V. Hugo dans un décor tout à fait imaginaire mais caractéristique d'une certaine conception de Paris au XIXᵉ siècle.

	De Lutèce à Paris	Capitale médiévale		Renaissance et classicisme	La métropole moderne
	IIIᵉ s. av. J.-C.	Vᵉ s. ap. J.-C.		XVIᵉ s.	XIXᵉ s.
Histoire de la ville	**361** Julien proclamé empereur à Paris	**481-511** Règne de Clovis	**1180-1223** Règne de Philippe Auguste **XIIᵉ-XIIIᵉ s.** Paris capitale des Capétiens	**1789-1799** Révolution française	**1852-1870** Transformations d'Haussmann
Le patrimoine urbain	**Iᵉʳ siècle** Construction de la Lutèce romaine		**XIIᵉ-XIVᵉ s.** Édification de Notre-Dame de Paris **XVIᵉ s.** Le Louvre, palais Renaissance	**1793** Transformation du Louvre en musée **1578-1607** Construction du Pont Neuf **1889** Inauguration de la tour Eiffel	**1885** V. Hugo au Panthéon **1977** Inauguration du Centre Pompidou **1991** Rives de Seine au patrimoine mondial

2 | L'enchevêtrement des patrimoines au cœur de Paris

Vue aérienne montrant l'axe Est-Ouest : la rue de Rivoli ①, les Champs-Élysées ②
jusqu'au quartier d'affaires de la Défense ③.

Le patrimoine parisien est le résultat d'une accumulation historique
et de transformations constantes : monuments très anciens (Notre-Dame,
à gauche) et plus récents (Centre Pompidou à droite) s'enchevêtrent
dans le centre de Paris, donnant parfois l'impression d'une ville-musée.

QUESTIONS

1. Quelle place le patrimoine occupe-t-il dans l'espace et l'imaginaire parisiens ?

2. Quels rôles l'historien peut-il jouer dans l'étude de ce patrimoine ?

Paris, capitale et ville-musée

Véritable musée à ciel ouvert, la ville de Paris offre aux innombrables visiteurs qui parcourent ses rues un résumé de l'histoire de France. Fille de la Seine, qui a vu naître Lutèce, et de la royauté, qui en a fait sa capitale, Paris n'a jamais cessé de se développer et d'être le théâtre de l'histoire française. La place qu'y occupent le patrimoine et les musées fait également de la Ville Lumière une capitale internationale de l'art.

1 Paris, fille de la Seine

Pilier des Nautes de Lutèce (maquette). Ensemble sculpté mêlant dieux romains et celtiques, avec des inscriptions en gaulois et en latin. Ier siècle, musée de Cluny.

La Lutèce antique naît de sa situation stratégique sur la Seine. Le fleuve, à la fois nourricier, protecteur et axe économique parcouru par les nautes (commerçants fluviaux), est le principal facteur de développement de la ville dès l'époque romaine.

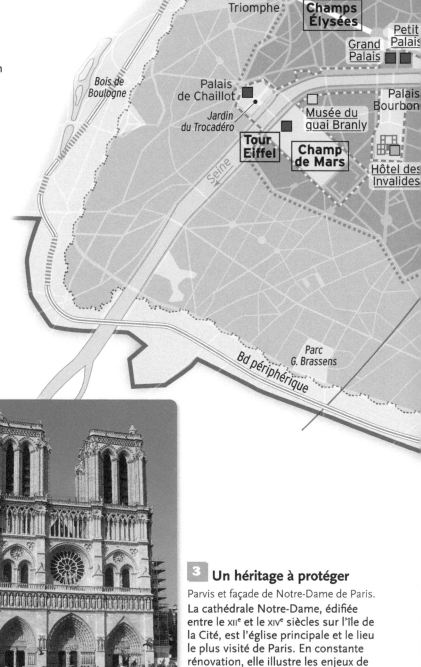

2 Paris, fille de la royauté

Le palais de la Conciergerie (XIIe-XIVe siècles).

La Conciergerie, sur l'île de la Cité, est le principal vestige du Palais de la Cité, résidence des rois de France à Paris jusqu'au XIVe siècle. Cette présence des souverains, notamment des rois capétiens qui en ont fait la capitale du royaume de France, est à l'origine du développement médiéval de la ville.

3 Un héritage à protéger

Parvis et façade de Notre-Dame de Paris.

La cathédrale Notre-Dame, édifiée entre le XIIe et le XIVe siècles sur l'île de la Cité, est l'église principale et le lieu le plus visité de Paris. En constante rénovation, elle illustre les enjeux de la conservation du patrimoine.

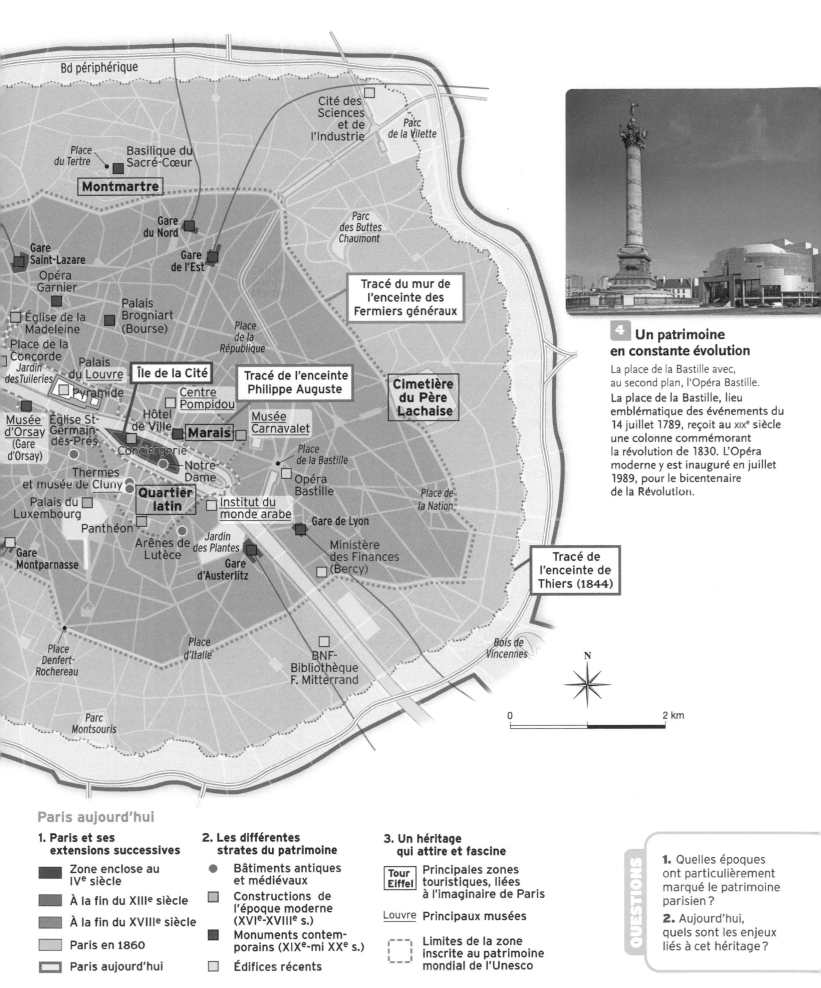

Bd périphérique

Cité des Sciences et de l'Industrie

Parc de la Vilette

Place du Tertre • Basilique du Sacré-Cœur

Montmartre

Gare du Nord

Gare Saint-Lazare

Opéra Garnier

Gare de l'Est

Parc des Buttes Chaumont

Église de la Madeleine

Palais Brogniart (Bourse)

Place de la Concorde

Place de la République

Jardin des Tuileries

Palais du Louvre

Île de la Cité

Tracé de l'enceinte Philippe Auguste

Tracé du mur de l'enceinte des Fermiers généraux

Pyramide

Centre Pompidou

Musée d'Orsay (Gare d'Orsay)

Église St-Germain-des-Prés

Hôtel de Ville

Marais

Musée Carnavalet

Cimetière du Père Lachaise

Conciergerie

Notre-Dame

Place de la Bastille

Thermes et musée de Cluny

Quartier latin

Opéra Bastille

Palais du Luxembourg

Institut du monde arabe

Place de la Nation

Panthéon

Arènes de Lutèce

Jardin des Plantes

Gare de Lyon

Gare Montparnasse

Gare d'Austerlitz

Ministère des Finances (Bercy)

Place de la Nation

Tracé de l'enceinte de Thiers (1844)

Place Denfert-Rochereau

Place d'Italie

BNF-Bibliothèque F. Mitterrand

Bois de Vincennes

N

Parc Montsouris

0   2 km

4 Un patrimoine en constante évolution

La place de la Bastille avec, au second plan, l'Opéra Bastille.

La place de la Bastille, lieu emblématique des événements du 14 juillet 1789, reçoit au XIXe siècle une colonne commémorant la révolution de 1830. L'Opéra moderne y est inauguré en juillet 1989, pour le bicentenaire de la Révolution.

Paris aujourd'hui

1. Paris et ses extensions successives

- Zone enclose au IVe siècle
- À la fin du XIIIe siècle
- À la fin du XVIIIe siècle
- Paris en 1860
- Paris aujourd'hui

2. Les différentes strates du patrimoine

- ● Bâtiments antiques et médiévaux
- Constructions de l'époque moderne (XVIe-XVIIIe s.)
- Monuments contemporains (XIXe-mi XXe s.)
- Édifices récents

3. Un héritage qui attire et fascine

- Tour Eiffel Principales zones touristiques, liées à l'imaginaire de Paris
- Louvre Principaux musées
- Limites de la zone inscrite au patrimoine mondial de l'Unesco

QUESTIONS

1. Quelles époques ont particulièrement marqué le patrimoine parisien ?

2. Aujourd'hui, quels sont les enjeux liés à cet héritage ?

Paris, de la Cité à la capitale

Comment le patrimoine parisien actuel témoigne-t-il d'une histoire très ancienne?

A. Les témoins de la naissance de la cité

● Les fouilles archéologiques montrent que **les alentours du site de Paris sont occupés au IIIᵉ siècle av. J.-C. par les Parisii,** peuple gaulois qui y fonde l'**oppidum** de Lutèce. Après la conquête de la Gaule par César, achevée **vers 50 avant J.-C., les Romains entreprennent de construire une cité,** suivant le plan géométrique des villes romaines. Le centre administratif en est l'**île de la Cité.**
● **Cette petite ville se développe à partir de la Seine** (voir p. 70), surtout sur sa rive gauche où sont notamment construits un forum, des thermes et des arènes dont il subsiste aujourd'hui encore des restes matériels [doc. 5]. L'héritage de cette période est également visible dans le paysage urbain : **le tracé de certaines rues actuelles se superpose souvent à celui de voies antiques.**
● Durant les siècles qui suivent, **Lutèce,** de plus en plus souvent appelée Cité des Parisii [doc. 4] puis Paris, **s'étend sur les deux rives et prospère.** La fonction militaire devient importante avec les troubles et les invasions des IIIᵉ et Vᵉ siècles, **ce qui conduit plusieurs empereurs romains à résider dans ses murs** [doc. 1].

B. La naissance d'une capitale (Vᵉ-XIIᵉ siècles)

● **La fin de l'Antiquité et le début du Moyen Âge constituent une période charnière dans l'histoire de Paris qui devient chrétienne entre le IIIᵉ et le VIIᵉ siècle.** De ce fait, les évêques et saints de cette époque – comme Denis qui serait le premier évêque de Paris, ou Geneviève qui joue un rôle face aux menaces d'invasion des Huns au Vᵉ siècle – deviennent des figures centrales de l'histoire de la ville et de l'imaginaire parisien.
● L'importance acquise par la ville explique en partie que **le roi des Francs, Clovis (mort en 511), l'élève, après l'avoir conquise, au rang de capitale** de son royaume [doc. 3]. Cependant, **Paris** est en général délaissée par les monarques durant les siècles qui suivent et **ne devient réellement capitale de la France qu'à partir de Louis VI (1108-1137)** et l'installation des Capétiens dans la ville aux XIIᵉ et XIIIᵉ siècles.

C. Le développement médiéval (XIIᵉ-XVᵉ siècles)

● **La présence du roi et de son administration bouleverse le paysage urbain.** Encore très centrée sur l'île de la Cité au XIᵉ siècle, la ville connaît une très importante expansion démographique, particulièrement forte aux XVᵉ et XVIᵉ siècles. Cet essor de sa population fait de **Paris, dès le XIIIᵉ siècle, la plus grande cité d'Europe.**
● **Les murailles successives de la ville accompagnent ses agrandissements,** notamment celle du roi **Philippe Auguste,** qui inclut la forteresse du Louvre, appelée à devenir le palais royal (voir p. 64).
● **La ville connaît un essor économique remarquable, qui s'accompagne d'un rayonnement intellectuel dans toute l'Europe,** grâce à son **Université.** De nombreux monuments de cette époque subsistent, essentiellement des édifices religieux [doc. 2] ou de défense. Leur conservation témoigne de leur importance symbolique.

1 Une ville stratégique à la fin de l'Antiquité

Statue du IVᵉ siècle longtemps dite de Julien. Paris, musée de Cluny.

Julien, proclamé empereur romain à Paris en 361, prend l'habitude d'y séjourner régulièrement. Le rôle stratégique de Paris naît à cette époque : pour la première fois, l'importance de la ville dépasse l'échelle régionale.

BIOGRAPHIE

Philippe Auguste (1165-1223)
Roi de France de 1180 à 1223, il renforce le contrôle de son royaume depuis Paris. Il effectue de grands travaux et prend de nombreuses mesures concernant la ville.
Sceau de Philippe Auguste, XIIᵉ siècle.

MOTS CLÉS

Île de la Cité: considérée comme le berceau de la ville, cette île reste longtemps son centre administratif et religieux. C'est pour ces raisons que le terme «cité» est utilisé pour la désigner depuis le Moyen Âge.

Oppidum: mot latin désignant un lieu fortifié. En Gaule, les oppidums ont pu avoir des caractéristiques urbaines, et restent en général de petites agglomérations défensives.

Université: au Moyen Âge, regroupement des maîtres et des écoliers (étudiants) d'une ville dans une même organisation, indépendante des évêques. L'une des premières est celle de Paris, à laquelle le roi Philippe Auguste donne un statut en 1200.

DATES

Iᵉʳ siècle Développement de Lutèce, ville romaine
XIIᵉ-XIIIᵉ siècles Paris capitale des Capétiens
XVᵉ-XVIᵉ siècles Intense croissance démographique

2 L'héritage chrétien médiéval

Vue de l'intérieur de la Sainte-Chapelle (île de la Cité).
Achevée en 1248, la Sainte-Chapelle a été construite par le roi Louis IX (1226-1270) à proximité de son palais, pour y conserver d'importantes reliques chrétiennes. Chef-d'œuvre de l'art gothique, elle a été très peu modifiée depuis son édification.

1. Comment l'importance donnée au patrimoine religieux se manifeste-t-elle à l'époque médiévale ?

3 L'invention de la légende d'une capitale

Écrites du XIIIᵉ au XVᵉ siècles, la série des Grandes Chroniques de France est une histoire officielle composée pour glorifier la royauté. Le récit, simplificateur et en partie inventé, présente Paris comme la capitale éternelle de la France.

« Sur la Seine, [les Français] habitèrent et fondèrent une cité qu'ils nomment Leuthèce, et qui maintenant est appelée Paris, 895 ans avant Jésus-Christ. [...] Le roi [franc] Marcomir changea le nom de la cité de Leuthèce [...] et l'appela Paris, à cause de Pâris, fils aîné du grand roi Priam de Troie, dont il était lui-même un descendant. [...]

Quand le roi Clovis fut baptisé [à la fin du Vᵉ siècle], il sortit de l'église heureux et joyeux, et s'en retourna à Paris, qui fut dès lors le lieu de résidence des rois et la capitale du royaume. Il montra bien sa foi et la dévotion de son cœur car il fonda à Paris, peu de temps après et sur la demande de la reine [Clotilde], une église en l'honneur du prince des apôtres[1], qui est maintenant appelée Sainte-Geneviève[2], et dans laquelle il repose encore, lui et la reine Clotilde son épouse et deux de leurs neveux. »

Grandes Chroniques de France, Livre I, XVᵉ siècle.

1. L'apôtre saint Pierre. 2. Site du Panthéon actuel.

1. D'après ce texte, quels éléments font de Paris la capitale de la France ?
2. Pourquoi ce récit essaie-t-il de faire remonter l'importance de Paris à l'Antiquité ?

4 Les origines de « Paris » vues par un humaniste du XVIᵉ siècle

À la Renaissance, avec la redécouverte des textes antiques, l'intérêt pour les origines de Paris grandit chez les humanistes, comme en témoigne ce texte d'Étienne Pasquier (1529-1615), homme d'État et historien.

« Mon opinion est que dans la province des Gaules, il y avait un pays particulier appelé Parisy, dans lequel était situé cette ville, et c'est pour cette raison que Jules César dans ses *Commentaires* des guerres faites en Gaule, l'appelle *Lutetia Parisiorum*, voulant dire que cette ville était située dans le Parisy[1]. Comme aujourd'hui nous disons Saint-Denis-en-France pour désigner la ville de Saint-Denis. [...] Ceux qui pensaient parler le mieux latin l'appelaient *Lutetia Parisiorum*, mais on oublia avec le temps le mot de *Lutetia*, et on se contenta à partir de ce moment de celui de "Paris", pour mentionner cette ville qui était la plus grande et la plus connue du pays de Parisy. Le premier qui l'écrive est Ammien Marcellin[2], au vingt-septième livre de son histoire. »

Étienne Pasquier, Les Recherches de la France, livre IX, XVIᵉ siècle.

1. L'auteur fait une erreur de traduction : « *Lutetia Parisiorum* » signifie en réalité que Lutèce est une ville importante du peuple des *Parisii*, qui est donc le nom d'une population.
2. Auteur romain du IVᵉ siècle.

1. En quoi ce texte témoigne-t-il de la naissance d'une histoire plus scientifique de la ville ?

Les fouilles des arènes de Lutèce en 1870.

5 Les débuts de la sauvegarde du patrimoine

Les restes de l'amphithéâtre de la ville romaine, les arènes de Lutèce, sont mis au jour dans les années 1860. Une partie est détruite, mais le combat pour leur protection, mené entre autres par Hugo, sauve le site, ouvert au public depuis la fin du XIXᵉ siècle.

« Monsieur le président [du conseil municipal de Paris], il n'est pas possible que Paris, la ville de l'avenir, renonce à la preuve vivante qu'elle a été la ville du passé. Le passé amène l'avenir. Les Arènes sont l'antique marque de la grande ville. Elles sont un monument unique. Le conseil municipal qui les détruirait se détruirait en quelque sorte lui-même.

Conservez les Arènes de Lutèce. Conservez-les à tout prix. Vous ferez une action utile, et, ce qui vaut mieux, vous donnerez un grand exemple. »

Victor Hugo, Lettre du 27 juillet 1883, Actes et paroles, vol. 4, 1889.

1. En quoi cette lettre de Hugo manifeste-t-elle une nouvelle manière de considérer le patrimoine ?

La ville moderne et ses défis

Comment le patrimoine parisien s'est-il renouvelé depuis le XVIIe siècle ?

A. Le patrimoine monumental et la ville moderne

- **Entre le XVIIe et le début du XIXe siècle, la croissance démographique et spatiale de Paris se poursuit.**
- Si Louis XIV (1643-1715) installe à Versailles le siège du gouvernement, Paris n'en est pas pour autant délaissée : **la monarchie l'enrichit de grands monuments et de places**. La naissance de l'**urbanisme** moderne accompagne ces développements. D'autre part, la ville rayonne, culturellement et intellectuellement, sur toute l'Europe du XVIIIe siècle, et les représentations qui l'entourent attirent de plus en plus Européens et **provinciaux**.
- **Avec la Révolution française, Paris redevient le centre politique de la France** [doc. 2] et, au début du XIXe siècle, Napoléon Ier amorce la réorganisation d'une ville qui est alors la capitale de l'Europe.

B. Les mutations d'une métropole européenne

- **Dans la première moitié du XIXe siècle, l'assainissement de Paris** se matérialise par la création de fontaines, de trottoirs et d'urinoirs. La population double et la ville est dotée d'une nouvelle muraille (enceinte de Thiers, 1844). Sept gares sont construites de 1837 à 1900. Louis-Philippe (1830-1848) fait achever l'Arc de Triomphe de l'Étoile et restaurer Notre-Dame et la Sainte-Chapelle. Dans ce contexte d'intérêt croissant pour le patrimoine, un inspecteur général des **monuments historiques** est nommé dès 1830.
- **Napoléon III, qui veut faire de Paris une capitale moderne, confie au baron Haussmann le soin de redessiner la ville par de grands travaux** (voir p. 66) : le paysage urbain est bouleversé et, en 1860, la superficie de Paris est doublée par l'annexion des communes situées à l'intérieur des fortifications de Thiers.
- Les destructions durant le siège de Paris et la Commune de 1870-1871 sont vite effacées par l'action de la IIIe République. Celle-ci fait du Panthéon un symbole de la nation (voir p. 68). **L'intérêt pour le passé et le patrimoine ancien de la ville se développe fortement.** Les expositions universelles [doc. 3] témoignent du rayonnement de la capitale française, dont le paysage continue d'évoluer [doc. 1].

C. Une capitale culturelle mondiale

- **La ville de Paris atteint son maximum démographique en 1931** avec 3 millions d'habitants **intra-muros**, et connaît ensuite une **désindustrialisation** au profit de sa proche banlieue. Une politique de sauvegarde du patrimoine [doc. 4] et de rénovation des vieux quartiers est entreprise à partir des années 1960.
- **Depuis les années 1970, Paris est l'objet de grands travaux présidentiels** : Georges Pompidou décide la construction du Centre Beaubourg (voir p. 72) et fait aménager les voies sur berge, François Mitterrand fait construire le Grand Louvre, l'Opéra Bastille et la Grande Bibliothèque, et Jacques Chirac le musée du quai Branly.
- **Paris devient à la fin du XXe siècle un haut lieu du tourisme de masse mondial.** En 1991, l'Unesco classe une partie des rives de la Seine au patrimoine mondial. Toutefois, la **muséification** du centre historique de la ville fait débat [doc. 5].

1 Un autre patrimoine : le mobilier urbain

H. Guimard, bouche de métro, porte Dauphine, 1900.
Certains éléments du mobilier urbain deviennent de véritables marques de fabrique du paysage d'une ville. Les bouches de métro conçues par Hector Guimard dans le style Art nouveau sont aujourd'hui l'un des emblèmes de Paris.

1. En quoi ce nouveau patrimoine illustre-t-il la modernisation de la ville ?

MOTS CLÉS

Désindustrialisation : à partir du milieu du XXe siècle, disparition des activités et des lieux liés à l'industrie.

Intra-muros : expression latine signifiant « à l'intérieur des murs ». À Paris, elle s'oppose à la banlieue et désigne l'espace compris à l'intérieur du boulevard périphérique, qui correspond globalement au tracé de la dernière enceinte de la ville.

Monument historique : monument ayant un intérêt historique, artistique ou architectural, et qui est protégé par un statut juridique spécial.

Muséification : terme souvent employé négativement, décrivant un processus par lequel un espace se fige et se transforme en une zone sauvegardée et visitée, à l'image d'un musée.

Provinciaux : terme désignant les habitants du reste de la France (les « provinces » de la monarchie), par opposition à ceux de Paris.

Urbanisme : manière d'organiser la ville à partir de principes, comme l'ordre et la régularité, et généralement avec un objectif esthétique.

DATES

1789 Paris redevient le centre politique de la France
1852-1870 Bouleversements du Second Empire
1991 Inscription au patrimoine mondial

2 Place de la Concorde: entre classicisme et mémoire de la Révolution

Vue actuelle de la place de la Concorde, avec l'hôtel Crillon (XVIIIᵉ s.) et l'obélisque de Louxor, installé en 1836. À l'arrière-plan à droite, l'église de la Madeleine (XIXᵉ s.).

C'est sur l'ancienne place Louis XV, modèle du classicisme du XVIIIᵉ siècle, que Louis XVI est guillotiné le 21 janvier 1793. Ce lieu emblématique de la Révolution, rebaptisé place de la Concorde en 1795, est régulièrement le cadre de grandes manifestations (défilé militaire, rassemblements...).

1. Comment l'enchevêtrement des patrimoines parisiens se manifeste-t-il ici ?

3 Une ville qui se met en scène

La Tour Eiffel et les autres bâtiments de l'Exposition universelle, gravure, 1889.

En 1889, pour le centenaire de la Révolution, le Champ de Mars, où s'est déroulé en 1790 la fête de la Fédération, accueille une Exposition universelle qui présente les derniers progrès du monde moderne. À cette occasion, Gustave Eiffel construit une tour de plus de 300 mètres de haut, le monument alors le plus haut du monde et d'emblée le plus visité.

1. Comment l'Exposition universelle modifie-t-elle le paysage urbain en 1889 ?

4 La sauvegarde du patrimoine

« Châteaux, cathédrales, musées, sont les jalons successifs et fraternels de l'immense rêve éveillé que poursuit la France depuis près de mille ans. [...]
Ces monuments sont les témoins de notre histoire, devenue exemplaire. Tous les peuples ont besoin d'une histoire exemplaire, et lorsqu'ils n'en ont pas, ils l'inventent. [...]
Quant aux Invalides [1], il n'est sans doute pas de monument qui illustre mieux ce que nous voulons défendre [2] ici: chef-d'œuvre incontesté dont nous retrouverons tout l'accent lorsque le nettoyage aura rendu leur couleur à ses pierres, "le lieu le plus respectable du monde" selon Montesquieu [...]. Mais aussi bien sûr le tombeau de Napoléon. Le destin fait veiller le plus grand capitaine des temps modernes par ses soldats d'Austerlitz, mais aussi par la garde funèbre des amputés de la France royale et par celle des armées de la République. »

André Malraux (ministre des Affaires culturelles de 1959 à 1969), *Discours* à l'Assemblée nationale, 1961.

1. Hôpital et hospice construit par Louis XIV, pour accueillir les soldats invalides.
2. Une loi de sauvegarde des monuments est adoptée en 1962.

1. Comment Malraux veut-il sauvegarder le patrimoine ?

5 Une ville-musée ?

« Les historiens de Paris [...] ont raison de dire que le centre de la ville aura plus changé en vingt ans que du Moyen Âge à la fin des années soixante. Entre l'ouverture du Centre Beaubourg en 1977 et celle de l'aile Richelieu en 1993, le phénomène progressif de muséification du cœur de Paris est spectaculaire. [...]
Il est étrange de voir, en un quart de siècle à peine, un centre-ville rejeter vers l'extérieur beaucoup de ses activités pour devenir si vite un lieu neutre, un centre sacré, voué au passé, au souvenir, au tourisme. Devenir quelque chose qui ne vit plus qu'à travers ce qui est mort. Les visiteurs des expositions universelles venaient en foule découvrir à Paris les derniers produits, les dernières créations du monde moderne. Il fallait voir la tour Eiffel parce que c'était le comble du neuf. On y vient aujourd'hui parce que c'est le moderne d'autrefois. »

Françoise Cachin, directrice des musées de France de 1994 à 2011, « Paris muséifié », *Le Débat* n°80, 1994.

1. Comment le centre de Paris s'est-il transformé ?

2. En quoi peut-on dire que Paris est aujourd'hui une ville-musée ?

Le Louvre, entre pouvoir et culture

Depuis huit siècles, le site du Louvre est un haut lieu de l'histoire française et parisienne. Ses bâtiments n'ont cessé, de la forteresse médiévale jusqu'au musée actuel, d'être des espaces emblématiques, très souvent modifiés et représentés : ils font aujourd'hui partie d'un imaginaire qui a largement dépassé les frontières de la France. Monument patrimonial en lui-même, le Louvre est devenu au XVIIIe siècle un espace de transmission du patrimoine artistique, et n'a jamais cessé, durant toute son histoire, d'être un symbole du pouvoir.

Comment le Louvre est-il devenu un emblème du patrimoine parisien ?

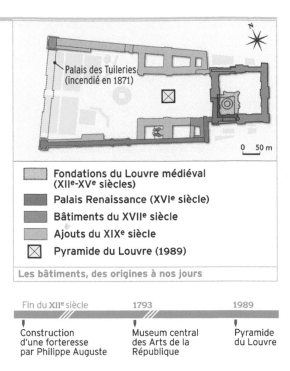

Palais des Tuileries (incendié en 1871)

0   50 m

☐ Fondations du Louvre médiéval (XIIe-XVe siècles)
■ Palais Renaissance (XVIe siècle)
■ Bâtiments du XVIIe siècle
☐ Ajouts du XIXe siècle
⊠ Pyramide du Louvre (1989)

Les bâtiments, des origines à nos jours

Fin du XIIe siècle — 1793 — 1989

Construction d'une forteresse par Philippe Auguste | Museum central des Arts de la République | Pyramide du Louvre

1 De la forteresse au palais royal

Vestiges des fossés du Louvre médiéval, intégrés aux niveaux souterrains du musée actuel.
Le Louvre est à l'origine une forteresse construite par le roi Philippe Auguste (1180-1223). Ce château médiéval, agrandi pour devenir résidence royale au XIVe siècle, est profondément remanié à partir du XVIe siècle pour en faire un palais Renaissance.

2 Un lieu dédié au patrimoine

Durant la Révolution, alors que la notion moderne de patrimoine apparaît, un Muséum central des Arts de la République est ouvert (1793) dans le palais du Louvre, pour rassembler «tous les monuments des sciences et des arts» à des fins d'éducation culturelle. Au XIXe siècle, il devient un véritable «temple du Beau».

«Ce n'est qu'avec un sentiment de respectueuse appréhension que nous approchons de ce sanctuaire où, siècle après siècle, s'est déposé l'idéal de tous les peuples. Le Beau a ici son temple et l'on peut l'y admirer dans ses manifestations les plus diverses. Au milieu de l'immense capitale, le Musée est comme le camée[1] qui ferme un bracelet de pierres précieuses. [...]
Si nous débutons [notre visite] par l'école française, c'est qu'elle est ici chez elle. En maîtresse de maison bien élevée, elle se tient au premier salon pour recevoir les visiteurs et les introduire dans ce vaste palais de l'art qu'elle mérite bien d'habiter, et où elle tient honorablement sa place parmi les chefs-d'œuvre de tous les pays et de toutes les écoles.»

Théophile Gautier, «Le musée du Louvre»,
Paris, guide par les principaux écrivains et artistes de France, 1867.
1. Pierre sculptée.

3 Le développement du musée

Joseph Castiglione, *Vue du Salon carré au Musée du Louvre*, 69 x 103 cm, 1861, musée du Louvre.
Tout au long du XIXe siècle, le Louvre ne cesse de s'agrandir et de s'enrichir de nouvelles œuvres. De nombreuses peintures prennent pour sujet ses galeries et leurs visiteurs, généralement issus de la bonne société parisienne.

4 Le Louvre au cœur du patrimoine parisien

Vue actuelle du Louvre et de la pyramide.

Le président François Mitterrand (1981-1995) lance une série
de grands travaux à Paris, notamment au musée du Louvre
qui est restauré, modernisé et étendu à l'ensemble du palais.
Dans ce cadre, le projet d'une pyramide en verre, conçue par l'architecte
Ieoh Ming Peï, fait un temps polémique. Elle est inaugurée en 1989.

5 Un nouveau musée : l'inauguration du Grand Louvre

« Vous êtes venus comme beaucoup d'autres Parisiens voir enfin
la pyramide, ses alentours, la manière dont elle s'imbrique à
l'ensemble du paysage monumental du palais du Louvre [...].
Vous savez qu'initialement, il y avait d'un côté le château fort
dont nous venons de visiter les fondations et qui à travers les
temps, de Philippe Auguste à Charles V et François Ier[1] a été
considérablement modifié ; et puis, à partir de Catherine de
Médicis[2], le palais des Tuileries que nous n'avons pas connu
mais dont nous savons beaucoup de choses puisqu'il n'a été
détruit qu'à partir de 1871. [...]
L'idée n'est pas venue gratuitement de construire une pyramide
dans la cour Napoléon. Il fallait rendre le musée à la fois plus
confortable et plus accessible pour les visiteurs et aussi mieux
conçu pour la présentation des œuvres. [...] Il y aura des escala-
tors, des accès multiples, [...] tandis que seront réaménagées, au
cours des années prochaines, les salles elles-mêmes et la distribution des œuvres. Vous êtes donc là devant le premier élément
d'une reconstruction, d'une nouvelle conception du musée du
Louvre devenu le Grand Louvre. [...] On a naturellement pensé à
réorganiser ou à revisiter – et quand je dis revisiter j'exagère –, à
ouvrir pour la première fois depuis des siècles certains éléments
de ce qui fut l'histoire de France. D'où les fouilles de la Cour
carrée, la base du château fort et de la tour du Louvre, Philippe
Auguste et la suite. Lorsque l'on passe de l'un à l'autre, on ne peut
qu'être frappé par une impression de l'histoire de notre pays. »

François Mitterrand, *Discours* prononcé lors
de l'inauguration du Grand Louvre, 14 octobre 1988.

1. Rois capétiens des XIIe au XVIe siècles.
2. Reine de France et régente au XVIe siècle.

Un monument parisien et culturel

1. Quelles ont été les fonctions successives
des bâtiments du Louvre ? (doc 1, 2, 4, 5)

2. Comment le musée du Louvre s'est-il développé ?
(doc 2, 3, 5)

Un monument politique : du Louvre au Grand Louvre

3. Comment le pouvoir monarchique puis républicain
s'est-il manifesté au Louvre ? (doc 1, 4, 5)

4. Comment le patrimoine historique du Louvre a-t-il été
mis en valeur par les grands travaux ? (doc 4, 5)

Bilan : Comment le Louvre est-il devenu un emblème
du patrimoine parisien ?

QUESTIONS

Étude critique de documents

Présentez les documents 2 et 5 en les situant dans leur
contexte. Expliquez comment évolue la conception de
ce que doit être un musée, puis montrez dans quelle
mesure la notion de patrimoine se transforme elle aussi.

Le Paris haussmannien

Sous le Second Empire (1852-1870), Paris est bouleversé par la politique de grands travaux décidés par l'empereur Napoléon III et menés par le préfet de la Seine, Haussmann. En quelques années, la ville ancienne sans grands axes disparaît, laissant la place à une capitale moderne, dotée d'un aménagement urbain cohérent. Saluées ou décriées par les contemporains, ces transformations se poursuivent par la suite. Une partie de l'héritage de la cité est perdue, mais un patrimoine nouveau apparaît et continue encore aujourd'hui de structurer le centre de Paris.

Comment Haussmann a-t-il transformé le patrimoine et le paysage parisiens ?

Chronologie

1850	Loi permettant les expropriations.
1852	Début des travaux.
1853	Haussmann nommé préfet de la Seine.
1860	Annexion à Paris des communes limitrophes.
1865	Inauguration du magasin Le Printemps.
1867	Eugène Belgrand nommé directeur des eaux et égouts de Paris.
1870	Révocation d'Haussmann.
1871	Parution du roman *La Curée* de Zola.
1875	Inauguration de l'Opéra Garnier (construit à partir de 1860).
1882-1884	Lois d'urbanisme complétant celles d'Haussmann.

1 Les fondements législatifs

L'œuvre de Napoléon III et d'Haussmann repose sur des règlements d'urbanisme. Avant même la nomination d'Haussmann en 1853, le décret du 26 mars 1852 met en place les grands principes urbanistiques, ensuite développés dans d'autres règlements jusqu'au début du XXe siècle, bien après la chute du Second Empire (1870).

« Article 2 - Dans tout projet d'expropriation pour l'élargissement, le redressement ou la formation des rues de Paris, l'administration [...] pourra comprendre, dans l'expropriation, des immeubles en dehors des alignements, lorsque leur acquisition sera nécessaire pour la suppression d'anciennes voies publiques jugées inutiles.

Art. 5 - La façade des maisons sera constamment tenue en bon état de propreté. Elles seront grattées, repeintes ou badigeonnées, au moins une fois tous les dix ans [...].

Art. 7 - Il sera statué par un décret ultérieur, rendu dans la forme des règlements d'administration publique, en ce qui concerne la hauteur des maisons, les combles et les lucarnes. »

Décret du 26 mars 1852.

« Article 1 - Les propriétaires d'immeubles en façade sur les rues et les boulevards de 20 mètres de largeur et au-dessus auront le droit de construire à la hauteur maxima de 20 mètres, sous les conditions ci-après.

1° - Il ne peut être fait en aucun cas, au-dessus du rez-de-chaussée, plus de cinq étages carrés, entresol y compris. »

Décret du 18 juin 1872.

Enceinte de Thiers (années 1840) — **Voies ouvertes par Haussman**

◆ **Principaux aménagements du Second Empire** — **Ponts construits ou restaurés par Haussmann**

Bercy **Communes entièrement ou en grande partie annexées à Paris en 1860** — **Espaces verts créés ou remaniés**

2 Un réseau urbain simplifié et modernisé

Haussmann veut créer un Paris moderne. Il souhaite y améliorer la circulation, mais la destruction des quartiers pauvres permet aussi de mieux contrôler la population. Expropriations et destructions sont décidées en masse et recomposent la trame et le paysage urbains.

3 Un urbanisme organisé autour de nouveaux monuments

L'Opéra Garnier et l'avenue de l'Opéra, pendant et après les travaux prévus par Haussmann.

Sous le Second Empire, de grandes avenues sont percées dans le centre de Paris, comme l'avenue de l'Opéra (1877), dont la perspective permet de mettre en valeur l'Opéra construit entre 1860 et 1875.

4 Paris, entre patrimoine ancien et moderne

À mesure que la physionomie de Paris change, les intellectuels prennent conscience que son patrimoine est modifié en profondeur.

« De profondes tranchées, dont plusieurs sont déjà de magnifiques rues, sillonnent la ville en tous sens ; les îlots de maisons disparaissent comme par enchantement, des perspectives nouvelles s'ouvrent [...]. La physionomie de Paris est en beaucoup d'endroits changée de fond en comble. [...] Sans doute le penseur sent naître en son âme une mélancolie, en voyant disparaître ces édifices, ces hôtels, ces maisons où les générations précédentes ont vécu. Un morceau du passé tombe avec chacune de ces pierres [...].

La civilisation, qui a besoin d'air, de soleil, d'espace pour son activité effrénée et son mouvement perpétuel, se taille de larges avenues dans le noir dédale des ruelles, des carrefours, des impasses de la vieille ville [...]. [Avant les travaux,] le jour ne descendait pas au fond de cette ruelle infecte, la peste noire et le choléra bleu s'accroupissaient dans cette ombre malsaine ; maçons, faites votre devoir, un rayon de soleil luira où brillait le génie. Hélas ! Pour pouvoir vivre, les cités sont forcées souvent de balayer comme la fange des rues la poussière de leur histoire. »

Théophile Gautier, préface de *Paris démoli* d'Édouard Fournier, 1855.

5 Des bouleversements critiqués

Les travaux d'Haussmann ont suscité beaucoup de critiques tant du point du vue patrimonial et architectural que du point de vue social et économique. Émile Zola (1840-1902) fait parler ici Aristide Saccard, spéculateur enrichi par les travaux à Paris.

« C'est la colonne Vendôme, n'est-ce pas, qui brille là-bas ?... Ici, plus à droite, voilà la Madeleine... Un beau quartier, où il y a beaucoup à faire... Ah ! Cette fois, tout va brûler ! Vois-tu ?... On dirait que le quartier bout dans l'alambic de quelque chimiste. [...] Plus d'un quartier va fondre, et il restera de l'or aux doigts des gens qui chaufferont et remueront la cuve. [...] Ils dégagent le Louvre et l'Hôtel de Ville. Jeux d'enfants que cela ! C'est bon pour mettre le public en appétit ! Quand le premier réseau sera fini, alors commencera la grande danse. Le second réseau trouera la ville de toutes parts, pour rattacher les faubourgs au premier réseau [1]. [...] Paris haché à coups de sabre, les veines ouvertes, nourrissant cent mille terrassiers et maçons, traversé par d'admirables voies stratégiques qui mettront les forts au cœur des vieux quartiers. »

Émile Zola, *La Curée*, 1871.

1. Allusion à l'annexion à Paris des communes et faubourgs voisins, en 1860.

QUESTIONS

Une transformation radicale

1. Quelles sont les motivations de la politique de grands travaux du Second Empire ? (doc 1, 2, 4, 5)

2. Quelles sont les caractéristiques de l'urbanisme haussmannien ? (doc 1, 2, 3)

Un nouveau patrimoine

3. Pour quelles raisons ces bouleversements ont-ils pu être critiqués ? (doc 2, 4, 5)

4. En quoi peut-on dire qu'ils ont détruit une partie du patrimoine ancien de Paris et en ont créé un nouveau ? (doc 1, 3, 4, 5)

Bilan : Comment Haussmann a-t-il transformé le patrimoine et le paysage parisiens ?

Étude critique de documents

Présentez les documents 4 et 5 puis montrez quels sont, selon les contemporains, les avantages et inconvénients des travaux haussmanniens.

Un lieu de mémoire : le Panthéon

Le site du Panthéon a été longtemps l'un des centres religieux de Paris, occupé par des églises dédiées à sainte Geneviève, patronne de la ville. Le bâtiment actuel a été construit au XVIIIᵉ siècle, à la demande de Louis XV. Les révolutionnaires donnent à cette église une fonction nouvelle de nécropole dédiée aux grands hommes. Tour à tour église ou panthéon des hommes illustres selon les régimes au pouvoir, l'édifice devient définitivement un monument républicain en 1885. Le Panthéon conserve une accumulation de références religieuses, philosophiques et patriotiques.

Comment le Panthéon est-il devenu un lieu de mémoire républicain ?

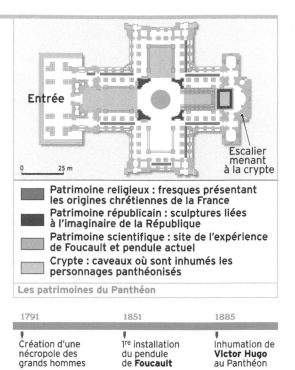

Entrée

Escalier menant à la crypte

0   25 m

- Patrimoine religieux : fresques présentant les origines chrétiennes de la France
- Patrimoine républicain : sculptures liées à l'imaginaire de la République
- Patrimoine scientifique : site de l'expérience de Foucault et pendule actuel
- Crypte : caveaux où sont inhumés les personnages panthéonisés

Les patrimoines du Panthéon

1791	1851	1885
Création d'une nécropole des grands hommes	1ʳᵉ installation du pendule de **Foucault**	Inhumation de **Victor Hugo** au Panthéon

1 La création d'un panthéon national

Durant la Révolution, le député de Paris Emmanuel Pastoret propose de transformer l'église Sainte-Geneviève en nécropole de tous les héros français : le Panthéon de Paris est né.

« Messieurs,

Le Directoire du département[1] propose à l'Assemblée nationale de décréter :

Que le nouvel édifice Sainte-Geneviève soit destiné à recevoir les cendres des grands hommes, à dater de l'époque de notre liberté ;

Que l'Assemblée nationale puisse seule juger à quels hommes cet honneur sera décerné ;

Que Honoré Riqueti Mirabeau[2] en est jugé digne ;

Que les exceptions qui pourront avoir lieu pour quelques grands hommes, morts avant la Révolution, tels que Descartes, Voltaire, Rousseau, ne puissent être faites que par l'Assemblée nationale ;

Que le Directoire du département de Paris soit chargé de mettre promptement l'édifice Sainte-Geneviève en état de remplir sa nouvelle destination, et fasse graver au-dessus du fronton ces mots : "Aux grands hommes la Patrie reconnaissante". »

Emmanuel Pastoret,
Discours à l'Assemblée nationale, 3 avril 1791.

1. Organe exécutif départemental jusqu'en 1800.
2. Mirabeau est mort la veille.

2 L'échec d'un projet républicain

Tantôt église, tantôt nécropole, le Panthéon change plusieurs fois de fonction au cours du XIXᵉ siècle. La IIᵉ République décide, en 1848, d'en refaire la décoration intérieure. Ce projet républicain est annulé par Louis-Napoléon Bonaparte en 1851.

« La République n'a encore commandé qu'un seul travail d'art, les peintures murales du Panthéon [...]. Le Panthéon est un temple et non pas une église ; sa forme, essentiellement païenne, se refuse aux exigences de la religion catholique, et sainte Geneviève a toujours eu, aux époques dévotes, beaucoup de peine pour y loger son culte : son nom même, qui signifie "temple de tous les dieux" et a prévalu parmi le peuple, le désigne à une destination plus vaste et plus générale que celle d'une basilique chrétienne. [...]

Chenavard [le peintre choisi pour orner le Panthéon] fait de l'église de la naïve patronne de Paris le temple du génie humain ; il écrit sur ces vastes murailles l'histoire synthétique de ce grand être collectif, multiple [...] composé de tous les hommes de tous les temps, dont l'âme générale est Dieu, et qui, en marche depuis Adam, s'avance d'un pas ferme et sûr vers le but connu de Lui seul. La légende et l'apothéose de l'humanité, telle est la tâche gigantesque que l'artiste s'est imposée. »

Théophile Gautier, *Le Panthéon, peintures murales par Chenavard*, 1848.

3 La « panthéonisation » : une cérémonie nationale

J.-P. Sinibaldi, *Les Funérailles de Victor Hugo*, 1885.

En juin 1885, Victor Hugo est enterré au Panthéon qui perd dès lors définitivement sa fonction d'église. Les funérailles, qui rassemblent près d'un million de personnes, sont orchestrées par la IIIᵉ République naissante comme une cérémonie nationale.

5 · La construction d'une mémoire nationale sous la IIIᵉ République

Durant la IIIᵉ République (1870-1940), des personnages importants sont inhumés au Panthéon lors de cérémonies souvent grandioses et parfois polémiques. Ces choix politiques contribuent à l'élaboration d'une écriture républicaine de la mémoire nationale.

1885 • **Victor Hugo (1802-1885)** Écrivain, républicain

1889 • **Théophile-Malo de La Tour d'Auvergne-Corret (1743-1800)**
Soldat révolutionnaire mort au combat

• **Lazare Carnot (1753-1823)**
Scientifique, chef des armées pendant la Révolution

• **François-Séverin Marceau (1769-1796)**
Général révolutionnaire mort au combat

• **Jean-Baptiste Baudin (1811-1851)**
Tué lors du coup d'État de Louis-Napoléon Bonaparte

1894 • **Sadi Carnot (1837-1894)**
Président de la République assassiné par un anarchiste

• **Marcellin Berthelot (1827-1907)** et son épouse
Scientifique, homme politique républicain,
partisan de la laïcité

1908 • **Émile Zola (1840-1902)** Écrivain et intellectuel dreyfusard

1920 • **Léon Gambetta (1838-1882)** Homme politique républicain

1924 • **Jean Jaurès (1859-1914)**
Homme politique socialiste et pacifiste, assassiné en 1914

1933 • **Paul Painlevé (1863-1933)**
Mathématicien et homme politique

4 · Le Panthéon, un monument patriotique dédié aux grands hommes

Vue aérienne du Panthéon, Vᵉ arrondissement de Paris.

Le bâtiment s'inspire du Panthéon de Rome, de l'architecture grecque antique et du classicisme français. L'inscription «Aux grands hommes la Patrie reconnaissante» est apposée en lettres de bronze sur le fronton, par les révolutionnaires en 1793. Elle en est retirée sous la Restauration et le Second Empire, avant que la IIIᵉ République ne la remette définitivement à sa place d'origine. Au sommet, la croix rappelle la fonction originelle du bâtiment.

QUESTIONS

Une histoire mouvementée

1. Quels ont été les usages successifs du Panthéon ? (doc 1, 2, 3, 4)

2. En quoi peut-on dire qu'il s'agit aujourd'hui d'un temple républicain ? (doc 3, 5)

La construction d'un lieu de mémoire

3. Quelles mémoires a-t-on voulu honorer dans le bâtiment ? (doc 1, 3, 4)

4. Quelles valeurs les hommes inhumés au Panthéon sous la IIIᵉ République illustrent-ils ? (doc 3, 5)

Bilan : Comment le Panthéon est-il devenu un lieu de mémoire républicain ?

Étude critique de documents → MÉTHODE p. 339

Analysez le document 1. Montrez comment et dans quel but les révolutionnaires s'approprient ce bâtiment.

La Seine, cœur du patrimoine parisien

Dès l'Antiquité, Paris s'est construite autour d'un fleuve, la Seine, qui a toujours joué un rôle essentiel dans l'histoire de la ville. Aujourd'hui, ses rives concentrent de nombreux monuments importants, et l'ensemble est classé au patrimoine mondial par l'Unesco. Le fleuve lui-même appartient en tant que tel au patrimoine de Paris, par les représentations qui l'entourent et par la place constamment renouvelée qu'il occupe dans l'imaginaire des Parisiens comme des touristes.

Pourquoi la Seine joue-t-elle un rôle si important dans l'histoire de Paris ?

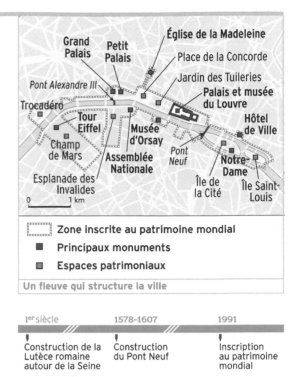

Un fleuve qui structure la ville

Ier siècle	1578-1607	1991
Construction de la Lutèce romaine autour de la Seine	Construction du Pont Neuf	Inscription au patrimoine mondial

1 La Seine, à l'origine de Paris

Le Paris antique est né de la Seine. Celle-ci joue ensuite un rôle essentiel dans le développement de la ville : à la fois nourricière, défensive, axe de communication et de commerce, elle constitue dès les origines l'un des symboles de la cité.

« J'étais alors dans mes quartiers d'hiver, dans ma chère Lutèce – les Celtes appellent de ce nom la petite ville des Parisii. C'est une petite île du fleuve, elle est entièrement entourée par un mur, et des ponts en bois y mènent depuis chacune des deux rives. Parfois, le fleuve baisse ou entre en crue, mais la plupart du temps il ne varie pas, qu'on soit en été ou en hiver. Il fournit une eau très douce et très pure à celui qui veut la voir et la boire. Et puisque les habitants vivent sur une île, ils doivent principalement tirer leur eau de la rivière. [...] Les habitants de ce pays ont un hiver plus tiède et de bonnes vignes poussent chez eux ; certains ont même réussi à avoir des figuiers, en les protégeant en hiver. »

Empereur Julien, *Misopogon*, IVe siècle.

2 Une artère économique

Le commerce sur la Seine au niveau de l'île de la Cité, *Vie de Saint Denis*, manuscrit de 1317, Paris, BnF.
Durant toute l'histoire de la ville et particulièrement au Moyen Âge, la Seine constitue l'un des poumons du développement économique de Paris. Cette fonction économique et commerciale du fleuve, encore très forte avec l'industrialisation au XIXe siècle, est devenue nettement moins importante de nos jours.

3 ⬛ Les ponts, un patrimoine à part

Le Pont Neuf et la Cité, vus du quai de Conti, Nicolas Jean-Baptiste Raguenet, 1772, huile sur toile, musée Carnavalet.

Le Pont Neuf, construit à partir de 1578, est le plus vieux et le plus long des ponts de Paris. Il est situé à l'extrémité Ouest de l'île de la Cité. Son ancienneté explique qu'il ait si souvent été représenté, des gravures du XVIIᵉ siècle aux films actuels.

4 ⬛ Les rives de Seine : un patrimoine mondial

En 1991, l'ensemble « Paris, rives de la Seine » est classé au patrimoine mondial et reste aujourd'hui le seul espace parisien inscrit sur cette liste. Lors de cette inscription, la France et l'Unesco insistent sur l'originalité de cet espace.

« La beauté d'une ville est ressentie non seulement à travers le nombre de monuments d'architecture qu'elle renferme, mais selon le rapport qu'elle entretient avec l'élément naturel auquel elle est associée : Paris est une ville fluviale.

L'ensemble [de l'espace retenu], qui doit faire l'objet d'une lecture géographique et historique, constitue aujourd'hui un exemple remarquable d'architecture fluvio-urbaine, où les strates de l'histoire sont harmonieusement superposées. [...]

Les quais de la Seine sont jalonnés d'une succession de chefs-d'œuvre [...]. Certains d'entre eux, comme Notre-Dame et la Sainte-Chapelle, ont constitué une référence certaine dans la diffusion de la construction gothique, cependant que la place de la Concorde ou la perspective des Invalides ont influencé l'urbanisme des capitales européennes. L'urbanisme haussmannien qui marque la partie Ouest de la ville a inspiré la construction de grandes villes du Nouveau Monde, en particulier en Amérique latine. Enfin, la tour Eiffel et le Palais de Chaillot sont des témoignages insignes des grandes expositions universelles dont l'importance a été si grande au XIXᵉ et au XXᵉ siècles. »

Unesco, « Justification fournie par l'État partie », *Liste du patrimoine mondial*, n° 600, 1991.

Paris Plages
Île de la Cité

5 ⬛ Un patrimoine sans cesse réapproprié

Paris Plages, 2011.

Les gouvernements de toutes les époques s'installent à proximité de la Seine et aménagent son cours et ses rives. Depuis 2002, durant l'été, une partie de la rive droite est convertie par la Mairie de Paris en espace de détente artificiel : l'opération Paris Plages consacre une nouvelle manière de se réapproprier les rives de la Seine.

QUESTIONS

Paris et la Seine

1. Quelles fonctions successives la Seine joue-t-elle dans l'histoire de Paris ? (doc 1, 2, 3, 5)

2. De quelles manières est-elle représentée à travers les siècles ? (doc 1, 2, 3,)

Le patrimoine fluvial

3. En quoi peut-on dire que la Seine structure le patrimoine parisien ? (doc 1, 2, 3, 4)

4. Quelles sont les évolutions récentes dans la manière de considérer ce patrimoine ? (doc 4, 5)

Bilan : Pourquoi la Seine joue-t-elle un rôle si important dans l'histoire de Paris ?

Étude critique de documents ➜ **MÉTHODE** p. 245

Présentez le document 4 et expliquez pourquoi les rives de la Seine sont inscrites au patrimoine mondial.

Le Centre Pompidou

Comment un bâtiment culturel crée-t-il un patrimoine nouveau au cœur de Paris ?

● À l'origine du Centre national d'art et de culture Georges-Pompidou, il y a **la volonté politique du président Georges Pompidou (1911-1974)**, grand amateur d'art, de créer une institution culturelle immense au centre de Paris, qui rassemblerait toutes les formes d'art contemporain : arts plastiques, cinéma, livres, etc. Sous l'égide de l'État, il s'agit de redonner à Paris un rôle mondial, mais aussi de promouvoir la démocratisation de la culture en France.

● Ce projet concrétise **la volonté de créer à Paris un monument typique de l'architecture la plus contemporaine,** alors peu visible dans la capitale.

● Un grand concours est organisé, au cours duquel le projet audacieux de Renzo Piano et Richard Rogers l'emporte en 1971. **Au milieu de critiques parfois très vives, le Centre est construit, sur le plateau Beaubourg, entre 1972 et 1977.** Il rassemble aujourd'hui, sur 7 niveaux, un musée, des expositions temporaires, des bibliothèques et des salles de spectacles.

● Le succès rencontré dès son ouverture ne se dément pas (près de 6 millions de visiteurs annuels) et conduit en 2010 à l'ouverture du Centre-Pompidou-Metz, en partenariat avec les collectivités territoriales.

LES ARCHITECTES

L'équipe Renzo Piano et Richard Rogers

L'italien Renzo Piano (né en 1937) et l'anglais Richard Rogers (né en 1933) ont travaillé ensemble à plusieurs projets dans les années 1970. Pour leurs nombreuses œuvres de par le monde, notamment des équipements publics, ils ont tous les deux été lauréats du plus grand prix d'architecture, le prix Pritzker (Piano en 1998, Rogers en 2007).

Piano et Rogers en 2006.

LE MOUVEMENT

L'architecture high-tech

En réaction à l'aspect monotone et standardisé du modernisme architectural, le mouvement high-tech s'approprie des objets techniques (tubes, boulons) et les structures utiles à un bâtiment (ascenseurs, couloirs), et s'en sert comme éléments de décor, ce qui donne une apparence technologique et non conventionnelle à leurs œuvres.

FOCUS | **Les controverses patrimoniales autour du Centre Pompidou**

Très critiqué pour ses innovations esthétiques et son apparence extérieure, la réalisation du Centre Pompidou a déclenché de vives polémiques et renouvelé le débat sur le patrimoine et le paysage urbain.

Une « raffinerie pétrolière »

« Le besoin, vieux comme l'histoire et comme la monarchie, de laisser à la postérité une trace de soi-même, s'est longtemps matérialisé dans la pierre et le marbre. En allant jusqu'au bout du Centre Beaubourg[1] pour rendre hommage à un chef d'État mort, on a exécuté un testament de ferraille et de béton. [...] Il y a désormais, ancré profondément dans Paris [...] une espèce de bateau-lavoir, ou de raffinerie pétrolière, dont les tuyères, les cheminées, les passerelles, les tubulures peintes en bleu, en rouge, en caca d'oie écrasent de leurs volumes les Halles et le Marais et font la nique aux tours de Notre-Dame. »

Dominique Jamet, *L'Aurore*, 28 septembre 1976.

L'emblème d'une autre culture

« Pendant la construction du Centre, nous avons essuyé sept procès [...]. Nos détracteurs dénonçaient ce supermarché de la culture, certains criaient même à l'horreur, le comparant à la tour Eiffel ! Ce fut notre plus beau compliment : Beaubourg, comme la célèbre Dame d'acier, est devenu un emblème de la capitale. Notre musée était non pas le triomphe de la technique, mais le moyen polémique de secouer la culture officielle. Depuis, le message est passé. »

Michèle Leloup et Jean-Sébastien Stehli, « Renzo Piano-Beaubourg : la polémique », lexpress.fr, 17 janvier 2007.

1. Le Centre Beaubourg prend le nom de Centre Georges-Pompidou en 1975 en hommage au président mort pendant son mandat en avril 1974.

Le Centre national d'art et de culture Georges-Pompidou

Vue aérienne du Centre Georges-Pompidou.
Tout ce qui est habituellement dissimulé (structures, escaliers) est mis en avant afin de consacrer l'intégralité de l'intérieur du bâtiment aux espaces culturels. Piano et Rogers ont veillé à l'intégration de l'édifice au quartier historique dans lequel il se trouve, notamment en n'occupant pour l'édifice que la moitié de l'espace disponible : la large « piazza » bordée de boutiques et de cafés qui s'ouvre devant le Centre, fait le lien entre le musée et la ville.

ANALYSE DE L'ŒUVRE

ANALYSER L'ŒUVRE

1. Architecturalement et politiquement, quelles sont les originalités de ce monument ?

2. Pour quelles raisons l'intégration du site et du Centre au quartier est-elle importante ?

DÉGAGER LA PORTÉE DE L'ŒUVRE

3. En quoi ce monument fait-il évoluer le patrimoine parisien ?

4. Comment contribue-t-il également à redéfinir le patrimoine immatériel de la ville ?

1 Étudier un texte

Eugène Viollet-le-Duc (1814-1879) est un architecte français qui joue un rôle central dans les restaurations du patrimoine médiéval au XIXe siècle. Sous Louis-Philippe, il est notamment chargé, avec Jean-Baptiste Lassus, de la restauration de Notre-Dame de Paris.

« Monsieur le Ministre [des Cultes],

[...] Dans un semblable travail on ne saurait agir avec trop de prudence et de discrétion ; et nous le disons les premiers, une restauration peut être plus désastreuse pour un monument que les ravages des siècles et les fureurs populaires ! Car le temps et les révolutions détruisent, mais n'ajoutent rien. Au contraire, une restauration peut, en ajoutant de nouvelles formes, faire disparaître une foule de vestiges [...].

Nous comprenons la rigueur de ces principes, nous les acceptons complètement, mais [...] ils nous paraîtraient fort exagérés dans la restauration d'une [église] dont l'utilité est encore aussi réelle, aussi incontestable aujourd'hui qu'au jour de son achèvement. Dans ce cas, [l'artiste] [...] doit [aussi] faire tous ses efforts pour rendre à l'édifice, par des restaurations prudentes, la richesse et l'éclat dont il a été dépouillé. [...]

L'artiste doit s'effacer entièrement, oublier ses goûts, ses instincts, pour étudier son sujet, pour retrouver et suivre la pensée qui a présidé à l'exécution de l'œuvre qu'il veut restaurer. [...] Pour arriver à ce résultat, il était nécessaire de déchiffrer les textes, de consulter tous les documents qui existent [...], d'étudier surtout les caractères archéologiques du monument. »

Jean-Baptiste Lassus et Eugène Viollet-le-Duc, *Projet de restauration de Notre-Dame de Paris*, 1843.

Les difficultés de la restauration

1. Quels sont les principes de la restauration selon les auteurs ?

2. Quels sont les dangers à éviter ?

3. Pourquoi la restauration est-elle différente pour chaque monument ?

4. Comment le restaurateur doit-il travailler ?

2 Analyser un plan

Une nouvelle vision de Paris au XVIe siècle

Lutèce, dont le nom vulgaire est Paris, la plus grande ville de France...
Gravure de Georg Braun et Franz Hogenberg, fin du XVIe siècle.

Au XVIe siècle, les plans de Paris se multiplient, traduisant la volonté de représenter à la fois le passé et l'évolution récente de cette capitale en forte croissance.

1. Comment peut-on déceler la croissance urbaine, passée et présente, sur cette carte ?

2. Quels éléments montrent l'importance de la Seine et de l'île de la Cité pour la ville ?

3 Utiliser une base documentaire B2i

1. Rendez-vous sur le site du musée du Louvre (www.louvre.fr). Cliquez sur l'onglet « Œuvres et Palais » puis sur « Rechercher une œuvre » et sur « Bases de données ». Choisissez ensuite la Base Atlas et la « Recherche avancée ». Dans titre/dénomination, tapez « Louvre » puis lancez la recherche.

2. Parmi les résultats, sélectionnez ceux qui représentent l'intérieur ou l'extérieur du Louvre, puis montrez comment le bâtiment évolue avec les époques.

3. À partir des mêmes documents, rédigez un paragraphe dans lequel vous montrerez en quoi l'imaginaire qui entoure le Louvre se transforme avec le temps (représentations surtout de l'intérieur ou de l'extérieur, accent mis sur l'accumulation des œuvres ou sur certaines en particulier...).

L'essentiel

Le patrimoine du centre de Paris : lecture historique

1. Le patrimoine parisien : héritier d'une accumulation historique

• Si Paris a été fondée dans l'Antiquité et s'est développée à l'époque médiévale, il reste peu de monuments ou d'espaces datant de ces époques : **l'essentiel du paysage urbain actuel remonte aux bouleversements haussmanniens du Second Empire** et aux grands travaux du XXe siècle.

• La ville se caractérise aussi par son patrimoine immatériel : capitale pluriséculaire et cité fluviale, **Paris a accompagné l'histoire de France et regorge ainsi de lieux de mémoire**, notamment liés à la Révolution. Les représentations attachées à la ville se sont elles aussi accumulées, faisant de Paris un véritable mythe à l'échelle mondiale.

2. La lecture historique du rapport entre patrimoine et société

• Pour les historiens, l'évolution et l'enchevêtrement des patrimoines dans le centre de Paris constituent un objet d'étude à partir duquel ils montrent les héritages culturels et urbanistiques. **Les historiens de la ville mettent aussi en évidence le rôle du pouvoir politique**, monarchique ou républicain, dans l'évolution de ce patrimoine (Louvre, Centre Georges-Pompidou).

• Plus généralement, ils observent que, **si les sociétés sont héritières de leur patrimoine, elles contribuent également à le sauvegarder, à le protéger, à le créer ou à le recréer**. Surtout, elles ne cessent jamais de se l'approprier à leur manière, au risque parfois d'une forme de muséification.

Schéma de synthèse

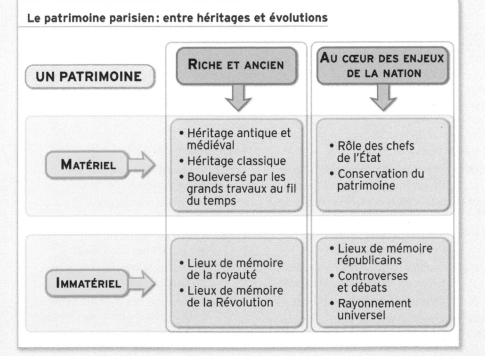

Le patrimoine parisien : entre héritages et évolutions

LES ACTEURS

Philippe Auguste (1165-1223)
Roi de France de 1180 à 1223, il renforce le contrôle de son royaume depuis Paris où il fonde l'Université et réalise de grands travaux, comme la construction du Louvre.

Baron Haussmann (1809-1891)
Préfet de la Seine de 1853 à 1870, il impose ses principes d'urbanisme très modernes et bouleverse Paris par ses grands travaux. Il est la cible de nombreuses critiques.

François Mitterrand (1916-1996)
Président de la République de 1981 à 1995, il mène à Paris une politique de projets originaux de grande envergure, comme la construction de l'Opéra Bastille, de la Bibliothèque nationale de France (site F. Mitterrand), ou de la pyramide du Louvre.

LES ÉVÉNEMENTS

XIIe-XIVe siècles : construction de Notre-Dame de Paris
La cathédrale de Paris, chef-d'œuvre du style gothique, est devenue l'un des emblèmes du patrimoine parisien et chrétien et a inspiré de nombreux artistes. Elle a subi au XIXe siècle une restauration de grande ampleur.

1789 : Paris entre en Révolution
Délaissée au profit du Versailles au XVIIe siècle, Paris redevient le centre politique de la France avec la Révolution. Le patrimoine lié à ces événements révolutionnaires (lieux de mémoire, statues, noms de lieux, commémorations, etc.) est très présent dans le centre de la ville.

1991 : L'inscription de « Paris, rives de la Seine » au patrimoine mondial
En 1991, l'Unesco a classé au patrimoine mondial une zone du centre historique de Paris, étirée sur les deux rives de la Seine. Cette zone permet de lire l'histoire de Paris dans son urbanisme et ses monuments les plus emblématiques.

NE PAS CONFONDRE

La Cité de Paris : l'ancienne *cité*, c'est-à-dire l'île de la Cité, siège du gouvernement de la ville antique, puis de la ville médiévale.
La ville de Paris : la commune actuelle, dont les limites ont très peu changé depuis l'annexion en 1860 des communes voisines.

Bien comprendre le sujet

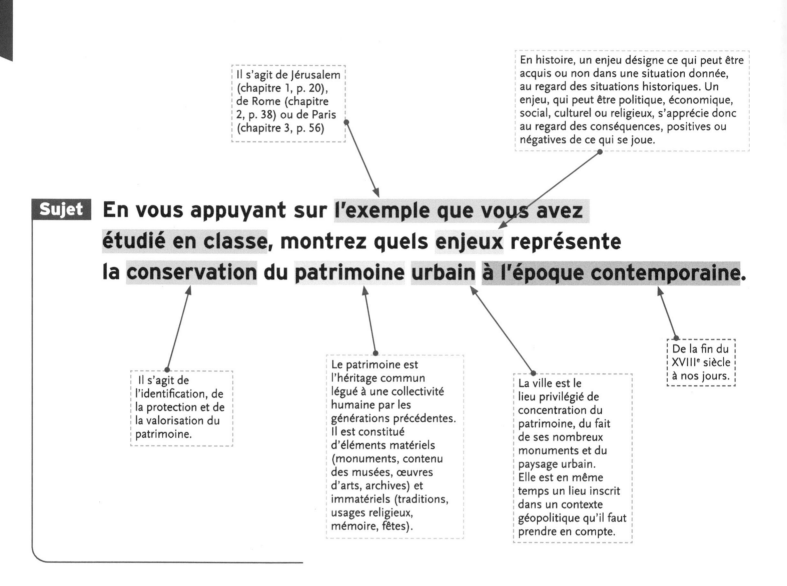

Il s'agit de Jérusalem (chapitre 1, p. 20), de Rome (chapitre 2, p. 38) ou de Paris (chapitre 3, p. 56)

En histoire, un enjeu désigne ce qui peut être acquis ou non dans une situation donnée, au regard des situations historiques. Un enjeu, qui peut être politique, économique, social, culturel ou religieux, s'apprécie donc au regard des conséquences, positives ou négatives de ce qui se joue.

Sujet En vous appuyant sur l'exemple que vous avez étudié en classe, montrez quels enjeux représente la conservation du patrimoine urbain à l'époque contemporaine.

Il s'agit de l'identification, de la protection et de la valorisation du patrimoine.

Le patrimoine est l'héritage commun légué à une collectivité humaine par les générations précédentes. Il est constitué d'éléments matériels (monuments, contenu des musées, œuvres d'arts, archives) et immatériels (traditions, usages religieux, mémoire, fêtes).

La ville est le lieu privilégié de concentration du patrimoine, du fait de ses nombreux monuments et du paysage urbain. Elle est en même temps un lieu inscrit dans un contexte géopolitique qu'il faut prendre en compte.

De la fin du XVIIIe siècle à nos jours.

Aide-mémoire

Le patrimoine de Jérusalem

- **1890** Naissance de l'École biblique et archéologique française.
- **1981** Inscription de la vieille ville au patrimoine mondial de l'Unesco.
- **1994** Dôme du Rocher redoré sur l'esplanade des Mosquées.
- **2005** Découvertes d'«archéologie biblique» d'Eilat Mazar.
- **2010** Fin de la reconstruction de la synagogue de la Hourva.

Le patrimoine de Rome

- **1788** Premières fouilles scientifiques du forum romain.
- **1922-1943** Destructions et restaurations de l'époque fasciste.
- **1950** Résultats des fouilles sous la basilique Saint-Pierre.
- **1980** Inscription du centre historique au patrimoine mondial de l'Unesco.
- **2007** Découverte probable du Lupercal.
- **2009** Conflit sur l'usage des alentours du Colisée.

Le patrimoine de Paris

- **1793** Création du muséum, futur musée du Louvre.
- **1843** Projet de restauration de Notre-Dame.
- **1883** Lettre de Victor Hugo sur les arènes de Lutèce.
- **1961** Loi Malraux sur la sauvegarde du patrimoine.
- **1991** Inscription des rives de Seine au patrimoine mondial de l'Unesco.

FICHE MÉTHODE
Bien comprendre le sujet

Étape 1   *Lire attentivement le sujet*

▶ Être très attentif à chaque mot du libellé, à l'ordre des termes, à l'emploi du singulier et du pluriel et aux mots de liaison.

▶ Étudier également la ponctuation, la forme affirmative ou interrogative, l'emploi éventuel de guillemets.

① Identifiez et définissez les mots clés du sujet.

Conseils

Aidez-vous des informations contenues dans la page «Clés du thème» (voir p. 18) et des mots-clés contenus dans le chapitre que vous avez étudié.

Étape 2   *Dégager le sens général du sujet*

▶ Identifier les notions clés, le thème principal et la grande période concernée.

▶ Il s'agit d'éviter de commettre un hors-sujet ou de ne traiter qu'une partie du sujet.

② Montrez que ce sujet vous invite à caractériser les enjeux et à en établir une typologie.

Conseils

Faites attention à ne pas traiter qu'un aspect du sujet, la question politique par exemple.

Étape 3   *Replacer le sujet dans son contexte*

▶ Tenir compte du fait que les mots du libellé ont un sens précis qui dépend du sujet.

▶ Replacer les mots-clés dans le contexte historique, car leur sens évolue en fonction de chaque époque concernée.

③ Expliquez pourquoi la notion de conservation du patrimoine est si récente.

Conseils

Comparez la situation contemporaine à celle qui prévalait autrefois.

EXERCICE D'APPLICATION

Sujet 1   Qu'apporte la lecture historique du patrimoine ? Vous répondrez à cette question en vous appuyant sur la ville que vous avez étudiée en classe (Jérusalem, Rome ou Paris).

Conseils

Montrez qu'il s'agit d'étudier le regard de l'historien sur le patrimoine, en même temps que ce que l'historien et l'archéologue révèlent du passé de la ville étudiée.

Sujet 2   Quel rôle joue l'espace géographique dans la lecture historique du patrimoine ? Vous répondrez à cette question en vous appuyant sur la ville que vous avez étudiée en classe (Jérusalem, Rome ou Paris).

Conseils

Aidez-vous des cartes du chapitre étudié en classe pour montrer que le site géographique de chaque ville et son paysage urbain jouent un rôle essentiel.

PROLONGEMENTS

Délimiter le sujet (voir p. 124)

➔ Indiquez ce que recouvre la notion de patrimoine urbain pour la ville que vous avez étudiée, et identifiez différents types de patrimoines.

Comprendre les enjeux du sujet (voir p. 154)

➔ Mettez en évidence les enjeux de ce sujet au regard du rôle de l'historien.

Élaborer un plan (voir p. 210)

➔ Expliquez pourquoi un plan thématique est le plus adapté à ce sujet.

L'historien et la mémoire

Comment évolue le savoir historique ?

Le mot « **historiographie** » désigne à la fois les œuvres historiques propres à une époque et l'histoire de l'histoire, c'est-à-dire la réflexion que mènent des historiens sur l'écriture de l'histoire. Pour accomplir leur travail, les historiens sont tributaires des sources à leur disposition, de leur formation professionnelle, de la conception qu'ils ont de leur métier, du courant historiographique dans lequel ils s'inscrivent et, plus largement, de la société dans laquelle ils évoluent.

L'histoire repose donc sur une **révision régulière des connaissances** en fonction d es progrès généraux de la science historique, de l'accessibilité à de nouvelles sources, et des centres d'intérêts des historiens qui, ayant parfois des approches différentes, peuvent s'opposer dans des **débats** historiographiques. Au XXᵉ siècle, sous l'influence de l'école des Annales* puis de la Nouvelle histoire*, l'histoire événementielle, qui repose sur le récit d'une succession de faits, cède progressivement la place à une **histoire-problème**, qui repose sur de nouvelles approches et de nouveaux outils.

De l'histoire-récit à l'histoire problème

Historien de la Révolution française, François Furet (1927-1997) est proche du courant historiographique de la Nouvelle histoire, qui élargit le champ de l'histoire à de nouveaux objets à partir des années 1970.

« L'histoire est fille du récit. [...]. Faire de l'histoire, c'est raconter une histoire. [...]. Cette histoire a été principalement – mais pas uniquement – biographique ou politique. [...] L'événement, pris en lui-même, est inintelligible. Il est comme ce caillou que je ramasse sur une plage : privé de signification. Pour qu'il en acquière une, il faut que je l'intègre à un réseau d'autres événements par rapport auxquels il va prendre un sens : c'est la fonction du récit. [...] Or, ce qui me paraît caractériser l'évolution récente de l'historiographie, c'est le recul peut-être définitif de cette forme d'histoire. [...]. Il me semble que nous sommes passés, sans toujours le savoir, d'une histoire récit à une histoire-problème. [...] L'historien [...] construit son objet d'étude en délimitant non seulement la période, l'ensemble des événements, mais aussi les problèmes posés par cette période et ces événements, et qu'il faudra résoudre. [...] L'historien qui cherche à poser et à résoudre un problème doit trouver les matériaux pertinents, les organiser et les rendre comparables, permutables, de façon à pouvoir décrire et interpréter le phénomène étudié à partir d'un certain nombre d'hypothèses conceptuelles. [...] Le prix à payer, pour cette reconversion, c'est l'éclatement de l'histoire en histoires, la renonciation de l'historien à un magistère social. Mais le gain de connaissances mérite peut-être ces abdications : l'histoire oscillera probablement toujours entre l'art du récit, l'intelligence du concept et la rigueur des preuves. »

François Furet, *L'Atelier de l'histoire*, Flammarion, 1982.

Comment la mémoire nourrit-elle le travail de l'historien ?

De la mémoire à l'histoire

Historien du Moyen Âge, Jacques Le Goff (né en 1924) est un spécialiste de l'histoire des mentalités.*

« Un des grands acquis de l'histoire qui se renouvelle depuis cinquante ans c'est d'avoir élargi sa documentation à tout ce qui est mémoire. Au document traditionnel, histoire morte, elle a ajouté le document vivant. D'abord, grâce à l'histoire des mentalités et des sensibilités, en rendant la vie aux documents du passé, en mettant au point des méthodes plus scientifiques pour opérer une résurrection que Michelet ne confiait qu'à l'imagination, malgré sa dévoration d'archives. Ensuite, en intégrant à l'histoire la mémoire vivante, le vécu, sous la double forme des témoignages du vécu passé [...] et des témoins du vécu récent. Mais la critique des documents du vécu laisse encore à désirer. De la mémoire à l'histoire, le chemin est délicat, la transmutation parfois erronée ou illusoire. Je ne peux garantir que ma bonne foi et l'usage honnête de l'outillage encore imparfait dont je dispose. »

Jacques Le Goff, « L'appétit de l'histoire », dans Pierre Nora (dir.), *Essais d'égo-histoire*, Gallimard, 1987.

La mémoire s'entend d'abord dans le sens d'une faculté pour un individu de conserver et de se remémorer des connaissances. L'historien s'appuie en partie sur la mémoire individuelle des témoins pour établir les faits du passé. Il travaille ainsi sur des **témoignages oraux ou écrits** et il les confronte aux autres sources dont il dispose.

La mémoire est également un patrimoine vivant, commun à un groupe ou à une société, dont elle assure la cohésion, notamment au travers des commémorations. Depuis les années 1970, les historiens accordent une importance croissante à l'étude de ces mémoires collectives. Ils s'attachent à en écrire l'histoire, notamment à partir de l'étude de « **lieux de mémoire** » topographiques (archives, bibliothèques, musées), monumentaux, symboliques (commémorations), ou fonctionnels (manuels scolaires, associations).

Quels rapports entretiennent la mémoire et l'histoire ?

A priori, tout semble rapprocher la mémoire et l'histoire. En effet, les historiens ont longtemps contribué à l'élaboration de la mémoire des groupes qu'ils ont étudiés, et ils ont participé à l'élaboration d'une conscience historique, voire de mythes fondateurs. L'histoire a ainsi eu un rôle essentiel dans la construction de la mémoire nationale en France.

Toutefois, ce rapport entre mémoire et histoire est inversé depuis la du XXᵉ siècle par la prolifération rapide de « mémoires collectives » plurielles et éclatées (socio-professionnelles, religieuses, ethnolinguistiques, etc.), souvent promues par des associations qui défendent des mémoires particulières. Dès lors, les historiens se trouvent souvent dans la situation de devoir opposer leur démarche critique à des groupes sociaux qui interprètent le passé en fonction de leurs propres attentes.

Tout oppose mémoire et histoire

Historien proche de la Nouvelle histoire*, académicien, Pierre Nora a consacré l'essentiel de ses travaux aux rapports entre la mémoire et l'histoire.

« Mémoire, histoire : loin d'être synonymes, [...] tout les oppose. La mémoire est la vie, toujours portée par des groupes vivants et, à ce titre, elle est en évolution permanente, ouverte à la dialectique du souvenir et de l'amnésie, inconsciente de ses déformations successives, vulnérables à toutes les utilisations et manipulations, susceptibles de longues latences et de soudaines revitalisations. L'histoire est la reconstruction toujours problématique et incomplète de ce qui n'est plus. La mémoire est un phénomène toujours actuel, un lien vécu au présent éternel ; l'histoire une représentation du passé. Parce qu'elle est affective et magique, la mémoire ne s'accommode que de détails qui la confortent ; elle se nourrit de souvenirs flous, télescopants, globaux ou flottants, particuliers ou symboliques, sensible à tous les transferts, censures, écrans ou projections. L'histoire, parce que opération intellectuelle et laïcisante, appelle analyse et discours critique. La mémoire installe le souvenir dans le sacré, l'histoire l'en débusque, elle prosaïse toujours. La mémoire sourd d'un groupe qu'elle soude, ce qui revient à dire [...] qu'il y a autant de mémoires que de groupes ; qu'elle est, par nature, multiple et multipliée, collective, plurielle et individualisée. L'histoire, au contraire, appartient à tous et à personne, ce qui lui donne vocation à l'universel. La mémoire s'enracine dans le concret, dans l'espace, le geste, l'image et l'objet. L'histoire ne s'attache qu'aux continuités temporelles, aux évolutions et aux rapports des choses. La mémoire est un absolu et l'histoire ne connaît que le relatif. »

Pierre Nora, *Les Lieux de mémoire*, tome 1, *La République*, Gallimard, 1984.

Quelle est la place des mémoires en France ?

La mémoire des guerres

Inhumation du soldat inconnu sous l'Arc de Triomphe à Paris le 28 janvier 1921, en présence des autorités, dont le ministre de la Guerre L. Barthou.

L'inhumation dans un lieu symbolique d'un soldat français inconnu, tombé pendant les combats, crée un symbole et vise à maintenir vivant le souvenir de la guerre. Cette forme de célébration a été imitée dans d'autres pays, et la « flamme éternelle » allumée en 1923 sur cette tombe est toujours entretenue aujourd'hui.

La fin du XXᵉ siècle apparaît en France, selon l'expression de Pierre Nora, comme un « moment-mémoire » : la demande sociale se conjugue à l'actualité médiatique, judiciaire et politique pour demander aux historiens une expertise scientifique du passé. Au début des années 1990, l'expression « devoir de mémoire » apparaît même pour désigner le devoir moral des États d'entretenir par des célébrations officielles le souvenir des souffrances endurées par certaines catégories de la population. Ce devoir de mémoire, qui s'oppose à la tentation de l'oubli, débouche parfois sur des lois mémorielles, qui provoquent de vifs débats parmi les historiens. La mémoire des guerres est emblématique des évolutions du travail de mémoire de la société française.

L'historien et les mémoires de la Seconde Guerre mondiale

La mémoire de la Seconde Guerre mondiale en France est marquée par la profondeur des traumatismes qui ont affecté la population. Face à ce passé douloureux, le travail de l'historien repose sur la mise à distance et l'analyse des mémoires et des débats publics liés à cette période particulièrement tourmentée de l'histoire de France.

Comment évoluent les mémoires de la Seconde Guerre mondiale en France ?

1 La mise en valeur d'une France combattante

Inauguration du Mémorial de la France combattante au Mont-Valérien (Suresnes) par le président Charles de Gaulle le 18 juin 1960.

Le général de Gaulle, qui a dirigé la France libre depuis Londres et Alger entre 1940 et 1944, s'emploie après-guerre à valoriser une France résistante. À cet égard, le Mémorial du Mont-Valérien constitue l'un des hauts lieux de la mémoire gaulliste de la Seconde Guerre mondiale.

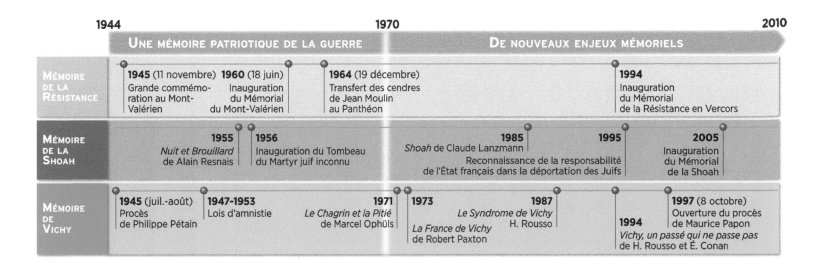

	1944			1970			2010

<table>
<tr><td></td><td colspan="4">UNE MÉMOIRE PATRIOTIQUE DE LA GUERRE</td><td colspan="3">DE NOUVEAUX ENJEUX MÉMORIELS</td></tr>
<tr><td>MÉMOIRE DE LA RÉSISTANCE</td><td>1945 (11 novembre) Grande commémoration au Mont-Valérien</td><td>1960 (18 juin) Inauguration du Mémorial du Mont-Valérien</td><td>1964 (19 décembre) Transfert des cendres de Jean Moulin au Panthéon</td><td></td><td></td><td></td><td>1994 Inauguration du Mémorial de la Résistance en Vercors</td></tr>
<tr><td>MÉMOIRE DE LA SHOAH</td><td>1955 Nuit et Brouillard de Alain Resnais</td><td>1956 Inauguration du Tombeau du Martyr juif inconnu</td><td></td><td colspan="2">1985 Shoah de Claude Lanzmann</td><td>1995 Reconnaissance de la responsabilité de l'État français dans la déportation des Juifs</td><td>2005 Inauguration du Mémorial de la Shoah</td></tr>
<tr><td>MÉMOIRE DE VICHY</td><td>1945 (juil.-août) Procès de Philippe Pétain</td><td>1947-1953 Lois d'amnistie</td><td>1971 Le Chagrin et la Pitié de Marcel Ophüls</td><td>1973 La France de Vichy de Robert Paxton</td><td>1987 Le Syndrome de Vichy H. Rousso</td><td>1994 Vichy, un passé qui ne passe pas de H. Rousso et É. Conan</td><td>1997 (8 octobre) Ouverture du procès de Maurice Papon</td></tr>
</table>

2 L'affirmation de la mémoire de la Shoah

Salle d'audience du procès Barbie, Lyon, 11 mai 1987.

La mémoire de la guerre est au cœur de l'actualité politique, médiatique et judiciaire à partir des années 1970. En 1987, Klaus Barbie (1913-1991), ancien chef de la Gestapo de Lyon pendant la guerre, est jugé et condamné pour crimes contre l'humanité*. Son procès, entièrement filmé pour être conservé comme archive historique, a notamment constitué un moment important dans l'émergence de la mémoire publique de la Shoah.

QUESTIONS

1. À quel aspect de l'Occupation chaque document renvoie-t-il ?

2. Quels supports et quels acteurs de la mémoire sont représentés sur ces deux documents ?

Les lieux de mémoire de la Seconde Guerre mondiale

Depuis 1945, de nombreux lieux consacrés à la mémoire de la Seconde Guerre mondiale ont été aménagés en France. Ils incarnent le souvenir des combats, des hauts faits de la Résistance et des persécutions. Lieux de commémoration, d'histoire et de transmission, ils dessinent une véritable géographie du souvenir dans l'espace national. Leur étude permet à l'historien d'analyser les perceptions que la société française et ses autorités politiques se sont forgées de cette période complexe.

1 La mémoire des combats militaires

Le cimetière américain de Colleville-sur-Mer, 6 juin 2009.

De nombreux sites abritent des cimetières militaires où sont enterrés les soldats morts au combat sur le sol français pendant la Seconde Guerre mondiale.

2 La mémoire des victimes de la Shoah

Monument de Walter Spitzer et Mario Azagury en hommage aux victimes de la Shoah en France, 1994, Paris (XVe arrondissement).

Situé près de l'ancien site du Vélodrome d'Hiver où furent internés des milliers de juifs au cours de la rafle du Vel' d'Hiv' (juillet 1942), ce monument commémoratif a participé à la reconnaissance des responsabilités françaises dans la persécution et la déportation des juifs de France.

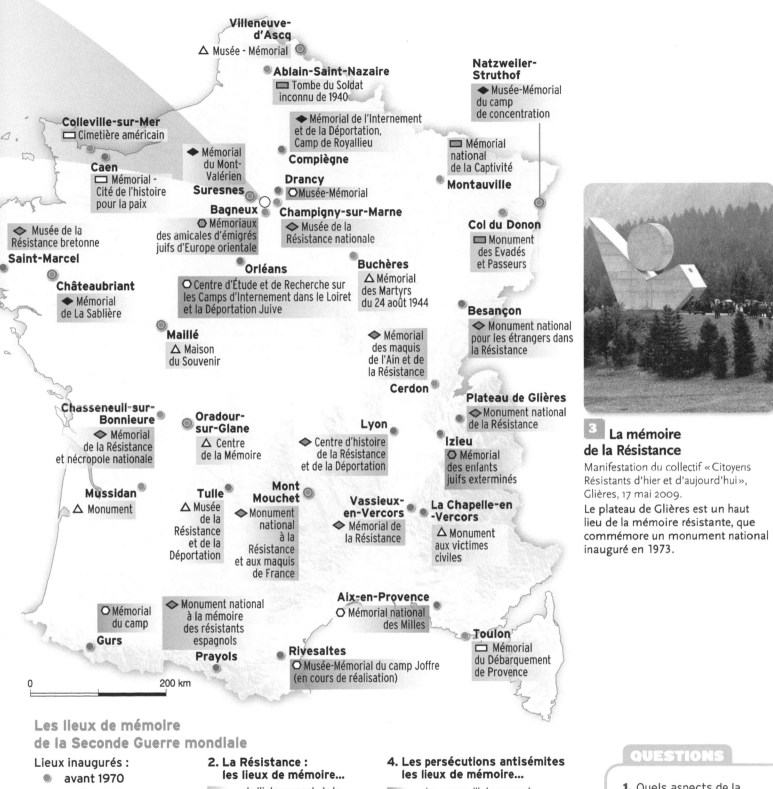

Villeneuve-d'Ascq
△ Musée - Mémorial

Ablain-Saint-Nazaire
▭ Tombe du Soldat inconnu de 1940

Colleville-sur-Mer
▭ Cimetière américain

◆ Mémorial de l'Internement et de la Déportation, Camp de Royallieu
Compiègne

Natzweiler-Struthof
◆ Musée-Mémorial du camp de concentration

Caen
▭ Mémorial - Cité de l'histoire pour la paix

◆ Mémorial du Mont-Valérien
Suresnes

Drancy
▭ Musée-Mémorial

▭ Mémorial national de la Captivité
Montauville

Bagneux
● Mémoriaux des amicales d'émigrés juifs d'Europe orientale

Champigny-sur-Marne
◆ Musée de la Résistance nationale

◆ Musée de la Résistance bretonne
Saint-Marcel

Orléans
O Centre d'Étude et de Recherche sur les Camps d'Internement dans le Loiret et la Déportation Juive

Buchères
△ Mémorial des Martyrs du 24 août 1944

Col du Donon
▭ Monument des Evadés et Passeurs

Châteaubriant
◆ Mémorial de La Sablière

Maillé
△ Maison du Souvenir

◆ Mémorial des maquis de l'Ain et de la Résistance
Cerdon

Besançon
◆ Monument national pour les étrangers dans la Résistance

Chasseneuil-sur-Bonnieure
◆ Mémorial de la Résistance et nécropole nationale

Oradour-sur-Glane
△ Centre de la Mémoire

Lyon
◆ Centre d'histoire de la Résistance et de la Déportation

Plateau de Glières
◆ Monument national de la Résistance

Izieu
O Mémorial des enfants juifs exterminés

Mussidan
△ Monument

Tulle
△ Musée de la Résistance et de la Déportation

Mont Mouchet
◆ Monument national à la Résistance et aux maquis de France

Vassieux-en-Vercors
◆ Mémorial de la Résistance

La Chapelle-en-Vercors
△ Monument aux victimes civiles

Gurs
O Mémorial du camp

◆ Monument national à la mémoire des résistants espagnols
Prayols

Aix-en-Provence
O Mémorial national des Milles

Rivesaltes
O Musée-Mémorial du camp Joffre (en cours de réalisation)

Toulon
▭ Mémorial du Débarquement de Provence

0 _____ 200 km

Les lieux de mémoire de la Seconde Guerre mondiale

Lieux inaugurés :
● avant 1970
● après 1970
◉ avant 1970 et réaménagés depuis

1. Les combats militaires : les lieux de mémoire...
▭ ... des combats de 1940 et de la captivité
▭ ... de la Libération

2. La Résistance : les lieux de mémoire...
◆ ... de l'internement, de la déportation et des exécutions de résistants et d'otages
◆ ... des combats de la Résistance

3. La population civile : les lieux de mémoire...
△ ... des massacres de civils

4. Les persécutions antisémites les lieux de mémoire...
⬡ ... des camps d'internement
⬡ ... des rafles et du génocide des juifs

3 **La mémoire de la Résistance**

Manifestation du collectif « Citoyens Résistants d'hier et d'aujourd'hui », Glières, 17 mai 2009.

Le plateau de Glières est un haut lieu de la mémoire résistante, que commémore un monument national inauguré en 1973.

QUESTIONS

1. Quels aspects de la Seconde Guerre mondiale les lieux de mémoire commémorent-ils ?

2. Quelles fonctions remplissent-ils ?

Écrire l'histoire de la Seconde Guerre mondiale

Depuis la fin de la Seconde Guerre mondiale, les historiens écrivent son histoire en s'appuyant sur les sources à leur disposition, qui s'enrichissent au fil du temps. L'historiographie de la Seconde Guerre mondiale en France est cependant tributaire de la disponibilité, de la communicabilité et de l'accès à des sources très variées – archives publiques ou privées, témoignages, etc. Car l'exploration de cette période trouble et propice aux controverses place parfois les historiens au cœur des débats publics sur les « années noires ».

De quelles sources disposent les historiens pour écrire l'histoire de la Seconde Guerre mondiale ?

Chronologie

1973	*La France de Vichy* de Robert Paxton.
1979	Loi sur les archives.
1981	*Vichy et les Juifs* de Michael Marrus et Robert Paxton.
1994	*Archives interdites* de Sonia Combe.
1997	**février :** mise en place de la Mission Mattéoli sur la spoliation des juifs en France.
1997	**Octobre :** circulaire sur l'ouverture des archives de la Seconde Guerre mondiale.

1 Une histoire écrite sous l'œil des témoins

Dans un article célèbre, l'historien Pierre Laborie* s'est interrogé sur les difficultés liées à l'écriture de l'histoire de la Résistance en France et notamment sur la relation entre le témoin et l'historien.

« Des problèmes majeurs tiennent aux conditions d'accès à des archives précautionneusement amassées, longtemps cadenassées et subtilement distillées ; aux caractéristiques spécifiques d'une expérience unique et vécue comme telle par chaque acteur ; ainsi qu'à des conceptions divergentes sur la compétence ou la légitimité des uns et des autres à en faire le récit. D'où des susceptibilités, des tiraillements et des replis silencieux. C'est dans ce mélange alterné de sollicitations, de confiance et d'inquiétudes réciproques que les témoins exercent leur contrôle sur une histoire qu'ils ont faite et dont ils estiment, à juste titre, qu'elle leur "appartient" en priorité. Mais de quelle propriété s'agit-il, et jusqu'où ? Ce droit de regard aux limites imprécises et aux fonctions ambiguës, ajouté au jugement critique traditionnel de la communauté scientifique, confèrent à l'historien de la Résistance un statut très particulier : celui d'un historien sous haute surveillance. »

Pierre Laborie, « Historiens sous haute surveillance », *Esprit*, janvier 1994.

2 L'importance de l'accès aux sources pour les historiens

Couverture de la version originale du livre *Vichy et les Juifs*, de Michael Marrus et Robert O. Paxton, Calmann-Lévy, 1981.

L'autorisation de consulter les archives des ministères de la Justice, de l'Intérieur et de la Culture a aidé les historiens nord-américains M. Marrus et R. Paxton à écrire leur ouvrage fondamental *Vichy et les Juifs*. Ils ont également eu recours aux archives conservées par le Centre de documentation juive contemporaine.

« Années noires » : expression employée par les historiens pour qualifier la période 1940-1944 marquée par l'occupation allemande et le régime de Vichy.
Historiographie : étude de la façon dont les historiens écrivent l'histoire au fil du temps.

3 La polémique sur l'accès aux « archives sensibles »

La loi de 1979 rendait compliquée voire impossible la consultation des « archives sensibles ». En 1994, l'historienne Sonia Combe dénonce la difficulté d'accès à certains fonds d'archives. Il s'agit notamment d'un fichier découvert en 1991 par l'historien Serge Klarsfeld et considéré alors comme le fichier des juifs constitué par la préfecture de police pendant la guerre.

« En novembre 1991, l'annonce de la découverte d'un fichier de juifs établi sous l'Occupation dans les archives du secrétariat d'État aux Anciens Combattants et Victimes de guerre me fit tout d'abord sourire : tiens donc, il n'y avait pas qu'à l'Est que les archives disparaissaient... Me consacrant depuis toujours à l'histoire des pays de l'Est, je connaissais la réponse rituelle à la demande de communication de fonds réputés "sensibles" dans les Archives nationales des États communistes : le plus souvent, ils avaient été perdus ou détruits. Autrement dit, ils n'étaient pas consultables. [...] Ce parallèle qui m'était spontanément venu à l'esprit était prolongé par une autre réflexion qui tournait à l'indignation : si, comme on le disait, ce fichier avait été recherché pendant dix ans par la CNIL[1], comment expliquer que l'ensemble du personnel ait gardé aussi longtemps le secret ? Était-il possible que les consignes d'un supérieur hiérarchique l'aient emporté sur une mission officielle de recherche confiée à une instance comme la CNIL ? »

Sonia Combe, *Archives interdites*, Albin Michel, 1994.

1. La Commission nationale informatique et libertés.

4 Le travail des historiens dans les centres d'archives

Salle de lecture des Archives nationales.

Les historiens étudient les archives de la guerre dans des centres d'archives publiques (Archives nationales, départementales, municipales, Service historique de l'armée, etc.) ou privées, en s'appuyant sur le travail des archivistes qui collectent, inventorient et classent les archives.

5 Un accès facilité aux archives

Le 2 octobre 1997, une circulaire du Premier ministre Lionel Jospin prévoit l'ouverture aux historiens de toutes les archives publiques relatives à la période 1940-1945.

« Le Premier ministre à Mesdames et Messieurs les ministres et secrétaires d'État

1. C'est un devoir de la République que de perpétuer la mémoire des événements qui se déroulèrent dans notre pays entre 1940 et 1945.

La recherche historique est, à cet égard, essentielle. Les travaux et les publications des chercheurs constituent une arme efficace pour lutter contre l'oubli, les déformations de l'histoire et l'altération de la mémoire. Ils contribuent ainsi à ce que le souvenir conservé de cette période soit vivace et fidèle.

Pour que de telles recherches puissent être menées, il faut que leurs auteurs disposent d'un accès facile aux archives qui concernent la période. L'objet de la présente circulaire est d'indiquer comment, dans le respect de la législation applicable, cet objectif peut être atteint. »

Circulaire du 2 octobre 1997 relative à l'accès aux archives publiques de la période 1940-1945.

6 Les historiens experts

En 1997, plusieurs historiens participent à la mission d'expertise confiée à Jean Mattéoli, président de la Fondation de la Résistance, par les pouvoirs publics pour évaluer l'ampleur de la spoliation* des juifs sous l'Occupation. Cette mission leur permet d'accéder à des archives jusqu'alors inexploitées.

« Divers faits, auxquels les médias ont donné un certain écho, ont fait naître dans l'opinion des interrogations sur la situation actuelle de biens dont les juifs ont été spoliés durant l'Occupation.

Afin d'éclairer pleinement les pouvoirs publics et nos concitoyens sur cet aspect douloureux de notre histoire, je souhaite vous confier la mission d'étudier les conditions dans lesquelles des biens, immobiliers et mobiliers, appartenant aux juifs de France ont été confisqués ou, d'une manière générale, acquis par fraude, violence ou vol, tant par l'occupant que par les autorités de Vichy, entre 1940 et 1944.

Je souhaite notamment que vous tentiez d'évaluer l'ampleur des spoliations qui ont pu ainsi être opérées et que vous indiquiez à quelles catégories de personnes, physiques ou morales, celles-ci ont profité. Vous préciserez également le sort qui a été réservé à ces biens depuis la fin de la guerre jusqu'à nos jours. [...] Vous pourrez, le cas échéant, formuler des propositions en ce qui concerne le devenir des biens qui seraient actuellement détenus par des personnes publiques de droit français. »

Lettre de mission adressée par le Premier ministre Alain Juppé à Jean Mattéoli, 5 février 1997.

QUESTIONS

Les sources de l'historien

1. Où l'historien trouve-t-il ses sources ? (doc. 1, 2, 4)

2. Quelles difficultés rencontre l'historien dans l'accès aux sources ? (doc. 1, 3)

Le travail de l'historien

3. Quelles sont les conséquences de l'accès des historiens à de nouvelles sources ? (doc. 1, 2, 3, 6)

4. Quel rôle les pouvoirs publics jouent-ils dans l'écriture de l'histoire de la Seconde Guerre mondiale ? (doc. 2, 3, 4, 5, 6)

Bilan : De quelles sources disposent les historiens pour écrire l'histoire de la Seconde Guerre mondiale ?

Étude critique de documents

À partir des documents 3 et 6, montrez quel enjeu majeur représente l'accès aux archives pour les historiens.

Une mémoire patriotique de la guerre de 1945 à 1970

Comment se construisent les mémoires de la Seconde Guerre mondiale jusqu'aux années 1970 en France ?

A. La mémoire patriotique au service de l'unité nationale

● **Les Français sortent meurtris et divisés des années de guerre.** Choqués par la défaite militaire de 1940 et par l'occupation nazie, troublés par la politique de collaboration du régime de Vichy, nombre d'entre eux préfèrent taire les ambiguïtés de cette période, à tel point que l'historien Henry Rousso a parlé d'un **« syndrome de Vichy »** dans un ouvrage paru en 1987.

● **La priorité du général de Gaulle est alors de reconstruire l'unité autour de la République.** Il considère que cette dernière n'a jamais cessé d'exister et que le régime de Vichy* est une parenthèse qu'il est urgent de refermer.

● **À la phase d'épuration menée dans l'immédiat après-guerre succède une volonté de réconciliation de la communauté nationale** qui se traduit par l'adoption de lois d'amnistie en 1947, 1951 et 1953 [doc. 3]. Des controverses, comme l'affaire d'Oradour-sur-Glane (voir p. 88), viennent cependant rappeler la profondeur des séquelles des « années noires ».

B. La mise en avant d'une France résistante

● **Le général de Gaulle et ses partisans valorisent l'image d'une France très largement combattante et résistante** [doc. 4]. Ce mythe **résistancialiste** est également entretenu par le Parti communiste français* (PCF) qui passe sous silence le pacte germano-soviétique* et se présente comme le « parti des 75 000 fusillés » [doc. 1].

Les témoignages des anciens résistants ou déportés et le cinéma d'après-guerre glorifient avant tout l'action de la Résistance ; de nombreux **lieux de mémoire** nationaux comme le Mont-Valérien sont élevés (voir p. 80).

● **Cependant les Français ne se rallient pas en masse à l'image exaltante d'une France héroïque** et des divisions politiques, avivées par le contexte de la Guerre froide, ressurgissent. Certains cherchent à réhabiliter le régime de Philippe Pétain en affirmant qu'il a mené un « double jeu » vis-à-vis de l'occupant dans le but de protéger les Français [doc. 2]. C'est notamment la thèse que défend **Robert Aron** dans son *Histoire de Vichy* (1954), qui demeure un ouvrage de référence jusqu'aux années 1970.

C. L'oubli des vaincus et des victimes

● Par ailleurs, **les discours officiels négligent les soldats** vaincus de 1939-1940, **les requis du Service du travail obligatoire (STO)** ou encore **la communauté juive** qui commémore ses morts sans que l'ampleur de la Shoah ne soit encore vraiment perçue par l'opinion publique (voir p. 90-91).

● En effet, **à la Libération, le système concentrationnaire nazi est considéré comme un tout,** sans distinction entre camps de concentration et camps d'extermination. Les rares rescapés juifs ne sont alors guère entendus [doc. 5].

● **La spécificité du génocide des juifs commence cependant à s'imposer** avec le procès du nazi Adolf Eichmann*, jugé en Israël en 1961-1962 : des dizaines de rescapés témoignent publiquement de ce qu'ils ont vécu. La mémoire de la Shoah émerge alors progressivement.

1 Les héros de la mémoire communiste

« 22 octobre 1941 Châteaubriant », affiche de Simonot, 1944.
Après la guerre, le PCF honore ses militants victimes des nazis, notamment les 27 otages fusillés le 22 octobre 1941 à Châteaubriant (Loire-Atlantique). Les historiens estiment à environ 10 000 le nombre de fusillés en France pendant l'Occupation.

1. Quel sens cette affiche donne-t-elle à la mort des fusillés de Châteaubriant ?

MOTS CLÉS

Épuration : action spontanée puis légale (procès) visant à écarter de la vie politique ou sociale les individus accusés de collaboration.

Lieu de mémoire : selon l'expression popularisée par l'historien Pierre Nora, lieu, objet ou symbole important pour la construction de la mémoire nationale.

Résistancialisme : terme employé par Henry Rousso pour désigner le mythe politique selon lequel l'ensemble de la nation française est entrée en résistance sous l'Occupation.

« Syndrome de Vichy » : expression de l'historien Henry Rousso évoquant les difficultés rencontrées par la société française pour assumer le traumatisme que fut l'Occupation et la collaboration de 1945 à nos jours.

DATES

Été 1944 Début de l'épuration
1951 et 1953 Lois d'amnistie
1961-1962 Procès Eichmann

GLOIRE ET SACRIFICE DE PHILIPPE PÉTAIN
MARÉCHAL DE FRANCE

1916

1940

1945

1951

JE FAIS A LA FRANCE
LE DON DE MA PERSONNE

2 Les nostalgiques de Vichy

« Gloire et Sacrifice de Philippe Pétain Maréchal de France », brochure diffusée par *Aspects de la France*, 1951.

À la mort de Pétain en 1951, les nostalgiques du régime de Vichy lui expriment leur reconnaissance. Dans une brochure diffusée après sa disparition, la revue d'extrême droite *Aspects de la France* entend réhabiliter la mémoire de l'ancien chef de l'État français.

1. Comment la vie de Philippe Pétain est-elle présentée ?

2. Comment sa relation avec la population française est-elle décrite ?

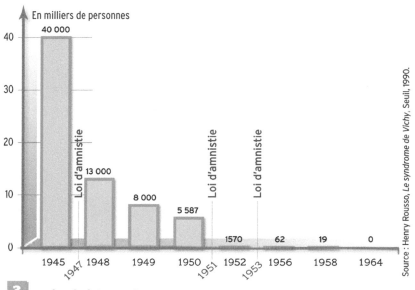

3 La fin de l'épuration

Personnes condamnées pour faits de collaboration et incarcérées (1945-1964).

L'épuration, menée avec rigueur dans l'immédiat après-guerre, est officiellement achevée avec les lois d'amnistie de 1951 et 1953.

1. Comment les effectifs des personnes emprisonnées évoluent-ils ?

2. Quel est l'effet des lois d'amnistie ?

4 Jean Moulin : un résistant entre au Panthéon

André Malraux, écrivain et ministre des Affaires culturelles de Charles de Gaulle, prononce un discours à l'occasion du transfert des cendres de Jean Moulin* au Panthéon.

« Lorsque [...] Jean Moulin fut parachuté en France, la Résistance n'était encore qu'un désordre de courage. [...] Les résistants [...] voulaient cesser d'être des Français résistants et devenir la Résistance française. C'est pourquoi Jean Moulin est allé à Londres. [...] Le général de Gaulle seul pouvait appeler les mouvements de Résistance à l'union entre eux et avec tous les autres combats, car c'était à travers lui seul que la France livrait un seul combat. [...] Voir dans l'unité de la Résistance le moyen capital du combat pour l'unité de la nation, c'était peut-être affirmer ce qu'on a, depuis, appelé le gaullisme [...].

Entre ici, Jean Moulin, avec ton terrible cortège. Avec ceux qui sont morts dans les caves sans avoir parlé, comme toi ; et même, ce qui est peut-être plus atroce, en ayant parlé ; avec tous les rayés et tous les tondus des camps de concentration, avec le dernier corps trébuchant des affreuses files de Nuit et Brouillard[1], enfin tombé sous les crosses ; avec les huit mille Françaises qui ne sont pas revenues des bagnes, avec la dernière femme morte à Ravensbrück pour avoir donné asile à l'un des nôtres. Entre, avec le peuple né de l'ombre et disparu avec elle – nos frères dans l'ordre de la nuit. »

André Malraux, « Transfert des cendres de Jean Moulin au Panthéon », Discours prononcé au Panthéon, le 19 décembre 1964, dans *Oraisons Funèbres*, Gallimard, 1971.

1. Décret allemand (« *Nacht und Nebel* ») ordonnant la déportation dans le plus grand secret des opposants du IIIe Reich.

1. Quelle image André Malraux donne-t-il du rôle du général de Gaulle ?

5 Le difficile retour des déportés juifs

Simone Veil*, rescapée d'Auschwitz, présidente d'honneur de la Fondation pour la mémoire de la Shoah, témoigne des difficultés rencontrées par les anciens déportés juifs.

« Pour la plupart d'entre nous, nous n'avions plus de famille, plus de parents, plus de foyer. Je pense encore plus douloureusement, aujourd'hui, à tous ceux qui avaient été déportés depuis les ghettos polonais vers les camps d'extermination et qui, rescapés, sont arrivés en France ou dans d'autres pays d'Europe ; leur détresse était encore plus terrible.

Ce retour a été, je le répète, terrible : nous étions seuls, enfermés dans notre solitude, d'autant plus que ce que nous avions vécu, personne ne voulait le savoir. Ce que nous avions à raconter, personne ne voulait en partager le fardeau.

Dans l'Europe libérée du nazisme, qui se souciait vraiment des survivants juifs d'Auschwitz ? Nous n'étions pas des résistants, nous n'étions pas des combattants, pourtant certains étaient de vrais héros, et pour l'histoire qui commençait déjà à s'écrire, pour la mémoire blessée qui forgeait ses premiers mythes réparateurs, nous étions des témoins indésirables. »

Simone Veil, « Auschwitz plus jamais », Discours prononcé à Amsterdam, 26 janvier 2006 © DR.

1. Quelles sont les conditions de retour des rescapés de la Shoah ?

Le massacre d'Oradour-sur-Glane devant la justice

Le 10 juin 1944, à Oradour-sur-Glane, des Waffen-SS exécutent 642 civils et détruisent ce bourg du Limousin. Après guerre, ce massacre illustre la barbarie nazie dont la France a souffert. Ce symbole devient cependant l'objet d'une intense controverse en 1953, lorsque se tient à Bordeaux le procès de 21 des SS présents à Oradour, parmi lesquels se trouvent des Alsaciens incorporés de force dans l'armée allemande, les « Malgré-nous ». Dès lors s'opposent plusieurs mémoires contradictoires.

Quelles questions le procès d'Oradour-sur-Glane soulève-t-il dans la France d'après-guerre ?

Les lieux de l'affaire d'Oradour-sur-Glane

1944 — 10 juin : Massacre d'Oradour-sur-Glane

1953 — 12 janvier : Ouverture du procès

19-21 février : Loi d'amnistie et libération des « Malgré-nous »

1 Un symbole du martyre national

Vue aérienne d'Oradour-sur-Glane (Limousin, Haute-Vienne), 1999.

En 1944, le Gouvernement provisoire classe le site d'Oradour, conservé en l'état depuis la guerre, au registre des monuments historiques. Le village devient ainsi un symbole national de la barbarie nazie.

2 Les Limousins réclament la justice

Au cours du procès des auteurs du massacre, la population de Limoges proteste contre la modification de la loi de 1948. Cette loi avait permis l'inculpation des « Malgré-nous » en instituant la présomption de responsabilité collective pour les individus, même incorporés de force, ayant appartenu à une organisation criminelle.

« Invitée à cesser hier mardi de 17 à 19 heures toute activité pour rendre hommage à la mémoire des martyrs d'Oradour et témoigner sa sympathie à leurs familles, la population de Limoges – plus de quarante mille personnes – s'est rassemblée devant le cénotaphe[1] dressé sur le perron de l'hôtel de ville.

Lecture a été donnée d'un manifeste qui dit notamment :

"Oradour restera à jamais inscrit dans l'histoire comme le symbole des crimes hitlériens.

"La population de Limoges juge intolérable le vote émis au petit jour par les deux tiers du Parlement en plein accord avec le gouvernement... et affirme solennellement que les douze SS originaires d'Alsace jugés à Bordeaux ne sont pas des Alsaciens, mais des assassins."

Le manifeste réclame "l'extradition de tous les SS qui ont participé au crime d'Oradour, à commencer par le général Lammerding, commandant la division *Das Reich*[2]". En conclusion il "demande aux municipalités et aux organisations de toutes les localités du département d'organiser samedi après-midi des manifestations solennelles de solidarité et de protestation". »

« À Limoges. Manifestation à la mémoire des victimes »,
Le Monde, 5 février 1953.

1. Tombeau qui ne contient pas le corps du mort mais sert de lieu où l'on honore sa mémoire.

2. Nom de la division à laquelle appartenaient les SS responsables du massacre d'Oradour-sur-Glane.

3 La solidarité de l'Alsace avec les « Malgré-nous »

Jacques Fonlupt-Esperaber, député du Haut-Rhin, exprime le sentiment d'injustice qu'éprouvent de nombreux Alsaciens pour lesquels le procès de Bordeaux est celui des « Malgré-nous » et de leur région, annexée au IIIe Reich pendant la guerre.

« [S]'il y a un drame d'Oradour – un drame atroce, certes – il y a un autre drame, atroce lui aussi, qui fit 40 000 victimes au moins et qui est le drame de l'Alsace.

L'Alsace a été abandonnée, livrée à l'ennemi par les hommes qui, à Vichy, prétendaient parler au nom de la France. En 1942, ses fils furent appelés sous les drapeaux allemands sans que fût élevée par le gouvernement de Philippe Pétain la protestation publique et solennelle que l'honneur imposait. [...]

En 1943, les plus jeunes de nos compatriotes dont beaucoup n'avaient pas 18 ans furent malgré eux – sauf quelques très rares volontaires qui, à nos yeux, sont des Allemands, comme les autres, pire que les autres – incorporés de force dans les S.S.

C'est de ces incorporés de force que l'Alsace se sent solidaire parce qu'elle les considère comme les victimes d'une défaite dont tous les Français portent peut-être en commun la responsabilité, mais dont les Alsaciens ont, plus lourdement que tous les autres, porté le fardeau. »

Jacques Fonlupt-Esperaber, « L'Alsace et le procès d'Oradour », *Forces nouvelles*, hebdomadaire du Mouvement républicain populaire, 18 janvier 1953.

4 La réaction alsacienne au verdict

Strasbourg, place de la République, 15 février 1953.

Deux jours après le verdict qui reconnaît la culpabilité des « Malgré-nous » – la peine de mort est prononcée pour l'un d'entre eux et les autres sont condamnés à des peines de travaux forcés et de prison – une manifestation réunit 5 000 à 6 000 Strasbourgeois. Le monument aux morts de 1914-1918 est drapé de noir en signe de protestation.

5 L'amnistie des « Malgré-nous »

L'émotion causée en Alsace conduit l'Assemblée nationale à adopter une loi d'amnistie, le 19 février 1953.

« L'Assemblée nationale estima préférable de s'aliéner une région pauvre et rurale qui ne constituait aucune menace pour l'unité nationale [le Limousin] plutôt que de provoquer l'agitation permanente d'une région prospère et peuplée [l'Alsace]. 319 députés – une majorité de MRP et de RPF – votèrent l'amnistie. Tous les communistes, les trois quarts des socialistes, un tiers des radicaux et une douzaine de non-inscrits – 211 en tout – votèrent contre et 83 s'abstinrent. Trois jours après le vote, à l'aube du 21 février, les treize[1] Alsaciens passèrent les portes de la prison militaire de Bordeaux. Ils montèrent rapidement dans des véhicules qui partirent vers le Nord, à travers le brouillard. Dans l'après-midi, ils arrivèrent en Alsace où ils furent accueillis par leurs familles soulagées. Pendant que les journaux d'Alsace publiaient des photos des "Malgré-nous" retrouvant leurs femmes et leurs enfants, ceux qui avaient perdu leurs familles dans le massacre d'Oradour titubaient sous le choc de la douleur et du désespoir. »

Sarah Farmer, *Oradour, arrêt sur mémoire*, Perrin, 2004.

1. Le quatorzième Alsacien, sergent au moment des faits, n'avait pas bénéficié de l'amnistie du fait de son engagement volontaire dans la Waffen-SS.

QUESTIONS

Le cadre du procès

1. Pourquoi le drame d'Oradour est-il devenu un symbole national après la guerre ? (doc. 1, 2)

2. Qu'est-ce qui oppose le Limousin et l'Alsace dans le cadre du procès ? (doc. 2, 3)

Le verdict

3. Pourquoi l'opinion alsacienne est-elle choquée par le procès et son verdict ? (doc. 3, 4)

4. Comment expliquer le vote de la loi d'amnistie par le Parlement ? (doc. 3, 4, 5)

Bilan : Quelles questions le procès d'Oradour-sur-Glane soulève-t-il dans la France d'après-guerre ?

Étude critique de document → **MÉTHODE** p. 208

Montrez l'apport et les limites du document 2 pour la compréhension des enjeux de la mémoire d'Oradour-sur-Glane.

La mémoire de la déportation dans l'après-guerre

Les survivants des camps nazis regagnent la France à partir du printemps 1945. Dès leur retour, ils se regroupent et fondent des associations se réclamant pour la plupart de la Résistance, leur expérience dans les camps étant alors avant tout considérée comme le prolongement de la lutte clandestine. Au cours des années d'après-guerre, la déportation s'impose comme l'un des symboles du martyre national, au détriment d'une réelle prise en compte du génocide des juifs.

Chronologie

1945 **Printemps :** Libération des camps, retour des déportés en France et constitution des premières associations d'anciens déportés.

1946-1947 Déclenchement de la Guerre froide et politisation des associations d'anciens déportés.

1954 Création de la journée nationale de la Déportation.

1955 *Nuit et Brouillard* d'Alain Resnais (voir p. 100-101).

1962 Inauguration du Mémorial des martyrs de la Déportation.

Comment se représente-t-on la déportation après la guerre ?

1 L'exigence de justice

Le 19 avril 1945, une semaine après la libération du camp de Buchenwald, les survivants se réunissent sur la place d'appel de ce camp. Ils y prêtent un serment solennel sur lequel repose leur engagement collectif.

« Nous, les détenus de Buchenwald, nous sommes venus aujourd'hui pour honorer les 51 000 prisonniers assassinés à Buchenwald et dans les kommandos[1] extérieurs par les brutes nazies et leurs complices. [...]

Nous, qui sommes restés en vie et qui sommes des témoins de la brutalité nazie, avons regardé avec une rage impuissante la mort de nos camarades. Si quelque chose nous a aidés à survivre, c'était l'idée que le jour de la justice arriverait. Aujourd'hui, nous sommes libres. [...]

Une pensée nous anime : notre cause est juste, la victoire sera nôtre. [...] Nos tortionnaires sadiques sont encore en liberté. C'est pour ça que nous jurons, sur ces lieux de crimes fascistes, devant le monde entier, que nous abandonnerons seulement la lutte quand le dernier des responsables sera condamné devant le tribunal de toutes les Nations. L'écrasement définitif du nazisme est notre tâche. Notre idéal est la construction d'un monde nouveau dans la paix et la liberté. Nous le devons à nos camarades tués et à leurs familles. Levez vos mains et jurez pour démontrer que vous êtes prêts à la lutte. »

Serment de Buchenwald, 19 avril 1945.

1. Camp satellite d'un camp de concentration principal.

2 Une vision unitaire de la « déportation »

Affiche du Mouvement national des prisonniers de guerre et déportés (MNPGD), réalisée par Renluc, 1945.
En 1945, le MNPGD pense pouvoir fédérer l'ensemble des Français ayant été « déportés » hors de France. La spécificité de leur sort pousse finalement les différents groupes (prisonniers militaires, requis du STO, déportés dans les camps) à créer leurs propres organisations.

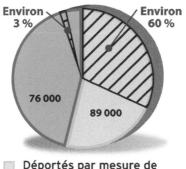

Environ 3 %

Environ 60 %

76 000

89 000

- ☐ Déportés par mesure de répression et autres motifs
- ☐ Déportés par mesure de persécution antisémite
- ◇ Part des survivants

3 Les rescapés de la déportation

Après la guerre, les survivants de la déportation au titre de la répression de la lutte contre l'occupant (résistants, opposants politiques, otages, victimes de rafles) ou pour d'autres motifs (prisonniers de droit commun) sont bien plus nombreux que les survivants de la déportation par mesure de persécution antisémite.

5 L'obtention d'une journée nationale de la Déportation

En 1954, l'Assemblée nationale adopte, à l'initiative du Réseau du souvenir[1], une loi instituant une journée commémorative qui inscrit l'expérience des déportés dans le calendrier national français.

« Article 1er. La République française célèbre annuellement, le dernier dimanche d'avril, la commémoration des héros, victimes de la déportation dans les camps de concentration au cours de la guerre 1939-1945.

Art. 2. Le dernier dimanche d'avril devient "Journée nationale du souvenir des victimes et des héros de la Déportation". Des cérémonies officielles évoqueront le souvenir des souffrances et des tortures subies par les déportés dans les camps de concentration et rendront hommage au courage et à l'héroïsme de ceux et celles qui furent les victimes.

La présente loi sera exécutée comme loi de l'État. »

Loi du 14 avril 1954.

1. Association d'anciens déportés résistants.

6 La difficile prise en compte de la déportation des juifs

L'historienne Annette Wieviorka* explique pourquoi la déportation des juifs n'a guère été mise en avant dans les années d'après-guerre.

« Les déportés de la Résistance qui reviennent sont infiniment plus nombreux [...]. Certains sont des personnalités du monde politique d'avant-guerre ou font partie des élites de la République ; ils écrivent, interviennent dans la vie publique, créent des associations. Les survivants juifs sont le plus souvent des petites gens, tailleurs, casquettiers, parfois très jeunes, et confrontés à une absolue détresse : leurs familles ont été décimées, leurs maigres biens pillés, leurs logements occupés... Ils n'ont guère de moyens de se faire entendre. Dans notre société moderne, la parole des victimes est sacrée, la souffrance individuelle doit s'exprimer. Ce n'était pas le cas en 1945. La parole appartenait aux représentants d'associations structurées. Et l'heure était à la célébration de la Résistance. »

Agathe Logeart, « Entretien avec Annette Wieviorka »,
Le Nouvel Observateur, janvier 2005.

FÉDÉRATION NATIONALE DES DÉPORTÉS ET INTERNÉS, RÉSISTANTS ET PATRIOTES

NON

BUCHENWALD MAUTHAUSEN RAVENSBRÜCK DACHAU

AUSCHWITZ BERGEN-BELSEN NEUENGAMME EBENSEE

ORADOUR VERCORS CHATEAUBRIANT...

SIGNEZ CONTRE LE

RÉARMEMENT DE L'ALLEMAGNE

4 L'engagement partisan

Affiche de la FNDIRP réalisée par Marcel Tillard, 1951.

En pleine guerre froide, la Fédération nationale des déportés et internés résistants et patriotes (FNDIRP) s'engage aux côtés du PCF – dont elle est proche – contre le projet d'une armée européenne à laquelle participerait l'Allemagne de l'Ouest.

QUESTIONS

L'engagement des déportés

1. Que demandent les déportés dans l'après-guerre ? (doc. 1, 2, 5)

2. Comment se manifeste la question des anciens déportés dans la vie publique ? (doc. 2, 5, 6)

Déportés résistants et déportés juifs

3. Comment est mise en avant la déportation des résistants ? (doc. 3, 4, 5, 6)

4. La déportation des juifs est-elle reconnue dans sa spécificité ? (doc. 2, 3, 4, 5, 6)

Bilan : Comment se représente-t-on la déportation après-guerre ?

Étude critique de document → **MÉTHODE** p. 245

Analysez le document 6, et montrez dans quelle mesure la loi du 14 avril 1954 met davantage l'accent sur la déportation des résistants que sur celle des juifs.

De nouveaux enjeux mémoriels depuis les années 1970

Comment la compréhension de l'histoire des « années noires » en France se renouvelle-t-elle ?

A. Un autre regard sur le régime de Vichy

- **Le contexte des années 1970 est favorable à un réexamen critique de l'histoire de l'Occupation** : le climat politique et intellectuel est imprégné de l'esprit contestataire de mai 1968, porté par l'arrivée à l'âge adulte de la génération née après-guerre, et marqué par le déclin du gaullisme et du PCF.
- **Dans le documentaire Le *Chagrin et la Pitié* (1971), Marcel Ophüls propose une vision assombrie de la période**, loin de l'image d'une France unanimement résistante [doc. **1**]. Puis, dans *La France de Vichy* (1973), l'Américain Robert Paxton renouvelle radicalement le discours historique sur les « années noires » [doc. **2**] (voir p. 84).
- **L'histoire trouble de la collaboration s'impose dans l'actualité, de même que dans le cinéma de fiction**, qui montre un autre visage de la France : en 1974, le film *Lacombe Lucien* de Louis Malle raconte ainsi l'histoire d'un fils de paysan entré au service de la Gestapo.

B. La mémoire de la Shoah devient centrale

- **Les années 1970 voient également s'affirmer une mémoire juive militante** qui réagit au développement du **négationnisme** [doc. **3**] tandis que la diffusion du téléfilm américain *Holocaust* (1979) puis la sortie du film *Shoah* de Claude Lanzmann (1985) sensibilisent le public français au sort des juifs.
- **Plusieurs épisodes judiciaires jouent aussi un rôle déterminant dans l'affirmation de la mémoire de la Shoah.** L'action de Serge Klarsfeld conduit aux procès de trois responsables des persécutions antisémites en France : Klaus Barbie (1987), Paul Touvier (1994) et Maurice Papon (1997-1998) (voir p. 98). Des historiens interviennent lors de ces procès.
- **En 1995, Jacques Chirac reconnaît officiellement la responsabilité de l'État français dans la déportation des juifs de France** [doc. **4**]. La mémoire de la Shoah se place désormais au cœur du **devoir de mémoire**, notamment à travers la parole des témoins et l'action du Mémorial de la Shoah (voir p. 94-95).

C. Les évolutions de la figure du Résistant

- **Parallèlement à l'affirmation de la mémoire de la Shoah, les médias alimentent des polémiques sur le passé de certains résistants** comme Jean Moulin*, accusé d'avoir été un agent soviétique. En 1994 un livre révèle le passé vichysto-résistant du président François Mitterrand*.
- **L'image de la Résistance évolue aussi sous l'effet de la récente montée en puissance de la figure du « Juste ».** L'hommage national rendu aux « Justes de France » en 2007 [doc. **5**] consacre ce nouveau personnage héroïque qui incarne les capacités de résistance de la société française sans pour autant passer sous silence les persécutions antisémites perpétrées par Vichy.
- **La mémoire de la Résistance demeure cependant entretenue par le concours national de la Résistance et de la déportation et par les usages qu'en font les hommes politiques :** le président Nicolas Sarkozy demande en 2007 que soit lue à tous les lycéens la lettre de Guy Môquet et se rend au plateau de Glières (2007) et dans le Vercors (2009) (voir p. 96).

1 **La fin du mythe de la France résistante**

Affiche du film *Le Chagrin et la Pitié*, 1971.
Refusé par la télévision publique, ce documentaire est vu par plus de 500 000 spectateurs lors de sa sortie en salles.

BIOGRAPHIE

Serge Klarsfeld (né en 1935)
Avocat et historien français. Fils de déporté, il a consacré sa vie à la poursuite des responsables allemands et français de la déportation des juifs de France et à l'écriture de l'histoire de la Shoah.
Serge Klarsfeld, 2010.

MOTS CLÉS

Devoir de mémoire : devoir civique de commémorer les crimes commis pendant la guerre. Il faut le distinguer du travail de mémoire qui s'appuie sur la recherche historique.

Négationnisme : position idéologique qui remet en cause l'existence du génocide des juifs et des chambres à gaz.

DATES

1973 *La France de Vichy* de Robert Paxton
1995 Discours de Jacques Chirac reconnaissant la responsabilité de l'État français dans la déportation des juifs de France
2007 Hommage aux « Justes de France ».

2 Un nouveau regard historique sur Vichy

L'ouvrage La France de Vichy *de l'historien américain Robert Paxton remet en cause la façon dont les historiens français présentaient le rôle du régime de Vichy durant la guerre.*

« Le fait qu'un Américain écrive sur la France fut ressenti par beaucoup comme une ingérence étrangère dans les affaires françaises. Or, pour reprendre la formule de François Bédarida et Jean-Pierre Azéma, l'étude de Paxton constitua une véritable révolution copernicienne dans l'historiographie de la guerre, en apportant une triple démonstration : Vichy, Pétain comme Laval, avait recherché la collaboration avec l'Allemagne ; Vichy avait eu une politique de rénovation autonome de la société française, indépendante de toute pression allemande, notamment dans la politique antisémite ; le pouvoir à Vichy s'était partagé entre réactionnaires et rénovateurs, porteurs de projets politiques. Robert Paxton démontrait ainsi que Vichy n'était pas une simple parenthèse, mais un projet cohérent. Cette démonstration rendit dès lors extrêmement hasardeuse toute entreprise de réhabilitation de Vichy. »

Laurent Douzou, « L'historiographie de la France des années noires », dans Tal Bruttman (dir.), *Persécutions et spoliations des Juifs pendant la Seconde Guerre mondiale*, coll. « Résistances », Presses universitaires de Grenoble, 2004.

1. Quels sont les apports du livre de Robert Paxton pour l'histoire du régime de Vichy ?

4 La reconnaissance des responsabilités françaises

Le 16 juillet 1995, le président de la République Jacques Chirac prononce un discours historique lors de la commémoration de la rafle du Vel' d'Hiv'.

« Il est, dans la vie d'une nation, des moments qui blessent la mémoire, et l'idée que l'on se fait de son pays. [...]
Oui, la folie criminelle de l'occupant a été secondée par des Français, par l'État français.
Il y a cinquante-trois ans, le 16 juillet 1942, 450 policiers et gendarmes français, sous l'autorité de leurs chefs, répondaient aux exigences des nazis. [...]
La France, patrie des Lumières et des Droits de l'Homme, terre d'accueil et d'asile, la France, ce jour-là, accomplissait l'irréparable. [...]
Certes, il y a les erreurs commises, il y a les fautes, il y a une faute collective. Mais il y a aussi la France, une certaine idée de la France, droite, généreuse, fidèle à ses traditions, à son génie. Cette France n'a jamais été à Vichy. [...] Elle est à Londres, incarnée par le général de Gaulle. Elle est présente, une et indivisible, dans le cœur de ces Français, ces "Justes parmi les nations" qui, au plus noir de la tourmente, en sauvant au péril de leur vie, comme l'écrit Serge Klarsfeld, les trois-quarts de la communauté juive résidant en France, ont donné vie à ce qu'elle a de meilleur. Les valeurs humanistes, les valeurs de liberté, de justice, de tolérance qui fondent l'identité française et nous obligent pour l'avenir. »

Jacques Chirac, Discours prononcé à Paris, le 16 juillet 1995.

1. Qui Jacques Chirac désigne-t-il comme responsables de la déportation des juifs de France ?

2. Le discours ne propose-t-il qu'une vision négative de la France des « années noires » ?

3 La lutte contre le négationnisme

En 1981, Georges Wellers, survivant d'Auschwitz et historien de la Shoah, apporte un démenti argumenté et documenté aux thèses négationnistes. Il explique dans son introduction à qui il entend s'adresser et pour quelles raisons.

« Toute une littérature est consacrée au travail de dénégation de l'insoutenable réalité. [...]
La "philosophie" générale de cette campagne est très simple : l'existence des chambres à gaz et les six millions de victimes juives sont déclarés mensonges entièrement inventés, après la guerre, par le judaïsme mondial. [...]
Mon propos ne s'adresse pas aux instigateurs de cette campagne, car il n'existe aucun espoir de les persuader en quoi que ce soit. En effet, l'unique souci des uns est de réhabiliter à tout prix le régime nazi [...]. Pour les autres, il s'agit du "goût de la vérité" poussé à de telles extrémités qu'on en perd de vue le point de départ. Ce qui est commun aux uns et aux autres, c'est, d'une part, que leur production ne relève pas d'une école historique, mais d'une propagande passionnée [...] ; et d'autre part, la même finalité : innocenter, banaliser le régime nazi.
En revanche, je parle ici aux hommes et aux femmes de bonne foi, ignorants des faits réels et qui risquent, pour cette raison, de prêter l'oreille aux dénégations ou affirmations gratuites des apologistes du nazisme. »

Georges Wellers, *Les chambres à gaz ont existé*, Gallimard, 1981.

1. Quelle est la thèse principale défendue par les négationnistes ?
2. Pourquoi Georges Wellers refuse-t-il de dialoguer avec eux ?

5 La commémoration des « Justes de France »

Jacques Chirac au Panthéon, 18 janvier 2007.
En 2007, le président Jacques Chirac s'exprime à l'occasion de l'hommage national rendu aux « Justes de France » au Panthéon. Ce titre est décerné par l'État d'Israël aux personnes, vivantes ou mortes, ayant contribué à sauver des juifs durant la Seconde Guerre mondiale. Sur 23 000 Justes reconnus, plus de 3 000 sont français.

1. Comment la cérémonie met-elle en avant l'identité française des « Justes » honorés ?

Le Mémorial de la Shoah et le souvenir du génocide des juifs

Le Tombeau du Martyr juif inconnu est inauguré à Paris en 1956. Pensé à l'origine comme un monument dédié à la mémoire de l'ensemble des victimes juives, il devient en 2005 le Mémorial de la Shoah. Lieu aux multiples fonctions, il se consacre désormais d'abord au sort des juifs de France pendant la Seconde Guerre mondiale tout en l'insérant dans l'histoire européenne du génocide*.

Comment le Mémorial de la Shoah aborde-t-il la mémoire de la Seconde Guerre mondiale ?

Chronologie	
1953	**17 mai** Pose de la première pierre du monument
1956	**30 octobre** Inauguration du Tombeau du Martyr juif inconnu
2000	Création de la Fondation pour la mémoire de la Shoah
2005	**25 janvier** Inauguration du Mémorial de la Shoah
2006	Inauguration du mur des Justes

1 Un projet ambitieux et controversé

En 1951, les membres du Comité mondial pour l'érection du Tombeau du Martyr juif inconnu expliquent les raisons les poussant à promouvoir un projet qui soulève des oppositions au sein de la communauté juive.

« Au cours des cinq dernières années suivant la grande catastrophe du judaïsme, une quantité énorme de matériel documentaire a été rassemblée. Ces écrits perpétueront la mémoire du martyre du peuple juif pendant l'atroce Seconde Guerre mondiale. [...]

Mais cela ne saurait suffire et il est nécessaire que notre dernier cataclysme soit gravé pour l'éternité dans une œuvre monumentale, devant rappeler à chacun de nous, ce que Hitler a fait de nos 6 millions de Martyrs.

Le Centre de documentation juive contemporaine[1] a pris l'initiative, en conséquence, d'ériger à Paris le "tombeau du martyr juif inconnu".

Ce monument ne sera pas seulement un constant rappel pour nous autres Juifs, mais encore une exhortation adressée à tous les hommes à une heure où l'on n'a que trop tendance à oublier et à absoudre des crimes commis il y a quelques années, dont le monde garde encore la plaie. [...]

Le "Tombeau du Martyr juif inconnu" incitera aussi les jeunes générations juives, qui tendent de plus en plus à se détacher de notre communauté, à assurer la continuité de la mission millénaire pour laquelle sont morts leurs aînés. »

Le Monde juif, n° 40, février 1951.

1. Créé en 1943 par Isaac Schneersohn.

2 Un espace commémoratif

Commémoration du soulèvement du ghetto de Varsovie, avril 1985.
Dès sa création, le Mémorial accueille de nombreuses commémorations. Ici, la chanteuse Talila contribue à la cérémonie par des chants en yiddish, la langue des juifs d'Europe orientale assassinés en grand nombre pendant la guerre.

3 Un monument en évolution

Reconstitution du Mémorial de la Shoah.

Depuis son inauguration en 1956, le Mémorial a connu de nouveaux aménagements dont l'étude aide l'historien à analyser les évolutions à l'œuvre dans la mémoire de la Shoah.

Monument inauguré en 1956
1. Cylindre portant les noms des lieux de la Shoah
2. Inscriptions en français, hébreu et yiddish
3. Crypte et tombeau contenant des cendres des camps (sous-sol)
4. Centre de documentation juive contemporaine

Évolutions depuis 2005
5. Mur des Noms
6. Exposition permanente
7. Salles pédagogiques, expositions temporaires
8. Librairie
9. Mur des Justes

4 La mémoire des noms

En 2005, lors d'une cérémonie en mémoire des victimes juives du géno-cide, Claude Lanzmann salue la création récente, dans l'enceinte du Mémorial, du «Mur des Noms» sur lequel sont gravés les noms des 76 000 juifs déportés de France vers les camps d'extermination.

« La gravité et l'émotion singulière qui m'étreignent et dont je lis sur vos visages que vous les partagez tiennent sans doute à ceci que nous sommes [...] pleinement conscients de la signification profonde de ce Mémorial : il est d'abord le nôtre, celui des juifs de France ou encore des juifs déportés de France, envoyés à la mort à partir de nos villes et de nos villages. Je connais d'autres musées, d'autres mémoriaux de la Shoah en d'autres points du monde, [...] aucun n'est aussi radicalement dépourvu d'emphase que celui-ci, comme si l'évidence écrasante des faits et du tribut payé imposait la simplicité, l'effacement devant la vérité, interdisait la démesure. À toutes les monumentalisations, qui sont souvent et par nature monumentalisations du vide, je préfère les sobres murs des noms des 80 000 déportés de notre pays, qui accueillent liminairement[1] les visiteurs du Musée et au long desquels ils doivent forcément repasser, le parcours accompli. [...]

La beauté, la formidable présence, la massivité, la plénitude, mais en même temps l'individuation de ces milliers de noms font éprouver physiquement tout à la fois l'immensité de l'assassinat et la tragédie vécue par chacune des victimes. »

Claude Lanzmann, « Discours au Mémorial », *Les Temps Modernes*, 2005-2006.

1. Dès le seuil du bâtiment.

QUESTIONS

Un lieu aux multiples fonctions

1. Que commémore-t-on au Mémorial ? (doc. 1, 2, 3, 4)

2. Quelles sont les fonctions de ce lieu ? (doc. 1, 2, 3, 4)

La mémoire juive de la Seconde Guerre mondiale

3. Par quels moyens l'identité juive du monument et l'événement historique qu'il commémore sont-ils signalés ? (doc. 2, 3, 4)

4. Quelle place revient aux noms des victimes dans la commémoration du génocide ? (doc. 3, 4)

Bilan : Comment le Mémorial de la Shoah aborde-t-il la mémoire de la Seconde Guerre mondiale ?

Étude critique de document

Analyser le document 4 et montrez en quoi le Mémorial de la Shoah est un lieu de deuil et de recueillement.

Le massif du Vercors et la mémoire de la Résistance

À son apogée, en juin 1944, le maquis du Vercors a accueilli près de 4 000 résistants avant qu'une attaque allemande, lancée en juillet 1944, ne cause sa chute ainsi que la mort de nombreux civils. Depuis cet épisode tragique, le Vercors s'est imposé en France comme l'un des principaux lieux de mémoire de la Résistance. La célébration de ses héros n'a cependant pas empêché le déclenchement d'intenses controverses.

Comment évolue la mémoire de la Résistance dans le Vercors ?

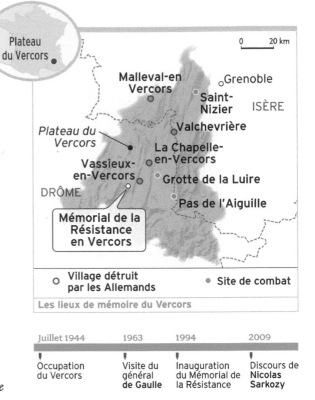

Les lieux de mémoire du Vercors

Juillet 1944 — Occupation du Vercors
1963 — Visite du général **de Gaulle**
1994 — Inauguration du Mémorial de la Résistance
2009 — Discours de **Nicolas Sarkozy**

1 Un symbole de la Résistance nationale

Le général de Lattre de Tassigny, un des chefs militaires des armées de la Libération, prononce un discours à Vassieux-en-Vercors, village élevé au rang de Compagnon de la Libération*.

« L'Histoire a déjà retenu le nom du Vercors comme l'un des symboles les plus purs et les plus glorieux de la lutte intérieure du peuple français pour sa Liberté. La nature du sol et la fierté des hommes s'associaient pour faire de cette région l'un des môles de notre Résistance. Elle a servi durant des mois de place forte interdite à l'ennemi. Et lorsque celui-ci décida de l'anéantir, il lui fallut réunir de gros moyens et monter une opération combinée, de grand style. À ceux qui voudraient minimiser le mérite de nos maquis, le Vercors apporte son démenti. Ici, on n'a pas fait de la petite guerre : on a fait la guerre.

Hélas ! Chacun de vos villages en porte encore la marque douloureuse : La Chapelle, Vassieux, Rousset, Les Barraques, Saint-Nizier sont autant de stations tragiques sur le si long chemin de croix qui, par les ruines de Normandie, des Vosges, d'Alsace et de Lorraine, a conduit la France jusqu'à sa Résurrection. »

Général de Lattre de Tassigny, discours prononcé à Vassieux-en-Vercors, le 21 juillet 1946.

2 Un épisode controversé

En 1947, un proche du général de Gaulle, le colonel Rémy*, reproche au communiste Fernand Grenier, membre du Gouvernement provisoire, d'avoir échoué à aider le maquis du Vercors. En retour, L'Humanité *accuse de Gaulle d'avoir trahi les maquisards.*

a. « Le Comité de Défense Nationale[1], inquiet de la situation précaire du maquis du Vercors, insistait pour qu'on dépêchât à celui-ci un sérieux élément de soutien. Ses membres intervinrent auprès de M. Grenier pour lui demander d'en assurer le transport. Le Commissaire leur apparut comme assez peu disposé à faire preuve de bonne volonté. [...] On sait la suite : les combattants du Vercors furent massacrés. J'y comptais un très proche parent. »

Colonel Rémy, « Ils sont communistes avant d'être Français ! », Carrefour, 1ᵉʳ octobre 1947.

b. « Au mois de juillet 1944 les maquisards du Vercors étaient attaqués par d'importantes forces allemandes. [...] En vain appelaient-ils à l'aide. Rien ne venait du ciel d'Alger. [...] De Gaulle et ses créatures ne sacrifiaient la résistance intérieure que parce qu'ils en avaient peur. [...] [L]e sang chaud, qui a coulé dans les monts du Vercors et ailleurs, accuse celui qui, par un anticommunisme encore inavoué mais déjà évident, condamnait au nom de la formule "L'État c'est moi" nos jeunes garçons à mourir dans un combat désespéré. »

Pierre Hervé, « À la mémoire des sacrifiés du Vercors », L'Humanité, 24 octobre 1947.

1. Structure militaire de la France libre créée en août 1943.

3 La visite du général de Gaulle, un enjeu politique

Nécropole de Saint-Nizier-en-Vercors, 1963.

Le 26 septembre 1963, le général de Gaulle se rend pour la troisième fois sur le plateau du Vercors le temps d'une courte visite. Refusant de se justifier ou d'alimenter la polémique avec les communistes, il ne prononce aucun grand discours.

4 **Un mémorial niché au cœur du massif**

Mémorial de la Résistance en Vercors, Vassieux-en-Vercors.

Le Mémorial de la Résistance a été construit à l'initiative de la principale association d'anciens résistants du Vercors. Il est inauguré au col de La Chau en 1994 pour le cinquantième anniversaire de la Libération.

5 Un espace entre nature et mémoire

Encore aujourd'hui, la dimension mythique du Vercors fait de ce massif le symbole de la Résistance.

«Au début du XXIe siècle, l'image du Vercors paraît "définitivement" cristallisée, sous la forme du "paysage-histoire" type du maquis: "le Haut-lieu par excellence de la résistance et l'incarnation même de son esprit". Les dernières productions historiographiques, parues à l'occasion du cinquantième anniversaire de la Libération, ne remettent pas en cause cette image, reprise et développée de façon plus ou moins nuancée. Si le rite commémoratif perd chaque année de sa portée, affaibli par le temps et les divisions des anciens du Vercors, le mythe du Vercors est aujourd'hui porté par une mémoire collective, résultat d'une longue sédimentation et relayée aujourd'hui par des institutions et des constructions. L'héroïsme et le martyre en sont, comme en 1945, les composantes essentielles, affectés cependant par les traces des polémiques successives. Le développement du tourisme ne semble pas l'avoir affaibli, tout juste disséminé et incorporé au paysage naturel: on peut aujourd'hui pratiquer le ski de fond sur l'emplacement même des combats de Vassieux...»

Gilles Vergnon, *Le Vercors. Histoire et mémoire d'un maquis*, L'Atelier, 2002.

6 Une référence politique

En 2009, le président de la République choisit La Chapelle-en-Vercors pour prononcer un discours sur «l'identité nationale».

«Le Vercors a payé cher son engagement dans la Résistance. En soutenant les maquis, ses habitants savaient qu'ils risquaient le pire. [...] Le Vercors devint le point de ralliement de ceux qui ne voulaient pas subir. Un instant, le cœur de la France se mit à battre ici. Et, dans ce paysage magnifique et austère, se mit à renaître une fierté française.

Pourquoi tant d'hommes et de femmes se sont-ils engagés dans ce combat inégal dont l'issue tragique ne faisait à leurs yeux aucun doute? La force étrange qui les poussait à risquer leur vie s'imposait à eux comme une évidence. Ils se battaient pour une cause dont ils savaient seulement qu'elle était plus grande qu'eux et qu'elle les rattachait à une multitude d'autres hommes et d'autres femmes poussés par la même force et dévoués à la même cause. [...] Ils avaient tellement envie d'être fiers de leur pays. La France? Elle était en eux. Chacun à sa façon exprimait par ses actes ce sentiment profond que la France était leur bien commun, ce qu'ils avaient de plus précieux, ce qu'ils avaient de plus beau à transmettre à leurs enfants.»

Nicolas Sarkozy, *Discours* prononcé à La Chapelle-en-Vercors, 12 novembre 2009.

QUESTIONS

Un lieu de mémoire polémique

1. Pourquoi le Vercors peut-il incarner après-guerre tant le martyre national que les combats de la Résistance? **(doc. 1, 2)**

2. Pourquoi a-t-on parlé d'une «légende noire» du Vercors? **(doc. 2 et 3)**

Les usages du Vercors

3. Comment commémore-t-on le souvenir du Vercors? **(doc. 3, 4 et 5)**

4. Comment le souvenir du Vercors est-il aujourd'hui mobilisé? **(doc. 4, 5 et 6)**

Bilan: Comment évolue la mémoire de la Résistance dans le Vercors?

Étude critique de document → **MÉTHODE** p. 209

Analysez le document 2 et montrez comment la mémoire du Vercors est un enjeu pour les communistes et les gaullistes.

Le procès de Maurice Papon et la mémoire de Vichy

Maurice Papon, secrétaire général de la préfecture de Gironde, a supervisé l'arrestation et la déportation de nombreux juifs de Bordeaux entre 1942 et 1944. Il poursuit sa carrière administrative et politique après la guerre sans être inquiété. En 1983, deux ans après la révélation de son rôle sous l'Occupation, il est inculpé pour crimes contre l'humanité*. Son procès, qui s'ouvre le 8 octobre 1997, constitue un temps fort de la mémoire contemporaine des « années noires » en France, à l'instar des procès Barbie et Touvier.

Qu'apporte le procès de Maurice Papon à la mémoire de la Seconde Guerre mondiale en France ?

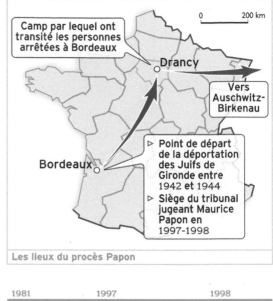

Les lieux du procès Papon

1981	1997	1998
8 décembre Dépôt de la première plainte contre **Maurice Papon**	**8 octobre** Ouverture du procès devant la cour d'assises de Bordeaux	**2 avril** Condamnation de **Maurice Papon**

1 Les attentes des familles de déportés

Bordeaux, mai 1997.
Le 28 mai 1997, quelques mois avant l'ouverture du procès, des familles de victimes manifestent sur les marches du Palais de Justice de Bordeaux.

2 La participation des historiens au procès

Appelés à la barre en tant que «témoins», des historiens ont été chargés de présenter le contexte historique des «années noires». Leur présence dans le prétoire a été l'objet d'un débat sur les rapports entre histoire et justice.

« La société fait vivre les historiens et leur permet d'acquérir un certain savoir-faire pour les aider à enrichir, à toutes fins utiles, sa connaissance du passé. Et comme citoyens il me paraît qu'il leur est difficile de se refuser à servir la Justice quand celle-ci les requiert de contribuer, dans la mesure de leurs moyens, à sa sagesse. Que la définition de leur contribution comme un "témoignage" soit ambiguë, partant lourde de dangers, c'est certain. Que le travail des historiens se distingue le plus souvent de celui des juges d'instruction, c'est l'évidence. [...] Mais c'est précisément pour cela qu'ils sont complémentaires, c'est-à-dire utiles dans le processus d'émergence de la vérité. Or n'est-il pas plus satisfaisant qu'ils le fassent à la requête des tribunaux qu'en dehors d'eux et contre eux ? »

Jean-Noël Jeanneney, *Le Passé dans le prétoire,* Le Seuil, 1998.

4 Le procès de l'État ?

Le 2 avril 1998, Maurice Papon est reconnu coupable de complicité de crimes contre l'humanité et condamné à dix ans de réclusion criminelle. Sa condamnation est perçue par certains observateurs comme celle de l'État.

«L'une des grandes difficultés de ce procès tenait à la fonction même de l'accusé: haut fonctionnaire d'autorité sous l'Occupation, ancien préfet et ancien ministre [après-guerre]. Le juger revenait à mettre en cause une certaine permanence française. C'était s'attaquer, au-delà de sa personne, à une haute administration qui était, à l'époque, engagée dans une lutte politique contre ce que le pouvoir d'alors nommait "l'ancien régime", c'est-à-dire contre la République. C'était aussi mettre au jour un crime de bureau, refuser la déresponsabilisation des grands commis de l'État. [...]

S'il n'y avait qu'une leçon à tirer pour le présent et le futur de ce procès, ce serait celle-là: dans un pays où l'État fait encore l'objet d'un culte, le verdict de Bordeaux signifie à l'ensemble des fonctionnaires que la conformité de leurs actes avec les règlements ne les dispense pas d'avoir, le cas échéant, à en répondre personnellement. L'obéissance a ses vertus, mais la vertu suprême est la responsabilité.»

Jean-Marie Colombani, «Savoir désobéir», *Le Monde*, 4 avril 1998.

5 L'imprescriptibilité des crimes contre l'humanité

Caricature de Plantu, *Le Monde*, 8 octobre 1997.

Maurice Papon a été inculpé pour crimes contre l'humanité près de quarante ans après les faits, en vertu d'une loi de 1964 qui rend ces crimes imprescriptibles, c'est-à-dire pouvant être jugés sans limitation de temps.

Le journal Le Parisien

L'AFFAIRE YANN PIAT REFAIT SURFACE

François Léotard dans la tourmente
PAGES 12 ET 13

GREVE RATP - SNCF
Ligne par ligne toutes les perturbations d'aujourd'hui
CAHIER CENTRAL

MERCREDI 8 OCTOBRE 1997   N° 16513

4,80F

Le Parisien *Edition de Paris*

NOTRE SONDAGE SUR LE PROCES DE MAURICE PAPON

Les Français veulent juger Vichy

Selon un sondage CSA pour notre journal, 57 % des Français sont « assez » ou « très » intéressés par le procès de Maurice Papon (ci-contre) pour complicité de crimes contre l'humanité qui s'ouvre aujourd'hui à Bordeaux. Ce qu'ils en attendent en priorité ? Une occasion de juger le rôle de l'administration française dans la déportation des Juifs sous le régime de Vichy. (Ci-dessus le camp de Drancy en décembre 1942.)   PAGES 2 A 4

3 Un procès attendu et très médiatisé

Une du *Parisien*, 8 octobre 1997.
Le 8 octobre 1997, le journal *Le Parisien* consacre sa Une à l'ouverture du procès Papon, couvrant de près l'événement comme le fait alors l'ensemble de la presse nationale et régionale.

6 Les apports et les limites du procès selon un historien

Peu après la mort de Maurice Papon, l'historien Henry Rousso, qui avait refusé en 1997 de «témoigner» au procès de Bordeaux, évoque la portée de cet événement judiciaire.

«*Libération*: À quoi a servi le procès Papon?

Henry Rousso: Il a rendu justice aux victimes, et de ce point de vue, incontestable, c'est sans doute une bonne chose qu'il ait eu lieu. Surtout, il a permis de "banaliser", de "routiniser", au sens positif du terme la notion de crime contre l'humanité: il constitue un précédent qui permet aux juristes, aux magistrats, aux avocats, de mieux comprendre comment lancer et conduire de tels procès. Je pense que le procès Papon a été plus utile pour l'avenir que pour l'histoire ou la mémoire. Sur le plan historique, je ne trouve pas qu'il ait rempli de fonctions pédagogiques importantes pour les jeunes. Il n'a pas permis de mieux comprendre Vichy. Au contraire, il a renforcé une vision de plus en plus répandue qui minimise le rôle de l'occupant: aucun Allemand n'a été appelé à témoigner au cours du procès, ce qui donnait l'impression que l'occupant nazi ne jouait qu'un rôle secondaire dans cette affaire. On a perdu de vue le poids de l'occupant. Le procès a été conduit avec beaucoup de rigueur intellectuelle, mais on a surtout fait le procès d'une France réglant son problème avec son passé.»

A. Lévy-Willard, «La France n'en a pas fini avec les années noires», entretien avec Henry Rousso, *Libération*, 19 février 2007.

QUESTIONS

Les origines du procès

1. Grâce à quelle inculpation Maurice Papon a-t-il pu être jugé si longtemps après les faits? Quelle en est la spécificité? (doc. 5, 6)

2. L'opinion publique française a-t-elle voulu ce procès? (doc. 1, 2, 3)

La portée du procès

3. De quoi a-t-on fait le procès à travers le cas de Maurice Papon? (doc. 3, 4, 6)

4. Qu'est-ce que les historiens ont apporté au procès et qu'est-ce que le procès a apporté à l'histoire? (doc. 2, 6)

Bilan: Qu'apporte le procès de Maurice Papon à la mémoire de la Seconde Guerre mondiale?

Étude critique de document → MÉTHODE p. 365

Analysez le document 5 et soulignez son apport et ses limites pour la compréhension des enjeux de ce procès.

Alain Resnais, *Nuit et Brouillard*

Qu'apporte le film documentaire à la mémoire de l'univers concentrationnaire?

● Réalisé en 1955 à la demande d'une association de déportés résistants et du Comité d'Histoire de la Deuxième Guerre mondiale, *Nuit et Brouillard*, **du nom d'un décret allemand** *(Nacht und Nebel)* **ordonnant la déportation dans le plus grand secret des opposants au IIIe Reich, prend pour objet le système concentrationnaire nazi.**

● Associant des séquences tournées en couleurs et en noir et blanc, des documents d'archives, le commentaire écrit par l'écrivain, ancien déporté, Jean Cayrol et la musique du compositeur Hanns Eisler, **ce court-métrage d'Alain Resnais décrit l'expérience concentrationnaire et montre, entre passé et présent, les traces d'une histoire menacée par l'oubli.**

● Malgré une vive réaction des autorités allemandes, le film est salué au moment de sa sortie. S'il a depuis été critiqué pour n'avoir pas souligné la spécificité du sort des juifs déportés et pour l'utilisation erronée de certains documents, il a cependant exercé **une influence durable et profonde sur les représentations collectives concernant les camps nazis** et doit sa postérité à l'ambition créatrice et artistique de son réalisateur.

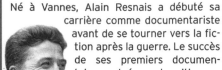

LE RÉALISATEUR

Alain Resnais (né en 1922)
Né à Vannes, Alain Resnais a débuté sa carrière comme documentariste avant de se tourner vers la fiction après la guerre. Le succès de ses premiers documentaires, salués par la critique, a conduit les commanditaires du film à lui confier la réalisation de *Nuit et Brouillard*.
A. Resnais en 1960.

LE COURANT

Le film documentaire
À la différence du film de fiction, le film documentaire n'utilise que des images d'archives, de reportage ou de témoignages en prise avec le réel. Ce genre cinématographique connaît un véritable essor à l'époque de la guerre d'Algérie.

FOCUS **Une mémoire sélective**

Avant la sortie du film, la commission de censure impose à Alain Resnais de masquer par un trait noir l'image d'un gendarme français montant la garde dans le camp d'internement pour juifs à Pithiviers (Loiret).

Image originale non censurée.

Photogramme du plan montrant le camp de Pithiviers censuré. La censure de cette image ne commence à réellement faire débat qu'à la toute fin des années 1970. La société de production Argos Films rétablit la photographie originale à l'occasion d'une réédition du documentaire en 1997.

ANALYSE DE L'ŒUVRE

ANALYSER L'ŒUVRE

1. Quel est l'effet produit par l'usage de la couleur?

2. De quels événements le documentaire est-il contemporain? En quoi ce contexte permet-il de comprendre les derniers mots du commentaire?

3. Pourquoi la censure a-t-elle exigé la retouche de la photographie montrant un gendarme à Pithiviers?

COMPRENDRE LA PORTÉE DE L'ŒUVRE

4. À quel public *Nuit et Brouillard* est-il adressé?

5. En quoi ce film est-il une œuvre marquée par l'époque durant laquelle il a été réalisé?

AU MÊME PROGRAMME

NUIT ET BROUILLARD

HORS CONCOURS AU FESTIVAL DE CANNES

PRIX JEAN VIGO 1956
*
MÉDAILLE D'OR
DU GRAND PRIX DU CINÉMA FRANÇAIS 1956
*

Un réquisitoire
contre l'univers concentrationnaire
*
Un document qui gênera
les mauvaises consciences

> Nous attirons l'attention des spectateurs sur le caractère tragique du documentaire "Nuit et Brouillard" sur les camps de concentration nazis. Ce court-métrage présente certaines scènes particulièrement pénibles où le drame se mêle à l'épouvante. Des images d'agonisants et de cadavres sont susceptibles d'émouvoir profondément les enfants et les êtres sensibles.

IMP. BOUDANT - 20, r. St Laurent, Nord 77-61

Affiche française du film documentaire *Nuit et Brouillard*. Présenté hors concours au Festival de Cannes en 1956, il est ensuite diffusé dans de nombreux pays, de l'Allemagne au Japon en passant par la Suisse ou les États-Unis.

Fiche technique
Tournage : 1955
Sortie : 1956
Durée : 32 minutes
Production : Argos Films
Voix off : Michel Bouquet
Texte : Jean Cayrol
Musique : Hanns Eisler

« Il y a tous ceux qui n'y croyaient pas, ou seulement de temps en temps.

Il y a nous qui regardons sincèrement ces ruines comme si le vieux monstre concentrationnaire était mort sous les décombres, qui feignons de reprendre espoir devant cette image qui s'éloigne, comme si l'on guérissait de la peste concentrationnaire, nous qui feignons de croire que tout cela est d'un seul temps et d'un seul pays, et qui ne pensons pas à regarder autour de nous et qui n'entendons pas qu'on crie sans fin. »

Jean Cayrol, commentaire qui accompagne la fin de *Nuit et Brouillard*.

Photogrammes du film.
De gauche à droite : l'entrée de Birkenau, les châlits à l'intérieur de la baraque d'un camp, un four crématoire.

❶ Analyser un texte d'historien

Dans un ouvrage récent, l'historien Pierre Laborie* critique la vision dominante d'une société française lâche et attentiste sous l'Occupation et invite à ne plus envisager cette question complexe de manière caricaturale.

« Les usages idéologiques du passé dictent des credo qui brouillent sa compréhension en prétendant la clarifier, et les jugements sur la France ou les Français des années noires n'y échappent pas.

Un prêt-à-penser a ainsi succédé à un autre et le dernier en date semble toujours solidement installé. [...] Il dit, pour l'essentiel, que dans les temps troublés de l'Occupation, l'immense majorité des Français, préoccupés avant tout de durer, se sont repliés dans la passivité d'un attentisme marqué par l'opportunisme, voire le cynisme, par des arrangements consentis – ou plus –, par une longue indifférence à l'égard des minorités persécutées. Envers cette affirmation d'un affaissement collectif proche de la lâcheté généralisée, la Résistance, coupée de son tissu social, se retrouve renvoyée à la marge, réduite aux péripéties de sa construction difficile ou à la sacralisation rituelle de quelques événements symboliques. Sa singularité, ses ramifications innombrables mais invisibles, demeurent largement méconnues du grand public, son sens et son identité mêmes tendent à s'effacer. »

Pierre Laborie, *Le Chagrin et le Venin. La France sous l'Occupation, mémoire et idées reçues*, Bayard, 2011.

Le regard de l'historien

1. Quelle est la représentation dominante du comportement des Français contre laquelle Pierre Laborie s'inscrit en faux ?

2. En quoi est-elle caricaturale selon lui ?

---

❷ Étudier un témoignage

Déportée en tant que juive au camp d'Auschwitz-Birkenau en janvier 1944, Suzanne Birnbaum est rapatriée en France en juin 1945. Son récit, achevé dès octobre 1945, est publié en 1946.

« C'est la nuit, il fait un froid glacial, vif, sec. Des réflecteurs puissants éclairent d'une clarté vive et blanche le train et la voie ferrée. Nous descendons des wagons, poussés par les Allemands sur un quai boueux, où nos pieds s'enfoncent de vingt centimètres dans une terre gluante.

Devant chaque réflecteur, une sentinelle allemande, avec casque, fusil et chien, se détache en noir sur blanc. Les ordres rauques continuent à jaillir en allemand, nous ne comprenons pas. On nous explique : "Les hommes là-bas, les femmes ici, mettez-vous en rang par cinq. Que chacun jette ses bagages, sans exception, en un tas, sur le quai." Nous nous exécutons. Si nous essayons de garder un sac à main ou un petit paquet, un soldat allemand passe et l'arrache. [...]

Tout à coup, comme sortant de terre, une équipe d'hommes, le crâne rasé, habillés de vêtements rayés comme des bagnards, les traits accusés par le noir et le blanc cru de la lumière bondissent, sautent dans les wagons, sous les ordres hurlés. [...] Devant nous sous les feux de projecteurs, on aperçoit quelques camions tout blancs[1]. »

Suzanne Birnbaum, *Une Française juive est revenue*, Éditions du Livre français, 1946 © DR.

1. C'est dans ces camions que sont transportées vers les chambres à gaz les personnes jugées « inaptes » au travail.

Le rôle de l'écriture dans le témoignage des rescapés

1. Quelle est la fonction de ce témoignage rédigé dans l'immédiat après-guerre ?

2. En quoi le style employé par l'auteur est-il mis au service de cette fonction ?

---

❸ Utiliser les ressources d'un site Internet

La mémoire des enfants d'Izieu

Le site internet de la Maison d'Izieu – Mémorial des enfants juifs exterminés (http://www.memorializieu.eu/) présente les origines et les activités de ce lieu de mémoire.

1. Pourquoi cette maison est-elle devenue un lieu de mémoire ?

2. De quelles fonctions cette institution se pare-t-elle ?

L'essentiel

L'historien et les mémoires de la Seconde Guerre mondiale

1. Une mémoire patriotique de la guerre de 1945 à 1970

● Les Français sortent meurtris des années de guerre et divisés par le régime de Vichy. Pour **reconstruire l'unité nationale**, les pouvoirs politiques, à commencer par le général de Gaulle, mettent en sourdine l'expérience de la collaboration.

● **Les gaullistes et les communistes valorisent l'image d'une France combattante et résistante.** Mais les Français ne se rallient pas en masse à cette image exaltante et certains cherchent même à réhabiliter le régime de Pétain.

● Les vaincus et les victimes de la guerre (prisonniers de guerre, requis du STO, juifs) sont oubliés. **La singularité du génocide des juifs peine à émerger**, le système concentrationnaire étant alors envisagé comme un tout.

2. De nouveaux enjeux mémoriels depuis les années 1970

● **Le contexte des années 1970 est favorable à un réexamen critique de l'histoire de l'Occupation et du régime de Vichy** auquel participent le cinéma (*Le Chagrin et la Pitié, Lacombe Lucien*) et l'historiographie (*La France de Vichy* de Robert Paxton).

● **La Shoah devient un élément central dans la mémoire des « années noires »** grâce à des films, de grands procès ou encore la reconnaissance officielle des responsabilités françaises dans la déportation des juifs.

● Dans le même temps, la mémoire de la Résistance, écornée par plusieurs polémiques, se modifie avec **la montée en puissance de la figure du « Juste »**, tout en étant encore sollicitée par certains acteurs politiques.

Schéma de synthèse

L'évolution des mémoires de la Seconde Guerre mondiale en France

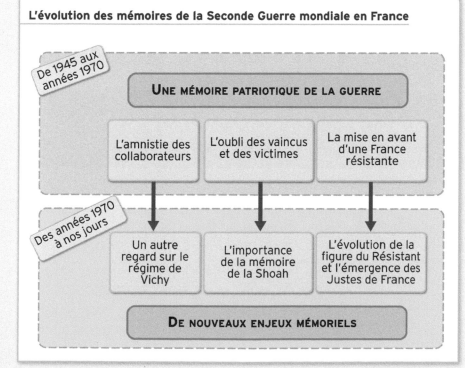

LES ACTEURS

Charles de Gaulle (1880-1970)
Chef de la France libre pendant la guerre, premier président de la Ve République entre 1958 et 1969, il promeut l'image d'une France résistante et combattante pour mieux souligner l'illégalité du régime de Vichy.

- -

Robert Aron (1898-1975)
Intellectuel et historien français. Il propose le premier un travail historique sur le régime de Vichy (1954), largement remis en cause par l'ouvrage de Robert Paxton *La France de Vichy*.

- -

Serge Klarsfeld (né en 1935)
Avocat et historien français. Fils de déporté, il consacre sa vie à la poursuite des responsables de la déportation des juifs de France, à l'écriture de l'histoire de la Shoah et à sa commémoration.

LES ÉVÉNEMENTS

1964 : Jean Moulin entre au Panthéon
Les cendres du résistant Jean Moulin sont transférées au Panthéon en décembre 1964 en présence du général de Gaulle, au cours d'une cérémonie solennelle. Celle-ci constitue l'apogée de la mémoire gaulliste de la Seconde Guerre mondiale.

- -

1997 : Procès de Maurice Papon
En 1998, Maurice Papon, ancien secrétaire général de la Préfecture de Gironde pendant les « années noires », est condamné à 10 ans de réclusion pour sa responsabilité dans la déportation des juifs de Bordeaux. Son procès a mis en évidence la complicité de Vichy dans la mise en œuvre de la Shoah en France.

NE PAS CONFONDRE

Mémoire de Vichy : la mémoire de Vichy est, de manière générale, la manière dont on s'est représenté l'épisode du régime de Vichy après-guerre.
Mémoire vichyste : la mémoire vichyste est la mémoire propre aux partisans du régime de Vichy qui s'expriment après-guerre.

L'historien et les mémoires de la guerre d'Algérie

La guerre d'Algérie a mis fin, en 1962, à plus de 130 ans de colonisation française en Algérie. Depuis cette date, des deux côtés de la Méditerranée, histoire et mémoire s'affirment dans un climat qui demeure conflictuel.

Comment le souvenir de la guerre d'Algérie est-il vécu, investi et utilisé en France et en Algérie depuis la fin de la guerre ?

1 **Une mémoire conflictuelle en France**

Manifestation dans les rues de Paris, 17 octobre 2001.

Plusieurs centaines de personnes manifestent pour honorer la mémoire des victimes algériennes tuées quarante ans plus tôt, lors des manifestations du 17 octobre 1961 à Paris. Plusieurs personnalités politiques, syndicales et associatives ouvrent le cortège.

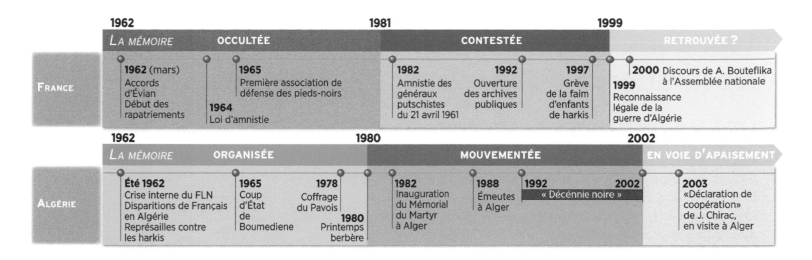

		1962			1981			1999	
	LA MÉMOIRE	OCCULTÉE			CONTESTÉE				RETROUVÉE ?
FRANCE	**1962** (mars) Accords d'Évian Début des rapatriements **1964** Loi d'amnistie	**1965** Première association de défense des pieds-noirs		**1982** Amnistie des généraux putschistes du 21 avril 1961	**1992** Ouverture des archives publiques	**1997** Grève de la faim d'enfants de harkis	**2000** Discours de A. Bouteflika à l'Assemblée nationale **1999** Reconnaissance légale de la guerre d'Algérie		

		1962			1980			2002	
	LA MÉMOIRE	ORGANISÉE			MOUVEMENTÉE				EN VOIE D'APAISEMENT
ALGÉRIE	**Été 1962** Crise interne du FLN Disparitions de Français en Algérie Représailles contre les harkis	**1965** Coup d'État de Boumediene	**1978** Coffrage du Pavois **1980** Printemps berbère	**1982** Inauguration du Mémorial du Martyr à Alger	**1988** Émeutes à Alger	**1992** « Décennie noire » **2002**	**2003** «Déclaration de coopération» de J. Chirac, en visite à Alger		

2 La mémoire des rues algériennes

Rue d'Alger, 1982.

Le 11 décembre 1960, une grande manifestation en faveur de l'indépendance est organisée en Algérie lors de la venue du général de Gaulle. Deux décennies plus tard, en 1982, cette peinture célèbre la mémoire de cette manifestation dans une rue d'Alger.

QUESTIONS

1. Dans quel contexte est prise chacune de ces photographies ?

2. Peut-on parler d'une mémoire apaisée dans les deux pays au vu de ces documents ?

Les lieux de mémoire de la guerre d'Algérie

Entre 1954 et 1962, un conflit que la France refuse de désigner officiellement comme une guerre se déroule en Algérie. Le souvenir de cette décolonisation violente est d'autant plus difficile que, dans les deux pays, elle s'est accompagnée de terribles luttes internes. L'historien, qui cherche à établir un récit objectif des événements, est donc confronté à des mémoires divisées, ainsi qu'à des pouvoirs politiques qui élaborent leur propre vision de ce passé. Cinquante ans plus tard, les mémoires de la guerre d'Algérie peinent encore à s'apaiser.

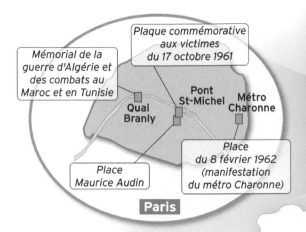

Mémorial de la guerre d'Algérie et des combats au Maroc et en Tunisie

Plaque commémorative aux victimes du 17 octobre 1961

Quai Branly

Pont St-Michel

Métro Charonne

Place Maurice Audin

Place du 8 février 1962 (manifestation du métro Charonne)

Paris

1 Un monument du souvenir de la guerre en Algérie

Mémorial du Martyr, Alger.
En 1982, le mémorial du Martyr, *Maqam E'Chahid* en arabe, est inauguré à Alger à l'occasion du vingtième anniversaire de l'indépendance. Haut de 92 mètres, il célèbre les trois piliers de l'Algérie moderne : agriculture, industrie et culture.

2 La résistance algérienne dans les musées

Hirach, *Ahmed Zabana*, 92×100 cm, 1982. Musée Ahmed Zabana, Oran.

Ahmed Zabana* est un combattant du Front de libération nationale (FLN) arrêté par l'armée française et guillotiné à Alger le 19 juin 1956. Considéré en Algérie comme un « martyr » majeur, il donne son nom au musée d'Oran en 1974, ville dont il est originaire.

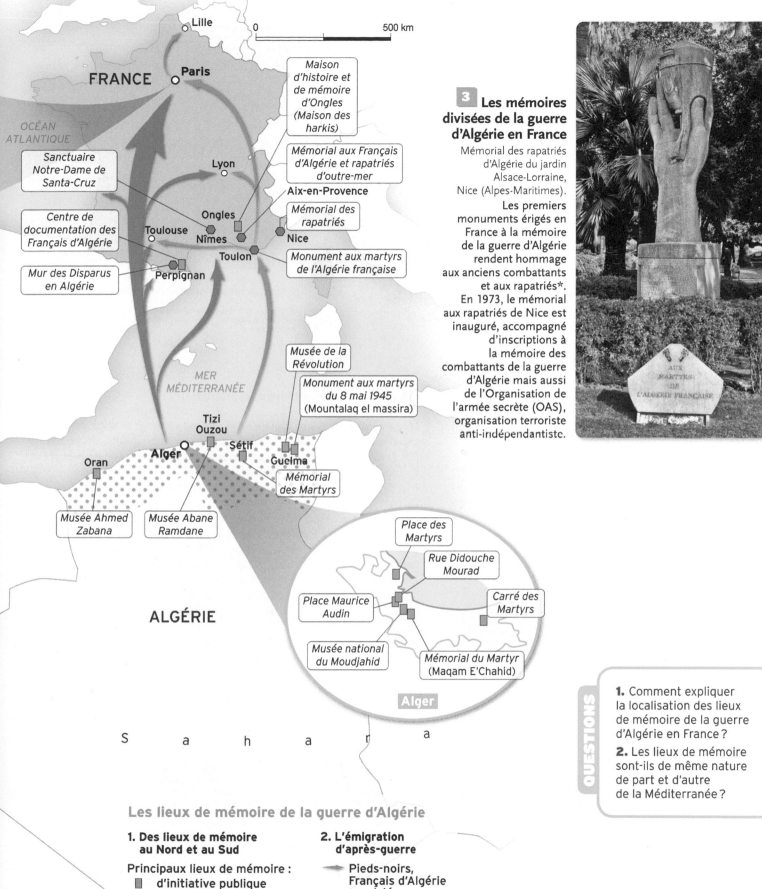

Les lieux de mémoire de la guerre d'Algérie

Lille

FRANCE

Paris

OCÉAN ATLANTIQUE

Maison d'histoire et de mémoire d'Ongles (Maison des harkis)

Sanctuaire Notre-Dame de Santa-Cruz

Lyon

Mémorial aux Français d'Algérie et rapatriés d'outre-mer

Aix-en-Provence

Centre de documentation des Français d'Algérie

Ongles

Mémorial des rapatriés

Toulouse

Nîmes

Nice

Mur des Disparus en Algérie

Perpignan

Toulon

Monument aux martyrs de l'Algérie française

MER MÉDITERRANÉE

Musée de la Révolution

Monument aux martyrs du 8 mai 1945 (Mountalaq el massira)

Tizi Ouzou

Alger

Sétif

Oran

Guelma

Mémorial des Martyrs

Musée Ahmed Zabana

Musée Abane Ramdane

ALGÉRIE

Place des Martyrs

Rue Didouche Mourad

Place Maurice Audin

Carré des Martyrs

Musée national du Moudjahid

Mémorial du Martyr (Maqam E'Chahid)

Alger

Sahara

Les lieux de mémoire de la guerre d'Algérie

1. Des lieux de mémoire au Nord et au Sud

Principaux lieux de mémoire :
- ▪ d'initiative publique
- ⬡ d'initiative privée
- ⬚ présence diffuse de monuments commémoratifs

2. L'émigration d'après-guerre

- → Pieds-noirs, Français d'Algérie rapatriés (1962-1963)
- → Harkis (1962-1963)

---

3 Les mémoires divisées de la guerre d'Algérie en France

Mémorial des rapatriés d'Algérie du jardin Alsace-Lorraine, Nice (Alpes-Maritimes).

Les premiers monuments érigés en France à la mémoire de la guerre d'Algérie rendent hommage aux anciens combattants et aux rapatriés*. En 1973, le mémorial aux rapatriés de Nice est inauguré, accompagné d'inscriptions à la mémoire des combattants de la guerre d'Algérie mais aussi de l'Organisation de l'armée secrète (OAS), organisation terroriste anti-indépendantiste.

QUESTIONS

1. Comment expliquer la localisation des lieux de mémoire de la guerre d'Algérie en France ?

2. Les lieux de mémoire sont-ils de même nature de part et d'autre de la Méditerranée ?

L'historien et les sources de la guerre d'Algérie

Depuis plusieurs décennies, les historiens tentent de rendre compte de la guerre de 1954 à 1962, qui a non seulement opposé la France et l'Algérie, mais aussi déchiré les deux pays. Les archives militaires, civiles, policières, mais aussi privées se trouvent sur les deux rives de la Méditerranée. Leur accès n'est pas évident : il est limité par des lois et évolue dans le temps. L'historien du contemporain peut aussi travailler à partir des mémoires individuelles et collectives. Si l'on a pu restituer une grande partie des événements, il est encore difficile d'écrire une histoire commune aux deux pays.

De quelles sources les historiens disposent-ils pour écrire l'histoire de la guerre d'Algérie ?

Les archives de la guerre en France et en Algérie

1961-1962	1992	2001
Rapatriement des archives d'Algérie en France	Ouverture des archives publiques	Circulaire facilitant l'accès aux archives en France

2 L'ouverture des archives en France

Les archives publiques de la guerre d'Algérie sont ouvertes en 1992, mais un grand nombre d'entre elles continue à être soumises à des délais plus longs du fait de leur caractère sensible. Le Premier ministre Lionel Jospin déclare, dès 1997, vouloir donner aux historiens un accès plus large aux archives.

« Le retour sur les événements liés à la guerre d'Algérie comme les récents débats qui se sont développés à ce sujet montrent l'intérêt qui s'attache à ce que les faits correspondant à cette période reçoivent l'éclairage de la recherche historique. En effet, seule une telle approche, avec les exigences de rigueur et de méthode qui lui sont inhérentes, permettra de donner de ces faits une connaissance claire et impartiale. Un travail historique de qualité ne peut toutefois être mené sans que les chercheurs disposent d'un large accès aux archives publiques relatives à ces événements. C'est pourquoi je souhaite que cet accès soit facilité. [...]

Je souhaite que les demandes de dérogation soient traitées avec diligence. Il conviendra, en tout état de cause, d'y statuer dans les deux mois, délai à l'issue duquel naîtrait, en l'absence de réponse, une décision implicite de rejet. [...] Il convient, enfin, d'accélérer les inventaires des fonds d'archives relatifs à la guerre d'Algérie, et de les tenir à la disposition du public, de manière que chercheurs et historiens soient effectivement à même de présenter des demandes de dérogation à titre individuel. »

Lionel Jospin, « Circulaire du 13 avril 2001 relative à l'accès aux archives publiques en relation avec la guerre d'Algérie ».

1 L'historien au cœur de la guerre

Couverture du livre *La raison d'État*, réédition 2002.

L'historien Pierre Vidal-Naquet* fait partie du comité Maurice Audin qui, dès 1957, cherche à faire la vérité sur la disparition de ce jeune militant communiste français d'Algérie, mort sous la torture. En avril 1962, il publie en son nom un recueil de documents officiels qui prouvent l'usage de la torture par l'armée française. Cet ouvrage a été plusieurs fois réédité depuis.

3 L'intervention de la loi dans l'écriture de l'histoire

En 2005, l'Assemblée nationale adopte une loi très contestée qui a été défendue par les associations de rapatriés d'Algérie. Son article 4, qui disposait initialement que les manuels scolaires devaient reconnaître « le rôle positif de la présence française outre-mer », est modifié en 2006.

« Article 1 – La Nation exprime sa reconnaissance aux femmes et aux hommes qui ont participé à l'œuvre accomplie par la France dans les anciens départements français d'Algérie, au Maroc, en Tunisie et en Indochine ainsi que dans les territoires placés antérieurement sous la souveraineté française.

Elle reconnaît les souffrances éprouvées et les sacrifices endurés par les rapatriés, les anciens membres des formations supplétives et assimilés, les disparus et les victimes civiles et militaires des événements liés au processus d'indépendance de ces anciens départements et territoires et leur rend, ainsi qu'à leurs familles, solennellement hommage.

Art. 4 [version modifiée] – Les programmes de recherche universitaire accordent à l'histoire de la présence française outre-mer, notamment en Afrique du Nord, la place qu'elle mérite. La coopération permettant la mise en relation des sources orales et écrites disponibles en France et à l'étranger est encouragée. »

Loi du 23 février 2005, modifiée par décret le 15 février 2006.

4 Les archives au cœur des relations franco-algériennes

L'historien français Benjamin Stora* revient sur la question des archives algériennes, ainsi que sur les tensions auxquelles elle a donné lieu entre la France et l'Algérie.

« Dans les difficiles rapports franco-algériens, la question de la mémoire et de l'écriture de l'histoire figure parmi les questions les plus difficiles. Le problème de la restitution des archives d'Algérie n'est toujours pas réglé. Après l'indépendance de 1962, une grande majorité des archives ont été emportées en France et déposées au centre de recherches d'Aix-en-Provence. Puisque l'Algérie, c'était trois départements français et non pas un protectorat, ces documents – qui traitent de l'urbanisme ou de la surveillance des partis algériens, de l'organisation de la vie dans les campagnes ou des opérations militaires menées par l'armée pendant la guerre d'Algérie – sont considérés comme des archives de souveraineté par la France. Il n'y a donc jamais eu de restitutions d'archives, réclamées par les gouvernements algériens qui se succèdent depuis cinquante ans.

[...] Au début du mois de décembre 2007, l'Institut national de l'audiovisuel (INA) et la télévision publique algérienne (EPTV) ont signé un accord sur des images conservées par l'INA, retraçant l'histoire de l'Algérie depuis la Seconde Guerre mondiale jusqu'à 1962. [...] Au total, 1862 documents, dont certains muets, sont ainsi disponibles pour l'EPTV, soit cent trente-huit heures de programmes. [...] Il faudra encore bien des efforts pour que la réconciliation mémorielle soit effective. Du temps aussi pour que les générations qui n'ont pas de responsabilités dans ce conflit se retrouvent et bâtissent un avenir sans arrière-pensées. »

Benjamin Stora (Inalco), « Algérie : la mémoire restituée »,
Libération, 7 mars 2008.

GUERRE D'ALGÉRIE
LA DÉCHIRURE   **1954-1962**
Une série documentaire de Gabriel Le Bomin et Benjamin Stora.

5 L'historien et les archives filmiques

Affiche du film *Guerre d'Algérie, la déchirure*, de Gabriel Le Bomin et Benjamin Stora, diffusé sur France 2 le 11 mars 2012.
Ce documentaire français retrace les événements de la guerre à travers des images d'archives, produites par l'armée française mais aussi par les nationalistes algériens et leurs alliés. Il est suivi par trois millions et demi de téléspectateurs en France, mais aussi massivement visionné en Algérie.

QUESTIONS

L'historien et la loi

1. Quelles sont les pressions qui s'exercent sur les historiens de la guerre d'Algérie ? **(doc. 3)**

2. L'accès aux archives publiques a-t-il été facile depuis 1962 ? **(doc. 2, 4)**

Les sources de l'historien

3. Quelles sources existe-t-il en dehors des archives écrites pour rendre compte de l'histoire de la guerre d'Algérie ? **(doc. 1, 4, 5)**

4. Les sources présentes en France et en Algérie sont-elles identiques ou complémentaires ? **(doc. 4, 5)**

Bilan : De quelles sources les historiens disposent-ils pour écrire l'histoire de la guerre d'Algérie ?

Étude critique de documents

À partir des documents 2 et 3, décrivez l'intervention des autorités publiques françaises dans le processus d'écriture de l'histoire de la guerre d'Algérie.

La guerre d'Algérie en France, une mémoire difficile

Comment les mémoires de la guerre d'Algérie ont-elles évolué en France ?

A. Une mémoire occultée et divisée

• **En 1962, deux millions de personnes impliquées dans la guerre d'Algérie** sont présentes **sur le territoire français**: pieds-noirs (voir p. 114), harkis (voir p. 116), anciens combattants [doc. 2], immigrés algériens. Chacun de ces groupes est porteur d'un vécu et d'une mémoire différents, voire opposés, du conflit.

• Face à ces mémoires divisées et blessées, la République préfère l'oubli à la mémoire. **Des années 1960 au début des années 1980, on assiste à un effacement de ce conflit**: on parle des «événements» d'Algérie et non de «guerre», diverses lois d'amnistie sont votées et les publications sont étroitement contrôlées. Ainsi le témoignage d'**Henri Alleg** sur la torture est-il interdit dès sa sortie en 1958. La guerre d'Algérie ne peut pas donner lieu à un discours officiel consensuel, ni être l'occasion d'une manifestation de fierté nationale, et ce sont plutôt les deux guerres mondiales qui sont commémorées dans divers monuments, musées et cérémonies.

B. Une mémoire contestée

• **Dans les années 1980, la guerre d'Algérie sort de l'oubli.** Les premières synthèses historiques portant sur ce conflit sont publiées tandis que les «événements» d'Algérie entrent dans les programmes d'histoire du lycée en 1983. Le retour de cette guerre dans les mémoires intervient aussi sous l'influence des enfants issus de l'immigration algérienne et des harkis [doc. 5], en quête de leurs origines et de leur histoire vingt ans après l'indépendance. En même temps que la reconnaissance de leurs droits en France, ils demandent que la lumière soit faite sur la guerre d'Algérie.

• À partir des années 1980, la montée de l'extrême droite, qui a été en faveur de l'**Algérie française** tout en rejetant par la suite les immigrés maghrébins, remet certains de ces thèmes au centre de l'attention. Derrière ce qui est désigné comme le «problème de l'immigration», c'est **l'ombre de l'histoire coloniale française et de la guerre de décolonisation** qui apparaît de nouveau dans les discours.

C. Un retour de mémoire mouvementé

• On a longtemps parlé d'une amnésie française à l'égard de la guerre d'Algérie. Ce sentiment est démenti par l'existence d'images [doc. 1], de films et de livres qui révèlent un malaise persistant dans la société française. **C'est à la fin des années 1990 que s'amorce un véritable mouvement de reconnaissance de la part des pouvoirs publics.** Longtemps désignée par l'expression «opérations de sécurité et de maintien de l'ordre», la guerre est enfin nommée [doc. 3], et les anciens combattants sont reconnus comme tels [doc. 4].

• **En 2001, une circulaire** (voir p. 108) **facilite l'ouverture des archives et permet la multiplication des travaux historiques sur la guerre.** Au début des années 2000, les révélations, publiées dans la presse, sur la torture pratiquée par l'armée française en Algérie font resurgir le souvenir de la guerre (voir p. 118). Le 23 février 2005, une loi prescrit l'enseignement du «rôle positif de la présence française outre-mer». Vivement contestée, elle est modifiée en 2006 (voir p. 109).

1 **La mémoire de la répression des Algériens de France**

Photographie prise à Paris, octobre 1961.

Quelques jours après la manifestation du 17 octobre 1961, des graffiti dénoncent sa répression sur les bords de la Seine. Cette photographie, publiée pour la première fois en 1985 dans les colonnes du journal *L'Humanité*, est depuis devenue une icône militante.

1. Comment peut-on expliquer le succès de cette photographie ?

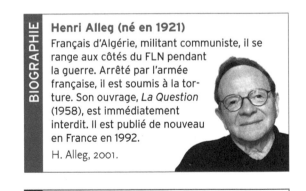

BIOGRAPHIE

Henri Alleg (né en 1921)
Français d'Algérie, militant communiste, il se range aux côtés du FLN pendant la guerre. Arrêté par l'armée française, il est soumis à la torture. Son ouvrage, *La Question* (1958), est immédiatement interdit. Il est publié de nouveau en France en 1992.

H. Alleg, 2001.

MOTS CLÉS

Algérie française: courant politique défendant la présence française en Algérie coûte que coûte.

Harkis: combattants algériens engagés aux côtés de l'armée française durant la guerre d'Algérie.

Pieds-noirs: terme familier devenu d'usage courant pour désigner les Français d'Algérie, rapatriés après l'indépendance, en 1962.

DATES

1983 Les «événements» d'Algérie entrent dans les programmes scolaires
1999 Reconnaissance légale de la «guerre d'Algérie»
2001 Circulaire sur les archives

2 La mémoire des appelés

La FNACA, association des anciens combattants des conflits de décolonisation, regroupe des anciens appelés* de la guerre d'Algérie. Depuis les années 1980 elle publie des témoignages.

«Pour des raisons diverses, nous parlions très peu, voire pas du tout, des mois de service militaire passés en Algérie, en Tunisie ou au Maroc. Et puis, pour que nos enfants n'oublient pas, pour que chacun comprenne mieux cette guerre qui a si longtemps caché son nom, nous avons su puiser dans notre mémoire. [...] Nous sommes allés là-bas, en bons citoyens, pour servir notre pays. Nous y avons connu des fortunes diverses; certains ont souffert plus que d'autres; de la chaleur, du froid aussi, de la soif, de la nourriture... Il est une chose dont nous avons tous souffert: de la séparation avec la famille, les amis; certains d'entre nous étaient fiancés, mariés parfois; ah! les moments difficiles, lorsque nous ne pouvions vivre que par la pensée les fêtes familiales [...]. Ayons une pensée particulière pour ceux qui sont revenus blessés dans leur chair ou dans leur âme; ayons une pensée pour ceux qui sont morts là-bas, à vingt ans».

Comité local de Montreuil-sur-Mer de la FNACA, *Nous avons accompli notre devoir*, Éditions Henry, 2008.

1. Pourquoi les anciens combattants ont-ils eu du mal à raconter leur guerre ?

3 La guerre est reconnue par la loi

En 1999, une loi a remplacé l'expression «opérations effectuées en Afrique du Nord», par «guerre d'Algérie».

«Article 1er bis. – La République française reconnaît, dans des conditions de stricte égalité avec les combattants des conflits antérieurs, les services rendus par les personnes qui ont participé sous son autorité à la guerre d'Algérie ou aux combats en Tunisie et au Maroc entre le 1er janvier 1952 et le 2 juillet 1962.
Article 2 – Ces dispositions sont également applicables aux membres des forces supplétives françaises ayant participé à la guerre d'Algérie ou aux combats en Tunisie et au Maroc entre le 1er janvier 1952 et le 2 juillet 1962 [...].
Article 3 – Dans le premier alinéa de l'article L253 bis du même code, après les mots : "caractère spécifique", les mots: "des opérations effectuées en Afrique du Nord" sont remplacés par les mots: "de la guerre d'Algérie ou des combats en Tunisie et au Maroc".
[...] La présente loi sera exécutée comme loi de l'État.»

Loi du 18 octobre 1999.

1. Quelle importance le fait de parler de «guerre» plutôt que de simples «opérations» revêt-il ?

4 Un mémorial national pour les combattants morts en Afrique du Nord

Inauguration par le président Chirac du Mémorial de la guerre d'Algérie et des combats au Maroc et en Tunisie, de 1952 à 1962. Le 5 décembre 2002, quai Branly à Paris.
Sur les bandes lumineuses, défilent les noms de 23 000 soldats dont 3 000 harkis.
À partir de 2003, le 5 décembre est déclaré Journée d'hommage aux morts pour la France en Afrique du Nord.

1. Quelles victimes sont commémorées par ce mémorial ?

2. Que peut-on dire quant à l'année d'inauguration de ce monument ?

5 La mémoire douloureuse des harkis et de leurs enfants

Parmi les principaux groupes de mémoire de la guerre d'Algérie en France, celui des harkis a vécu une expérience particulièrement traumatique. L'abandon d'une partie de ces troupes engagées avec la France en Algérie, l'accueil fait à cette population et sa reconnaissance tardive ont forgé chez les harkis et leurs descendants une mémoire blessée.

«Ceux que l'on appelle les harkis [...] ont été des victimes de l'histoire, ils ont été les prisonniers d'un piège historique. C'est ce destin particulier qui les a constitués en collectivité historique. Certains d'entre eux ont fait l'expérience douloureuse de la trahison et de l'injustice, d'autres, la plupart d'entre eux, maintenant que les années ont passé, ont hérité du souvenir de la blessure qui a été infligée à leur père ou à leur grand-père. Si l'on n'est pas harki de génération en génération, il n'en est pas moins vrai que le souvenir du malheur, lui, se transmet de génération en génération. [...] Ils furent mal accueillis en France. C'est que leur existence même gênait pour relire glorieusement l'histoire de la guerre. Par leur seule existence, ils empêchaient d'oublier la sale guerre qui avait été menée en Algérie. [...] L'installation de la majorité des familles dans des camps ne faisait qu'illustrer le refus de la France d'assumer son passé colonial. »

Dominique Schnapper, «Justice pour les harkis», *Le Monde*, 4 novembre 1999.

1. Quelle est la situation des harkis et de leurs descendants en France ?

Le souvenir de la guerre en Algérie, entre pouvoir et mémoire

Quelle mémoire l'Algérie entretient-elle du conflit qui a fondé son existence ?

A. Une mémoire organisée par le FLN au pouvoir

• En Algérie, **le FLN devient le parti unique** à la sortie de la guerre d'indépendance. **Il impose une vision de l'histoire du conflit qui correspond à ses intérêts.** Certains héros de la guerre, hostiles au nouveau pouvoir, sont écartés, comme le premier président **Ben Bella**, mis en prison en 1965. C'est une vision officielle de l'histoire, anonyme et héroïque qui triomphe, proclamant qu'il y a eu, durant la guerre, « un seul héros, le peuple » [doc. 2]. **Le FLN et l'armée issue de l'ALN sont présentés comme la source unique du nationalisme algérien**, masquant la diversité des aspirations avant 1954.

• **La guerre dite « de libération » ou « révolution », est au principe de l'existence de la nation algérienne.** Sa mémoire devient centrale dès 1962, notamment dans les arts [doc. 1]. Dans les années 1970 et 1980, l'État et les collectivités locales financent la construction de très nombreux monuments commémoratifs pour honorer le souvenir des « martyrs », tandis que le statut de *moudjahid* est source de prestige voire de pouvoir.

B. La libéralisation interrompue des mémoires

• **À partir des années 1980, l'unanimisme de la mémoire de la guerre s'atténue progressivement.** Le Printemps berbère de 1980 revient sur le mythe de l'unicité arabo-musulmane de la nation [doc. 3]. Le président Chadli* amorce un mouvement d'amnistie en libérant Ben Bella en 1979 et en réhabilitant certains héros de la guerre qui avaient été entre-temps écartés. Les premiers ouvrages d'histoire non officielle paraissent, souvent à l'étranger, mais l'accès aux archives reste difficile [doc. 4].

• **Les manifestations et émeutes d'octobre 1988 entraînent l'avènement du pluralisme politique.** Le ressentiment de la jeunesse éclate envers un régime qui a confisqué le souvenir et la légitimité de la guerre. En 1991, les élections qui donnent les islamistes vainqueurs sont annulées par le gouvernement. Alors que le FLN avait mis l'action armée au cœur de sa légitimité depuis l'indépendance, les groupes islamistes s'emparent de ce moyen pour contester et affronter l'État.

C. De la mémoire à l'histoire ?

• Élu en 1999, en pleine **« décennie noire »**, le président Bouteflika reprend **et élargit l'effort de réhabilitation de l'ensemble des acteurs de la guerre.** Sortis de l'opprobre et de l'oubli, ces hommes connaissent les honneurs souvent posthumes de la République algérienne. La libéralisation relative de l'édition et de la presse permet la diffusion de témoignages enfouis et des travaux des historiens étrangers. Les villes algériennes honorent leurs héros locaux en donnant leurs noms à des musées, universités ou aéroports.

• **Le rapport à la « guerre de libération » reste central en Algérie** [doc. 5], malgré la jeunesse de la population et la récente période troublée des années 1990. Tandis que la période coloniale est présentée, dans les manuels scolaires, comme une parenthèse de l'histoire algérienne, la guerre continue à jouer le rôle d'événement fondateur de la nation.

1 **Peindre la guerre**

M'hamed Issiakhem, *À ceux qui voulaient passer et sont restés*, 1969.

Ce tableau évoque les barbelés électrifiés dressés par l'armée française sur les frontières entre l'Algérie, la Tunisie et le Maroc durant la guerre.

1. Quelle vision du combattant nationaliste est donnée par ce tableau ?

BIOGRAPHIE

Ahmed Ben Bella (1916-2012)
Chef historique du FLN, premier président de la République algérienne en 1963, destitué par le coup d'État de Boumediene. Il est emprisonné de 1965 à 1979.

Ben Bella en 1962.

MOTS CLÉS

ALN : Armée de libération nationale, bras armé du FLN qui combat l'armée française de 1954 à 1962.

« Décennie noire » : années 1992-2002 au cours desquelles des groupes islamistes (GIA, FIS) multiplient les actes terroristes sur le sol algérien, après l'annulation par le gouvernement de la victoire du Front islamique du salut aux élections législatives de 1991. Des estimations officielles parlent de 150 000 morts de part et d'autre.

FLN : Front de libération nationale, organisation nationaliste née en 1954 qui commence la guerre contre la présence française en Algérie.

Moudjahid : « combattant au nom de sa religion » ; désigne en Algérie le combattant du FLN.

Rue d'Alger, juillet 1962.

Le slogan indépendantiste « Un seul héros, le peuple », est inscrit sur les murs des villes algériennes à l'indépendance.

1. Quelle vision de la guerre d'indépendance est donnée par cette inscription murale ?

3 Le retour de la mémoire kabyle

Les Kabyles sont des Berbères d'Algérie. Leur participation à la guerre d'indépendance est occultée par l'État qui met en avant l'idée d'un peuple algérien uniquement arabo-musulman. Ferhat Mehenni* est le fondateur du Mouvement pour l'autonomie de la Kabylie (MAK).

« Le regard de l'histoire sur ce que fut la guerre d'Algérie se détourne toujours de son acteur principal: la Kabylie. Ni les livres publiés jusqu'ici, ni les nombreux articles parus à l'occasion de ce cinquantenaire du 1er novembre 1954 n'en font cas. En Algérie comme en France, évoquer la Kabylie et son rôle de premier plan dans cet épisode bouscule trop d'intérêts et d'idées reçues. [...] Tous savent que sans cette partie du pays, la guerre d'indépendance n'aurait sûrement jamais eu lieu, mais il ne faut surtout pas le dire. [...] D'héroïne de la guerre de libération, la Kabylie est reléguée, au lendemain de l'indépendance, au rang d'"ennemi interne" de la nation. Cela a pour avantage de décomplexer vis-à-vis d'elle les régions du pays qui n'avaient pas pris part plus activement à l'entreprise nationale et de faire un coup d'État à l'Histoire. »

Ferhat Mehenni, « Le rôle de la Kabylie toujours occulté », *Tiziri*, janvier-février 2005.

1. Pourquoi l'auteur lie-t-il la revendication d'autonomie de la Kabylie à la mémoire de la guerre ?

4 Les historiens algériens face à l'histoire officielle

Militant du mouvement nationaliste dès avant 1954, acteur de la guerre, Mohammed Harbi* en est l'un des premiers historiens en Algérie.

« L'Histoire chez nous, c'est le serpent de mer de la culture algérienne, dans ce sens qu'elle est tout le temps falsifiée, tout le temps piétinée [...]. L'histoire, c'est une série de dogmes qu'on diffuse dans la société, comme on diffuse des dogmes religieux. Et dans la société, et y compris parmi les gens au pouvoir – ce qui est curieux –, il y a une très grande insatisfaction. Personne ne se retrouve vraiment dans l'histoire officielle qu'on raconte. [...]

[En 1975] on a commencé à faire, à partir de l'État, une histoire qui avait des fondements religieux, et on a propulsé sur le devant de la scène les anciens leaders religieux, pour en faire la source de la révolution. Et donc, les gens comme Messali Hadj[1], les populistes, les anciens communistes, tous étaient totalement écartés. Il fallait réagir contre cette histoire, parce qu'en réalité, c'était une recomposition de la société qui était en marche sur des bases religieuses. »

Interview par Emmanuel Laurentin, France Culture, 21 novembre 2005.

1. Messali Hadj : leader nationaliste, dirigeant le Mouvement national algérien (MNA), parti concurrent éliminé par le FLN pendant la guerre.

1. Quelles sont les difficultés rencontrées par les historiens en Algérie ?

5 La mémoire de la « révolution algérienne » aujourd'hui

Dilem, dessin paru dans le quotidien algérien *Liberté*, le 2 novembre 2009.

Dilem est un dessinateur de presse très connu en Algérie. Chaque 1er novembre, il consacre son dessin à l'anniversaire du déclenchement de la guerre d'Algérie. Il fait ici écho à la demande faite par Bouteflika en 2006 à la France de présenter des excuses officielles à l'Algérie.

1. Que laisse entendre ce dessin sur les relations franco-algériennes près de cinquante ans après la fin de la guerre ?

La mémoire des pieds-noirs

Entre mars et juillet 1962, presque un million de Français quittent l'Algérie, laissant derrière eux la terre où ils sont souvent nés, ainsi que la plupart de leurs biens. Baptisée « pied-noire » au sortir de la guerre, cette population reçoit un accueil mitigé en France. Réclamant l'indemnisation de leurs pertes mais aussi la reconnaissance de leur statut de victimes, diverses associations se forment pour défendre leurs droits. Une forme de sociabilité et de culture s'affirme également, qui cultive la « nostalgérie » et le souvenir de la terre perdue.

Quelles mémoires les pieds-noirs ont-ils développées à propos de la guerre d'Algérie ?

% de pieds-noirs par département, compris entre 5 et 12 % de la population totale

Les pieds-noirs en France

1962 — Rapatriement des pieds-noirs

1965 — Création de l'USDIFRA

2007 — Inauguration du mur des Disparus de Perpignan

1 Des lieux de mémoire vivants

Rassemblement de pieds-noirs dans les Alpes-Maritimes, juin 2000..

Un grand nombre de pieds-noirs sont rassemblés à Cagnes-sur-Mer devant des statues venant des trois diocèses d'Algérie (Alger, Oran et Constantine). Celle de Notre-Dame de Santa-Cruz (à l'arrière-plan de la photo), transférée d'Oran en 1965, donne lieu chaque année à un pèlerinage de milliers de pieds-noirs à Nîmes, où elle se trouve.

2 Des associations pour la mémoire des Français d'Algérie

L'USDIFRA (Union des Français repliés d'Algérie) est créée en 1965 à Marseille. Depuis, d'autres associations se sont créées, telle l'ANPNPA (Association des pieds-noirs progressistes) en 2008.

« L'USDIFRA, association apolitique a pour but:
– de regrouper en son sein, les populations déplacées contre leur gré, Français des départements français d'Algérie, d'outre-mer et leurs amis ;
– de les assister et les défendre auprès des instances nationales, européennes et internationales afin que justice leur soit rendue comme prévu par la Déclaration des droits de l'Homme [...] ;
– de défendre les droits et les intérêts matériels de ses adhérents [...] ;
– de les assister dans l'élaboration et la défense de leurs dossiers auprès de toutes organisations, instances administratives ou judiciaires [...] ;
– d'organiser toute manifestation afin que les générations suivantes des descendants de repliés et rapatriés continuent l'action des fondateurs de l'association : commémoration du 50e anniversaire de leur rapatriement, entretien du souvenir, entretien des tombes dans les pays anciennement sous la souveraineté française, perpétuation de l'esprit pied-noir, construction d'un nouveau destin en France ;
– de développer l'esprit de coopération entre métropolitains et repliés d'Algérie. »

Article 2, statuts de l'association USDIFRA.

À LA MEMOIRE
DES DISPARUS
MORTS SANS SEPULTURE

« Ce n'est pas de tuer l'innocent comme innocent qui perd la société, c'est de le tuer comme coupable. »

Chateaubriand

4 L'émergence d'une culture pied-noire

Enrico Macias est né à Constantine en 1938. Il quitte l'Algérie pour la France en 1961. Il devient rapidement le chanteur de la condition pied-noire en France.

« J'ai quitté mon pays
J'ai quitté ma maison
Ma vie, ma triste vie
Se traîne sans raison

J'ai quitté mon soleil
J'ai quitté ma mer bleue
Leurs souvenirs se réveillent
Bien après mon adieu

Soleil ! Soleil de mon pays perdu
Des villes blanches que j'aimais
Des filles que j'ai jadis connues

[...] Mais du bord du bateau
Qui m'éloignait du quai
Une chaîne dans l'eau
A claqué comme un fouet. »

Gaston Ghrenassia, dit Enrico Macias, chanson « Adieu mon pays », 1962.

5 Un lieu de mémoire officiel

Le 29 janvier 2012, le Centre de documentation des Français d'Algérie est inauguré à Perpignan par Gérard Longuet, ministre de la Défense et des Anciens combattants. Lancé en 2006 par le conseil municipal de la ville, le projet a connu de nombreuses oppositions.
« Les hommes et les femmes qui sont partis s'installer en Afrique du Nord pour y travailler et fonder des foyers, loin d'être frappés d'opprobre, méritent notre reconnaissance ; en développant l'économie de ces nouveaux territoires, ils ont œuvré à la grandeur de la France. Ils ont bâti des routes, des ponts, des écoles, des hôpitaux, ils ont cultivé des sols arides, ils y ont planté. Poursuivant leur œuvre, leurs descendants ont tout donné à la terre sur laquelle ils étaient nés. [...] Vous gardez dans votre chair, vous, rapatriés et harkis, le souvenir douloureux de cette année 1962. Je veux que l'ensemble des Français, notamment les plus jeunes, sachent ce qu'ont été les épreuves, l'exil et le déchirement des Français d'Afrique du Nord au moment de leur rapatriement en métropole. Je veux que la mémoire de ceux qui ont dû quitter, au prix d'une douleur et d'une souffrance indicibles, la terre qui les avait vus naître, soit préservée, respectée et défendue. [...] D'ores et déjà, je vous affirme que cette année 2012, cinquantenaire de la fin de la guerre d'Algérie, sera l'année du souvenir et du recueillement, sûrement pas celle de la repentance. »

Message du président de la République Nicolas Sarkozy, 29 janvier 2012.

3 La bataille pour la reconnaissance officielle

Mur des Disparus, Perpignan (Pyrénées-orientales), 2007.

En 2007, un mur des Disparus est inauguré par la Fédération nationale des cercles algérianistes. Il expose le nom de 3 000 Français d'Algérie disparus entre 1954 et 1963.

QUESTIONS

Les mémoires et l'État

1. Quelles sont les revendications des associations de pieds-noirs ? (doc. 2, 3)

2. Quel accueil leur réservent les pouvoirs publics ? (doc. 3, 5)

La culture pied-noire

3. Qui sont les acteurs de la mémoire des pieds-noirs ? (doc. 1, 2, 3, 4)

4. En quoi les éléments de la mémoire des pieds-noirs constituent-ils une culture ? (doc. 1, 4)

Bilan : Quelles mémoires les pieds-noirs ont-ils développées à propos de la guerre d'Algérie ?

Étude critique de document

Mettez en relation les documents 2 et 3 : et montrez ce qu'ils révèlent de la façon dont les associations de rapatriés cultivent le souvenir des victimes de la guerre d'Algérie.

La mémoire des harkis

Ces anciens combattants algériens de la cause française connaissent, après 1962, un sort tragique. Une minorité d'environ 40 000 d'entre eux (sur 300 000 combattants) s'installe en France avec leurs familles, tandis qu'en Algérie, bon nombre de ceux qui restent sont massacrés.

Des deux côtés de la Méditerranée, ils représentent des témoins gênants de la guerre. Traîtres pour les uns, combattants oubliés par les autres, ils sont le plus souvent écartés des commémorations. À partir des années 1980, leurs descendants entreprennent d'écrire leur histoire et luttent pour une forme de reconnaissance officielle.

Quels aspects de l'histoire de la guerre d'Algérie les harkis font-ils ressortir ?

L'installation des harkis en France

1962	1975	2001
Rapatriement de harkis en France Massacres en Algérie	Révolte des cités d'accueil	Dépôt d'une plainte contre la France pour crime contre l'humanité

1 Les harkis en France

À leur arrivée en France, les harkis et leurs familles sont regroupés dans des camps de transit, des cités et des hameaux forestiers. En 1971, l'ethnologue Jean Servier est chargé par les pouvoirs publics d'étudier leur situation. À cette date, la population harkie est évaluée à 174 000 personnes.

La population harkie en France en 1972
38 % ont moins de 17 ans
8 % relèvent d'un encadrement permanent du ministère du Travail
83 % des enfants sont en retard scolaire
45 % des enfants sont en classes pratiques ou de transition
27 % des enfants sont dans l'enseignement pré-professionnel

D'après « Enquête sur les musulmans français », Jean Servier, 1972.

2 Des combattants oubliés

Dans les années 1970, les premiers mouvements de contestation des harkis révèlent à l'opinion publique les conditions de vie des anciens combattants et de leurs familles. En 1975, les habitants des cités d'accueil de Bias et de Saint-Maurice-l'Ardoise se révoltent contre leurs conditions de vie, plusieurs années après leur arrivée.

« Un ancien harki, qui entame sa neuvième journée de grève de la faim, s'est installé dans une annexe de l'église de son quartier. [...] L'ancien harki est décidé à aller jusqu'à la limite de ses forces pour que l'administration s'intéresse à son sort, et plus généralement à celui de tous les anciens harkis. [...] "Depuis onze années je me bats avec l'administration pour obtenir une indemnisation de ma propriété abandonnée en Algérie, mais personne ne veut entendre. J'ai tout tenté. Il ne me reste plus que la grève de la faim. Et combien d'autres anciens harkis sont lésés ? Car, ignorants de leurs droits ou n'osant pas réclamer, leur vie est très difficile. Ils sont Français, mais ils sont rejetés par les Français ; ils sont aussi rejetés par les Algériens en France ; entre ces derniers et nous, c'est toujours la guerre." »

« La grève de la faim d'un ancien harki à Évreux : "Rejetés par les Français et rejetés par les Algériens" », *Le Monde*, 11 janvier 1974.

3 La révolte des enfants de harkis

Affrontement à la cité des Oliviers, à Narbonne (Aude), juin 1991.

En 1991, alors que les camps de transit, où ont été regroupés les harkis et leurs familles à leur arrivée, ont été transformés en cités d'accueil dans les années 1970, ce sont les enfants de harkis qui se révoltent dans les cités qui leur sont réservées.

4 Le recours à la justice

En 2001, des associations de harkis décident de porter plainte pour « crime contre l'humanité ». Ils accusent la France de les avoir livrés aux représailles du FLN et, pour la minorité qui a pu gagner la France, de leur avoir offert des conditions d'accueil dégradantes. Cette demande est déboutée, mais son but essentiel est d'alerter l'opinion publique sur le sort des harkis.

« C'est aujourd'hui qu'un groupe de harkis va déposer auprès du tribunal de grande instance de Paris une plainte contre X qui vise la France pour "crime contre l'humanité". [...] Selon les plaignants, la France a sciemment condamné les harkis et leurs familles à une mort certaine, dès la signature des accords d'Évian qui mettaient un terme à la guerre d'Algérie, en mars 1962. Et de décrire les étapes d'un lâchage planifié : on désarme par la force ou par la ruse ces supplétifs de l'armée française ; on les exclut des plans d'évacuation ; on leur interdit toute retraite vers l'Hexagone. Tout en ayant la certitude qu'un bain de sang les attend. Quant à ceux qui ont malgré tout réussi à s'enfuir et qui n'ont pas été refoulés à leur arrivée sur le sol français, ils ont été parqués dans des camps, dans des conditions qui constituent des "atteintes graves à leurs droits essentiels", expliquent les requérants. [...]

Les harkis porteurs de cette plainte ne veulent pas se contenter de l'unique journée nationale d'hommage qui leur est réservée, à l'initiative du président de la République, le 25 septembre prochain. Ils veulent que la vérité soit établie, même quarante ans après. »

Jacqueline Coignard, « La blessure des harkis devant les tribunaux 39 ans après la fin de la guerre d'Algérie », *Libération*, 30 août 2001.

5 La fin de l'amnésie française

Cérémonie officielle d'hommage aux harkis, présidée par Michèle Alliot-Marie, ministre de la Défense. Cour de l'Hôtel des Invalides à Paris, 25 septembre 2006.

Le 25 septembre 2001, une journée d'hommage national est célébrée en l'honneur des harkis. Deux ans plus tard, la date du 25 septembre est déclarée journée nationale d'hommage aux harkis.

6 Une mémoire blessée

En 1962, Abdallah Krouk, ancien harki, et sa famille arrivent en France. Ils passent deux ans dans un camp d'accueil dans le Larzac. Presque cinquante ans plus tard, il publie ses mémoires.

« Avons-nous été utilisés comme ces mouchoirs en papier que l'on jette après usage, ne sommes-nous plus bons que pour les poubelles de l'Histoire ? Génocide, encore aujourd'hui "on" répugne à employer ce terme qui fait peur, qui brûle la bouche. Plus de cent mille, deux cents, voire trois cents diront certains, chiffres invérifiables. [...] Plaie toujours ouverte, la mémoire "enfouie, bafouée" sur le destin des harkis, silence de l'Algérie, silence embarrassé de la France qui a plus que tardé à traiter véritablement ce problème, silence des victimes souvent traitées de traîtres en Algérie mais également en France. [...] 1962-2009, quarante sept ans après, les comptes moraux et financiers ne sont toujours pas complètement réglés, loin s'en faut. Ainsi, le combat continue, moins pour nous, car touchés par l'âge, nous disparaissons avec le temps. Pour nos familles, nos enfants, il est de notre devoir de continuer la lutte contre la discrimination sous toutes ses formes. »

Abdallah Krouk, *Harki : ma mémoire*, Ixcéa, 2010.

QUESTIONS

Le sort des harkis

1. Quel fut l'accueil réservé aux harkis en France ? (doc. 1, 2, 4)

2. Quelles sont leurs revendications et pourquoi ? (doc. 2, 3, 4, 6)

Les harkis et l'État

3. Quels rapports les harkis entretiennent-ils avec l'État depuis 1962 ? (doc. 2, 3, 5, 6)

4. Comment l'attitude de l'État évolue-t-elle vis-à-vis des harkis ? (doc. 1, 2, 5)

Bilan : Quels aspects de l'histoire de la guerre d'Algérie les harkis font-ils ressortir ?

Étude critique de document

Analysez le document 6 de façon critique et montrez en quoi les propos de l'auteur traduisent une volonté de réhabiliter la mémoire des harkis en France et en Algérie.

La mémoire de la torture

Pendant la guerre d'Algérie, l'armée française a recouru de façon quasi systématique à la torture durant les interrogatoires, à l'encontre de ceux qu'elle considérait comme suspects de soutenir la cause du FLN. Cette pratique a été couverte, voire inspirée, par l'écrasante majorité des autorités politiques et militaires.
Dès 1955, des témoignages paraissent et provoquent une campagne de presse. Puis la torture disparaît du débat public après 1962. À la fin des années 1990, les historiens s'emparent du sujet, qui revient au premier plan de l'actualité.

Comment le débat sur la torture participe-t-il au retour de la mémoire de la guerre d'Algérie en France ?

Chronologie

1955	« Votre Gestapo d'Algérie », article de Claude Bourdet dans *Le Nouvel Observateur*.
1957	Création du comité Maurice Audin. *Contre la torture*, Pierre-Henri Simon.
1958	*L'Affaire Audin*, Pierre Vidal-Naquet. *La Question*, Henri Alleg.
1962	*La Raison d'État*, Pierre Vidal-Naquet.
2000	Témoignages de Louisette Ighilahriz, des généraux Massu et Aussaresses.
2001	Parution du témoignage du général Aussaresses, *Services spéciaux : Algérie 1955-1957*. *La Torture et l'Armée pendant la guerre d'Algérie*, Raphaëlle Branche.

1 Les anciens appelés et la torture

Au début des années 2000, le journaliste et réalisateur Patrick Rotman* réalise des entretiens avec d'anciens soldats, dont une partie a donné naissance au film L'Ennemi intime, diffusé sur France 3 en mars 2002.
Henri Pouillot, appelé en 1960, a été le témoin de scènes de torture à la villa Sésini à Alger. Il raconte ici son retour en France.

« En rentrant, j'ai gardé pour moi ce que j'avais vécu. En France, la torture n'était pas admise, on ne pouvait pas en parler. Pour l'opinion publique, ce n'était pas une guerre mais du maintien de l'ordre. Ce que j'avais vu était inimaginable. Tous ceux qui avaient été confrontés à des choses abominables avaient envie d'oublier, de tourner la page. J'étais seul. Je n'avais pas d'engagement politique ou syndical. À qui parler ? Comment en parler ?

Quand on évoque les problèmes de torture, on revoit les scènes avec la même douleur, la façon dégradante dans laquelle le torturé se trouve, la douleur physique. Je ne pense pas qu'on puisse transmettre, faire comprendre dans son intégralité, dans sa profondeur, l'abjection. Je ne pense pas qu'il puisse y avoir une thérapie quelconque qui puisse effacer de la mémoire la force que représentent les images. Je vis toujours avec. Moins souvent aujourd'hui, j'ai des rêves ou des cauchemars qui reprennent des images de cette période. On n'oublie pas. »

Henri Pouillot, cité par Patrick Rotman, *L'Ennemi intime*, Seuil, 2002.

2 La société française face à son passé

Une du quotidien *Libération*, 9 mai 2001.
En 2000, le débat sur la torture resurgit en France à la suite de la parution de témoignages de victimes et d'exécutants. Il fait la Une de tous les journaux.

3 Le travail de l'historien

En décembre 2000, l'historienne Raphaëlle Branche soutient une thèse d'histoire sur l'usage de la torture par l'armée française en Algérie devant une foule de journalistes. Au même moment, le débat public bat son plein sur ce thème. À peine un an plus tard, elle publie ses conclusions.

« L'Histoire a percuté l'actualité, mardi 5 décembre, dans la salle de l'Institut d'études politiques (IEP) de Paris où Raphaëlle Branche, une jeune normalienne, soutenait une thèse de doctorat d'histoire sur la torture pendant la guerre d'Algérie [...]. Un travail de quatre ans et de 1 211 pages, entrepris dans un climat d'indifférence générale et achevé au moment même où la France vit en pleine "catharsis", selon le mot de l'historien Pierre Vidal-Naquet, membre du jury. [...] Cette thèse est issue du décryptage inédit des "journaux de marche des opérations" tenus par chaque régiment, du dépouillement de nombreuses archives civiles et militaires et de longs entretiens avec des militaires. [...]
Ce travail qualifié de "magistral" "fera date", ont pronostiqué [les membres du jury], car il "révèle la face cachée de la République", a ajouté Pierre Vidal-Naquet. Tous historiens, ils ont admis n'être pas sortis indemnes de sa lecture. »

Philippe Bernard, *Le Monde*, 7 décembre 2000.

5 France/Algérie, la longue rencontre des mémoires

Inauguration de la place Maurice Audin à Paris.

Maurice Audin est un jeune militant communiste d'Alger. Il est arrêté et torturé par l'armée française, puis porté disparu. Sa veuve Josette a porté plainte contre X pour crime contre l'humanité en 2001. Une place porte son nom, dans le centre d'Alger, depuis l'indépendance. À Paris, une place à son nom est également inaugurée le 26 mai 2004.

4 Le témoignage d'une victime de la torture

En 2000, Louisette Ighilahriz, ancienne combattante du FLN, révèle à une journaliste française les tortures infligées par des soldats français après son arrestation en 1957. Quelques mois plus tard, Paul Aussaresses*, commandant des troupes parachutistes pendant la bataille d'Alger sous les ordres du général Massu, reconnaît l'utilisation de la torture. Ces témoignages, et en particulier ceux des victimes, relancent le débat public sur la guerre d'Algérie.

« "J'étais allongée nue, toujours nue. Ils pouvaient venir une, deux ou trois fois par jour. Dès que j'entendais le bruit de leurs bottes dans le couloir, je me mettais à trembler. Ensuite, le temps devenait interminable [...]". Quarante ans plus tard, elle en parle avec la voix blanche. Elle n'a jamais eu la force d'évoquer avec sa famille ces trois mois qui l'ont marquée à vie, physiquement et psychologiquement. Elle avait vingt ans. C'était en 1957, à Alger. [...] Elle a tenu bon, de septembre à décembre 1957. [...] "Un soir [...] quelqu'un s'est approché de mon lit [...]. Il a soulevé ma couverture, et s'est écrié d'une voix horrifiée : 'Mais, mon petit, on vous a torturée ! Qui a fait cela ? Qui ?' Je n'ai rien répondu. [...] J'étais sûre que cette phrase cachait un piège." Ce n'était pas un piège. L'inconnu la fera transporter dans un hôpital d'Alger, soigner, puis transférer en prison. Ainsi, elle échappera aux griffes de Massu, Bigeard et Graziani. Louisette Ighilahriz, "Lila" de son nom de guerre, retrouvera la liberté cinq ans plus tard, avec l'indépendance de l'Algérie. Depuis, elle recherche désespérément son sauveur. »

Florence Beaugé, « Torturée par l'armée française en Algérie, "Lila" recherche l'homme qui l'a sauvée », *Le Monde*, 20 juin 2000.

QUESTIONS

La mémoire de la torture

1. Comment peut-on expliquer le long silence en France sur la torture pendant la guerre d'Algérie ? (doc. 1, 3)

2. Comment la mémoire de la torture en France et en Algérie s'est-elle exprimée depuis 2000 ? (doc. 1, 4, 5)

Un scandale médiatique

3. Comment a ressurgi le débat sur la torture ? (doc. 1, 2, 3, 4)

4. Le travail de l'historien est-il aisé dans un tel contexte ? (doc. 1, 3, 4)

Bilan : Comment le débat sur la torture participe-t-il au retour de la mémoire de la guerre d'Algérie en France ?

Étude critique de documents

Identifiez les documents 1 et 4, puis mettez-les en relation et montrez leur apport et leurs limites pour l'étude de la mémoire de la torture.

Gillo Pontecorvo, *La Bataille d'Alger*

Comment le cinéma reflète-t-il les enjeux de la mémoire de la guerre d'Algérie ?

● Film italo-algérien, *La Bataille d'Alger* est tourné en 1965 dans les rues de la nouvelle capitale algérienne, après plusieurs mois d'enquête et avec des moyens limités. Le scénario est inspiré d'un livre de Saadi Yacef*, ancien chef du FLN à Alger, qui joue son propre rôle dans le film. Les acteurs sont, pour la plupart, non professionnels.

● Ce film de 1h30 reconstitue l'action des nationalistes algériens et la réaction de l'armée française au cours de ce que l'on a appelé la « Bataille d'Alger ». Il retrace les mois de 1957 durant lesquels les parachutistes dirigés par le général Massu entreprennent de démanteler les réseaux indépendantistes de la Casbah (vieille ville) d'Alger. Le film met en scène les opérations menées par l'armée pour mettre fin aux attentats du FLN : les ratissages, les interrogatoires et la torture.

● Le film connaît, dès ses débuts, un grand succès en Algérie, où il fait figure de documentaire historique. En France, où il ne sort qu'en 1970, il déclenche un scandale médiatique et est retiré des écrans. Il n'est vu par le grand public français que plusieurs décennies après la fin de la guerre.

LE CINÉASTE

Gillo Pontecorvo (1919-2006)
Journaliste, il réalise ses premiers films après la Seconde Guerre mondiale. *La Bataille d'Alger* est considéré comme son œuvre la plus importante, c'est grâce à elle qu'il est mondialement connu. Il meurt en 2006.

G. Pontecorvo en 1969.

LE COURANT

Un exemple du cinéma réaliste
Même s'il est mis en scène du début à la fin, le film de G. Pontecorvo est réalisé de manière à ce que ses images ressemblent à celles des actualités télévisées ou à celles des films documentaires. Fondé sur des recherches précises, il est animé par un souci de vraisemblance renforcé par le choix de la pellicule noir et blanc. Il s'inspire notamment du néoréalisme italien.

FOCUS   **La réception du film**

Dévoilant avec la force du réalisme la nature des opérations menées par l'armée française contre les combattants nationalistes, le film est accueilli très favorablement en Algérie et dans le monde. En France, les difficultés rencontrées lors de sa sortie en 1970 révèlent le malaise encore prégnant dans la société au sujet de la guerre d'Algérie.

1966 Sortie en Algérie, en Europe et en Amérique. Lion d'or au festival de Venise (la délégation française quitte le festival), plusieurs nominations aux Oscars.

1970 La demande de visa du film pour la France est accordée.

4 juin : le film est retiré de l'affiche la veille de sa sortie par les directeurs de salles de cinéma, après un scandale dans la presse et des menaces diverses contre les cinémas.

20 août : première projection publique en France.

1971 **Octobre :** programmation par le Studio Saint-Séverin à Paris, vitrines du cinéma brisées à plusieurs reprises ; le film est très vite retiré des écrans.

2004 Nouvelle sortie du film aux États-Unis, succès public (500 000 dollars de recettes) ; présentation du film au 57e festival de Cannes et sortie en France.

ANALYSE DE L'ŒUVRE

ANALYSER L'ŒUVRE

1. Décrivez la composition de chacune des deux affiches du film.

2. Quels éléments donnent au film *La Bataille d'Alger* une tonalité de documentaire ?

DÉGAGER LA PORTÉE DE L'ŒUVRE

3. Pourquoi le film provoque-t-il une polémique en France lors de sa sortie en 1970 ?

4. Comment peut-on expliquer son succès en Algérie dès 1966 ?

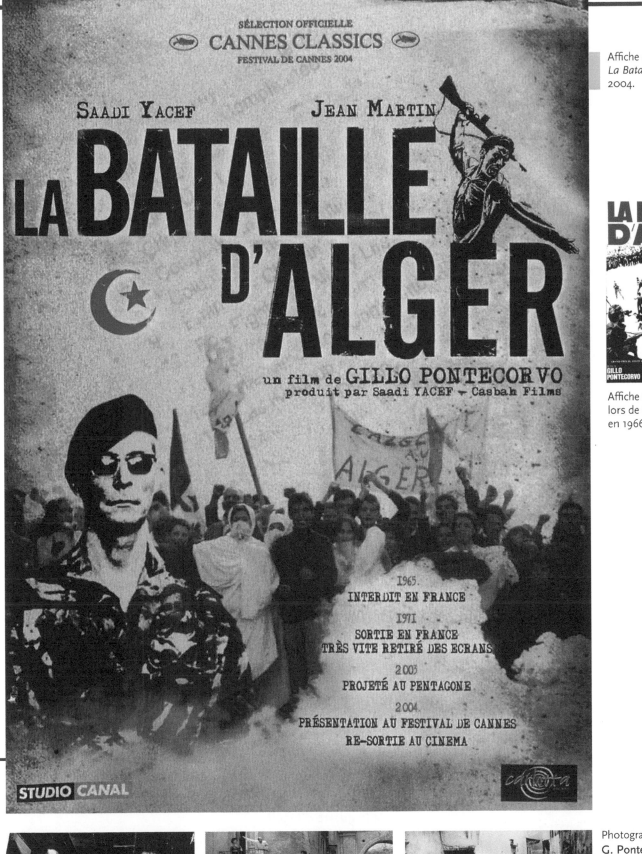

SÉLECTION OFFICIELLE
CANNES CLASSICS
FESTIVAL DE CANNES 2004

SAADI YACEF — JEAN MARTIN

LA BATAILLE D'ALGER

un film de GILLO PONTECORVO
produit par Saadi YACEF — Casbah Films

1965.
INTERDIT EN FRANCE

1971
SORTIE EN FRANCE
TRÈS VITE RETIRÉ DES ÉCRANS

2003
PROJETÉ AU PENTAGONE

2004.
PRÉSENTATION AU FESTIVAL DE CANNES
RE-SORTIE AU CINÉMA

STUDIO CANAL

Affiche du film
La Bataille d'Alger,
2004.

Affiche du film
lors de sa sortie
en 1966.

Photogrammes du film.
G. Pontecorvo montre,
de façon très réaliste, les
contrôles policiers et les
affrontements armés dans
la Casbah d'Alger.

1 Mettre en relation deux documents

b. Le Pavois aujourd'hui

En 1978, lors des Jeux africains, les autorités décident de recouvrir le monument d'un coffrage en ciment.

a. Le Pavois, monument aux morts de la guerre de 1914-1918
Photographie de 1948.
En 1928, la ville d'Alger inaugure un monument aux morts «français et algériens» de la Première Guerre mondiale, appelé le Pavois. Son auteur est le sculpteur Paul Landowski, créateur de la statue du Christ de Rio de Janeiro.

La transformation du Pavois, monument aux morts d'Alger

1. Quelle est la signification symbolique du coffrage du monument commémoratif français par les autorités algériennes ?

2. Que représentent les deux poings menottés qui se libèrent de leurs chaines (photo b.) ?

---

2 Analyser un texte politique

Le Cercle algérianiste, créé en 1973, regroupe des pieds-noirs et se donne pour objectif de protéger le patrimoine culturel issu de la présence française en Algérie. Il compte plusieurs comités locaux.

«À l'approche du 19 mars 2011, la FNACA[1] s'apprête à commémorer cette sinistre date, symbole pour les pieds-noirs et les harkis du déchaînement des violences et du début des souffrances. Afin de montrer que le 19 mars [...] ne saurait être une date d'unité et de recueillement mais est bien au contraire une date de division de la communauté nationale et de négation des drames, le Cercle algérianiste appelle ses adhérents et amis à soutenir par leur présence les manifestations destinées à marquer notre refus de l'officialisation du 19 mars 1962[2], à Bayonne, Istres, Toulouse, Valence.»

Communiqué de Thierry Rolando, président national du Cercle algérianiste, Narbonne, 7 mars 2011.

1. Fondation nationale des anciens combattants en Algérie.
2. Date de la signature des accords de cessez-le-feu à Évian.

La protestation d'une association pied-noire contre la commémoration des accords d'Évian

1. Pourquoi la date du 19 mars est-elle rejetée par cette association de rapatriés d'Algérie ?

2. Quelle est la fonction de l'auteur du communiqué ?

3. Dans quelle partie de la France sont prévues les manifestations ? Pourquoi ?

---

3 Utiliser les fonctions avancées des outils de recherche sur internet B2i

Les archives en ligne de la guerre d'Algérie

1. Rendez-vous sur la page Mémoires d'Algérie (http://memoires-algerie.org). Déplacez-vous sur la carte à l'aide des flèches et du zoom.

2. Cliquez sur Paris et sur deux lieux algériens de votre choix, signalés par un signet rouge. Cliquez sur «Voir les documents». Consultez les documents en ligne.

3. Choisissez trois documents : une archive administrative, une archive militaire et une archive personnelle (ou un témoignage). Montrez, en un paragraphe d'une dizaine de lignes, l'apport de ces documents à l'écriture de l'histoire de la guerre d'Algérie.

L'essentiel

L'historien et les mémoires de la guerre d'Algérie

1. La guerre d'Algérie en France, une mémoire difficile

● **La guerre d'Algérie fait d'abord l'objet, à partir de 1962, d'une occultation par les autorités publiques**, tandis qu'apparaissent des groupes porteurs de mémoires complexes, dont les pieds-noirs et les harkis, grands perdants de cette guerre.

● **Dans les années 1980, le souvenir de la guerre est réinvesti** et contesté par de nouveaux acteurs, enfants d'immigrés ou de harkis, mais aussi partisans d'une extrême droite en pleine ascension.

● **À partir de la fin des années 1990, la guerre d'Algérie effectue un retour dans les mémoires,** en même temps que se renouvelle le travail historique : la guerre est enfin nommée et ses pratiques, dont la torture, sont décrites précisément. La « guerre des mémoires » reprend.

2. Le souvenir de la guerre en Algérie, entre pouvoir et mémoire

● **En 1962, le FLN devient parti unique** ; il bâtit dès lors sa légitimité sur la captation du souvenir de la « révolution ». Occultant de larges pans de son histoire, il promeut une commémoration sélective et univoque des combattants de la guerre.

● Le Printemps berbère en 1980, puis les émeutes de la jeunesse d'octobre 1988, amorcent un **processus de libéralisation de la mémoire et de l'écriture de l'histoire.** Celui-ci est interrompu par la violence extrême des années 1990.

● À l'issue de cette décennie, on assiste à un **retour relatif au pluralisme mémoriel.** Aujourd'hui le souvenir de la guerre reste central pour la société algérienne.

Schéma de synthèse

Les mémoires française et algérienne de la guerre

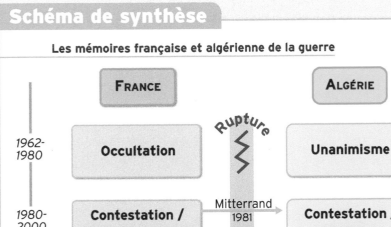

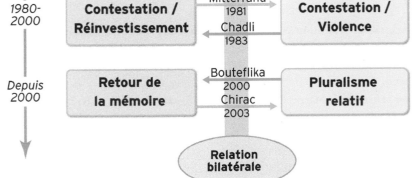

FRANCE — ALGÉRIE
Rupture
1962-1980 : Occultation — Unanimisme
1980-2000 : Contestation / Réinvestissement — Mitterrand 1981 / Chadli 1983 — Contestation / Violence
Depuis 2000 : Retour de la mémoire — Bouteflika 2000 / Chirac 2003 — Pluralisme relatif
Relation bilatérale

LES ACTEURS

Benjamin Stora (né en 1950)
Né à Constantine, rapatrié en France avec sa famille après l'indépendance, c'est l'un des historiens majeurs de la guerre d'Algérie. Ses travaux portent sur le nationalisme algérien, l'émigration algérienne en France, mais aussi l'histoire des juifs en Algérie. Il a notamment publié en 1991 *La gangrène et l'oubli. La mémoire de la guerre d'Algérie.*

Mohamed Harbi (né en 1933)
Né à Skikda (alors Philippeville), militant nationaliste, il est, pendant la guerre, membre du FLN chargé des premières négociations des accords d'Évian. Proche de Ben Bella, il est arrêté après 1965, emprisonné, puis s'évade en France. C'est l'un des premiers historiens du mouvement nationaliste algérien et de la guerre.

LES ÉVÉNEMENTS

L'exode de 1962
Environ un million de personnes sont rapatriées en France après les accords d'Évian (19 mars) et l'Indépendance de l'Algérie (5 juillet). En Algérie, on assiste à des disparitions de Français et à des massacres de harkis.

Le retour de la mémoire en 2000
Le témoignage de Louisette Ighilahriz publié dans *Le Monde* relance le débat sur la torture pratiquée par l'armée française durant la guerre d'Algérie. Le général Bigeard dénonce ses propos et alimente le débat, largement médiatisé dans la société.

NE PAS CONFONDRE

Français d'Algérie : terme juridique employé pour qualifier les citoyens français en Algérie sous l'administration coloniale. La notion rassemble les populations d'origine européenne arrivées avec la colonisation ainsi que les juifs algériens, et les distingue des « Français musulmans » ou « indigènes ».

Rapatriés : ensemble des personnes, « Français musulmans » et « Français d'Algérie » réfugiés en France en 1962.

Pieds-noirs : terme apparu pendant la guerre d'Algérie, désignant à partir de 1962 la population des anciens Français d'Algérie rapatriés en France, auquel on joint parfois ceux de Tunisie et du Maroc.

Définir et délimiter les termes du sujet

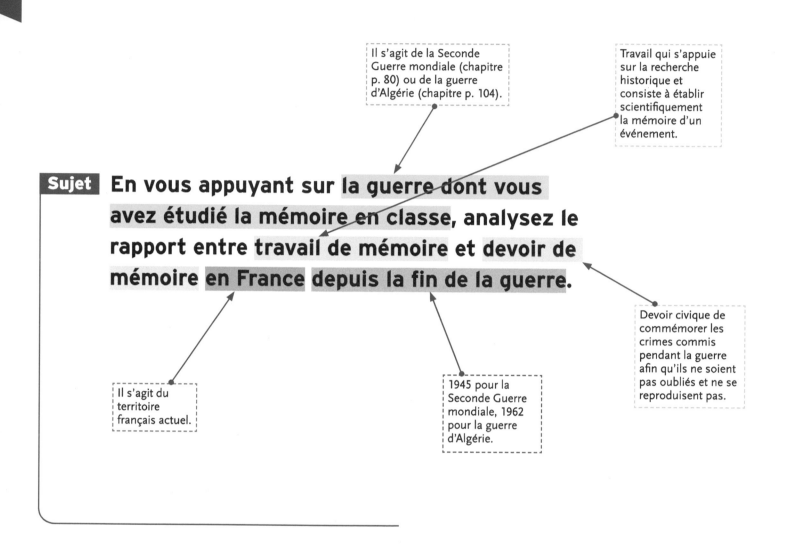

Il s'agit de la Seconde Guerre mondiale (chapitre p. 80) ou de la guerre d'Algérie (chapitre p. 104).

Travail qui s'appuie sur la recherche historique et consiste à établir scientifiquement la mémoire d'un événement.

Sujet En vous appuyant sur la guerre dont vous avez étudié la mémoire en classe, analysez le rapport entre travail de mémoire et devoir de mémoire en France depuis la fin de la guerre.

Il s'agit du territoire français actuel.

1945 pour la Seconde Guerre mondiale, 1962 pour la guerre d'Algérie.

Devoir civique de commémorer les crimes commis pendant la guerre afin qu'ils ne soient pas oubliés et ne se reproduisent pas.

Aide-mémoire

Mémoire de la Seconde Guerre mondiale

- **1954** *Histoire de Vichy* de Robert Aron.
- **1964** Transfert des cendres de Jean Moulin au Panthéon.
- **1971** *Le Chagrin et la pitié* de Marcel Ophüls.
- **1973** *La France de Vichy* de Robert Paxton.
- **1995** Discours de Jacques Chirac reconnaissant la responsabilité de l'État français dans la déportation des juifs de France.

Mémoire de la guerre d'Algérie

- **1964** Lois d'amnistie.
- **1992** Ouverture des archives.
- **1999** Reconnaissance de l'état de guerre en Algérie.
- **2003** Journée nationale d'hommage aux harkis.

FICHE MÉTHODE
Définir et délimiter les termes du sujet

Rappel: Bien comprendre le sujet
(méthode générale p. 12 et fiche méthode p. 76).

Montrez que ce sujet invite autant à une comparaison qu'à une confrontation entre deux notions.

> **Conseils**
> *Tenez compte de l'ordre des termes.*

Étape 1 *Définir et délimiter les mots-clés du sujet*

▶ Identifier précisément et systématiquement ce que recouvrent les notions du libellé (thèmes, notions, concepts qui s'y rapportent).

▶ Cette étape est essentielle pour s'assurer de bien traiter le sujet dans son ensemble et ne pas risquer le hors-sujet.

① Identifiez toutes les notions qui se rapportent aux deux notions clés du sujet.

> **Conseils**
> *Pour répondre, aidez-vous des clés du thème (p. 18).*

Étape 2 *Délimiter chronologiquement le sujet*

▶ Si le sujet donne des bornes chronologiques, il faut les expliquer.

▶ Si le sujet n'indique pas de bornes chronologiques, il faut en donner, en les justifiant.

② Montrez que les conséquences de la guerre se font encore sentir après la fin officielle du conflit.

> **Conseils**
> *Aidez-vous des frises chronologiques des pages 81 ou 105.*

Étape 3 *Délimiter géographiquement le sujet*

▶ Identifier l'espace couvert ou concerné par le thème abordé.

▶ Faire attention au fait que l'espace couvert dépend à chaque fois du contexte et du thème abordé.

③ Précisez quel espace est concerné par le sujet et justifiez ce choix.

> **Conseils**
> *Pensez à l'espace concerné par la guerre qui est pourtant exclu du sujet.*

EXERCICE D'APPLICATION

Sujet 1 Les historiens et la mémoire de la guerre.
Vous vous appuierez sur la guerre dont vous avez étudié la mémoire en classe.

> **Conseils**
> *Abordez les matériaux sur lesquels les historiens s'appuient pour étudier l'histoire de la guerre, et plus largement le rôle qui est le leur dans le travail de mémoire.*

Sujet 2 Selon quels rythmes apparaissent les mémoires de la guerre ?
Vous vous appuierez sur la guerre dont vous avez étudié la mémoire en classe.

> **Conseils**
> *Veillez à bien mettre en évidence la diversité des mémoires et à distinguer au moins une césure chronologique majeure.*

PROLONGEMENTS

Formuler la problématique (voir p. 182)

➔ Montrez quels enjeux actuels sont posés par le sujet.

Élaborer un plan (voir p. 210)

➔ Identifiez les bornes chronologiques qui permettent de construire un plan chronologique ou chrono-thématique.

Rédiger l'introduction (voir p. 308)

➔ Trouvez, dans le chapitre étudié en classe, un fait ou une citation pouvant constituer une accroche.

IDÉOLOGIES, OPINIONS ET CROYANCES EN EUROPE ET AUX ÉTATS-UNIS DE LA FIN DU XIXᴱ SIÈCLE À NOS JOURS

La connaissance de l'histoire des opinions, des idéologies et des croyances religieuses est indispensable pour comprendre les enjeux du monde contemporain. Les religions structurent depuis longtemps les sociétés occidentales mais la fin du XIXᵉ siècle est marquée par l'affirmation conjointe du poids de l'opinion publique, en particulier avec l'essor de la presse, et des idéologies, notamment le socialisme, nées de l'industrialisation. Au XXᵉ siècle, le poids des croyances et des idéologies est tel qu'il oriente, et parfois détermine, l'évolution des sociétés et des régimes politiques.

Manifestation étudiante dans la cour de la Sorbonne, mai 1968. Sous la statue de Louis Pasteur (1822-1895), les portraits de Mao, Staline, Marx, Trotski, Lénine.
La Sorbonne est au cœur des événements qui secouent la France en mai 1968. À partir du 13 mai, et pendant un mois, la cour d'honneur, occupée par les étudiants et ouverte à la population, devient, sous le regard de l'opinion publique, un lieu d'échanges politiques et idéologiques.

1875
Naissance d'un parti social-démocrate unifié en Allemagne

1890
Abandon de la polygamie par les Mormons aux États-Unis

1898
« J'accuse » d'Émile Zola

1918-1919
Naissance du Parti communiste allemand

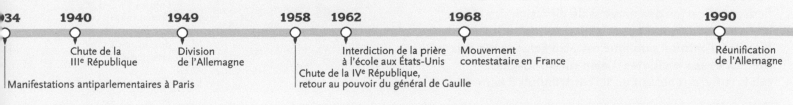

034	1940	1949	1958	1962	1968	1990
	Chute de la IIIe République	Division de l'Allemagne		Interdiction de la prière à l'école aux États-Unis	Mouvement contestataire en France	Réunification de l'Allemagne

Manifestations antiparlementaires à Paris

Chute de la IVe République,
retour au pouvoir du général de Gaulle

Croyances, opinions et idéologies

Quelle est la place des religions dans les sociétés occidentales ?

Les religions expriment un rapport des êtres humains au sacré qui tend à se concrétiser sous la forme d'un système de dogmes ou de croyances, de pratiques rituelles et morales, et souvent de règles de vie. **En Occident, les religions majoritaires sont constituées au sein d'Églises**, institutions sociales plus ou moins organisées et hiérarchisées. À la fin du XIXᵉ siècle, le **christianisme** domine très largement dans les sociétés d'Europe et d'Amérique du Nord : le **protestantisme** est majoritaire aux États-Unis, en Grande-Bretagne, où l'Église anglicane a un statut particulier, dans les pays scandinaves, en Allemagne et aux Pays-Bas, tandis que le **catholicisme** est la religion dominante en France et dans le Sud de l'Europe. Le **judaïsme** a en Europe une place de minorité au statut variable et généralement fragile. Dans l'ensemble des sociétés occidentales, les religions sont confrontées à un processus de **sécularisation***, c'est-à-dire à la tendance des sociétés à se soustraire à l'influence des croyances et des Églises.

Les erreurs du monde moderne selon le pape Pie IX

En 1864, le pape Pie IX, confronté aux progrès de la démocratie*, du libéralisme*, du rationalisme* et du socialisme*, énonce dans un document adressé à tous les évêques catholiques la liste des propositions qu'il considère comme les principales erreurs de son temps.

« 5. La révélation divine est imparfaite, et par conséquent sujette à un progrès continuel et indéfini correspondant au développement de la raison humaine. [...]

15. Il est libre à chaque homme d'embrasser et de professer la religion qu'il aura réputée vraie d'après la lumière de la raison. [...]

18. Le protestantisme n'est pas autre chose qu'une forme diverse de la même vraie religion chrétienne [...].

24. L'Église n'a pas le droit d'employer la force ; elle n'a aucun pouvoir temporel direct ou indirect. [...]

42. En cas de conflit légal entre les deux pouvoirs, le droit civil prévaut. [...]

48. Des catholiques peuvent approuver un système d'éducation en dehors de la foi catholique et de l'autorité de l'Église [...].

55. L'Église doit être séparée de l'État, et l'État séparé de l'Église. [...]

77. À notre époque, il n'est plus utile que la religion catholique soit considérée comme l'unique religion de l'État, à l'exclusion de tous les autres cultes. [...]

78. Aussi c'est avec raison que, dans quelques pays catholiques, la loi a pourvu à ce que les étrangers qui s'y rendent y jouissent de l'exercice public de leurs cultes particuliers. [...]

80. Le pontife romain peut et doit se réconcilier et transiger avec le progrès, le libéralisme et la civilisation moderne. »

Syllabus Errorum, 8 décembre 1864.

Comment s'affirme l'opinion publique ?

L'opinion publique est l'ensemble des idées et jugements en matière politique, sociale ou culturelle, partagés par la majorité des membres d'une société. À la suite des Lumières et des révolutions, le XIXᵉ siècle voit l'affirmation du poids de l'opinion publique sur la vie politique et sociale, du fait de l'extension du droit de suffrage. Les progrès de la **presse**, depuis l'invention de la rotative en 1867, permettent de diminuer le coût des journaux, dont la diffusion s'accroît à mesure que progresse l'**instruction** obligatoire. Au XXᵉ siècle, dans le cadre des démocraties libérales, les espaces propices aux débats contradictoires se multiplient du fait de la diversification des moyens de diffusion des idées, et en particulier de l'apparition des **médias de masse**. En effet, l'opinion publique est étroitement liée aux médias et aux enquêtes d'opinion (sondages), qui la reflètent autant qu'ils contribuent à la former.

Les opinions, « plus on frappe dessus, plus on les enfonce »

Gill, « Le Clou », *L'Eclipse*, 15 novembre 1874.
Journal satirique républicain, *L'Eclipse*, publie, en 1874, un dessin du caricaturiste André Gill, qui illustre une citation d'Alexandre Dumas fils : « Les opinions sont comme les clous : plus on frappe dessus, plus on les enfonce ».

Qu'est-ce qu'une idéologie?

L'idéologie, qui signifie au sens propre «discours sur les idées», désigne un ensemble plus ou moins cohérent d'idées, de croyances ou de doctrines, qu'elles soient politiques, philosophiques, religieuses, économiques ou sociales, propres à une époque, une société ou à un groupe social, et dont il oriente l'action. Le marxisme a donné au terme idéologie un sens péjoratif, en le présentant comme une vision du monde qui, en expliquant et justifiant l'ordre social existant à partir de raisons religieuses, vise à étendre la domination d'une classe de privilégiés. Le XXe siècle apparaît ensuite comme le siècle des idéologies: le fascisme, le nazisme ou le communisme s'incarnent dans des régimes autoritaires ou totalitaires. Le socialisme, apparu au XIXe siècle, devient l'une des forces politiques majeures du XXe siècle. Le terme désigne un ensemble de doctrines fondées à l'origine sur la propriété collective des moyens de production, par opposition au capitalisme et est profondément influencé par le marxisme.

La lutte des classes selon Karl Marx (1848)

Rédigé par le philosophe allemand Karl Marx et son ami Frie-drich Engels, le Manifeste du Parti communiste, *résume la pensée des communistes allemands, qui cherchent à se différencier du socialisme de l'époque. Il constitue en même temps un résumé de la pensée marxiste.*

« L'histoire de toute société jusqu'à nos jours n'a été que l'histoire de luttes de classes. Hommes libres et esclaves, patriciens et plébéiens, barons et serfs, maîtres de jurandes et compagnons, en un mot oppresseurs et opprimés, en opposition constante, ont mené une guerre ininterrompue. [...] La société se divise de plus en plus en deux vastes camps ennemis, en deux grandes classes ennemies: la Bourgeoisie et le Prolétariat. [...] La première étape dans la révolution ouvrière est la constitution du prolétariat en classe dominante, la conquête de la démocratie. Le prolétariat se servira de sa suprématie politique pour arracher petit à petit tout le capital à la bourgeoisie, pour centraliser tous les instruments de production entre les mains de l'État, c'est-à-dire du prolétariat organisé en classe dominante, et pour augmenter au plus vite la quantité des forces productives. Cela ne pourra naturellement se faire, au début, que par une violation despotique du droit de propriété et du régime bourgeois de production. »

Karl Marx, Friedrich Engels, *Le Manifeste du Parti communiste*, trad. Emile Bittigelli et Gérard Raulet, Flammarion, 1998.

Comment se manifeste l'essor du mouvement ouvrier?

Le massacre de Haymarket à Chicago (1886)

Gravure coloriée du XIXe siècle. *Bombe explosant dans les rangs de la police durant la révolte de Haymarket Square à Chicago*, États Unis, 1886. Le 1er mai 1886, une manifestation ouvrière en faveur de la journée de huit heures donne naissance à une grève générale. Trois jours plus tard, lors d'un rassemblement de protestation, un anarchiste lance une bombe contre les policiers. Ces événements et leur répression sanglante deviennent un symbole mobilisateur pour le mouvement ouvrier dans le monde entier.

L'essor du mouvement ouvrier est l'une des forces politiques et sociales majeures de la fin du XIXe siècle et des deux premiers tiers du XXe siècle. En effet, le monde très hétérogène des travailleurs de l'industrie connaît, en Europe et aux États-Unis, une croissance importante dans le contexte de l'industrialisation et de l'urbanisation des sociétés. Le syndicalisme, graduellement autorisé (1861 en Prusse, 1864 en France, 1871 en Grande-Bretagne), s'affirme comme un acteur majeur des relations sociales. À défaut d'avoir toujours conscience d'appartenir à une classe sociale distincte, les ouvriers européens et américains se caractérisent par une solidarité de fait qui s'exprime lors des conflits sociaux. Le mouvement ouvrier a contribué à faire du socialisme une force politique d'envergure, au travers notamment des internationales ouvrières: Association internationale des travailleurs (28 septembre 1864), dite Ire Internationale, Internationale ouvrière (juillet 1889), dite, IIe Internationale, Internationale communiste ou Komintern (1919), dite IIIe Internationale.

Socialisme, communisme et syndicalisme en Allemagne de 1875 à nos jours

À la fin du XIXe siècle, le monde ouvrier allemand aspire à des changements politiques et sociaux majeurs. Toutefois, le mouvement ouvrier est durablement partagé entre deux stratégies : l'action révolutionnaire et la participation à la vie politique en vue de réformes.

Comment syndicats et partis organisent-ils le monde ouvrier ?

1 **La difficile lutte du monde ouvrier à la fin du XIXe siècle**

Robert Koehler, *La grève*, (275 x 181 cm) 1886.
Berlin, Musée historique allemand.

Au XIXe siècle, avec l'industrialisation, une population ouvrière
se constitue en Allemagne. Au départ dépourvus de droits sociaux,
dont celui de faire grève, les ouvriers se rassemblent
dans des organisations professionnelles, les syndicats*,
puis dans des partis politiques pour conquérir de nouveaux droits.

				1946 Refondation du SPD (RFA), fondation du SED (RDA)	**1949** Fondation de la DGB (RFA)	**1959** Congrès de Bad Godesberg (RFA)			**1990** Transformation du SED en PDS
1875 Fondation du SPD	**1892** Fondation de la commission générale des syndicats	**1918** Fondation du KPD	**1933** Interdiction du SPD et du KPD		**1949**	**1969** **1982** SPD au pouvoir (RFA)	**1989**	**1998-2005** Schröder (SPD) chancelier	**2003-2005** Lois Hartz (Agenda 2010)

Dictature du SED (RDA)

2 Un mouvement syndical puissant et reconnu au XXIᵉ siècle

Manifestation de la Confédération allemande des syndicats (DGB) qui rassemble plus de 100 000 personnes à Berlin, le 16 mai 2009.

Au début du XXIᵉ siècle, le mouvement syndical allemand, réformiste, reste un des plus puissants d'Europe, alors que la chute de la RDA communiste semble avoir marqué la fin de l'option révolutionnaire. Pourtant, le Parti socialiste allemand (SPD) est en conflit avec les syndicats sur l'ampleur des concessions à faire au libéralisme.

QUESTIONS

1. Comment les ouvriers s'organisent-ils pour se faire entendre ?

2. Quelles sont les mutations de l'action ouvrière ?

Le monde ouvrier en Allemagne de 1875 à 1914

Unifié en 1871, l'Empire allemand entre, à la fin du XIXᵉ siècle, dans une phase d'intense développement économique qui bouleverse son organisation sociale. Le nombre des ouvriers augmente rapidement à la faveur de l'industrialisation et de l'urbanisation, mais les conditions de vie et de travail sont précaires. Les ouvriers constituent des syndicats et un parti politique unifié se constitue, le SPD (Parti social-démocrate d'Allemagne), au programme révolutionnaire. L'ensemble de ces organisations forme le mouvement social-démocrate.

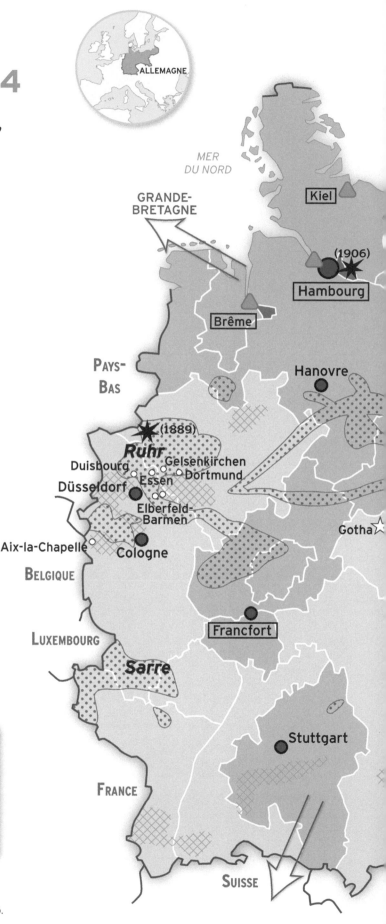

ALLEMAGNE

MER DU NORD

GRANDE-BRETAGNE

Kiel

(1906)

Hambourg

Brême

PAYS-BAS

Hanovre

(1889)

Ruhr

Duisbourg · Gelsenkirchen

Essen · Dortmund

Düsseldorf

Elberfeld-Barmen

Aix-la-Chapelle

Cologne

BELGIQUE

Gotha

LUXEMBOURG

Francfort

Sarre

FRANCE

Stuttgart

SUISSE

1 **Berlin, capitale ouvrière**

Hugo Krayn, *La Grande Ville*, huile sur toile (134 cm x 94 cm), 1914. Berlin, Musée historique allemand.

La capitale, Berlin, qui compte plus de deux millions d'habitants en 1914, est un centre de la social-démocratie allemande. Près de deux actifs sur trois y travaillent dans l'industrie.

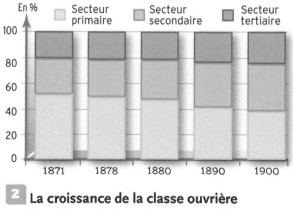

En % | Secteur primaire | Secteur secondaire | Secteur tertiaire

100 80 60 40 20 0

1871 1878 1880 1890 1900

2 **La croissance de la classe ouvrière**

Répartition de la population active par secteur entre 1871 et 1900.
Le développement rapide de zones industrielles comme dans la Ruhr (métallurgie), ou de secteurs modernes comme la chimie, entraîne un afflux de travailleurs dans des grandes usines et la croissance de la classe ouvrière.

MER
BALTIQUE

Königsberg

Prusse

Stettin

Berlin

Magdebourg

Leipzig

Saxe Dresde

Erfurt

Chemnitz

Crimmitschau
(1903)

Breslau

RUSSIE

AUTRICHE-HONGRIE

Silésie

0   200 km

Nuremberg

Munich

3 Les conditions de vie des ouvriers

Intérieur ouvrier dans un quartier pauvre de Berlin, 1910.
Très souvent issus de l'exode rural, les ouvriers arrivés en ville doivent trouver des moyens de survie dans un environnement difficile et travaillent dans des conditions très dures. Le logement est au cœur de leurs revendications à la fin du xixe siècle.

Industrialisation, ouvriers et syndicats en Allemagne avant 1914

1. Les mutations économiques et sociales de l'Allemagne

L'urbanisation (en 1907)

○ 2 millions d'habitants

○ De 500 000 à 1 million d'hab.

○ De 240 000 à 500 000 d'hab.

● Villes dont la population a doublé (1880-1907)

L'industrialisation

▦ Mines et sidérurgie

▨ Industrie textile

▲ Port important

2. La naissance d'une classe ouvrière organisée

✦ Grèves

Kiel Nombre de syndiqués supérieur à 50% des travailleurs (par *land* en 1907)

☆ Lieux fondateurs de la social-démocratie

← Exil des chefs du SPD

Votes en faveur du SPD (en % des votants par *land*, en 1903)

▪ Plus de 50 %

▪ De 25 à 50 %

▫ Moins de 25 %

QUESTIONS

1. Quelle relation existe-t-il entre la localisation de l'industrie allemande et la répartition des votes sociaux-démocrates ?

2. Quelle catégorie professionnelle la social-démocratie représente-t-elle ?

Socialisme et syndicalisme : de l'unité à la division

Comment expliquer les succès et les échecs des organisations ouvrières allemandes entre 1875 et 1945 ?

A. La naissance de la social-démocratie allemande

● L'industrialisation et l'urbanisation rapides de l'Allemagne entraînent **le développement d'une classe ouvrière* nombreuse**, qui s'organise en **syndicats**. En 1875, est créé un parti qui prend ensuite le nom de SPD (Parti **social-démocrate** d'Allemagne) (voir p. 136), avec un programme révolutionnaire et **marxiste** [doc. 2]. Dès l'origine, partis et syndicats ouvriers sont traversés par deux courants opposés, l'un qui prône la révolution et l'autre qui souhaite réformer la société par la voie légale.

● Entre 1878 et 1890, **le chancelier conservateur Otto von Bismarck* interdit le SPD** et les syndicats. Il accorde des droits sociaux aux ouvriers, comme l'assurance maladie, sans parvenir à enrayer la progression électorale des socialistes qui se présentent individuellement aux élections [doc. 1].

● Autorisé en 1890, **le SPD présente un nouveau programme marxiste à Erfurt** mais un courant formé autour d'Eduard Bernstein* propose une révision du marxisme et défend le **réformisme**. Parallèlement, **les syndicats s'unissent** au sein de la Confédération allemande des syndicats (DGB*) **en 1892**.

B. La division des socialistes et des communistes

● Le SPD progresse rapidement en nombre de voix et de militants. Il encadre de nombreuses organisations : syndicats, coopératives, associations de loisirs [doc. 3]. **En 1914, le SPD est le premier parti allemand** en sièges et en voix. Contrairement à la ligne fixée par la IIᵉ Internationale*, il participe à la vie politique et choisit de défendre l'effort de guerre.

● Les divisions du socialisme après la guerre sont particulièrement vives en Allemagne. **Une minorité révolutionnaire, la Ligue spartakiste, se soulève en 1918 contre le nouveau régime**, la république de Weimar. Les spartakistes soutiennent la révolution bolchevique russe et donnent naissance au Parti communiste (KPD) en 1918 (voir p. 138).

● **Le SPD, lui, soutient la république de Weimar**, dont le premier président est l'un de ses chefs, **Friedrich Ebert**. Il participe, au sein d'un gouvernement de coalition, à la répression des spartakistes, qui s'achève par l'assassinat de leurs fondateurs, Karl Liebknecht* et Rosa Luxemburg*.

C. Vers l'anéantissement du mouvement ouvrier

● Entre 1918 et 1933, avec l'appui du DGB, **le SPD est au cœur de la vie politique et obtient de nombreuses mesures en faveur des ouvriers**, comme l'inscription du syndicalisme dans la Constitution, la journée de 8 h ou les conventions collectives.

● Toutefois, **le SPD doit faire face à l'opposition très vive du KPD, qui suit le modèle de communisme soviétique défini par le Komintern*** [doc. 4]. La division des socialistes et des communistes est exploitée par les partisans du nazisme.

● **À partir de 1933, le NSDAP au pouvoir entreprend d'anéantir le mouvement ouvrier** [doc. 5]. Les partis et les syndicats sont interdits et **socialistes**, communistes et syndicalistes sont arrêtés, internés ou contraints à l'exil. Le mouvement ouvrier est contrôlé par un syndicat unique nazi, le Front du travail. Sans s'unir, les socialistes et les communistes s'opposent au nazisme dans la clandestinité.

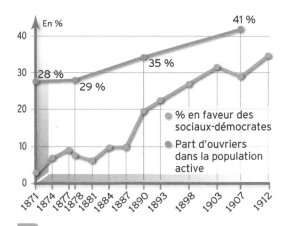

1 **Les victoires électorales des sociaux-démocrates (1871-1912)**

BIOGRAPHIE

Friedrich Ebert (1871-1925)
D'origine ouvrière, dirigeant du SPD en 1913, F. Ebert soutient l'effort de guerre. Chef du gouvernement provisoire en novembre 1918, il s'oppose violemment aux spartakistes puis devient président de la République en février 1919.
F. Ebert, 1923.

MOTS CLÉS

Communisme : branche du socialisme issue des idées de Karl Marx qui vise à établir par la révolution une société sans classe ni propriété privée.

Ligue spartakiste : mouvement marxiste révolutionnaire à l'origine du Parti communiste d'Allemagne (KPD) en 1918 et d'un soulèvement contre la république de Weimar.

Marxisme : courant d'idées né en Allemagne, reposant sur les travaux de Karl Marx (1818-1883), et insistant sur la nécessité de la lutte des classes et sur l'organisation du prolétariat en vue d'établir le socialisme.

Réformisme : branche du socialisme favorable à des transformations sociales par l'intégration du mouvement ouvrier à la vie politique légale et par des accords avec le patronat.

Social-démocratie : forme de socialisme où un parti de masse, soutenu par les syndicats, est à l'initiative de réformes sociales.

Socialisme : doctrine et mouvement politique qui se fonde sur la critique du capitalisme et sur la défense du prolétariat ouvrier.

Syndicat : organisation chargée de défendre les intérêts professionnels des travailleurs.

DATES

1875 Fondation du SPD
1918-1919 Division entre le SPD et le KPD
1933 Interdiction du SPD et du KPD

2 La naissance d'un parti révolutionnaire

Lors du congrès de Gotha, en mai 1875, le programme fondateur du futur SPD, marxiste et centré sur l'idée de révolution, est adopté par 130 délégués représentant près de 25 000 adhérents.

« Le Parti social-démocrate d'Allemagne aspire à [...] l'abolition du salariat, au dépassement de l'exploitation de chaque individu, à la suppression de toute inégalité sociale et politique [...]. Le Parti social-démocrate allemand, bien qu'agissant pour l'instant dans le cadre national, est conscient du caractère international du mouvement ouvrier et décidé à [...] faire de la fraternité des hommes une vérité.

Le Parti social-démocrate revendique l'établissement de coopératives socialistes de production avec le soutien de l'État, sous le contrôle démocratique du peuple travailleur, pour amener la résolution de la question sociale. »

Programme de Gotha, 1875.

1. En quoi le SPD rompt-il avec le modèle de société existant ?
2. Quels moyens sont proposés pour transformer la société ?

4 Communistes contre sociaux-démocrates

Affiche électorale du KPD, 1928. « Trahis par le SPD. Votez communiste ! ».
De 1928 à 1934, l'URSS, par l'intermédiaire du Komintern, impose aux partis communistes la doctrine « classe contre classe », qui présente les sociaux-démocrates comme les pires ennemis de la classe ouvrière et les qualifie d'« agents de la bourgeoisie » ou de « sociaux-traîtres ».

1. Comment le KPD présente-t-il le monde ouvrier ?

3 Les associations ouvrières

Carte postale du syndicat Solidarité, 1905.
L'association Solidarité, liée au SPD, rassemble environ 100 000 ouvriers à qui elle propose des activités de loisirs. Sur le fanion, les drapeaux de l'Allemagne, de la Suisse et de la France montrent que le socialisme est un mouvement international.

5 La social-démocratie contre le nazisme

En 1933, lors du vote de la loi donnant les pleins pouvoirs à Adolf Hitler, Otto Wels, président du SPD et député au Reichstag, exprime le point de vue des sociaux-démocrates.

« La Constitution de Weimar n'est pas une Constitution socialiste. Mais nous restons fidèles aux principes fondamentaux de l'État de droit, de l'égalité des droits, du droit social qui y sont inscrits. Nous autres, sociaux-démocrates allemands, confessons solennellement en cette heure historique ces principes fondamentaux de l'humanité et de la justice, de la liberté et du socialisme. *(Vive approbation des sociaux-démocrates).*

Aucune loi des pleins pouvoirs ne vous donne la puissance d'anéantir des idées qui sont éternelles et indestructibles. [...] La social-démocratie allemande peut aussi puiser des forces nouvelles dans de nouvelles persécutions.

Nous saluons les persécutés et les opprimés. Nous saluons nos amis dans toute l'Allemagne. Leur résistance et leur fidélité méritent l'admiration. Leur courage dans leur profession de foi, leur confiance inébranlable *(rires parmi les nationaux-socialistes, Bravo ! parmi les sociaux-démocrates)* garantissent un avenir plus clair. »

Otto Wels, Discours devant le Reichstag, 23 mars 1933.

1. Comment s'exprime l'opposition d'Otto Wels au nazisme ?

La social-démocratie allemande avant 1914

Le Parti social-démocrate est fondé en 1875 pour défendre les ouvriers. Son programme est inspiré des idées de Karl Marx : le prolétariat, classe des travailleurs, doit combattre la bourgeoisie possédante jusqu'à l'effondrement du capitalisme. En attendant, le parti organise les ouvriers en syndicats et en associations culturelles pour les préparer à prendre le pouvoir. Cependant, les succès du SPD aux élections permettent d'améliorer immédiatement les conditions de vie et de travail, sans révolution violente.

Comment le monde ouvrier s'intègre-t-il à la démocratie ?

Chronologie	
1875	Congrès de Gotha.
1878-1890	Interdiction des mouvements socialistes.
1883	Assurance-maladie.
1884	Assurance contre les accidents du travail.
1889	Assurance-invalidité.
1891	Programme d'Erfurt.
1892	Fondation de la Confédération des syndicats.
1898	Débat sur le révisionnisme.

1 Le programme révolutionnaire du SPD

Après 1890, le mouvement ouvrier allemand croît rapidement. Un programme inspiré du marxisme est présenté au congrès d'Erfurt durant lequel le parti social-démocrate prend le nom de SPD.

« L'évolution économique de la société bourgeoise conduit fatalement à la disparition de la petite propriété [...]. Cette évolution sépare le travailleur de son outil de travail et le transforme en un prolétaire sans propriété, alors que les moyens de production deviennent le monopole d'un nombre de plus en plus restreint de capitalistes et de grands propriétaires.

Toujours croissant ira le nombre de prolétaires, [...] toujours plus violent deviendra l'antagonisme entre les exploitants et les exploités, toujours plus âpre sera la lutte de classes entre la bourgeoisie et le prolétariat, qui sépare la société moderne en deux camps ennemis. [...]

La lutte de la classe ouvrière contre l'exploitation capitaliste est nécessairement une lutte politique. La classe ouvrière ne peut pas mener ses luttes économiques et ne peut pas développer son organisation économique sans droits politiques. [...]

Organiser cette lutte unie et consciente du prolétariat, et lui indiquer ses objectifs nécessaires, tels sont les devoirs du Parti social-démocrate d'Allemagne. »

Programme du SPD adopté au congrès d'Erfurt, 1891.

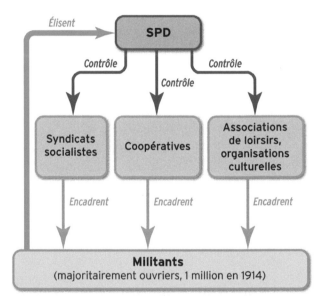

3 L'encadrement du monde ouvrier

Autour de sa doctrine et de ses actions, le SPD devient le fondement de nombreuses associations (syndicats, coopératives et organisations culturelles) qui encadrent les adhérents. En 1914, ils sont 1 million pour 2 millions d'ouvriers environ dans l'Empire allemand.

2 Le développement du réformisme

Le programme d'Erfurt conduit la social-démocratie à espérer la révolution. Un des chefs du parti, Eduard Bernstein, demande par la suite que le programme soit modifié dans un sens réformiste : c'est le révisionnisme.

« Une question aujourd'hui plus importante [...] est celle de compléter le programme du parti. Ici, la pratique a mis à l'ordre du jour une quantité de questions qui étaient considérées, lors de l'élaboration du programme, comme étant encore trop éloignées pour que la social-démocratie eût à s'occuper d'elles en particulier. [...]

La croissance considérable de la social-démocratie pendant les huit années qui se sont écoulées depuis la rédaction du programme d'Erfurt, son action sur la politique intérieure de l'Allemagne, ainsi que l'expérience faite dans d'autres pays, ont rendu inéluctable l'approfondissement de toutes ces questions [...].

Il faut que la social-démocratie ait le courage de s'émanciper de la phraséologie du passé et de vouloir paraître ce qu'elle est aujourd'hui en réalité : un parti de réformes démocratiques et socialistes [...].

La social-démocratie est-elle vraiment aujourd'hui autre chose qu'un parti visant la transformation socialiste de la société par le moyen de réformes démocratiques et économiques ? »

Eduard Bernstein, *Les Présupposés du socialisme et les devoirs de la social-démocratie*, Stuttgart, Dietz, 1899.

4 Les débats internes

Rosa Luxemburg lors d'un congrès de la IIe Internationale, Stuttgart, 1907.

Rosa Luxemburg, membre du courant révolutionnaire du parti, est en désaccord avec les chefs réformistes du SPD, qui acceptent de coopérer avec le pouvoir. Elle est ici entourée des portraits des grandes figures du socialisme, dont Karl Marx à droite et Ferdinand Lassalle, fondateur de l'Association générale des travailleurs allemands (1863).

5 1914 : le vote des crédits de guerre

« Maintenant nous nous trouvons devant le fait inflexible de la guerre. Nous voilà menacés par les horreurs d'une invasion étrangère. Nous n'avons pas à trancher aujourd'hui pour ou contre la guerre, mais à résoudre la question des moyens nécessaires à la défense du territoire. Maintenant nous devons penser aux millions de nos concitoyens qui se trouvent jetés dans ce désastre sans que cela soit leur faute. Ce sont eux qui subiront le plus durement les ravages de la guerre. Nos souhaits chaleureux accompagnent nos frères qui sont appelés sous les drapeaux, sans distinction de parti... Pour notre peuple et pour son avenir libre, beaucoup, sinon tout, est mis en jeu par une victoire sur le despotisme russe, qui s'est lui-même souillé du sang des meilleurs de son propre peuple. Il s'agit de repousser ce danger, et de garantir la culture et l'indépendance de notre propre pays. C'est pourquoi nous mettons en œuvre ce que nous avons toujours soutenu : nous ne laisserons pas tomber la patrie elle-même à l'heure du danger... En vertu de ces principes que nous avons exposés, nous approuvons les crédits de guerre exigés. »

Hugo Haase, porte-parole de la fraction parlementaire du SPD,
Intervention au Reichstag, le 4 août 1914.

QUESTIONS

L'organisation et l'idéologie du parti

1. Quel est le poids des idées révolutionnaires dans le parti ? (doc. 1, 3, 4)

2. Comment le parti encadre-t-il ses militants ? (doc. 1, 3, 4)

Les évolutions de la social-démocratie

3. Quels éléments permettent d'expliquer la force du parti ? (doc. 1, 3, 4, 5)

4. Pourquoi le parti est-il amené à évoluer ? (doc. 2, 5)

Bilan : Comment le monde ouvrier s'intègre-t-il à la démocratie ?

Étude critique de documents

Présentez les documents 1 et 2, puis montrez quels sont les fondements de la division du parti entre révolution et réformisme.

137

La naissance du communisme allemand en 1918-1919

En octobre 1918, des mutineries d'ouvriers accompagnent les derniers jours de la guerre. L'empereur Guillaume II abdique le 9 novembre et la République est proclamée, soutenue par le peuple allemand. Progressivement, l'opposition s'accentue entre les sociaux-démocrates qui ont proclamé la république et signé l'armistice, et la Ligue spartakiste, émanation du SPD, qui veut la révolution. La rupture se concrétise le 30 décembre 1918, lors de la fondation du Parti communiste (KPD) par les spartakistes, qui organisent des révoltes dans toute l'Allemagne. Les troupes de la république de Weimar les répriment violemment en janvier 1919.

Comment naît le Parti communiste en Allemagne ?

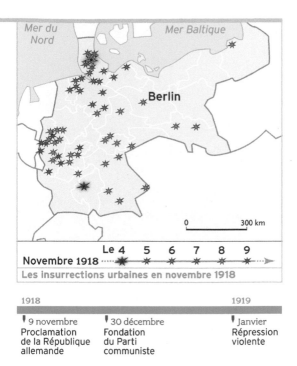

Mer du Nord — Mer Baltique — Berlin

0 ___ 300 km

Le 4   5   6   7   8   9
Novembre 1918 ···········

Les insurrections urbaines en novembre 1918

1918 ———————————————— 1919

9 novembre
Proclamation de la République allemande

30 décembre
Fondation du Parti communiste

Janvier
Répression violente

1 La République selon les sociaux-démocrates

Après l'abdication de Guillaume II, le social-démocrate Philipp Scheidemann proclame la République allemande au balcon du Reichstag[1] à Berlin.

«Le peuple allemand a remporté une victoire totale. Tout ce qui était ancien et pourri s'est écroulé, le militarisme a pris fin! Les Hohenzollern[2] ont abdiqué! Vive la République allemande! Le député du Reichstag Ebert a été proclamé chancelier. Il a été chargé de former un nouveau gouvernement; tous les partis socialistes y participeront.

Notre tâche à présent est de ne pas laisser cette victoire scintillante, cette victoire complète du peuple allemand, être souillée. C'est pourquoi je vous demande de faire en sorte qu'il n'y ait pas de rupture de l'ordre public. Nous devons pouvoir être fiers de ce jour à jamais. Rien ne doit arriver qui puisse être retenu contre nous. Ce dont nous avons besoin maintenant, c'est de légalité, d'ordre et de sécurité... Contribuez à ce que la nouvelle République allemande que nous voulons établir ne soit pas mise en danger.

Vive la République allemande!»

Philipp Scheidemann, *Discours,*
9 novembre 1918.

1. Assemblée parlementaire.
2. Famille impériale.

2 La République selon la Ligue spartakiste

Ce même jour du 9 novembre 1918, l'agitation populaire se renforce et le chef spartakiste Karl Liebknecht proclame une autre République, socialiste, au Palais royal.

«Camarades! Voici l'aube de notre liberté. Jamais un Hohenzollern ne mettra plus le pied ici... Ce sont les esprits de millions de personnes qui ont donné leur vie pour la cause sacrée du prolétariat. Avec les crânes brisés, baignant dans leur sang, ces victimes de la tyrannie ont titubé, suivies par les esprits de millions de femmes et d'enfants morts de chagrin et de misère pour la cause du prolétariat. Après eux sont venus les millions et millions de victimes sanglantes de cette guerre mondiale. Aujourd'hui, une multitude immense de prolétaires impassibles se tient sur la même place, rendant hommage à cette nouvelle liberté. Camarades, je proclame la République socialiste allemande libre, qui réunira tous les Allemands, dans laquelle il n'y aura plus de serviteurs, dans laquelle tout travailleur honnête recevra un salaire juste pour son travail. Le règne du capitalisme, qui a transformé l'Europe en marais de sang, est brisé.»

Karl Liebknecht, *Discours,* 9 novembre 1918.

3 Le soulèvement spartakiste

Barricade spartakiste, Berlin, janvier 1919.
Au début du mois de janvier 1919, les ouvriers, soutenus par les spartakistes, se soulèvent contre le gouvernement. La répression menée par la république de Weimar, entre le 5 et le 12 janvier 1919, cause plusieurs centaines de morts.

4 Le manifeste spartakiste

En décembre 1918, l'opposition s'accentue entre les sociaux-démocrates, qui ont signé l'armistice et soutiennent la République, et les communistes qui veulent poursuivre la révolution.

« Tout ce qui est contre-révolutionnaire, hostile au peuple, antisocialiste [...] est uni dans la haine et la calomnie contre la Ligue spartakiste. Cela prouve que l'âme de la révolution anime le cœur de la Ligue et que l'avenir lui appartient [...]. À chaque étape de la révolution, la Ligue spartakiste montre à la classe ouvrière la voie qui mène au but socialiste ultime, et dans toutes les questions nationales représente les intérêts de la révolution prolétarienne mondiale.

La Ligue spartakiste refuse de partager le pouvoir gouvernemental avec les commis de la bourgeoisie, Scheidemann-Ebert, parce qu'elle reconnaît ce type de collaboration comme une trahison des principes fondamentaux du socialisme, et parce qu'elle comprend que cela pourrait renforcer la contre-révolution [...].

La Ligue spartakiste ne prendra jamais le pouvoir gouvernemental tant que cela ne sera pas la volonté claire et sans ambiguïté de la grande majorité des masses prolétariennes d'Allemagne. »

Rosa Luxemburg, « Ce que veut la Ligue spartakiste »,
Le Drapeau rouge, 14 décembre 1918.

6 L'opposition des sociaux-démocrates

« Pour Ebert-Scheidemann ! Contre Spartakus ! » Manifestation de militants SPD à Berlin lors de l'élection pour l'Assemblée constituante, 19 janvier 1919.
Trois semaines après la fondation du KPD par les chefs de la Ligue spartakiste, le SPD obtient 38 % des voix aux élections à l'Assemblée constituante, et s'oppose directement à la menace communiste révolutionnaire.

5 Contre la république parlementaire

Affiche « Votez Spartakus ! », 1920.
En 1920, les spartakistes intégrés au Parti communiste, animent de nombreuses grèves dans le pays. Menacé par les autres partis politiques, il prône la révolution violente pour fonder une société idéale et détruire la République parlementaire.

QUESTIONS

L'opposition à la république de Weimar
1. Quels sont les événements marquants de la fin de l'année 1918 en Allemagne ? (doc. 1, 2)

2. Quelles sont les différences entre la République que veulent les sociaux-démocrates et celle que prônent les communistes ? (doc. 1, 2).

La révolution spartakiste

3. Quelle est la définition de la révolution selon les communistes ? (doc. 2, 4)

4. En quoi peut-on parler d'une situation de guerre civile ? (doc. 3, 4, 5, 6)

Bilan : Comment naît le Parti communiste en Allemagne ?

Étude critique de documents

Confrontez les documents 3 et 6 et montrez ce qu'ils révèlent des antagonismes entre socialistes et communistes et du caractère conflictuel de la société allemande en 1918-1919.

Social-démocratie et communisme en Allemagne depuis 1945

Comment la social-démocratie et le communisme s'opposent-ils depuis 1945 ?

A. Le socialisme démocratique en RFA

● En 1949, dans le cadre de la Guerre froide, **l'Allemagne est divisée entre la République fédérale d'Allemagne (RFA) et la République démocratique allemande (RDA)**. En RFA, le SPD devient une force politique de premier plan en participant au nouveau modèle démocratique [doc. 1], tandis que le KPD décline avant d'être interdit. La Confédération allemande des syndicats (DGB) [doc. 2] participe à **l'économie sociale de marché** avec les lois sur les conventions collectives et la **cogestion**.

● Longtemps parti d'opposition, le SPD adapte son programme lors du congrès de Bad Godesberg de 1959 (voir p. 144), permettant l'arrivée de **Willy Brandt** à la chancellerie en 1969. C'est **l'apogée du modèle social-démocrate où l'État s'entend avec les organisations syndicales et patronales pour garantir le progrès social**. Malgré un terrorisme d'extrême gauche dans les années 1970 et le retour des chrétiens-démocrates au pouvoir en 1982, ce modèle subsiste jusqu'à la réunification, en 1990.

B. Le socialisme réel en Allemagne de l'Est

● À l'Est, **le SPD et le KPD fusionnent en 1946 au sein du SED** (Parti socialiste unitaire), qui devient un parti unique sur le modèle soviétique et **collectivise** l'agriculture et l'industrie. **Ce parti unique joue un rôle central en RDA** : il forme les fonctionnaires, interdit le droit de grève, supervise les syndicats et contrôle l'ensemble de la population en imposant une morale socialiste [doc. 3] et grâce à sa police secrète, la Stasi, créée en 1950.

● **La réalisation du « socialisme réel »**, sur le modèle soviétique, **privilégie la classe ouvrière**, qui a fait de l'économie de la RDA la première du bloc de l'Est. Cependant, **l'accélération des cadences de travail provoque des grèves massives dès 1953** (voir p. 142). Les mécontentements entraînent également le départ de 3 millions d'Allemands de l'Est vers l'Ouest, jusqu'à la construction du mur de Berlin en 1961.

● **La société est-allemande s'isole et son économie stagne avant de s'effondrer dans les années 1980.** Les contestations se multiplient en RDA à l'été et à l'automne 1989. Le 9 novembre, le mur de Berlin est ouvert et le SED est contraint d'organiser des élections libres.

C. Les mutations du socialisme depuis la réunification

● **En mars 1990, les Allemands de l'Est choisissent la réunification et l'abandon du socialisme réel** [doc. 4]. Le SED devient le PDS, un parti minoritaire aux élections, mais qui reste important sur le territoire de l'ancienne RDA.

● **Le SPD réunit un tiers des voix dans tout le pays** et retrouve le pouvoir en 1998 avec l'arrivée à la chancellerie de Gerhard Schröder*. Cependant, les difficultés économiques entraînent des réformes qui renforcent la compétitivité allemande aux dépens de son modèle social dans le cadre du programme Agenda 2010 (voir p. 146). Le parti est divisé et **perd les élections fédérales en 2005**. Membre d'une coalition menée par Angela Merkel (chrétienne-démocrate), entre 2005 et 2009, **le SPD** redevient ensuite un parti d'opposition, mais **doit composer avec un électorat plus divers et des tendances de gauche plus radicales, comme les Verts ou *Die Linke*** [doc. 5].

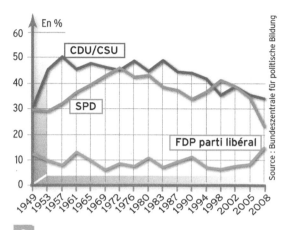

Source : Bundeszentrale für politische Bildung

1 Les résultats électoraux du SPD

Depuis la fondation de la RFA en 1949, les deux principaux partis qui se disputent le pouvoir sont le SPD et la CDU/CSU.

1. Comment évoluent les scores du SPD ?

2. Comment le SPD parvient-il au pouvoir ?

BIOGRAPHIE

Willy Brandt (1913-1992)

Engagé dans le SPD après la Seconde Guerre mondiale, il est maire de Berlin-Ouest de 1957 à 1966, vice-chancelier en 1966 dans la coalition avec les chrétiens-démocrates, puis premier chancelier social-démocrate de la RFA de 1969 à 1974.

W. Brandt, 1970.

MOTS CLÉS

Cogestion : participation active des employés dans la gestion de l'entreprise. Ses mécanismes sont définis par la loi.

Collectivisation : mise en commun des moyens de production et d'échange, sous le contrôle de l'État.

Die Linke : parti issu de la fusion entre le parti du socialisme démocratique (PDS), héritier du SED après 1990, et les sociaux-démocrates opposés à Gerhard Schröder.

Économie sociale de marché : modèle économique de la RFA, qui concilie le libéralisme économique avec une politique sociale garantie par l'action des syndicats.

Les Verts : parti fondé en 1980, reprenant des revendications écologistes et pacifistes en partie inspirées des courants écologistes des années 1970.

DATES

1949 Création de la RFA et de la RDA
1959 Programme de Bad Godesberg
1990 Réunification de l'Allemagne

VÖLKERFRIEDEN
SOZIALE SICHERHEIT
FREIHEIT!

2 Le syndicalisme à l'Ouest

Affiche du DGB, « 1er mai, paix entre les peuples, sécurité sociale, liberté ! ».

Le DGB, fondé en 1949, réunit les syndicats les plus importants de RFA, comme celui des métallurgistes (IG Metall).

1. Quelles caractéristiques de la DGB cette affiche met-t-elle en valeur ?

3 Les dix commandements de la morale socialiste à l'Est

Walter Ulbricht* est l'un des fondateurs de la RDA en 1949. En 1958, il est premier secrétaire du comité central du SED.

« 1. Tu dois te dévouer constamment à la solidarité internationale du prolétariat [...].

2. Tu dois aimer ta patrie et être constamment prêt à [...] la défense du pouvoir des ouvriers et des paysans.

3. Tu dois aider à supprimer l'exploitation de l'homme par l'homme.

4. Tu dois faire de bonnes actions pour le socialisme, car le socialisme mène à une vie meilleure pour tous les travailleurs.

5. Tu dois agir pour la construction du socialisme dans l'esprit de l'aide mutuelle [...], respecter la collectivité et suivre ses critiques.

6. Tu dois protéger et accroître la propriété collective du peuple.

7. Tu dois constamment aspirer à l'amélioration de ton rendement, être économe et renforcer la discipline socialiste du travail.

8. Tu dois éduquer tes enfants dans l'esprit de la liberté et du socialisme pour qu'ils deviennent des individus éduqués en tout, avec du caractère et sains de corps.

9. Tu dois mener une vie saine et décente et t'occuper de ta famille.

10. Tu dois travailler à la solidarité avec les peuples qui se battent pour leur libération nationale et ceux qui défendent leur indépendance nationale. »

Walter Ulbricht, *Les Dix Commandements de la morale socialiste*, 1958.

1. En quoi la morale décrite contribue-t-elle à contrôler la population ?

4 Le SPD et la réunification

« Berlin est la liberté », affiche du SPD, 1990.

Le SPD joue un rôle particulier dans la réunification de 1990. Certains cadres, d'abord réticents, adhèrent ensuite au processus et s'efforcent d'en tirer parti.

1. Quelle image du SPD cette affiche donne-t-elle ? Dans quel but ?

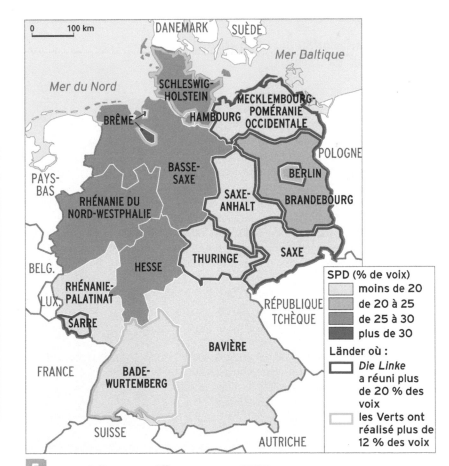

SPD (% de voix)
- moins de 20
- de 20 à 25
- de 25 à 30
- plus de 30

Länder où :
- *Die Linke* a réuni plus de 20 % des voix
- les Verts ont réalisé plus de 12 % des voix

5 Le socialisme en Allemagne en 2009

Après la réunification, les forces politiques de gauche se recomposent. Si le SPD reste influent, d'autres forces politiques le concurrencent désormais comme les Verts ou *Die Linke*.

1. Comment peut-on expliquer l'implantation du SPD et de *Die Linke* ?

Les manifestations du 17 juin 1953 à Berlin-Est

Après sa fondation en 1949, la RDA s'aligne sur le modèle soviétique. La mise en place de la planification entraîne l'augmentation des charges de travail pour remplir les objectifs de production. En 1953, alors que la mort de Staline laisse espérer plus de libertés, les ouvriers est-allemands manifestent pour demander la baisse des cadences. Le mouvement s'étend et, le 17 juin, se transforme en une contestation politique généralisée du régime. Dépassées, les autorités est-allemandes font intervenir les troupes soviétiques afin de rétablir la dictature du Parti.

Comment le 17 juin 1953 marque-t-il les limites du modèle communiste en RDA ?

La localisation des principaux soulèvements en RDA

1949	1953	
7 octobre Fondation de la RDA	5 mars Mort de Staline	17 juin Manifestations

1 Une manifestation pour l'amélioration des conditions de travail

Un ouvrier du bâtiment, qui a participé à la manifestation avec ses collègues du 16 juin, est entendu par la police.

« À 10h40 nous avons remarqué par la fenêtre de la baraque de chantier un cortège de manifestants en marche venant de la Wassmannstrasse, et tournant vers la Stalinallee. Ils brandissaient une grande banderole avec le slogan : "Nous, les ouvriers du bâtiment, exigeons la réduction des normes". Lorsque les collègues virent le cortège, ils bondirent tous et le rejoignirent en appelant : "À la manifestation, faisons preuve de solidarité." [...]
La manifestation s'étirait sur la Stalinallee et grossissait sans discontinuer, avec la participation des ouvriers des autres chantiers... Les slogans suivants était criés en chœur de façon incessante : "Nous exigeons la réduction des normes et des prix", "Nous sommes des travailleurs et non des esclaves" [...]. Deux fois un slogan politique fut lancé sur la Stalinallee : "Nous exigeons un Berlin libre", et un manifestant cria "À bas le FDGB[1]". Ces slogans ne trouvèrent pas d'écho. La manifestation était disciplinée dans l'ensemble. »

Témoignage d'un manifestant, 17 juin 1953.

1. Syndicat libre des travailleurs est-allemand, syndicat unique soumis au SED

2 Une manifestation pour l'unité et la démocratie

Berlin-Est, manifestants passant sous la porte de Brandebourg, 17 juin 1953.
Les manifestants réclament l'amélioration de leurs conditions de vie et de travail ainsi que la démocratisation du régime, et appellent à la réunification entre la RDA et la RFA.

3 Une manifestation contre le régime

Un policier présent sur les lieux donne sa description de la manifestation du 16 juin.
« Suite à mon intervention d'hier, je peux en particulier confirmer que les plus agressifs et les plus véhéments étaient des jeunes. Le fait est que, malheureusement, beaucoup se trouvaient parmi les ouvriers du bâtiment de la Stalinallee. Des slogans comme "Nous n'avons besoin d'aucune armée, nous avons besoin de beurre", "Nous exigeons des élections libres", "Nous appelons à la grève générale" furent criés.
Des comportements hostiles furent très souvent adoptés par les jeunes contre les membres du Parti, identifiables à leurs insignes.
À 7 h 00, sur la Strausberger Platz, d'autres employés s'étaient rassemblées à côté des ouvriers du bâtiment de la Stalinallee. Des cordons de policiers [...] cherchaient à contenir les manifestants. »

Témoignage d'un policier, 17 juin 1953.

5 La manifestation vue par le SPD en RFA

Les manifestations sont connues en Allemagne de l'Ouest et vues comme le symbole de l'échec du modèle politique et social de la RDA.
« La signification des événements a été curieusement mieux comprise par une grande partie du public étranger que par la plupart des Allemands de l'Ouest... Parmi les explications, il y a eu trois justifications principales, en particulier celle du moment de surprise. En Allemagne de l'Ouest, on croyait jusqu'au 16 juin que des mouvements d'opposition spontanés étaient impossibles [...]
En plus de défendre les revendications connues de politique intérieure et extérieure sur l'unité allemande, la tâche immédiate du SPD est de faire connaître la portée des événements de juin parmi la population d'Allemagne de l'Ouest.
La direction du parti a reconnu à l'unanimité que les actions à Berlin-Est et en Allemagne centrale peuvent annoncer les traits d'un changement radical de l'évolution allemande et européenne d'après-guerre. Ollenhauer[1] souligna d'ailleurs qu'un grand pas avait été fait vers le démantèlement des obstacles psychologiques contre le peuple allemand à l'Ouest. »

Déclaration du SPD en RFA, 3 juillet 1953.

1. Président du SPD.

4 L'intervention soviétique

Arrivée des chars soviétiques, Berlin, 17 juin 1953.
À Berlin-Est, une foule d'environ 60 000 personnes s'attaque aux bâtiments administratifs. Dépassées, les autorités font appel aux troupes soviétiques. Dans l'après-midi du 17 juin, leurs chars entrent dans la ville. Cinquante-cinq manifestants sont tués, plus de 15 000 sont arrêtés.

QUESTIONS

Le déroulement de la manifestation
1. Classez et expliquez les principales demandes des manifestants. (doc. 1, 2, 3)
2. Comment se déroulent les manifestations, et quel est le rôle de la violence ? (doc. 1, 2, 3)

Les enseignements de l'événement
3. La population est-allemande semble-t-elle unanime à contester le régime ? (doc. 3, 4)
4. Quelles sont les conséquences immédiates des manifestations ? (doc. 4, 5)

Bilan : Comment le 17 juin 1953 marque-t-il les limites du modèle communiste en RDA ?

Étude critique de documents

Après avoir présenté les documents 1 et 3, expliquez pourquoi ces deux textes donnent deux versions aussi différentes des mêmes faits.

Le congrès de Bad Godesberg (1959)

Reconstruit en Allemagne en 1946 sur un programme issu de la république de Weimar, le SPD préconise d'abord la fondation d'une Allemagne collectiviste, unie et neutraliste. Il n'évolue pas dans les années qui suivent malgré la division de l'Allemagne et les rapides mutations économiques et sociales à l'Ouest (le « miracle économique »). Toutefois, les échecs successifs du SPD aux élections fédérales conduisent à un travail de rénovation, mené dans les années 1950. Ce travail aboutit, en 1959, à l'adoption d'un nouveau programme, lors d'un congrès tenu à Bad Godesberg près de Bonn.

Comment le congrès de Bad Godesberg manifeste-t-il l'adaptation du SPD aux nouvelles réalités de la RFA ?

Le congrès de Bad Godesberg

1957
3e échec du SPD aux élections fédérales en RFA

1959
13 novembre
Ouverture du congrès

15 novembre
Ratification du nouveau programme

1 **Une volonté d'évolution**

Congrès de Bad Godesberg, 13-15 novembre 1959.
Près de 400 délégués du SPD se réunissent pour voter le nouveau programme du parti, adopté par une écrasante majorité. Au fond de la salle où s'expriment les délégués, on peut lire le slogan : « Accompagne le temps. Accompagne le SPD ».

2 **Les objectifs de la social-démocratie**

Le programme de Bad Godesberg rompt avec la tradition marxiste, maintient le réformisme et permet ainsi au SPD de participer activement au système politique de la RFA.

« De l'engagement vers le socialisme démocratique découlent des exigences fondamentales, qui doivent être remplies dans une société humaine [...]. Nous nous battons pour la démocratie [...] parce qu'elle seule est l'expression du respect pour la dignité humaine et son sens des responsabilités [...]. Le socialisme ne se réalisera que par la démocratie, la démocratie ne s'épanouira que par le socialisme.

Les communistes se réclament faussement de la tradition socialiste. En réalité, ils ont falsifié l'idéologie socialiste. Les socialistes veulent réaliser la liberté et la justice, alors que les communistes profitent des déchirements de la société pour instaurer la dictature de leur parti. Dans un État démocratique, chaque pouvoir doit se soumettre au contrôle public. L'intérêt de la communauté doit rester au-dessus des intérêts individuels. Dans une économie et une société définies par la recherche du profit et du pouvoir, la démocratie, la sécurité sociale et la personnalité libre sont menacées. Le socialisme démocratique aspire à un nouvel ordre économique et social [...].

À l'origine parti des travailleurs, le parti social-démocrate est désormais le parti du peuple. »

Programme du SPD, 15 novembre 1959.

3 De nouveaux acteurs

Willy Brandt (debout) en discussion avec Erich Ollenhauer (assis à droite), 13 novembre 1959.

Les principaux acteurs du Congrès sont Erich Ollenhauer*, président du SPD depuis 1952, (il a échoué à deux reprises aux élections législatives face à Adenauer, chancelier chrétien-démocrate), Willy Brandt, maire de Berlin-Ouest depuis 1957 et chef de file du courant réformiste au sein du SPD, et enfin Herbert Wehner, principal artisan du programme de Bad Godesberg et qui accepte l'intégration de la RFA à l'OTAN. Les trois hommes sont d'accord sur la nécessité de réformer le parti.

4 Un rôle nouveau pour les syndicats

L'intégration au système démocratique s'accompagne d'une reconnaissance des fondements économiques de l'Allemagne de l'Ouest : le parti reconnaît la propriété privée et l'économie sociale de marché ; le rôle des syndicats est redéfini.

« Tous les ouvriers, les employés et les fonctionnaires ont le droit de s'associer dans des syndicats [...].

Les syndicats luttent pour une participation plus juste des salariés au produit du travail, et pour le droit de cogestion dans la vie économique et sociale [...].

Les ouvriers et employés qui fournissent une contribution décisive au résultat de l'économie sont exclus jusqu'à présent d'une participation effective. Mais la démocratie exige la cogestion des salariés dans les entreprises et dans toute l'économie.

La cogestion dans la sidérurgie et les charbonnages est un début de réorganisation de l'économie. Elle devra être complétée par l'établissement d'une structure démocratique dans toutes les grandes entreprises. La cogestion des salariés dans les organes de gestion autonome de l'économie doit être garantie. »

Programme du SPD, 15 novembre 1959.

5 Un tournant pour le socialisme européen

« Les socialistes allemands qui viennent de tenir un congrès extraordinaire à Bad Godesberg [...] ont senti la nécessité de modifier leur doctrine, devenue poussiéreuse [...] dont les trois points essentiels étaient la lutte des classes, la nationalisation des moyens de production et l'intrusion de l'État dans l'économie. Ces principes [...] ont perdu leur force d'attraction. Le chef du parti, M. Ollenhauer, l'a avoué et l'un des leaders classés à gauche, M. Herbert Wehner, s'est également élevé contre les tendances des extrémistes qui restaient fidèles à des conceptions dépassées.

Le nouveau programme, qui fut adopté à une très forte majorité, reconnaît la nécessité de la libre entreprise et de la concurrence [...]. Les socialistes allemands ne font plus un dogme de la nationalisation. [...] Et ce n'est pas seulement dans le domaine économique que les socialistes allemands ont révisé leurs positions. [...] Ils se sont déclarés partisans de la défense nationale et ont décidé d'entretenir de bons rapports avec les institutions religieuses. Ainsi, en Europe, le socialisme est obligé de s'adapter s'il veut conserver des chances de subsister. »

René Payot, « Évolution du socialisme », *Journal de Genève*, 19 novembre 1959.

QUESTIONS

Le déroulement du congrès

1. Quels sont les acteurs du congrès de Bad Godesberg ? **(doc. 1, 3)**

2. Quels sont les objectifs du congrès ? **(doc. 2, 3, 4, 5)**

Les conséquences du congrès

3. Quels points du programme du SPD sont révisés ? **(doc. 2, 4, 5)**

4. Pourquoi peut-on parler d'un tournant dans l'histoire du socialisme allemand et européen ? **(doc. 2, 3, 4, 5)**

Bilan : Comment le congrès de Bad Godesberg manifeste-t-il l'adaptation du SPD aux nouvelles réalités de la RFA ?

Étude critique de documents

Mettez en relation les documents 2 et 5 et montrez ce qu'ils révèlent du tournant que représente Bad Godesberg. Montrez ensuite quel est le parti pris adopté par l'auteur de l'article **(doc. 5)**.

L'Agenda 2010 et les défis du XXIe siècle

Lorsque Gerhard Schröder, leader du SPD, est nommé chancelier en 1998, le parti adapte à nouveau sa politique aux bouleversements économiques et sociaux. Schröder défend une nouvelle définition du socialisme, la « troisième voie», qui respecterait les principes fondateurs du socialisme tout en acceptant la mondialisation et ses conséquences. En 2003, il annonce un ensemble de réformes, l'«Agenda 2010», pour favoriser la compétitivité et la croissance mais qui bouleverse le marché du travail. Certaines mesures bouleversent le marché du travail et sont rejetées par l'aile gauche du parti.

Comment le SPD répond-il aux enjeux économiques du XXIe siècle ?

Chronologie

1999 **8 juin** Tony Blair et Gerhard Schröder publient un manifeste.

2003 **14 mars** Gerhard Schröder annonce l'Agenda 2010.

1-15 juin forte majorité au SPD et chez les Verts en faveur de l'Agenda 2010.

2005 **1er janvier** Entrée en vigueur des lois Hartz IV, qui diminuent les indemnités versées aux chômeurs de longue durée.

18 septembre Courte défaite du SPD aux élections fédérales.

30 novembre Discours d'Angela Merkel en faveur de l'Agenda 2010.

2008 Défaite du SPD aux élections législatives.

---

1 Une redéfinition de la social-démocratie européenne

En 1999, le chancelier allemand Gerhard Schröder et Tony Blair, Premier ministre britannique, publient un texte annonçant une «troisième voie» entre socialisme et libéralisme.
«Les sociaux-démocrates gouvernent la quasi-totalité des pays de l'Union. Si la social-démocratie connaît un regain de succès, c'est parce qu'elle a commencé, tout en conservant ses valeurs traditionnelles, à renouveler ses idées et à moderniser ses programmes de façon crédible. C'est aussi parce qu'elle incarne [...] le dynamisme économique et la stimulation de la créativité et de l'innovation [...].
Nous devons mettre en œuvre nos politiques dans un cadre économique nouveau, moderne et harmonisé avec le monde contemporain, dans lequel les gouvernements mettent tout en œuvre pour soutenir les entreprises sans jamais s'arroger le droit de se substituer à ces dernières. [...].
Assurer des services publics d'une qualité convenable est au cœur des préoccupations des sociaux-démocrates, mais la conscience sociale ne se mesure pas en fonction du niveau des dépenses publiques. La vraie question qui se pose à la société est celle de savoir si ces dépenses sont employées de façon efficace et dans quelle mesure elles permettent aux citoyens d'être autonomes.»

Tony Blair et Gerhard Schröder, *Manifeste*, 8 juin 1999.

2 Les syndicats face aux réformes

Les réformes du gouvernement Schröder provoquent l'hostilité des syndicats. La DGB, qui participe aux manifestations, lance une pétition «Pour le travail et la justice sociale» qui rassemble 7,5 millions de signatures.
«Ces derniers mois, les syndicats ont toujours rendu leurs idées explicites dans la discussion sur une modernisation sociale juste et une réforme du marché de l'emploi. Les grandes manifestations à l'occasion de la journée d'action européenne du 3 avril 2004 ont montré que les objections syndicales contre beaucoup des coupes sociales voulues par les politiques trouvaient un soutien dans de larges pans de la population.
La direction de la DGB a soutenu dès l'origine l'objectif de la réforme du marché de l'emploi, c'est-à-dire l'amélioration des services de l'emploi. Car c'est juste : nous avons besoin de meilleurs services, plus efficaces. L'accès plus aisé pour les bénéficiaires actuels de l'aide sociale aux services de la gestion du travail, ou l'ouverture de centres d'emploi sont des évolutions positives des réformes Hartz [...].
Cependant Hartz IV est lié à des décisions très lourdes, qui vont bien au-delà de cet objectif, et qui représentent un danger pour l'équilibre économique et social. La direction fédérale de la DGB exige donc des corrections.»

Direction de la DGB, *Explication sur le débat sur la réforme du marché du travail*, 7 septembre 2004.

3 Le maintien de l'Agenda 2010 après Schröder

Après sa victoire aux élections de septembre 2005, Angela Merkel, nouvelle chancelière chrétienne-démocrate, explique pourquoi elle entend maintenir et continuer les réformes mises en place dans le cadre de l'Agenda 2010.
«Supprimons les freins à la croissance ! [...] Beaucoup de nos voisins européens nous montrent bien ce qui est possible. L'Allemagne est capable de faire ce que d'autres peuvent faire, j'en suis profondément persuadée. Le gouvernement précédent avait déjà fait des pas en ce sens, afin de mieux exploiter les possibilités dont nous disposons. Au-delà de toutes les différences de partis [...] je voudrais pour cette raison, ici même, dire explicitement la chose suivante : je souhaite remercier très personnellement le chancelier Schröder d'avoir ouvert, avec courage et détermination, une porte vers les réformes grâce à son Agenda 2010, et d'avoir maintenu cet Agenda malgré les résistances.»

Angela Merkel, *Première déclaration de gouvernement* au Bundestag, 30 novembre 2005.

4 La création de *Die Linke*

Manifestation de *Die Linke* avec Oskar Lafontaine (2ᵉ à partir de la gauche) pour une «justice sociale», à Leipzig, 30 août 2004.

Les réformes sont comprises par de nombreux Allemands comme un signe du démantèlement de l'État social édifié après 1945, autrefois défendu par les sociaux-démocrates. Certains s'écartent du parti, comme Oskar Lafontaine*, ancien président du SPD et fondateur, à la gauche du SPD, d'un nouveau parti, *Die Linke*.

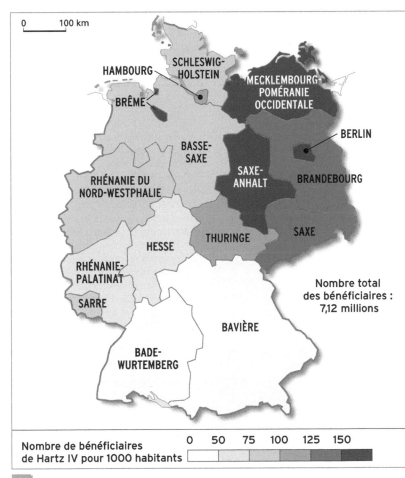

Nombre total des bénéficiaires : 7,12 millions

Nombre de bénéficiaires de Hartz IV pour 1000 habitants

| 0 | 50 | 75 | 100 | 125 | 150 |

5 Les effets de l'Agenda 2010 sur la cohésion allemande

C'est dans les Länder d'ex-Allemagne de l'Est que se concentrent les contestations les plus nombreuses contre les lois Hartz, lors de manifestations hebdomadaires. En effet, les industries moins compétitives, ajoutées au poids de la transition post-communiste, rendent ces Länder d'Allemagne de l'Est plus fragiles aux effets négatifs de l'Agenda 2010.

QUESTIONS

Une nouvelle définition de la social-démocratie

1. Quels sont les motivations de l'Agenda 2010 ? (doc. 1, 2, 3)

2. En quoi peut-on dire que cette réforme dépasse les clivages habituels ? (doc. 1, 3)

Une réforme contestée

3. En quoi cette réforme fragilise-t-elle les bases traditionnelles du parti ? (doc. 4, 5)

4. Comment les contestations se manifestent-elles ? (doc. 4, 5)

Bilan : Comment le SPD répond il aux enjeux économiques du xxiᵉ siècle ?

Étude critique de documents

Mettez en relation les documents 1 et 2 et montrez leur apport et leurs limites pour comprendre les enjeux posés par l'évolution du SPD.

Magnus Zeller, *L'Orateur*

Comment l'art expressionniste représente-t-il la propagande communiste ?

● Comme beaucoup d'artistes de sa génération, **Magnus Zeller est très fortement marqué par son expérience combattante** et par le contexte de guerre civile qui suit la défaite de 1918. En 1920, membre d'un conseil d'ouvriers et de soldats puis proche du KPD, Zeller peint *L'Orateur*, issu de la série « Le temps de la révolution » où il représente une réunion communiste.

● **Le peintre utilise le style expressionniste: des couleurs violentes et irréelles, des proportions exagérées.** Les visages perdent leurs traits identifiables pour ne traduire que les sentiments provoqués par un discours. Dans ce tableau, la révolution communiste est faite par des anonymes qui font appels aux sentiments plus qu'aux idées.

● Cette **fascination pour les mouvements irrationnels de la foule**, utilisée par les communistes comme par les nazis, est partagée par les artistes expressionnistes. Dépassant le domaine de la peinture, ce courant touche la littérature, la musique ou le cinéma, et devient l'un des mouvements artistiques principaux de la république de Weimar. Il est condamné par le régime nazi après 1933.

L'ARTISTE

Magnus Zeller (1888-1972)

Magnus Zeller entame sa carrière d'artiste avant 1914 avec les groupes d'avant-garde, qui le familiarisent avec l'expressionnisme. Mobilisé en 1915, il participe à la révolution berlinoise de 1918 et reste proche des communistes. En 1933, son œuvre est considérée comme «anti-aryenne». Après 1945, il s'installe à Berlin-Est où il meurt en 1972.

Magnus Zeller, autoportrait, 1962.

LE MOUVEMENT

L'expressionnisme

Mouvement né en Allemagne au début du XXᵉ siècle, l'expressionnisme met en valeur la vision subjective de l'artiste. La déformation des lignes, la violence des couleurs, doivent exprimer des sentiments profonds comme l'angoisse ou la fascination. Les œuvres expressionnistes montrent surtout la violence des conflits politiques et sociaux après la défaite de 1918.

FOCUS **La révolution de 1918-1919 vue par les peintres expressionnistes**

Le groupe des expressionnistes est frappé par la guerre et par la révolution. Beaucoup ont combattu dans les tranchées, et sont proches de la Ligue spartakiste. La naissance du communisme en Allemagne est l'un de leurs thèmes de prédilection et ils mettent leur force expressive à son service.

1. Le Révolutionnaire

Friedrich Peter Drömmer, *Le Révolutionnaire*, 1919, Schloss Gottorf.
Friedrich Peter Drömmer (1889-1968) est un ancien combattant, comme Magnus Zeller. Il est proche des spartakistes pendant la révolution. Cet autoportrait est peint après l'assassinat de Rosa Luxemburg et de Karl Liebknecht en 1919. Le révolutionnaire, drapé dans un tissu rouge, est noyé dans une destructuration de l'espace et des formes. Seuls émergent son visage, ses mains et son regard.

2. Sous les drapeaux

Albert Birkle, *Sous les Drapeaux rouges*, 1919, Sammlung Schneider.
Albert Birkle (1900-1986) est plus jeune, mais a aussi combattu pendant la Première Guerre mondiale avant de reprendre ses études d'art à Berlin. C'est là qu'il a probablement croisé la scène peinte ici : une manifestation sous les drapeaux, nombreuses dans les semaines qui suivent la défaite. Les visages allongés épousent la perspective de la rue.

Magnus Zeller, *L'orateur*,
huile sur toile, (152 x 198 cm).
1920, Los Angeles, County
Museum of Art.

Juché sur l'estrade, un
orateur anonyme est porté
par son discours. Il se
distingue par son costume
vert, ses bras et son visage
tendus vers le haut,
dans une position d'extase.
La foule, peinte en nuances
rouges, est traversée d'un
mouvement symbolisé par
les mains. L'effet produit
par l'orateur est à la fois
la surprise et la violence.

ANALYSE DE L'ŒUVRE

ANALYSER UN TABLEAU

1. À quels éléments peut-on reconnaître
le contexte dans lequel l'œuvre a été
réalisée ?

2. Que symbolisent les lignes et
mouvements dessinés par les bras
et les mains des personnages ?

3. Quels sont les sentiments que Zeller
veut dépeindre ?

DÉGAGER LA PORTÉE DE L'ŒUVRE

4. Quel est le rôle de la propagande selon
le peintre ?

5. Quelles impressions les peintres
expressionnistes allemands donnent-ils
de la période ?

6. En quoi peut-on dire qu'il s'agit d'une
œuvre caractéristique de la propagande
communiste ?

1 Mettre en relation deux documents

a. Un combat de rue

La « Ligue des combattants du front rouge », fondée en 1924, est l'organisation paramilitaire du KPD. Engagée dans des combats de rue, comme celui-ci en juin 1927 face à la police, elle est interdite après des heurts violents avec les nazis en 1932.

b. Une élection

De gauche à droite : deux affiches nazies, une du Zentrum (parti catholique), une du SPD et une du KPD, pour les élections au parlement allemand en juillet 1932, largement remportées par les nazis.

1. En quoi ces deux photographies témoignent-elles de deux types différents d'action politique ?

2. Comment s'exprime la violence politique dans ces documents ?

---

2 Analyser un texte de propagande

Le 14 mai 1970, l'activiste ouest-allemand Andreas Baader* s'évade de prison avec l'aide d'une journaliste, Ulrike Meinhof*. Moins d'un mois plus tard, ils publient dans une revue d'extrême gauche le manifeste de leur organisation d'extrême gauche, la Fraction Armée rouge. Ce groupe, qui mène ensuite une action terroriste, contribue au climat de violence politique des années dites « de plomb » (des années 1970 à la fin des années 1990). Ses membres fondateurs sont pour la plupart arrêtés.

« Que signifie porter les conflits à leur extrême ? Cela signifie de ne pas se laisser massacrer. C'est pourquoi nous édifions l'Armée rouge. [...] Comprenez que la révolution ne sera pas une promenade de santé. Que ces porcs [sociaux-démocrates] feront l'escalade des moyens aussi loin qu'ils le pourront, mais pas au-delà. Et pour porter les conflits à l'extrême, nous créons l'armée rouge. [...] Si nous ne construisons pas l'Armée rouge, les porcs peuvent tout faire, les porcs peuvent tout continuer : enfermer, licencier, hypothéquer, voler les enfants, intimider, abattre, dominer. Porter les conflits à leur extrême signifie qu'ils ne puissent plus faire ce qu'ils veulent, mais qu'ils soient dans l'obligation de faire ce que nous voulons. [...] Ne restez pas assis sur votre canapé perquisitionné. [...] Construisez le bon dispositif de diffusion, laissez tomber les trouillards, les bouffeurs de choux, les travailleurs sociaux, ceux qui ne cherchent qu'à gagner des faveurs. [...] Débrouillez-vous pour dénicher où sont les foyers et les familles nombreuses et le sous-prolétariat et les femmes prolétaires, qui ne font qu'attendre de pouvoir frapper dans la gueule ceux qui le méritent. Eux prendront la direction. Et ne vous faites pas choper, et apprenez d'eux comment on fait pour ne pas se faire choper, ils en savent plus que vous. »

« Bâtir l'Armée rouge », *Agit*, 5 juin 1970.

Le manifeste de la Fraction Armée rouge

1. Qui sont les adversaires de la Fraction Armée rouge et comment sont-ils qualifiés ?

2. Qui sont les alliés de la Fraction Armée rouge ?

3. Comment la Fraction Armée rouge justifie-t-elle la violence ?

---

3 Rechercher des sources sur internet

1. Rendez-vous sur le site http://www.marxists.org/. Choisissez votre langue en haut de la page. Dans le menu déroulant, sélectionnez A. Bebel.

2. Sélectionnez l'entretien avec Jules Huret et isolez les trois grands thèmes abordés lors de l'entretien. Synthétisez brièvement les idées d'August Bebel sur chacun de ces thèmes, et expliquez pourquoi la social-démocratie allemande, en 1897, est un parti révolutionnaire qui ne fait pas de révolution.

L'essentiel

Socialisme, communisme et syndicalisme en Allemagne

1. Socialisme et syndicalisme : de l'unité à la division (1875-1945)

● Fondé en 1875 au **congrès de Gotha**, le **SPD** avec ses **syndicats et associations** unit les ouvriers, exclus de la représentation politique, dans une idéologie révolutionnaire. Cependant, il n'organise pas la révolution et réussit à **participer au système politique,** et à **faire entendre les revendications ouvrières** : c'est le **réformisme**.

● Cette intégration est mise en cause après la défaite en 1918 avec la tentative de **révolution spartakiste**. Le **KPD** et ses organisations sont fondés contre le SPD. Les sociaux-démocrates qui soutiennent la **république de Weimar** font aboutir des réformes, alors que les communistes veulent la **révolution,** ce qui affaiblit le mouvement ouvrier face au nazisme.

● Dès 1933, les deux partis et leurs syndicats, désormais unis dans l'opposition, sont interdits et leurs membres combattus ou exilés.

2. Social-démocratie et communisme en Allemagne depuis 1945

● **En 1946**, la division entre sociaux-démocrates et communistes correspond aux logiques de la Guerre froide : **un Parti communiste unique à l'Est, le SED,** et **un parti social-démocrate à l'Ouest, le SPD**.

● À l'Est, le SED organise la **collectivisation** et la **planification**, ainsi qu'une **culture officielle**. Les contestations apparaissent, notamment en 1953, puis dans les années 1980, et conduisent à l'effondrement du système en 1989.

● À l'Ouest, SPD et syndicats participent à l'**« économie sociale de marché »**. Le SPD modifie son programme au **congrès de Bad Godesberg en 1959** dans un sens encore plus réformiste et accède au pouvoir avec Willy Brand, en 1969, mais d'autres contestations apparaissent, comme le **terrorisme** de la **RAF** dans les années 1970.

● La **réunification** fait du SPD l'un des **principaux partis allemands** qui continue de se transformer dans les années 2000. **D'autres forces politiques** prennent de l'importance, comme les Verts ou l'extrême gauche.

Schéma de synthèse

L'évolution des rapports entre syndicats et partis en Allemagne depuis 1875

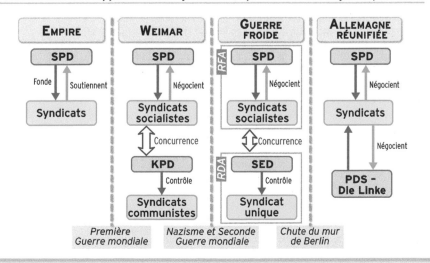

LES ACTEURS

August Bebel (1840-1913)
Fondateur avec Wilhelm Liebknecht du SPD en 1875, il en devient le principal dirigeant. Pour lui, le parti doit attendre la révolution et se renforcer sans agir violemment.

- -

Rosa Luxemburg (1871-1919)
Née en Pologne, elle milite au SPD à partir de 1898 et s'oppose aux tentatives révisionnistes d'Eduard Bernstein. Elle est favorable à une révolution populaire violente et spontanée pour abattre le capitalisme. Elle fonde avec Karl Liebknecht la Ligue spartakiste, avant d'être assassinée avec lui en janvier 1919.

LES ÉVÉNEMENTS

Le Congrès de Gotha (1875)
Congrès fondateur du Parti social-démocrate allemand. Un programme révolutionnaire est adopté, mais dans l'immédiat, le Parti cherche surtout à faire des réformes.

- -

La révolution allemande (1918-1919)
Période de troubles politiques et sociaux entre novembre 1918 (chute de l'Empire) et l'été 1919. Le fossé entre sociaux-démocrates et communistes se creuse : les premiers soutiennent la République et répriment les troubles, les seconds veulent la révolution.

- -

Le congrès de Bad Godesberg (1959)
Le SPD adopte un nouveau programme et devient un parti entièrement réformiste ouvert à toutes les classes sociales.

NE PAS CONFONDRE

Socialisme : doctrine et mouvement politique né au XIXe siècle qui se fonde sur une critique radicale du capitalisme et de la propriété privée et sur la défense du prolétariat ouvrier.

Social-démocratie : forme de socialisme développée en Allemagne et dans laquelle un parti de masse permet l'adoption de réformes sociales, avec l'appui de syndicats qui encadrent la majorité des ouvriers.

- -

Communisme : branche du socialisme issue de la reprise par la révolution bolchevique des idées de Karl Marx en vue d'établir par la révolution une société sans classes ni propriété privée.

Syndicalisme : organisation des ouvriers en associations professionnelles, dont l'objectif est d'améliorer les conditions de travail. Les syndicats n'ont pas nécessairement de revendications politiques.

Analyser une peinture

Sujet **Les mineurs vus par un peintre engagé**

Le peintre représente la région de la Ruhr, où il a choisi de vivre un an parmi les mineurs en 1920 après avoir remporté le Grand Prix de peinture de Saxe.

Le soleil est une évocation de l'horizon révolutionnaire du « grand soir » et de l'avènement du socialisme.

Conrad Felixmüller représente deux ouvriers rentrant chez eux, vraisemblablement un père et son fils.

Conrad Felixmuller, *Travailleurs sur le chemin du retour*, huile sur toile, 1921, Collection particulière.
Durant la république de Weimar, les peintres expressionnistes expriment une critique politique et sociale de l'ordre bourgeois, et entretiennent des liens étroits avec le SPD et le KPD.

Conrad Felixmüller

Peintre formé à Dresde, militant du KPD à partir de 1919, Conrad Felixmüller (1897-1977), a participé à la révolte spartakiste. Ses œuvres peintes pendant la république de Weimar sont condamnées par le régime nazi et certaines sont détruites.

Expressionnisme

L'expressionnisme est un mouvement artistique qui se caractérise par la déformation de la réalité (couleurs violentes, lignes acérées) en vue d'inspirer chez le spectateur une réaction émotionnelle forte.

CONSIGNE

Montrez ce que ce tableau révèle du regard qu'un peintre communiste porte sur le monde ouvrier au début de la république de Weimar.
Expliquez ensuite quel regard critique on peut porter sur ce tableau.

FICHE MÉTHODE
Analyser une peinture

Étape 1 *Présenter une peinture*

▶ Identifier et présenter le document.

▶ Présenter l'artiste et son parcours.

▶ Identifier la nature de l'œuvre (portrait, paysage, scène, allégorie) et ses caractéristiques (technique, dimensions, lieu de conservation).

① Montrez le lien entre le parcours politique de Konrad Felixmüller et le choix du thème de l'œuvre.

> **Conseils**
>
> *Replacez l'œuvre et son auteur dans le contexte des années 1919-1921 en Allemagne.*

Étape 2 *Analyser une peinture*

▶ Étudier la composition du tableau (plans, disposition des éléments), la gamme des couleurs, la répartition de la lumière, le dessin.

▶ Prélever les informations contenues par le tableau: le sujet traité, les personnages, les symboles.

▶ Analyser les intentions de l'artiste et ses choix.

② Relevez les aspects de la condition ouvrière que l'artiste met en avant et les procédés qu'il emploie.

> **Conseils**
>
> *Identifiez les caractéristiques de l'expressionnisme présentes dans cette œuvre.*

Étape 3 *Dégager l'intérêt historique du document*

▶ Montrer ce que le tableau apporte à la connaissance du sujet abordé, mais aussi du courant artistique ou des idées politiques du peintre.

▶ Étudier les réactions éventuelles que l'œuvre a suscité.

③ Montrez que ce tableau exprime un art prolétarien fortement influencé par l'idéologie communiste.

> **Conseils**
>
> *Notez les aspects de la condition ouvrière que l'artiste ne montre pas.*

EXERCICE D'APPLICATION

Sujet **L'internationale ouvrière**

Otto Griebel, *L'Internationale* (huile sur toile), 1928-1930. Musée historique de Berlin.

Entre 1928 et 1930, Otto Griebel (1895-1972), peintre de la Nouvelle Objectivité*, membre du KPD et de l'Association des artistes peintres révolutionnaires, réalise ce tableau, l'une des œuvres les plus emblématiques de l'art prolétaire révolutionnaire, dans laquelle il se représente lui-même au deuxième rang à droite.

> **CONSIGNE**
>
> Montrez comment l'artiste représente la solidarité ouvrière et l'internationalisme, et indiquez ce que ce tableau révèle de son propre engagement.

Comprendre les enjeux du sujet

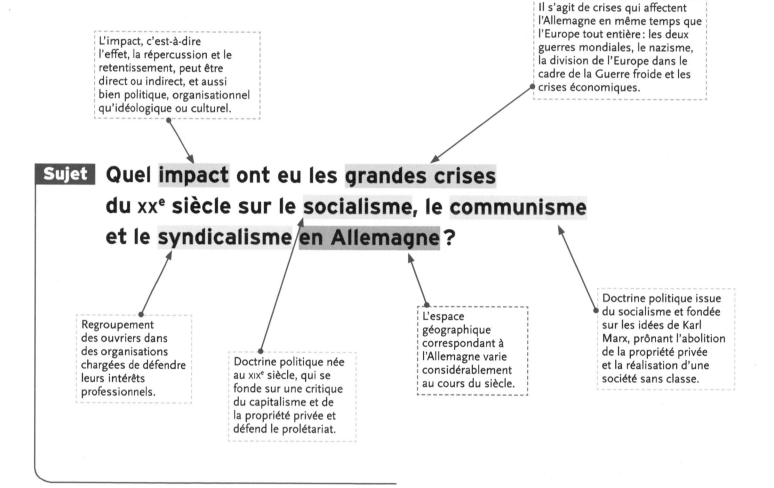

L'impact, c'est-à-dire l'effet, la répercussion et le retentissement, peut être direct ou indirect, et aussi bien politique, organisationnel qu'idéologique ou culturel.

Il s'agit de crises qui affectent l'Allemagne en même temps que l'Europe tout entière : les deux guerres mondiales, le nazisme, la division de l'Europe dans le cadre de la Guerre froide et les crises économiques.

Sujet **Quel impact ont eu les grandes crises du xxᵉ siècle sur le socialisme, le communisme et le syndicalisme en Allemagne ?**

Regroupement des ouvriers dans des organisations chargées de défendre leurs intérêts professionnels.

Doctrine politique née au xixᵉ siècle, qui se fonde sur une critique du capitalisme et de la propriété privée et défend le prolétariat.

L'espace géographique correspondant à l'Allemagne varie considérablement au cours du siècle.

Doctrine politique issue du socialisme et fondée sur les idées de Karl Marx, prônant l'abolition de la propriété privée et la réalisation d'une société sans classe.

Aide-mémoire

- **1875** Fondation du SPD.
- **1918** Naissance du KPD.
- **1933** Interdiction par Hitler du SPD, du KPD et des syndicats.
- **1949** Création de la RFA et de la RDA.
- **1959** Programme de Bad Godesberg.
- **2003** Agenda 2010.

FICHE MÉTHODE
Comprendre les enjeux du sujets

Rappel : Bien comprendre le sujet (méthode générale p. 12 et fiche méthode p. 76).

Identifiez les mots clés du sujet et replacez-les dans leur contexte historique.

> **Conseils**
> *Aidez-vous des pages Clés du thème (p. 128) et des cours p. 134 et p. 140.*

Rappel : Définir et délimiter les termes du sujet (fiche méthode p. 124).

Délimitez chronologiquement le sujet et justifiez la date que vous retenez pour le début de la période.

> **Conseils**
> *Interrogez-vous sur l'importance de la Première Guerre mondiale pour ce sujet.*

Étape 1 *Identifier le problème historique posé par le sujet*

▶ Étudier les thèmes principaux auxquels le sujet se réfère.

▶ Identifier la question centrale posée par le sujet.

① Montrez que le mouvement ouvrier, sans être nommé dans le libellé, est au cœur du sujet.

> **Conseils**
> *Replacez le sujet dans le contexte plus large des mutations sociales engendrées par l'industrialisation.*

Étape 2 *Analyser l'orientation du sujet*

▶ Identifier le sens général du sujet.

▶ En déduire si le sujet demande d'analyser une évolution, une comparaison, ou une opposition.

② Montrez que le sujet implique d'étudier des évolutions et des ruptures majeures, à l'échelle de l'Europe entière.

> **Conseils**
> *Identifiez les grandes césures chronologiques du sujet.*

Étape 3 *Mettre en relation les termes du sujet avec le programme étudié en classe*

▶ Prélever les informations utiles pour comprendre et évaluer le sujet.

▶ Dégager l'idée d'ensemble, puis les idées plus précises qui seront développées par la suite.

③ Identifiez les idées principales auxquelles se rapporte le sujet.

> **Conseils**
> *Aidez-vous des cours p. 134 et p. 140. Veillez à ne pas vous éloigner du sujet.*

EXERCICE D'APPLICATION

Sujet 1 Comment le SPD a-t-il réussi à s'adapter aux évolutions de la société ?

> **Conseils**
> *Retracez les grandes étapes de l'histoire du SPD en vous aidant des études p. 144 et p. 146.*

Sujet 2 Le socialisme et le monde ouvrier en Allemagne au xxe siècle.

> **Conseils**
> *Identifiez et expliquez les grandes ruptures dans l'histoire des rapports entre socialisme et monde ouvrier.*

PROLONGEMENTS

Formuler la problématique (voir p. 182)

➔ Formulez une problématique à partir des enjeux que vous avez dégagés.

Élaborer un plan (voir p. 210)

➔ Formulez les titres des parties de votre plan.

Composition

Sujet Socialistes et communistes en Allemagne au XXᵉ siècle

Conseils

Bien comprendre le sujet: la conjonction «et» est souvent un mot clé de compréhension des sujets; elle vous impose d'étudier les liens, les rapports entre les termes et interdit de les étudier séparément.

Définir et délimiter les termes du sujet: mettez en évidence la particularité de l'après-guerre, lorsque l'Allemagne est divisée en deux États dont les structures politiques sont très différentes.

Comprendre les enjeux du sujet: notez bien que le sujet ne comporte pas le mot «parti»; le traitement du sujet est donc plus large que la seule relation entre les formations politiques.

Sujet Syndicalisme et partis politiques en Allemagne au XXᵉ siècle

Conseils

Bien comprendre le sujet: notez que «syndicalisme» et «partis politiques» ne sont pas sur le même plan; le premier terme est plus large que le second.

Choisir un plan: comme pour le sujet précédent, tenez compte des changements géographiques et politiques induits par la Seconde Guerre mondiale, avec l'évolution du syndicalisme et des partis politiques vers des modèles complètement différents de part et d'autre du rideau de fer.

Étude critique de document(s)

Sujet Les socialistes allemands face à la Première Guerre mondiale

Déclaration de Karl Liebknecht contre le vote des crédits de guerre

«Cette guerre, qu'aucun des peuples intéressés n'a voulue, n'a pas éclaté en vue du bien-être du peuple allemand ou de tout autre peuple. Il s'agit d'une guerre impérialiste, d'une guerre pour la domination capitaliste du marché mondial et pour la domination politique de contrées importantes ou pourrait s'installer le capital industriel et bancaire. [...]
Cette guerre n'est pas une guerre défensive pour l'Allemagne. Son caractère historique et la succession des événements nous interdisent de nous fier à un gouvernement capitaliste quand il déclare que c'est pour la défense de la Patrie qu'il demande les crédits.
Une paix rapide et qui n'humilie personne, une paix sans conquêtes, voilà ce qu'il faut exiger. Tous les efforts dirigés dans ce sens doivent être bien accueillis. Seule l'affirmation continue et simultanée de cette volonté, dans tous les pays belligérants, pourra arrêter le sanglant massacre avant l'épuisement complet de tous les peuples intéressés.
Seule une paix fondée sur la solidarité internationale de la classe ouvrière et sur la liberté de tous les peuples peut être une paix durable. C'est dans ce sens que les prolétariats de tous les pays doivent fournir, même au cours de cette guerre, un effort socialiste pour la paix. [...]
Et c'est pourquoi je repousse les crédits militaires demandés.»

Karl Liebknecht, *Déclaration* au Reichstag, Berlin, le 2 décembre 1914. Cité dans Alfred Rosmer, *Le Mouvement ouvrier pendant la Première Guerre mondiale*, Librairie du Travail Éditions d'Avron, 1936.

Conseils

Analysez la présentation que l'auteur donne de la guerre et replacez-la dans le contexte des débuts de la Première Guerre mondiale.

Montrez que ce texte permet aussi de retrouver l'explication du conflit défendue par le gouvernement allemand.

Montrez en quoi ce texte est marqué par l'idéologie socialiste.

CONSIGNE

À travers une étude critique de ce texte, expliquez la position de l'auteur et rappelez les divisions au sein du courant socialiste allemand durant la Première Guerre mondiale.

Sujet La nostalgie de la RDA

1. La RDA : un héritage encombrant

« Condamné pour le meurtre d'une femme de 36 ans et de son fils de 8 ans qui tentaient de franchir le mur de Berlin, Egon Krenz[1] dit en avoir assez de jouer les boucs émissaires. "Je ne suis pas un coupable, je suis le personnage d'un drame", se défend-il. "Bravo Egon, applaudit le public, nous ne nous laisserons pas intimider." "Aujourd'hui, des hommes sont exclus, simplement parce qu'ils conservent un autre souvenir de la RDA que celui propagé par l'État", affirme Krenz, qui fut longtemps en charge de la sécurité et de la propagande du régime est-allemand. [...]

Krenz surfe sur une vague d'"Ostalgie[2]", qui, près de vingt ans après la chute du Mur, ne cesse de fleurir dans l'Est de l'Allemagne. Des sondages montrent que certains habitants de l'ex-RDA regrettent le Mur. Alors que la crise frappe durement l'Allemagne, ils ont aussi la nostalgie du confort offert par l'ancienne économie planifiée, oubliant que sa faillite avait précipité l'effondrement du communisme. Selon une récente étude, une majorité d'écoliers est incapable de dire si la RDA était une démocratie ou une dictature.

Tel un fantôme, Krenz est aussi revenu hanter *Die Linke*, la formation issue de l'ancien Parti communiste (PDS), dont il avait été exclu en 1990, pour "embellissement de la vérité" et égoïsme. Le parti, qui tente de faire oublier ses origines et qui ne cesse d'être rattrapé par le passé dans la Stasi de ses cadres, ne veut plus de Krenz. Visiblement embarrassés, les chefs de *Die Linke* ont refusé de le réintégrer, contre l'avis de la base dont il est devenu le héros. »

Patrick Saint-Paul, *Le Figaro*, 19 février 2009.

1. Egon Krenz a été le dernier président de la RDA et secrétaire-général du SED.
2. Néologisme désignant la «nostalgie de l'Est» (*Ost* en allemand) c'est-à-dire du régime de la RDA.

Conseils

Examinez les raisons pour lesquelles certains Allemands regrettent la RDA; expliquez ce que sous-entend E. Krenz dans le document 1 quant à la connaissance de ce pays.

Comparez le sort du monument du document 2 avec ce qui est advenu d'autres symboles du communisme dans l'ex-bloc soviétique et notamment dans l'ex-RDA.

Retracez l'historique du parti Die Linke et ses caractéristiques idéologiques. Expliquez son attitude à propos d'E. Krenz.

2. Les symboles de la RDA

Monument à la mémoire de Marx et Engels, Berlin, 18 mars 1992.

CONSIGNE

Par la confrontation des deux documents, expliquez pourquoi certains Allemands éprouvent encore la nostalgie du régime de la RDA et examinez de façon critique les implications de cette attitude pour les partis de gauche en Allemagne.

CHAPITRE 7

Médias et opinion publique dans les grandes crises politiques en France depuis l'affaire Dreyfus

Depuis la fin du xixe siècle, les médias accompagnent la formation de l'opinion publique. Leur développement leur donne un rôle majeur dans la vie démocratique lors des crises politiques.

Quel rôle les médias et l'opinion publique jouent-ils dans les crises politiques depuis la fin du xixe siècle?

1 **L'âge d'or de la presse politique**

Henri Gervex (1852-1929), *La Direction du journal* La République française, huile sur toile (145x217 cm), 1890. Paris, musée d'Orsay.

Le peintre Gervex représente le bureau de Joseph Reinach, directeur du journal *La République française*. Assis à sa table, devant le buste du fondateur Léon Gambetta, Reinach est entouré de ses principaux collaborateurs, qui sont tous d'influents hommes politiques républicains.

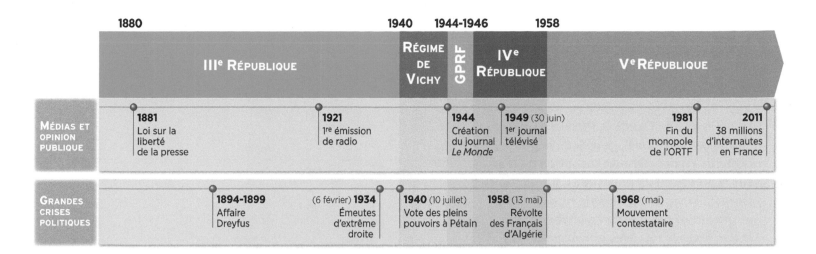

	1880			1940	1944-1946	1958	

	IIIᵉ RÉPUBLIQUE	RÉGIME DE VICHY	GPRF	IVᵉ RÉPUBLIQUE	Vᵉ RÉPUBLIQUE

MÉDIAS ET OPINION PUBLIQUE

1881 Loi sur la liberté de la presse — **1921** 1ʳᵉ émission de radio — **1944** Création du journal *Le Monde* — **1949** (30 juin) 1ᵉʳ journal télévisé — **1981** Fin du monopole de l'ORTF — **2011** 38 millions d'internautes en France

GRANDES CRISES POLITIQUES

1894-1899 Affaire Dreyfus — (6 février) **1934** Émeutes d'extrême droite — **1940** (10 juillet) Vote des pleins pouvoirs à Pétain — **1958** (13 mai) Révolte des Français d'Algérie — **1968** (mai) Mouvement contestataire

2 L'ère de l'image et de l'interactivité

Émission « En direct avec le Président », TF1, 14 avril 2005.
Avec les nouveaux moyens audiovisuels et numériques, le rapport entre citoyens et médias change. Dans cette émission, le président Jacques Chirac est interrogé par un panel représentant l'opinion publique, au sujet du référendum sur le projet de Constitution européenne.

QUESTIONS

1. Qui construit l'information ?

2. Comment le rôle des différents acteurs évolue-t-il ?

3. Quel rôle politique les médias peuvent-ils jouer ?

Médias et opinion à la Belle Époque

La période qui précède la Première Guerre mondiale constitue l'âge d'or de la presse écrite en France. Depuis l'adoption de la loi sur la presse du 29 juillet 1881, les quotidiens animent la vie démocratique républicaine, profitant des progrès de l'alphabétisation et des presses rotatives qui abaissent les coûts de fabrication. Le nombre de lecteurs progresse rapidement : en 1913, 9 millions de journaux sont vendus chaque jour en France contre moins de 3 millions en 1880. Cet essor profite surtout à la grande presse populaire d'information, mais aussi à une presse d'opinion, aux tirages encore limités.

Publicité pour *La Petite Gironde*, 1900.

1 Une presse quotidienne diversifiée

À la Belle Époque, la presse quotidienne parisienne a une diffusion nationale et son principal titre, *Le Petit Parisien*, peut prétendre au titre de journal le plus lu au monde. Les 60 titres parisiens sont cependant confrontés au dynamisme des quelque 250 quotidiens de province dont les tirages progressent très rapidement.

Publicité pour *Le Petit Parisien*, 1910.

2 La presse, un média d'opinion

Tirages de la presse parisienne nationale en 1912.

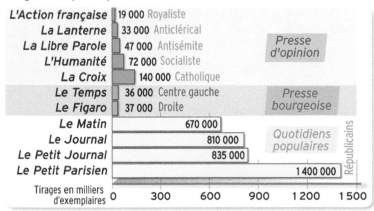

L'Action française	19 000 Royaliste	Presse d'opinion
La Lanterne	33 000 Anticlérical	
La Libre Parole	47 000 Antisémite	
L'Humanité	72 000 Socialiste	
La Croix	140 000 Catholique	
Le Temps	36 000 Centre gauche	Presse bourgeoise
Le Figaro	37 000 Droite	
Le Matin	670 000	Quotidiens populaires
Le Journal	810 000	
Le Petit Journal	835 000	
Le Petit Parisien	1 400 000	

Tirages en milliers d'exemplaires : 0 — 300 — 600 — 900 — 1 200 — 1 500

Républicains

3 L'information à la portée de tous

Vendeur de journaux à Paris, vers 1895.
Les vendeurs de journaux ambulants sont très présents dans les rues des villes pendant la Belle Époque. Ils rendent l'information rapidement accessible à l'ensemble du public.

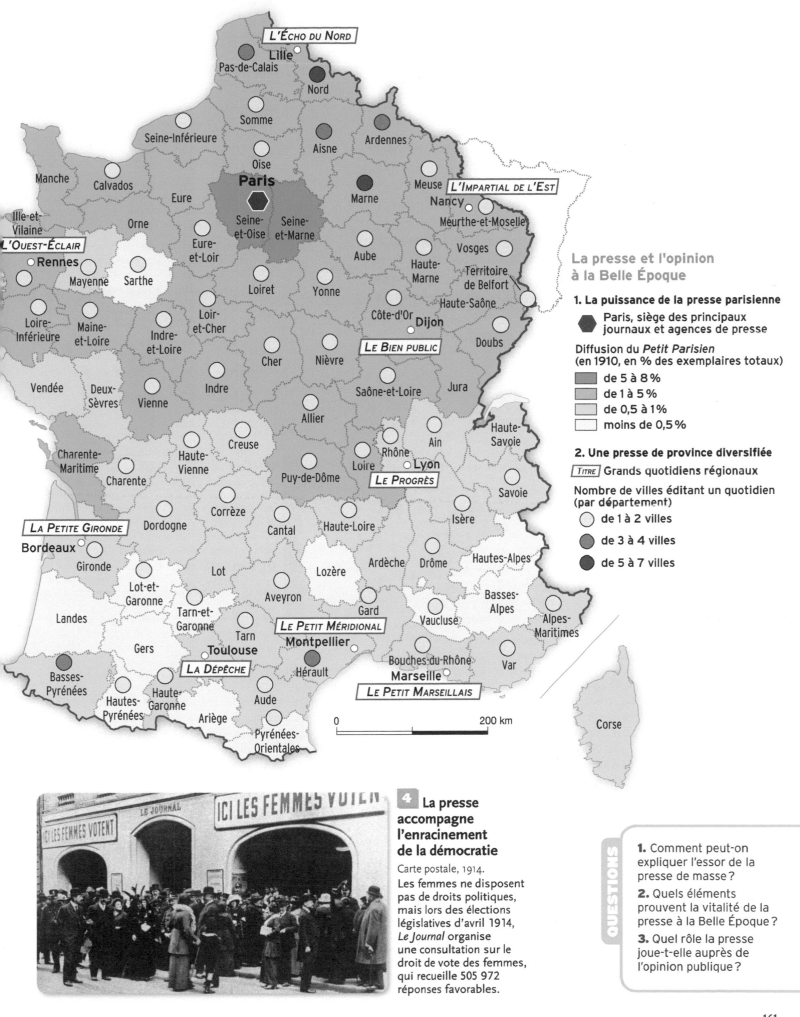

L'ÉCHO DU NORD

Lille
Pas-de-Calais

Nord

Somme

Seine-Inférieure

Aisne

Ardennes

Manche

Calvados

Oise

Paris

Marne

Meuse

L'IMPARTIAL DE L'EST

Nancy

Meurthe-et-Moselle

Eure

Seine-et-Oise

Seine-et-Marne

Vosges

Ille-et-Vilaine

Orne

Eure-et-Loir

Aube

Haute-Marne

Territoire de Belfort

L'OUEST-ÉCLAIR

Rennes

Mayenne

Sarthe

Loiret

Yonne

Haute-Saône

Loire-Inférieure

Maine-et-Loire

Indre-et-Loire

Loir-et-Cher

Cher

Nièvre

Côte-d'Or

Dijon

Doubs

LE BIEN PUBLIC

Vendée

Deux-Sèvres

Vienne

Indre

Saône-et-Loire

Jura

Allier

Charente-Maritime

Haute-Vienne

Creuse

Rhône

Ain

Haute-Savoie

Charente

Puy-de-Dôme

Loire

Lyon

LE PROGRÈS

Savoie

Corrèze

Cantal

Haute-Loire

Isère

LA PETITE GIRONDE

Bordeaux

Dordogne

Lozère

Ardèche

Drôme

Hautes-Alpes

Gironde

Lot

Aveyron

Gard

Vaucluse

Basses-Alpes

Lot-et-Garonne

Tarn-et-Garonne

Tarn

Montpellier

Alpes-Maritimes

Landes

Gers

Toulouse

LE PETIT MÉRIDIONAL

Hérault

Bouches-du-Rhône

Var

LA DÉPÊCHE

Marseille

Basses-Pyrénées

Haute-Garonne

Aude

LE PETIT MARSEILLAIS

Hautes-Pyrénées

Ariège

Pyrénées-Orientales

Corse

0   200 km

La presse et l'opinion à la Belle Époque

1. La puissance de la presse parisienne

⬡ Paris, siège des principaux journaux et agences de presse

Diffusion du *Petit Parisien* (en 1910, en % des exemplaires totaux)

▓ de 5 à 8 %
▒ de 1 à 5 %
░ de 0,5 à 1 %
□ moins de 0,5 %

2. Une presse de province diversifiée

Titre Grands quotidiens régionaux

Nombre de villes éditant un quotidien (par département)

○ de 1 à 2 villes
◔ de 3 à 4 villes
● de 5 à 7 villes

4 **La presse accompagne l'enracinement de la démocratie**

Carte postale, 1914.
Les femmes ne disposent pas de droits politiques, mais lors des élections législatives d'avril 1914, *Le Journal* organise une consultation sur le droit de vote des femmes, qui recueille 505 972 réponses favorables.

QUESTIONS

1. Comment peut-on expliquer l'essor de la presse de masse ?

2. Quels éléments prouvent la vitalité de la presse à la Belle Époque ?

3. Quel rôle la presse joue-t-elle auprès de l'opinion publique ?

La presse et l'affaire Dreyfus

Le 13 janvier 1898, en «Une» du quotidien *L'Aurore*, Émile Zola accuse l'armée d'avoir fait une erreur judiciaire en condamnant pour espionnage Alfred Dreyfus*, un officier d'origine juive. La presse s'engage dans la polémique et, sous son influence, l'opinion publique se divise: les antidreyfusards, qui croient en la culpabilité de Dreyfus, souvent en avançant des arguments antisémites, s'opposent aux dreyfusards qui défendent la thèse de son innocence. Ces derniers obtiennent la révision du procès qui conduit à la grâce de Dreyfus puis à sa réhabilitation en 1906.

Comment la presse a-t-elle fait d'une erreur judiciaire une affaire d'opinion?

Chronologie

1894 Découverte de documents prouvant une activité d'espionnage en faveur de l'Allemagne. Le conseil de guerre de Paris condamne le capitaine Dreyfus à la dégradation et la déportation pour haute trahison.

1896 Le colonel Picquart prouve la culpabilité du commandant Esterhazy. Le colonel Henry forge un faux document pour éviter la révision du procès de Dreyfus.

1898 **Janvier** Le conseil de guerre innocente le commandant Esterhazy. Publication de «J'accuse...!» d'Émile Zola dans *L'Aurore*.

Février Condamnation et exil de Zola.

31 août Le colonel Henry avoue qu'il a réalisé un faux accusant Dreyfus et se suicide.

1899 **9 septembre** Nouvelle condamnation de Dreyfus par le conseil de guerre de Rennes.

19 septembre Grâce présidentielle de Dreyfus.

1906 Réhabilitation de Dreyfus par la Cour de cassation.

1 «J'Accuse...!», la Une qui lance l'Affaire

Alors que Dreyfus ne compte qu'une poignée de défenseurs, Georges Clemenceau*, rédacteur en chef du journal L'Aurore, *choisit de le soutenir. La publication de la lettre ouverte de l'écrivain Émile Zola* au président de la République relance le combat dreyfusard.*

«J'accuse le lieutenant-colonel du Paty de Clam[1] d'avoir été l'ouvrier diabolique de l'erreur judiciaire, en inconscient, je veux le croire, et d'avoir ensuite défendu son œuvre néfaste, depuis trois ans, par les machinations les plus saugrenues et les plus coupables. [...]

J'accuse enfin le premier conseil de guerre d'avoir violé le droit, en condamnant un accusé sur une pièce restée secrète, et j'accuse le second conseil de guerre d'avoir couvert cette illégalité, par ordre, en commettant à son tour le crime juridique d'acquitter sciemment un coupable[2]. [...]

L'acte que j'accomplis ici n'est qu'un moyen révolutionnaire pour hâter l'explosion de la vérité et de la justice. Je n'ai qu'une passion, celle de la lumière, au nom de l'humanité qui a tant souffert et qui a droit au bonheur. Ma protestation enflammée n'est que le cri de mon âme [...] Qu'on ose donc me traduire en cour d'assises et que l'enquête ait lieu au grand jour! J'attends.»

Émile Zola, «Lettre au président de la République», L'Aurore, 13 janvier 1898.

1. Officier chargé de l'enquête sur la culpabilité de Dreyfus.
2. Le commandant Esterhazy.

Manchette de *L'Aurore*, 13 janvier 1898.

Intellectuel: terme généralisé pendant l'affaire Dreyfus pour désigner les écrivains, artistes, savants ou universitaires qui expriment leur opinion en public et cherchent à peser sur l'opinion et la vie politique.

Média: désigne tout moyen permettant la diffusion ou l'échange d'informations.

Opinion publique: ensemble des attitudes et jugements, tant individuels que collectifs, que suscitent des problèmes touchant toute la société.

2 L'agressivité de la presse antidreyfusarde

Henri Rochefort*, rédacteur en chef de L'Intransigeant, *attaque les défenseurs du capitaine Dreyfus avec une violence caractéristique de la presse antidreyfusarde.*

«Je demanderai simplement au pays s'il croit que l'ex-capitaine Dreyfus, pauvre et privé de l'appui [...] de la haute finance allemande ou juive, aurait trouvé pour l'assister un pareil nombre de députés, de sénateurs, d'avocats et de journalistes. Les six millions déjà dépensés en propagande sont évidemment allés dans certaines poches et dans diverses caisses. Pendant deux ans et demi, c'est-à-dire tant que le Syndicat de trahison et de corruption n'a pas ouvert ses écluses, personne n'a émis le plus léger doute sur la culpabilité du dégradé de l'île du Diable[1].

Tout à coup des brochures jonchent les rues, des journaux se fondent instantanément. D'autres, dont la faillite était quotidiennement annoncée, se mettent à payer leurs rédacteurs stupéfaits devant cette pluie d'or. On achète enfin tous ceux qui sont achetables.[...]

Les youtres[2] franco-allemands gouvernent à la Chambre et à la cour d'assises. Et si leur Zola est condamné, ce qui est probable, ils ordonneront de le faire gracier.»

Henri Rochefort, «La puissance de l'or», L'Intransigeant, 17 février 1898.

1. Le capitaine Dreyfus est emprisonné à l'île du Diable (Guyane), de 1895 à 1899.
2. Terme injurieux employé pour désigner les Juifs.

UN DINER EN FAMILLE
(PARIS, CE 13-FÉVRIER-1888)
PAR CARAN D'ACHE

— Surtout ! ne parlons pas de l'affaire Dreyfus !

— Ils en ont parlé...

3 L'opinion divisée par l'Affaire

Dessin de Caran d'Ache (1858-1909), « Un dîner en famille »,
publié dans *Le Figaro*, 14 février 1898.

6 De nouveaux acteurs de l'opinion : les « intellectuels »

Émile Durkheim définit et justifie le rôle des intellectuels, terme employé pour la première fois par Georges Clémenceau à l'occasion de l'Affaire.

« Si donc, dans ces temps derniers, un certain nombre d'artistes, mais surtout de savants, ont cru devoir refuser leur assentiment à un jugement dont la légalité leur paraissait suspecte, ce n'est pas que, en leur qualité de chimistes ou de philologues[1], de philosophes ou d'historiens, ils s'attribuent je ne sais quels privilèges spéciaux et comme un droit éminent de contrôle sur la chose jugée. Mais c'est que, étant hommes, ils entendent exercer tout leur droit d'hommes. [...] Il est vrai qu'ils se sont montrés plus jaloux de ce droit que le reste de la société ; mais c'est simplement que, par suite de leurs habitudes professionnelles, il leur tient plus à cœur. Accoutumés par la pratique de la méthode scientifique à réserver leur jugement tant qu'ils ne se sentent pas éclairés, il est naturel qu'ils cèdent moins facilement aux entraînements de la foule et au prestige de l'autorité. »

Émile Durkheim, *La Revue bleue*, juillet 1898.
1. Spécialiste de linguistique.

4 Les attaques de la presse contre Zola

Dessin de Bobb, « J'amuse », *La Silhouette*, 24 juillet 1898.
Émile Zola. – « Ah ! les Français ne prennent plus mes petits papiers au sérieux... Eh bien ! je vais les distribuer à l'étranger ! » Condamné pour diffamation envers le gouvernement, Émile Zola s'exile en Angleterre. La presse antidreyfusarde y voit un signe de trahison.

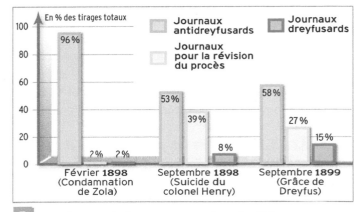

5 L'évolution de la presse pendant l'Affaire

Tendance politique des quotidiens (en pourcentage des tirages totaux).
L'Affaire conduit les journaux à prendre position pour ou contre Dreyfus, ou à s'engager en faveur d'une révision du procès de 1894.

La naissance de l'Affaire

1. Quels moyens les journaux utilisent-ils pour défendre leurs idées ? (doc. 1, 2, 4)

2. En quoi les intellectuels constituent-ils de nouveaux acteurs de l'opinion ? (doc. 1, 6)

3. Montrez que l'Affaire révèle l'étendue et les limites de la liberté de la presse. (doc. 1, 2, 6)

L'opinion publique et la presse

4. Caractérisez l'évolution des opinions émises par la presse sur l'Affaire. (doc. 5)

5. Les débats se limitent-ils à la presse ? (doc. 3, 6)

Bilan : Comment la presse a-t-elle fait d'une erreur judiciaire une affaire d'opinion ?

Étude critique de documents

Comparez les documents 1 et 2 et montrez en quoi ils illustrent la vigueur du débat suscité par la presse durant l'Affaire.

L'avènement des médias de masse et l'opinion publique

Comment les médias de masse participent-ils à l'élaboration de l'opinion publique?

A. Les médias et l'enracinement de la démocratie (jusqu'en 1918)

• **La fin du XIXe siècle marque l'avènement de la presse quotidienne de masse.** Bon marché, souvent illustrée [doc. 1], elle conquiert un lectorat élargi par la politique scolaire de la IIIe République, qui développe la lecture et la connaissance du français.

• Soucieux d'organiser le débat démocratique à l'échelle nationale, **la IIIe République** supprime le régime d'autorisation préalable en place sous le IInd Empire et **libère la presse du contrôle politique par la loi du 29 juillet 1881.** Avec la **liberté de la presse**, les titres de la **presse d'opinion** se multiplient et jouent un rôle politique croissant, notamment la presse antirépublicaine. La presse est ainsi à l'origine de crises que traverse le régime (voir p. 162).

• **Durant la Grande Guerre, l'état de siège interdit la diffusion d'informations favorables à l'ennemi** ou pouvant porter atteinte au moral de la population. Les journalistes, à quelques exceptions près [doc. 2], se contentent de relayer les nouvelles officielles transmises par l'état-major.

B. Entre liberté de ton et contrôle politique (1918-1944)

• **Dans l'entre-deux-guerres, les intellectuels s'expriment de plus en plus dans la presse.** Les journaux [doc. 3] jouent un rôle majeur dans la crise que traverse la République dans les années 1930 (voir p. 166) et alimentent l'antiparlementarisme.

• **Le paysage médiatique se diversifie. La radio se développe** à partir de 1921 sous le monopole et le contrôle étroit de l'État. En 1938, la radio annonce les accords de Munich une heure après leur signature, bien avant leur publication dans les quotidiens. L'image de reportage s'impose à la fois dans les **actualités cinématographiques** et la **presse photographique** en rapide essor. Les médias se font le relais des sondages d'opinion à partir de 1938.

• **Durant la Seconde Guerre mondiale, la propagande et la censure** de l'occupant et du régime de Vichy n'aboutissent pas à un contrôle total des médias (voir p. 168). La radio anglaise BBC diffuse ainsi depuis Londres les émissions de la France libre et les résistants impriment et diffusent 1 200 journaux clandestins en France occupée. Le plus important, *Combat*, tire à 250 000 exemplaires en 1944.

C. Les bouleversements médiatiques (1944-1958)

• À la Libération, **l'ordonnance du 30 septembre 1944 interdit les journaux ayant continué à paraître sous l'Occupation** pour avoir trop activement collaboré avec le régime de Vichy. Pour remplacer *Le Temps*, quotidien de référence avant-guerre, de Gaulle confie en 1944 à **Hubert Beuve-Méry** la création du *Monde*.

• La presse écrite est confrontée au **dynamisme des médias audiovisuels.** La radio devient un média incontournable dans la vie politique [doc. 5] et se diversifie grâce aux **radios périphériques** qui favorisent le contact immédiat avec l'auditeur. **La diffusion du premier journal télévisé, le 30 juin 1949,** donne son essor à un média qui fascine les foules [doc. 4], mais dont la diffusion reste confidentielle.

1 **La vie privée des hommes politiques dévoilée**

Une du *Petit Journal*, 29 mars 1914.
Le 16 mars 1914, Henriette Caillaux tue Gaston Calmette, le directeur du *Figaro*, dont le journal a divulgué des lettres privées visant à décrédibiliser son mari, le ministre des Finances Joseph Caillaux. Elle est acquittée à l'issue d'un procès très suivi par la presse et l'opinion.

BIOGRAPHIE

Hubert Beuve-Méry (1902-1989)
Choisi par de Gaulle en 1944 pour créer *Le Monde*, qu'il dirige jusqu'en 1969, il en fait le quotidien de référence, symbole d'un journalisme indépendant visant l'objectivité, et défendant les libertés.
Hubert Beuve-Méry, 1969.

MOTS CLÉS

Liberté de la presse: droit d'écrire et de publier librement. Selon la loi du 29 juillet 1881, les fausses nouvelles peuvent être poursuivies seulement si on prouve leur caractère intentionnel.

Presse d'opinion: presse qui diffuse des idées partisanes et cherche à influencer le débat politique.

Radio périphérique: radio émettant en France depuis un émetteur étranger, afin de contourner le monopole d'État. Les plus célèbres sont Radio-Luxembourg (1931), Radio Monte-Carlo (1943) et Europe 1 (1955).

2 La naissance d'un journal satirique : *Le Canard enchaîné*

Fondé en 1915, Le Canard enchaîné est un hebdomadaire antimilitariste. Son fondateur, Maurice Maréchal, défend la liberté absolue de la presse, y compris en temps de guerre.

« *Le Canard enchaîné prendra la liberté grande de n'insérer, après minutieuse vérification, que des nouvelles rigoureusement inexactes. Chacun sait en effet que la presse française, sans exception, ne communique à ses lecteurs, depuis le début de la guerre, que des nouvelles implacablement vraies.*

Eh bien! Le public en a assez! Le public veut des nouvelles fausses... Pour changer. Il en aura.

Pour obtenir ce joli résultat, la direction du Canard enchaîné, ne reculant devant aucun sacrifice, n'a pas hésité à passer un contrat d'un an avec la très célèbre agence Wolff qui lui transmettra, chaque semaine, de Berlin, par fil spécial barbelé, toutes les fausses nouvelles du monde entier.

Dans ces conditions, nous ne doutons pas un seul instant que le grand public voudra bien nous réserver bon accueil, et, dans cet espoir, nous lui présentons, par avance et respectueusement, nos plus sincères condoléances. »

Éditorial du premier numéro du *Canard enchaîné*, 10 septembre 1915.

1. Comment cet article contourne-t-il la censure ?

3 Le suicide de Salengro, ministre calomnié par la presse

Couverture de la revue *Regards*, 26 novembre 1936.

Le ministre de l'Intérieur du gouvernement de Front populaire, Roger Salengro*, est accusé à tort par des journaux nationalistes d'avoir déserté durant la Grande Guerre. Accablé par la calomnie, il se suicide. Le journal communiste *Regards* dénonce la responsabilité des journalistes de *Gringoire*.

1. Comment les journalistes sont-ils représentés ?

4 La naissance d'une information instantanée

Jeunes gens regardant la télévision lors de la passation de pouvoir entre les présidents Vincent Auriol et René Coty, janvier 1954.

En 1954, René Coty est élu après 13 tours de scrutin. La passation de pouvoir au Palais de l'Élysée est retransmise à la télévision. Environ 1% des ménages français possède alors un téléviseur.

1. Comment peut-on expliquer l'intérêt suscité par cette retransmission ?

5 La IVe République, République de la radio

Président du Conseil de juin 1954 à février 1955, Pierre Mendès France innove en choisissant de s'adresser aux Français chaque samedi soir à la radio, dans ses «Causeries au coin du feu».*

« Mon propos n'est pas de vous donner des graves nouvelles ni de vous annoncer des décisions importantes que vous ne connaissiez déjà. [...] Non. L'objet principal de cette allocution est de vous dire mon intention de m'adresser régulièrement à vous pour vous parler en toute simplicité, comme ce soir, et vous tenir au courant de ce que fait et de ce que pense le gouvernement, qui est votre gouvernement. Je crois que c'est l'une de nos tâches d'expliquer à l'opinion la signification et la portée de nos actes. [...]

L'Assemblée nationale m'a fait une large confiance, mais je ne pourrai pas remplir ma lourde tâche si cette confiance n'est pas partagée par vous. Il serait réconfortant, encourageant, prometteur pour les uns et les autres, que s'établisse entre le gouvernement, les représentants du pays et l'opinion une sorte d'intimité, j'ose dire, affectueuse. Il n'y aurait alors pas d'obstacle sur notre route que nous ne serions assurés de surmonter tous ensemble. »

Pierre Mendès France, première «Causerie du samedi», 26 juin 1954, dans *Dire la vérité*, Tallandier, 2007.

1. Quel but politique Pierre Mendès France poursuit-il à travers ses allocutions ?

La crise du 6 février 1934 et les médias

Durant les années 1930, la IIIᵉ République, affaiblie par la crise économique et la succession de scandales politico-financiers, fait face à une vive agitation antiparlementaire alimentée par les ligues d'extrême droite et les mouvements d'anciens combattants. La presse nationaliste relaie l'appel à une manifestation de masse le 6 février 1934. Ce soir-là, des émeutes éclatent près de la Chambre des députés, entraînant la mort de 16 manifestants et d'un membre des forces de l'ordre. L'indignation que suscite l'événement dans la presse d'opinion entraîne alors la démission du gouvernement radical.

Comment les médias ont-ils suscité et accompagné la crise du 6 février 1934 ?

Chronologie

1933
Décembre La presse révèle qu'Alexandre Stavisky, escroc lié au ministre Camille Chautemps, a bénéficié de l'indulgence des juges.

1934
8 janvier Stavisky est retrouvé mort. La presse de droite soupçonne un assassinat sur ordre de Chautemps.

9 janvier Manifestation de l'Action française, ligue d'extrême droite.

11 janvier Arrestation de rédacteurs de journaux d'extrême droite.

12-27 janvier Manifestations de ligues.

30 janvier Démission du cabinet Chautemps. Édouard Daladier, nouveau chef du gouvernement.

3 février Daladier remplace le préfet de Police de Paris, Jean Chiappe, jugé trop favorable à l'extrême droite.

6 février Appels à manifester relayés par la presse. 30 000 personnes manifestent. Les affrontements font 17 morts et près de 2 000 blessés.

7 février Démission du gouvernement Daladier et formation d'un gouvernement d'Union nationale.

1 Un scandale politique à l'origine de l'émeute

Une du Canard enchaîné, *10 janvier 1934.*
Le 8 janvier 1934, Stavisky, escroc notoire responsable de la ruine des clients du Crédit communal de Bayonne, est retrouvé mort. La version officielle est celle d'un suicide, mais la presse répand l'idée qu'il aurait été assassiné pour l'empêcher de compromettre ses appuis politiques et parlementaires.

2 L'appel à manifester

Trois semaines après l'affaire Stavisky, le président du Conseil Édouard Daladier* mute le préfet de police Jean Chiappe, accusé de protéger les mouvements d'extrême droite. Ces derniers publient alors un appel à manifester le 6 février.

« Il y a quarante-huit heures, le Gouvernement obtenait que nous ajournions notre manifestation prévue pour aujourd'hui dimanche, en nous promettant de sévir contre les voleurs et les receleurs. [...] Vingt-quatre heures plus tard, il trahissait les engagements pris à notre égard et, pour mendier des voix, il prenait des décisions qui révoltent la conscience populaire. [...]
Est-ce pour aboutir à cela que pendant quatre ans nous avons tout sacrifié à la patrie et que pendant quinze ans nous sommes restés modestement dans le rang ? [...] Anciens combattants, membres de l'UNC[1] ou non, si vous ne voulez pas être complices des marchands de bulletins, vous manifesterez votre indignation mardi soir dans Paris. [...]
Vous manifesterez dans l'ordre et la dignité et nous verrons bien si on tentera pour l'éviter de nous acheter par des rosettes[2]. Nous verrons bien si on se servira de la police composée en majorité de nos camarades pour bâillonner les interprètes fidèles de ceux qui reposent à l'ombre des croix de bois pour avoir voulu que la France reste libre, propre et généreuse. »
Appel de l'UNC publié dans la presse le 5 février 1934.

1. Union nationale des combattants, association d'anciens combattants de la Grande Guerre orientée à droite.
2. Décoration honorifique.

3 La radio publique, porte-parole du gouvernement

Le soir du 6 février, Radio-Paris, étroitement contrôlée par l'État, diffuse des communiqués officiels.

« Des bandes, armées de revolvers et de couteaux, ont assailli les gardiens de la Paix [...]. Elles ont ouvert le feu sur les défenseurs de l'ordre ; de nombreux agents ont été blessés. La preuve est faite, par l'identité des manifestants arrêtés, qu'il s'agissait bien d'une tentative à main armée contre la sûreté de l'État. [...] Conscient de son devoir envers le pays qui réclame l'ordre et la paix, le gouvernement est résolu à assurer par tous les moyens que lui confère la loi la sécurité de la population et l'indépendance du régime républicain. »
Communiqué d'Édouard Daladier diffusé le soir du 6 février 1934 sur Radio-Paris, cité dans Le Temps, *8 février 1934.*

4 La presse divisée

Le 6 février suscite des commentaires passionnés dans l'ensemble de la presse, qui se divise sur les responsabilités des violences.

a. L'opinion d'un journal socialiste

« C'est une véritable émeute, préparée, organisée avec soin, avec méthode, par les formations fascistes. C'était un complot armé contre le régime républicain. Il a échoué. [...]
C'est la lie de la réaction qui a déferlé. C'est par la généreuse colère de la classe ouvrière qu'elle eût dû être balayée. Hélas! La classe ouvrière est divisée. Elle était hier encore divisée. Le sera-t-elle encore aujourd'hui, demain ? »

Le Populaire, 7 février 1934.

b. L'opinion d'un journal d'extrême droite

« Hier · soir, Paris a vu une chose inouïe. Pour défendre les pourris, le bandit Frot [ministre de l'Intérieur] et le franc-maçon Bonnefoy-Sibour [préfet de police] ont fait mitrailler la foule indignée qui venait autour du Palais Bourbon clamer son indignation, exiger la justice et la démission d'un régime qui s'enfonce dans la boue et dans le sang. Les plus formidables forces de police qu'on ait jamais vues étaient debout, armées pour la garde d'une bande de scélérats, dressées, excitées contre un peuple généreux. »

L'Action française, 7 février 1934.

NUIT DE SANG A PARIS

5 L'impact des photographies de presse

Une de l'hebdomadaire *Photomonde*, 10 février 1934.
L'éphémère *Photomonde* fait partie des hebdomadaires illustrés qui connaissent un vif succès dans les années 1930. Sa couverture de l'événement privilégie les images à sensation.

6 La mobilisation des intellectuels dans la presse

Le 5 mars 1934, trois intellectuels de gauche, qui considèrent le 6 février comme le symbole d'une menace fasciste, fondent le Comité de vigilance des intellectuels antifascistes.

« Unis, par-dessus toute divergence, devant le spectacle des émeutes fascistes de Paris et de la résistance populaire qui seule leur a fait face, nous venons déclarer à tous les travailleurs, nos camarades, notre résolution de lutter avec eux pour sauver contre une dictature fasciste ce que le peuple a conquis de droits et de libertés publiques. Nous sommes prêts à tout sacrifier pour empêcher que la France ne soit soumise à un régime d'oppression et de misère belliqueuses. [...]
Camarades, sous couleur de révolution nationale, on nous prépare un nouveau Moyen Âge. Nous, nous n'avons pas à conserver le monde présent, nous avons à le transformer, à délivrer l'État de la tutelle du grand capital – en liaison intime avec les travailleurs. »

Alain, Paul Langevin et Paul Rivet, « Aux travailleurs », 5 mars 1934, manifeste publié dans la *Nouvelle Revue française*, mai 1934.

QUESTIONS

La médiatisation de la crise

1. Dans quelle mesure la presse est-elle à l'origine de la crise ? (doc. 1, 2)

2. Quel rôle jouent les nouveaux médias de masse dans la crise ? (doc 3, 5)

Des interprétations divergentes

3. Les médias sont-ils neutres dans leur couverture de la crise ? (doc. 1 à 6)

4. En dehors des journalistes, qui intervient dans les médias et pourquoi ? (doc. 2, 3, 6)

5. Quelles sont les différentes opinions émises sur la crise ? (doc. 2, 3, 4, 6)

Bilan : Comment les médias ont-ils suscité et accompagné la crise du 6 février 1934 ?

Étude critique de document → **MÉTHODE** p. 181

Analysez le document 4 et montrez le rôle des journaux dans la crise.

La défaite de 1940 et le contrôle de l'information

Durant la «drôle de guerre» engagée contre l'Allemagne le 3 septembre 1939, l'État mobilise tous les moyens médiatiques au service de l'effort de guerre. L'offensive-éclair du printemps 1940 surprend une opinion publique informée par des médias peu objectifs. La radio, toujours contrôlée, diffuse, par la voix du maréchal Pétain devenu président du Conseil, la nouvelle de la signature de l'armistice et prépare la population à la «révolution nationale» qui s'engage le 10 juillet 1940.

Quelles sont les conséquences de la défaite et de l'Occupation sur les médias en France?

Chronologie

1940
10 mai Offensive allemande.
17 juin Le maréchal Pétain annonce l'arrêt des combats à la radiodiffusion française.
18 juin Appel du général de Gaulle à la BBC.
22 juin Signature de l'armistice.
10 juillet Vote des pleins pouvoirs à Pétain. Mise en place du régime de Vichy.
24 octobre Entrevue de Montoire entre Hitler et Pétain. Début de la politique de collaboration.
28 octobre Création du Secrétariat général à l'Information du régime de Vichy.
25 novembre Nationalisation de l'agence de presse Havas et création de l'Office français de l'information.

1 Un résistant critique les médias de masse

L'historien résistant Marc Bloch écrit durant l'été 1940 son analyse de la défaite. Il y critique notamment les médias, trop partiaux ou corrompus, qui n'ont pas su éclairer les masses.

«Pour pouvoir être vainqueurs, n'avions-nous pas, en tant que nation, trop pris l'habitude de nous contenter de connaissances incomplètes et d'idées insuffisamment lucides? Notre régime de gouvernement se fondait sur la participation des masses. Or, ce peuple auquel on remettait ainsi ses propres destinées et qui n'était pas, je crois, incapable en lui-même, de choisir les voies droites, qu'avons-nous fait pour lui fournir ce minimum de renseignements nets et sûrs, sans lesquels aucune conduite rationnelle n'est possible? Rien en vérité. [...] Sans doute, le bon sens populaire avait sa revanche. Il la prenait sous la forme d'une méfiance croissante envers toute propagande, par l'écrit ou par la radio. [...] Il nous faut choisir: ou faire, à notre tour, de notre peuple un clavier qui vibre, aveuglément, au magnétisme de quelques chefs [...]; ou le former à être le collaborateur conscient des représentants qu'il s'est lui-même donnés. Dans le stade actuel de nos civilisations, ce dilemme ne souffre plus de moyen terme...»

Marc Bloch, *L'Étrange Défaite*, Franc Tireur, 1946, © Gallimard.

2 Les débuts de la guerre des ondes

Pétain* dispose d'une administration centralisée de la Radiodiffusion nationale pour relayer ses discours sur l'ensemble du territoire. De Gaulle utilise les puissants émetteurs de la BBC, à Londres, pour lancer son appel du 18 juin 1940 puis pour son émission «Les Français parlent aux Français».

a. Le maréchal Pétain à la Radiodiffusion française en 1940.
b. Le général de Gaulle à la BBC de Londres en juin 1940.

3 Les médias et l'école au service de la propagande pétainiste

Photographie d'écoliers écoutant une allocution du maréchal Pétain, à Paris, en octobre 1941.

4 Le contrôle de la presse

Rares sont les journaux qui choisissent d'interrompre leur parution après juin 1940. Ceux de la zone Nord (tel Le Petit Parisien) choisissent de collaborer avec l'occupant. D'autres (dont Le Temps) se réfugient dans la zone Sud, où ils sont soumis à la censure du régime de Vichy.

« Les polémiques susceptibles de créer des divisions entre les Français sont interdites. Les critiques et attaques contre les adversaires de la politique du Maréchal sont autorisées.

Ne rien laisser passer sur de Gaulle et les émigrés en dehors des communications officielles.

En ce qui concerne les organes régionaux, les critiques touchant la vie locale, le ravitaillement, les administrations, pourront être admises à la condition essentielle qu'elles soient fondées et opportunes et ne puissent être interprétées comme un désaveu de la politique du Maréchal.

Les lettres de lecteurs, traitant de questions a-politiques, si elles sont conçues en termes modérés, pourront être insérées isolément. »

Secrétariat général à l'Information, « Consignes générales permanentes pour la presse », 14 avril 1941.

5 L'essor de la presse clandestine

La presse clandestine de la Résistance répond à la demande d'information de la population occupée. À partir d'octobre 1940, Raymond Deiss rédige et fabrique seize numéros du journal Pantagruel *dans son imprimerie parisienne avant d'être arrêté et condamné à mort.*

« Que nous devions observer loyalement les clauses du malheureux Armistice signé par notre Gouvernement, c'est certain, mais aucune ne nous oblige à nous conformer à l'évangile nazi et à renoncer à notre droit de penser par nous-mêmes. [...]

Le silence imposé aux journaux français véritables, et leur remplacement par des organes allemands empruntant leur titre et leur présentation n'est ni dans la lettre ni dans l'esprit de l'Armistice. Nous pouvons donc paraître en respectant les lois françaises [...].

Ne lisez pas *Pantagruel* en public et ne le faites circuler que par la poste sans nom d'expéditeur [...]. La répression est chez [les Allemands] hors de proportion avec le délit, faites attention. »

Pantagruel, n°2, octobre 1940.

QUESTIONS

Les médias, instruments de propagande

1. Quel usage le régime de Vichy fait-il des médias ? (doc. 2, 3, 4)

2. Quel média est privilégié par le maréchal Pétain et pourquoi ? (doc. 2, 3)

Le contrôle des médias

3. Comment peut-on expliquer que les médias n'aient pas exercé leur esprit critique ? (doc. 1, 4)

4. Montrez que le contrôle des médias est un enjeu central pour le nouveau régime. (doc. 2, 4, 5)

5. Quels médias parviennent à contourner la censure ? Comment sont-ils diffusés ? (doc. 2, 5)

Bilan : Quelles sont les conséquences de la défaite et de l'Occupation sur les médias en France ?

Étude critique de document → MÉTHODE p. 209

Montrez l'apport et les limites du document 1 pour l'étude du rôle joué par les médias dans la défaite de 1940.

Le 13 mai 1958, une crise médiatisée

La IVᵉ République, fragilisée par une instabilité gouvernementale chronique, doit faire face à un problème majeur: la guerre d'Algérie. Le 13 mai 1958, à Alger, une foule favorable à l'Algérie française manifeste contre l'investiture de Pierre Pflimlin, considéré comme un partisan de la négociation avec les indépendantistes. Les partisans de l'Algérie française appellent de Gaulle au pouvoir. Retiré de la vie politique depuis plusieurs années, son retour au pouvoir est très suivi par les médias, presse, radio et télévision.

Comment les médias sont-ils contrôlés par les différents pouvoirs politiques dans la crise de mai 1958?

Chronologie

1958 **15 avril** Chute du gouvernement Gaillard.

9 mai Le président Coty fait appel à Pierre Pflimlin, partisan de pourparlers avec les indépendantistes du FLN.

13 mai Émeutes et coup de force militaire de partisans de l'Algérie française à Alger contre Pflimlin qui est malgré tout investi.

15 mai De Gaulle se déclare prêt à assumer le pouvoir. Les militaires à Alger se rallient à lui.

19 mai Conférence de presse de De Gaulle.

28 mai Démission du cabinet Pflimlin.

1er juin De Gaulle, président du Conseil.

2 au 3 juin De Gaulle reçoit les pleins pouvoirs.

28 sept. Constitution de la Vᵉ République.

1 L'information «à chaud» à la télévision

Les journaux télévisés tentent d'informer l'opinion en direct malgré les difficultés de communication avec l'Algérie et la pression exercée par les officiers menant la révolte.

«Ce soir, il est bien difficile encore de faire le point sur ce qu'il se passe en Algérie. Nos confrères de la radio ont eu tout à l'heure une conversation téléphonique avec leur correspondant à Alger, conversation téléphonique un peu particulière puisque ces correspondants se trouvaient dans le studio, entourés et gardés par des parachutistes. Néanmoins, ils ont pu exprimer leur opinion, et leur opinion la voici: de tout ce qu'il se passe à Alger se dégage une impression d'extrême confusion. [...]

À 14h15, cet après-midi, les parachutistes ont investi la station de Radio-Oran. [...]

À 18h15, le général Massu tenait une conférence de presse. [...] Il a fait notamment une mise au point déclarant que c'est uniquement pour maintenir l'ordre qu'il a accepté la présidence du comité de salut public[1] d'Alger.»

Extraits du Journal télévisé de 20h, 14 mai 1958.

1. Comité insurrectionnel créé le 13 mai par des généraux et des activistes favorables à l'Algérie française.

2 La radio, instrument d'information et de propagande

Parachutistes en Algérie, écoutant à la radio française le général de Gaulle sur leurs transistors.

Dès le soir du 13 mai, la station publique Radio Algérie est prise en main par les insurgés, qui en font la voix de l'Algérie française. Ses reporters retransmettent les scènes de foule, provoquant une amplification du mouvement à Alger. Le gouvernement de la IVᵉ République brouille la diffusion de Radio Algérie en métropole à partir du 25 mai.

3 Le discours de De Gaulle relayé par la presse et la télévision

Conférence de presse du 19 mai 1958.
Le général de Gaulle décrit les menaces qui pèsent sur la République. Rappelant son rôle pendant la guerre, il balaye les craintes de ses détracteurs d'une formule restée célèbre : « Croit-on qu'à soixante-sept ans, je vais commencer une carrière de dictateur ? ».

4 L'interprétation officielle de la crise aux « Actualités françaises »

Le journal filmé des « Actualités françaises » diffuse, dans les salles de cinéma, une information étroitement surveillée par les autorités de la IVᵉ République. Le journal ne fait aucune allusion à de Gaulle.
« [Le 13 mai], la France avait un gouvernement. Cependant, à Alger le peuple musulman de la Casbah montait, drapeaux déployés, vers le Forum, où se rassemblait également une foule de Français d'origine. Et c'était, vision extraordinaire au jour présent, la manifestation d'une confraternité magnifique, où les deux races criaient leur foi commune en l'Algérie française. Au balcon [du Gouvernement général d'Alger], le général Salan annonçait qu'il avait reçu mission d'assurer les pouvoirs civil et militaire[1] [...].
Au milieu des heures graves, le gouvernement faisait face à la situation. »

« Actualités françaises », 21 mai 1958.

1. Commandant en chef de l'armée d'Algérie, le général Salan dirige le Comité de salut public qui a pris le pouvoir à Alger le 13 mai.

5 De Gaulle, figure du sauveur dans les médias

Le ton des actualités filmées s'adapte au changement de pouvoir : deux semaines après leur premier reportage, elles réinterprètent la crise en faveur du nouveau chef du gouvernement.
« La France vient de vivre une semaine qui appartient à l'histoire. Les événements d'Algérie avaient donné le signal d'une crise dramatique, mais peut-être, en même temps, d'un immense espoir. En effet, on l'avait vu à Oran comme à Alger, un extraordinaire revirement populaire avait suivi la prise de position de l'Algérie. En appelant ensemble le général de Gaulle au pouvoir, Européens et musulmans d'Algérie proclamaient leur volonté d'être Français. [...] C'en est terminé des heures de crise ; peut-être eût-elle fini par emporter l'État ? Charles de Gaulle porte aujourd'hui à nouveau le destin de la France.
Et l'on se souvient qu'un jour de 44, on vit au milieu d'une foule, un homme descendre les Champs-Élysées. [*Le reportage s'achève sur les images du défilé gaulliste du 26 août 1944, au lendemain de la Libération de Paris.*] »

« Actualités françaises », 4 juin 1958.

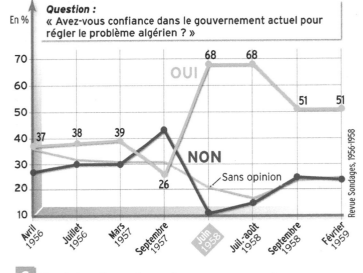

Question :
« Avez-vous confiance dans le gouvernement actuel pour régler le problème algérien ? »

En %

OUI
68   68
51   51
37   38   39

NON
26

Sans opinion

Avril 1956 — Juillet 1956 — Mars 1957 — Septembre 1957 — Juin 1958 — Juil.-août 1958 — Septembre 1958 — Février 1959

Revue Sondages, 1956-1958

6 L'opinion française et le gouvernement pendant la guerre d'Algérie

QUESTIONS

Une information sous contrôle

1. En quoi l'accès à l'information est-il limité au début de la crise ? (doc. 1, 2)

2. Les médias sont-ils indépendants ? (doc. 1 à 5)

De Gaulle et les médias

3. Sur quel médias le général de Gaulle peut-il s'appuyer pour mettre en scène son retour ? (doc. 2, 3, 4)

4. Pour quelles raisons l'opinion publique se rallie-t-elle progressivement à de Gaulle. (doc. 3, 4, 5, 6)

Bilan : Comment les médias sont-ils contrôlés par les différents pouvoirs politiques dans la crise de mai 1958 ?

Étude critique de documents

Comparez les documents 1 et 4 et dites en quoi ils révèlent les difficultés rencontrées par les journalistes pour rendre compte de la crise dans les médias.

L'opinion publique de l'ère de la télévision aux nouveaux médias

Les médias font-ils encore l'opinion publique ?

A. Un paysage médiatique sous surveillance jusqu'en 1968

- Une profonde mutation médiatique s'accomplit dans les années 1960. D'une part, **les journaux quotidiens sont dépassés par le dynamisme de la presse magazine**, notamment les *newsmagazines* comme *L'Express* dirigé par **Françoise Giroud**, et les magazines féminins.
- D'autre part, **les médias audiovisuels poursuivent leur progression** au détriment de la presse écrite. À la radio, désormais captée par les postes mobiles à transistor, s'ajoute la télévision, qui devient le principal moyen d'information des Français [doc. 1].
- **La Vᵉ République naissante exerce une surveillance étroite de l'audiovisuel et de la radio**. À travers l'**ORTF** qui a le monopole de la diffusion, le gouvernement contrôle le contenu des émissions et les prises de parole politiques. En 1965, la télévision s'ouvre cependant aux partis d'opposition : les téléspectateurs y découvrent l'ensemble des candidats à l'élection présidentielle.

B. Les médias bouleversent la vie politique (1968-1990)

- **Le contrôle public de l'audiovisuel est contesté en mai 1968** (voir p. 174). **La libéralisation du secteur est entamée en 1981** avec l'autorisation d'émission donnée aux **radios libres**. Il faut attendre 1984 pour voir apparaître la première chaîne de télévision privée (Canal +). En 1987, TF1 est privatisée.
- À l'image du général de Gaulle [doc. 2], **les hommes politiques se sont saisis du moyen de communication directe que représente la télévision**. Celle-ci orchestre désormais la vie politique et offre la possibilité d'une couverture médiatique permanente à ses acteurs.
- Dans les années 1980, **l'ouverture à la concurrence et la naissance de la mesure de l'audience, l'« audimat »**, imposent aux chaînes des objectifs commerciaux. La télévision est accusée de participer à la « société du spectacle », dénoncée dès 1967 par l'écrivain Guy Debord dans un livre portant ce titre. En politique, elle délaisse le plus souvent les débats d'idées et met l'accent sur les « petites phrases », l'image des hommes politiques et les affrontements de personnes [doc. 3]. Elle participe ainsi à une certaine dépolitisation du débat public.

C. Les médias et l'opinion depuis les années 1990

- Alors que seuls les médias et les résultats électoraux semblaient pouvoir rendre compte de l'opinion publique, **les sondages d'opinion** donnent désormais l'illusion d'en restituer une image fidèle et complète [doc. 4]. Ils **se sont multipliés depuis les années 1960 et orientent l'action des gouvernants et des partis politiques**.
- **Les nouveaux moyens d'information donnent davantage la parole aux individus.** Ceux-ci deviennent des témoins ou des experts appelés à donner leur avis sur l'actualité [doc. 5]. Ils peuvent, surtout, s'exprimer directement et de manière plus libre **grâce au développement d'Internet** : les réseaux sociaux transmettent les informations plus rapidement que les médias traditionnels et certains **blogs** ou **comptes Twitter** sont aussi lus que les grands quotidiens. Les journalistes et les hommes politiques ont été contraints de prendre en compte ces nouveaux médias.

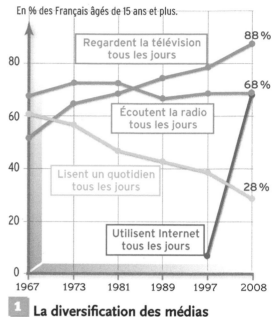

En % des Français âgés de 15 ans et plus.

Regardent la télévision tous les jours — 88 %
Écoutent la radio tous les jours — 68 %
Lisent un quotidien tous les jours — 28 %
Utilisent Internet tous les jours

1967   1973   1981   1989   1997   2008

1 La diversification des médias (1967-2008)

1. Quelles évolutions constate-t-on dans l'utilisation des médias depuis les années 1970 ?

BIOGRAPHIE

Françoise Giroud (1916-2003)
Journaliste au magazine féminin *Elle*, elle fonde *L'Express* avec J.-J. Servan-Schreiber en 1953. Elle en fait le premier *newsmagazine* français. En 1974, elle est la première secrétaire d'État à la Condition féminine.
Françoise Giroud en 1973.

MOTS CLÉS

Blog : site personnel sur Internet alimenté par les billets de son auteur et les commentaires de ses lecteurs.

Newsmagazine : magazine hebdomadaire illustré traitant l'actualité sous forme de dossiers, de reportages, d'entretiens et d'analyses (*L'Express, Le Nouvel Observateur, Le Point*).

ORTF : Office de la Radio Télévision Française. Fondé en 1964, il regroupe les chaînes audiovisuelles publiques. Il est dissous en 1974, mais l'État conserve le monopole de la diffusion jusqu'en 1981.

Radio libre : jusqu'en 1981, station basée en France et émettant de manière clandestine.

Twitter : réseau social permettant d'envoyer des messages instantanés, de 140 caractères maximum, appelés *tweets* (gazouillis).

DATES

1949 1ᵉʳ journal télévisé
1965 1ʳᵉ campagne télévisée pour l'élection présidentielle
1981 Fin du monopole de l'État sur la radio et la télévision

2 De Gaulle, homme de télévision

«Voici que la combinaison du micro et de l'écran s'offre à moi au moment même où l'innovation commence son foudroyant développement. Pour être présent partout, c'est là soudain un moyen sans égal. À condition toutefois que je réussisse dans mes apparitions. [...] Les téléspectateurs regardent de Gaulle sur l'écran en l'entendant sur les ondes. Pour être fidèle à mon personnage, il me faut m'adresser à eux comme si c'était les yeux dans les yeux, sans papier et sans lunettes. [...] Pour ce septuagénaire, assis seul derrière une table sous d'implacables lumières, il s'agit qu'il paraisse assez animé et spontané pour saisir et retenir l'attention, sans se commettre en gestes excessifs et en mimiques déplacées.
Maintes fois en ces quatre ans [1958-1962], les Français, par millions et par millions, rencontrent ainsi le général de Gaulle.»

> Charles de Gaulle, *Mémoires d'espoir.*
> *I. Le renouveau, 1958-1962*, Plon, 1970.

1. Comment l'intérêt que porte de Gaulle à la télévision s'explique-t-il ?

4 Le choc médiatique du 21 avril 2002

Annonce des estimations à l'issue du 1er tour de l'élection présidentielle de 2002 sur France 2.
Lors de l'élection présidentielle de 2002, les médias et les sondeurs sont accusés de s'être concentrés sur le duel entre les deux candidats favoris et de n'avoir pas anticipé le résultat élevé du candidat du Front national, Jean-Marie Le Pen, qui accède au second tour.

1. Quelle influence les médias peuvent-ils avoir sur le résultat d'une élection ?

3 La télévision au cœur de la vie politique

Débat pour le second tour de l'élection présidentielle, 10 mai 1974.
Le premier débat télévisé entre les deux candidats arrivés au second tour de l'élection présidentielle est organisé par l'ORTF en 1974. Il oppose Valéry Giscard d'Estaing à François Mitterrand. L'émission, diffusée en direct sur les deux premières chaines de télévision, sur France Inter et les radios périphériques, est très suivie. Son rôle est jugé décisif dans la courte victoire de V. Giscard d'Estaing, dont le public a retenu les attaques contre son adversaire qu'il qualifie d'«homme du passé».

1. En quoi ce débat illustre-t-il le rôle clé de la télévision dans la vie politique ?

5 La presse en ligne, avenir des médias ?

Des journalistes de la presse traditionnelle évoquent les nouveaux médias diffusés uniquement sur Internet, gratuits (Rue89, Slate) ou payants (Mediapart).
«À l'inverse des médias traditionnels, engoncés dans des lignes éditoriales rigides, les *pure players*[1] ne connaissent ni l'inertie des grosses rédactions, ni les affres de la hiérarchie. "*Mediapart* est issu de la crise démocratique, il remplit un vide", commente [son fondateur] Edwy Plenel. C'est le postulat du Net : les *pure players* sont libres sur le fond, et dans la forme. *Slate* propose à ses lecteurs des grilles de bingo à remplir pendant le débat sur la primaire socialiste, ou un faux compte *Facebook* Woerth/Bettencourt[2]. *Mediapart* peut jouer les contre-pouvoirs sur des articles tunnels de vingt feuillets.
Encore faut-il que cela plaise aux internautes : sur le Web, le lectorat est moins captif. [...] Dans cette quête du clic, le racolage est la règle. Le *Post* [site américain d'information] a longtemps été champion en la matière, avec ses buzz faciles et ses vidéos virales qui cartonnent sur *YouTube*. [...] [*Mediapart*] vend ses scoops en feuilleton, façon *Feux de l'amour* [et] alpague le client dans ses *newsletters*.»

> Emmanuelle Anizon et Olivier Tesquet, «Les nouveaux conquérants de l'info»,
> *Télérama*, 9 novembre 2011.

1. Média diffusé uniquement sur Internet.
2. Allusion à l'affaire, révélée en juin 2010 par *Mediapart*, de liens présumés entre le ministre du Budget Éric Woerth et la milliardaire Liliane Bettencourt.

1. Comment les *pure players* utilisent-ils les ressources d'Internet ?
2. Dans quelle mesure bouleversent-ils le paysage médiatique ?

Mai 1968 et les médias

En mai 1968, le mouvement lancé par les étudiants se transforme, avec la grève générale du 13 mai, en une vaste révolte sociale, politique et culturelle. La jeunesse contestataire, qui critique l'emprise gaulliste sur les médias de masse et le conformisme de ces derniers, réclame une totale liberté d'expression et de ton. Le mouvement gagne l'ORTF, dont une partie des journalistes se met en grève, tandis que les reporters des radios périphériques couvrent les événements en direct. Cette crise politique contraint le général de Gaulle à mener une vaste contre-offensive politique et médiatique.

Comment la crise de mai 1968 transforme-t-elle le rapport entre le pouvoir, les médias et l'opinion publique ?

Chronologie

1968 **2 mai** Fermeture de la faculté de Nanterre, foyer de l'agitation étudiante.

3 mai Meeting à la Sorbonne et affrontements avec la police.

6 mai Manifestations étudiantes dans le Quartier latin.

10-11 mai Première nuit des barricades.

13 mai Grève générale et début des occupations d'usines.

23-24 mai Deuxième nuit des barricades.

25 mai Grève à l'ORTF.

27 mai Accords de Grenelle négociés entre le gouvernement et les syndicats.

30 mai Discours du général de Gaulle et grande manifestation de soutien gaulliste.

27 juin Fin de la grève à l'ORTF. 54 journalistes sont licenciés.

23-30 juin Forte majorité gaulliste aux élections législatives.

---

1 « Quand la France s'ennuie »

L'éditorialiste du Monde *évoque les signes de la crise à venir et l'attitude de l'ORTF dans un éditorial dont le titre est resté célèbre.*

« Les Français s'ennuient. [...] La télévision nous répète au moins trois fois chaque soir que la France est en paix pour la première fois depuis bientôt trente ans et qu'elle n'est ni impliquée ni concernée nulle part dans le monde.

La jeunesse s'ennuie. Les étudiants manifestent, bougent, se battent en Espagne, en Italie, en Belgique, en Algérie, au Japon, en Amérique [...]. Ils ont l'impression qu'ils ont des conquêtes à entreprendre, une protestation à faire entendre, au moins un sentiment de l'absurde à opposer à l'absurdité. [...]

Quant aux jeunes ouvriers, ils cherchent du travail et n'en trouvent pas. Les empoignades [...] des hommes politiques de tout bord paraissent à tous ces jeunes, au mieux plutôt comiques, au pis tout à fait inutiles, presque toujours incompréhensibles. Heureusement, la télévision est là pour détourner l'attention vers les vrais problèmes : [...] l'état du compte en banque de Killy[1], l'encombrement des autoroutes, le tiercé, qui continue d'avoir le dimanche soir priorité sur toutes les antennes de France. »

Pierre Viansson-Ponté, « Quand la France s'ennuie », *Le Monde*, éditorial du 15 mars 1968.

1. Triple champion olympique de ski en 1968.

2 Les reporters radio en prise directe avec l'événement

Voitures des radios périphériques au Quartier latin à Paris, manifestation du 6 mai 1968.
Alors que les chaînes radio et TV de l'ORTF, étroitement contrôlées par le pouvoir gaulliste, sont soumises à une forte censure, les radios privées envoient des reporters radios suivre les événements. Les transistors diffusant leurs informations en direct sont écoutés sur les lieux de grève, dans les universités et usines occupées, ainsi que dans les manifestations. Subissant la répression policière avec les contestataires, beaucoup de journalistes soutiennent le mouvement ou se mettent en grève.

3 La parole publique échappe aux médias

En mai 1968, la prise de parole se libère, y compris dans la rue ou dans de nouveaux lieux de discussions politiques.

« *Un représentant de commerce*: L'abrutissement des gens est méthodiquement organisé par le gouvernement, par exemple à la télévision. Un monde capitaliste ne peut pas accepter la critique car il se détruirait lui-même...

Un commerçant gaulliste: C'est faux! La preuve c'est qu'on vous laisse parler à l'Odéon!

Un ouvrier espagnol: Tout ce que vous dites [...] est très loin des réalités de la rue. *(Applaudissements et protestations)* Vous feriez mieux de parler des salaires qui sont diminués pour les grévistes. [...]

Un étudiant: On n'a pas fait les barricades pour une augmentation de salaire! Pour ça, il suffisait de faire une grève comme il y en a eu tant, en allant une fois encore, comme des moutons, à l'appel des syndicats, de la Bastille à la République! Cette fois les rues [...] servent au dépavage et à la résistance aux flics. *(Ovations).* »

Extraits des interventions publiques au Théâtre de l'Odéon, 25-29 mai 1968.
Christian Berryer, «Odéon est ouvert», Nouvelles Éditions Debresse, 1968.

4 La contestation par l'affiche

Affiche de l'école des Beaux-Arts, mai 1968.
De nombreuses affiches éditées par les contestataires dénoncent les médias de masse: ils estiment qu'ils sont au service du pouvoir et de la société de consommation.

5 L'impact des photographies de presse

Une de *Paris Match*, 18 mai 1968.
Durant la crise, la presse écrite se divise sur l'image à donner du mouvement. Par le choix des titres et surtout des photographies, les journaux expriment leur sympathie ou leur hostilité à son égard.

6 La radio, instrument de la reprise en main

Peu présent dans les médias durant le mois de mai, le général de Gaulle met en scène son retour au premier plan: il choisit la radio – en souvenir de l'appel du 18 juin – pour s'adresser aux Français.

« Étant le détenteur de la légitimité nationale et républicaine, j'ai envisagé, depuis vingt-quatre heures, toutes les éventualités, sans exception, qui me permettraient de la maintenir. J'ai pris mes résolutions. Dans les circonstances présentes, je ne me retirerai pas. J'ai un mandat du peuple, je le remplirai. [...]

Je dissous aujourd'hui l'Assemblée nationale. [...]

Quant aux élections législatives, elles auront lieu dans les délais prévus par la Constitution, à moins qu'on entende bâillonner le peuple français tout entier, en l'empêchant de s'exprimer en même temps qu'on l'empêche de vivre, par les mêmes moyens qu'on empêche les étudiants d'étudier, les enseignants d'enseigner, les travailleurs de travailler. [...]

Si donc cette situation de force se maintient, je devrai pour maintenir la République prendre, conformément à la Constitution, d'autres voies que le scrutin immédiat du pays. En tout cas, partout et tout de suite, il faut que s'organise l'action civique. [...]

La France, en effet, est menacée de dictature. »

Charles de Gaulle, *allocution radiodiffusée* du 30 mai 1968,
dans *Discours et messages*, Plon, 1970.

QUESTIONS

Le contexte de la crise

1. Quelle critique l'auteur de cet éditorial porte-t-il contre l'ORTF ? (doc. 1)

2. Les médias sont-ils neutres face au mouvement ? (doc. 2, 4, 5, 6)

Les étudiants face aux médias

3. Montrez que la radio joue un rôle ambivalent dans la crise. (doc. 2, 6)

4. Comment les contestataires court-circuitent-ils les grands médias ? (doc. 3, 4)

5. Montrez que la liberté d'expression est un enjeu de la crise. (doc. 1, 2, 3, 4, 5)

Bilan: Comment la crise de mai 1968 transforme-t-elle le rapport entre le pouvoir, les médias et l'opinion publique ?

Étude critique de documents

Mettez en relation les documents 1 et 4 et montrez qu'ils illustrent la remise en cause de la mainmise de l'État sur les médias.

Gérard Fromanger, *Le Rouge*

Comment l'art engagé utilise-t-il la photo de presse pour représenter mai 1968 ?

● En mai 1968, **les jeunes artistes engagés** dans le mouvement étudiant, souvent membres de groupes d'extrême gauche, **veulent révolutionner l'art engagé**. Ils refusent, en effet, d'enfermer les œuvres d'art dans les seuls lieux culturels, et cherchent à s'imposer face aux médias en diffusant leurs œuvres dans l'espace public. Ils choisissent un support non conventionnel, l'affiche, dont ils font l'un des symboles d'un art démocratique.

● **Gérard Fromanger**, qui **appartient à l'atelier des Beaux-Arts** et au courant de la figuration narrative, réalise ainsi une série d'affiches sérigraphiées intitulée *Le Rouge* entre 1968 et 1970, en s'inspirant de photographies des événements publiées par la presse. Dans chacune de ses sérigraphies, il colorie en rouge des photographies en noir et blanc de scènes de rue impliquant des manifestants.

● **Le rouge**, couleur de la révolution et de la violence, **est mis au service de la dénonciation d'une société** dont l'artiste dévoile la morosité. Dès 1970, ses affiches lui valent une reconnaissance internationale.

> **L'ARTISTE**
>
> **Gérard Fromanger (né en 1939)**
> Fromanger est l'un des pionniers, dans les années 1960, de la figuration narrative. Artiste engagé, il fait partie en mai 1968 des fondateurs de l'atelier populaire des Beaux-Arts, qui produit certaines des plus célèbres affiches contestataires de la période. Sa peinture explore l'univers urbain de son époque.

> **LE MOUVEMENT**
>
> **La figuration narrative**
> Dans les années 1960, un groupe de peintres choisit de détourner les photographies diffusées par la presse et la publicité dans un but contestataire. S'opposant à la peinture abstraite comme à l'idée de «l'art pour l'art», ils voient dans l'art un outil de transformation sociale, voire politique. Ils utilisent souvent la technique de la sérigraphie, qui consiste à appliquer un pochoir de tissu sur la surface à peindre.

FOCUS | **L'art de détourner des photographies de presse**

Le 15 mai 1968, l'école des Beaux-Arts à Paris, devient, à l'initiative de ses étudiants, un atelier populaire chargé de produire les milliers d'affiches collées dans les rues et les usines en grève. Ces affiches s'inspirent souvent d'images de presse détournées.

1. Photographie de Daniel Cohn-Bendit, leader de Mai 68

L'évacuation de l'université de la Sorbonne, le 3 mai 1968.
Le reporter de presse Jacques Haillot a pris l'une des photographies les plus célèbres de Daniel Cohn-Bendit, un des leaders de Mai 68 alors étudiant en sociologie à Nanterre.

NOUS SOMMES TOUS 'INDÉSIRABLES'

2. La photographie interprétée par l'atelier populaire des Beaux-Arts

Affiche de Bernard Rancillac, mai 1968.
Les étudiants de l'atelier des Beaux-Arts utilisent la photographie du militant Daniel Cohn-Bendit, pour en faire une affiche diffusée à plusieurs milliers d'exemplaires.

Gérard Fromanger,
Le Rouge, 1968, affiche
sérigraphiée sur bristol
(60x89 cm). Paris, Musée
national d'art moderne,
Centre Georges-Pompidou.

ANALYSE DE L'ŒUVRE

ANALYSER L'ŒUVRE

1. Sur quel aspect du mouvement de Mai 1968 les images insistent-elles ?

2. Quels personnages ont été peints en rouge et pourquoi ?

3. En quoi le contraste de couleur transforme-t-il le sens des images ?

DÉGAGER LA PORTÉE DE L'ŒUVRE

4. Dans quel but les artistes de l'atelier des Beaux-arts détournent-ils les images de presse ?

5. Dans quelle mesure cette œuvre s'inscrit-elle dans le mouvement de contestation de Mai 1968 ?

1 Analyser un article de presse

Fondé dans la clandestinité, le quotidien Combat *est codirigé après la Libération par Albert Camus. Le journal se donne pour mission de perpétuer les idéaux de la Résistance.*
« On veut s'informer vite, au lieu d'informer bien. La vérité n'y gagne pas. [...] L'information telle qu'elle est fournie aujourd'hui aux journaux, et telle que ceux-ci l'utilisent, ne peut se passer d'un commentaire critique. [...]

D'une part, le journaliste peut aider à la compréhension des nouvelles par un ensemble de remarques qui donnent leur portée exacte à des informations dont ni la source ni l'intention ne sont toujours évidentes. [...] Il revient au journaliste, mieux renseigné que le public, de lui présenter, avec le maximum de réserves, des informations dont il connaît bien la précarité. [...]

Il est un autre apport du journaliste au public. Il réside dans le commentaire politique et moral de l'actualité. En face des forces désordonnées de l'histoire, dont les informations sont le reflet, il peut être bon de noter, au jour le jour, la réflexion d'un esprit ou les observations communes de plusieurs esprits. Mais cela ne peut pas se faire sans scrupule, sans distance et sans une certaine idée de la relativité. »

Albert Camus, « Le journalisme critique », *Combat*, 8 septembre 1944 © Gallimard.

Le « journalisme critique » selon Albert Camus en 1944

1. En quoi le contexte de rédaction explique-t-il le ton de cet article ?

2. Comment les journalistes peuvent-ils exercer leur sens critique ?

3. Selon Camus, un journaliste doit-il toujours se montrer objectif ? Pourquoi ?

---

2 Prélever et confronter des informations

1965 : la première élection présidentielle télévisée

a. La campagne médiatique de Jean Lecanuet
Affiche pour Jean Lecanuet*, campagne électorale pour l'élection présidentielle de 1965.
Le candidat centriste Jean Lecanuet* a mis en avant sa jeunesse et mené sa campagne avec l'aide de publicitaires. Peu connu de l'opinion avant l'élection, il obtient 16 % des voix au premier tour.

1. Pourquoi la télévision ne donnait-elle pas la parole à l'opposition avant 1965 ?

2. Comment les candidats d'opposition ont-ils utilisé la télévision lors de la campagne de 1965 ?

3. Selon Jean-Paul Sartre, quel rôle a joué la télévision dans la mise en ballottage du général de Gaulle ?

4. En quoi la télévision peut-elle modifier l'image des différents candidats auprès du public ?

b. Le rôle des médias selon Jean-Paul Sartre

En 1965, la télévision offre pour la première fois un temps de parole équivalent à chaque candidat. Le philosophe Jean-Paul Sartre analyse le fait que le général de Gaulle a été mis en ballottage par François Mitterrand, à la surprise générale.

« *Le Nouvel Observateur* : Comment expliquez-vous que de Gaulle ait été mis en ballottage ?
Jean-Paul Sartre : Un phénomène non politique a d'abord joué : l'apparition à la télévision des candidats de l'opposition avec lesquels les électeurs ont eu un contact direct. Leur jeunesse et leur physique ont servi Mitterrand et plus encore Lecanuet. Et, par comparaison, les gens qui ne pensaient pas à le juger de ce point de vue ont trouvé que de Gaulle commençait à être bien vieux.

Mais l'emploi qu'a fait de la télévision le gouvernement gaulliste lui a nui : en dispensant, pendant sept ans, une information et une propagande à sens unique, le gouvernement avait créé une atmosphère assoupissante. Les gens dormaient. C'est ce que voulaient les gaullistes, mais cela s'est retourné contre eux : stupéfaits de voir, pour la première fois, critiquer de Gaulle, les gens se sont éveillés. [...] Si Mitterrand, Lecanuet ou d'autres avaient de temps en temps pu parler à la télévision, leur brusque apparition aurait produit un choc beaucoup moins violent. »

Jean-Paul Sartre, « Le choc en retour »,
Le Nouvel Observateur, 8 décembre 1965.

L'essentiel

Médias et opinion publique dans les grandes crises politiques en France depuis l'affaire Dreyfus

1. L'avènement des médias de masse et l'opinion publique

● **À la fin du XIXe siècle, le développement de la presse joue un rôle décisif dans la formation d'une opinion publique.** Elle accompagne la République naissante en diffusant plus largement les informations et en alimentant le débat d'idées. D'autres médias de masse la relaient dans l'entre-deux-guerres : les actualités au cinéma et à la radio.

● **Les médias jouent un rôle important dans les grandes crises de la IIIe République.** C'est la presse qui fait de l'affaire Dreyfus (1894-1899) une crise politique majeure. Durant les années 1930, l'influence de la presse nationaliste sur l'opinion publique provoque l'émeute du 6 février 1934.

● **Les périodes de guerre restreignent la liberté d'opinion.** Sous le régime de Vichy, le retour de la censure et de la propagande d'État musèle la liberté d'expression et d'opinion, mais presse et médias retrouvent leur dynamisme et élargissent leur audience après 1945.

2. L'opinion publique de l'ère de la télévision aux nouveaux médias

● **Les débuts de la Ve République sont indissociables d'un nouveau média de masse : la télévision.** Le contrôle étroit qu'exerce l'État sous la présidence du général de Gaulle est dénoncé par les contestataires de mai 1968. La télévision, accusée d'orienter l'opinion publique, est libérée du monopole de l'État à partir de 1981.

● **Les nouveaux médias numériques, accessibles sur Internet, multiplient les espaces de prise de parole,** bouleversent les modes d'expression de l'opinion publique et sont désormais des outils de la vie politique.

Schéma de synthèse

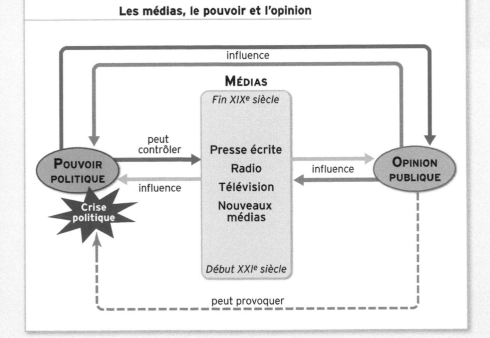

Les médias, le pouvoir et l'opinion

LES ÉVÉNEMENTS

6 février 1934
La presse nationaliste voit dans l'affaire Stavisky le symbole de la corruption du régime. Les mouvements d'extrême droite manifestent en direction de la Chambre des députés et affrontent violemment les forces de l'ordre. L'émeute entraîne la démission du président du Conseil.

Mai 1968
Mené par les étudiants et les syndicats ouvriers, un large mouvement de contestation ébranle la république gaullienne. L'ORTF reste fidèle au pouvoir ; ce sont les radios périphériques qui relaient le plus largement le mouvement. La majorité de l'opinion reste cependant fidèle à de Gaulle.

NE PAS CONFONDRE

Médias : moyens de diffusion permettant la communication ou l'échange d'informations.
Opinion publique : ensemble des attitudes et jugements collectifs que suscitent des problèmes touchant toute la société.

Radio libre : jusqu'en 1981, station basée en France et émettant de manière clandestine.
Radio périphérique : jusqu'en 1981, station émettant en France depuis l'étranger, afin de contourner le monopole d'État.

Presse d'information : presse cherchant à rendre compte de l'actualité de manière neutre.
Presse d'opinion : presse qui diffuse des idées partisanes et cherche à influer sur le débat politique.

Analyser la Une d'un journal

Sujet ## La crise du 13 mai 1958 vue par la presse algéroise

La **manchette** comporte le nom du journal, la date de parution et des informations administratives.

Le **titre** :
Fondé en 1912, *L'Écho d'Alger* défend l'Algérie française jusqu'à la fin de la guerre (1954-1962).

L'**éditorial** commente l'information principale et exprime l'opinion de la rédaction.

Le **directeur**, Alain de Sérigny, est un fervent gaulliste.

La **tribune** est la partie haute du journal, qui comporte l'information principale sous forme de gros titre.

Deux jours après les événements du 13 mai 1958 (voir p. 170), le général de Gaulle, interpellé par les généraux insurgés, sort pour la première fois de son silence.

Le **général Salan**, au micro, est le commandant militaire d'Alger. Il est accompagné de Léon Delbecque, qui le convainc de lancer devant la foule : « Vive de Gaulle ! ».

Depuis le 13 mai, une foule massive composée essentiellement de Français d'Algérie se réunit devant le Gouvernement général d'Alger, siège du Comité de salut public formé par les généraux défendant l'Algérie française.

Une du quotidien *L'Écho d'Alger*, 16 mai 1958.
Durant la guerre d'Algérie (1954-1962), la presse française d'Alger s'oppose très majoritairement au mouvement indépendantiste. Elle accompagne le soulèvement du 13 mai 1958 et prépare l'opinion au retour du général de Gaulle.

CONSIGNE

Identifiez et présentez cette Une de journal, puis montrez ce qu'elle révèle du point de vue de la presse algéroise pendant la crise du 13 mai.

FICHE MÉTHODE
Analyser la Une d'un journal

Étape 1 *Identifier et présenter le document*

▶ Identifier le journal, son titre, son propriétaire.

▶ Présenter sa nature (presse d'information, d'opinion, de loisirs, spécialisée, etc.).

▶ Indiquer son orientation politique éventuelle.

① Montrez à quel public ce quotidien s'adresse.

> **Conseils**
>
> *Tenez compte des informations contenues dans la manchette et dans l'éditorial.*

Étape 2 *Analyser le document*

▶ Relever la place (et notamment la surface) accordée aux différentes informations, qui détermine leur hiérarchie, en repérant les mots mis en valeur.

▶ Prélever les informations de la Une en distinguant ce qui relève du factuel de ce qui relève de l'analyse.

▶ Faire preuve d'esprit critique envers la crédibilité, l'objectivité et la neutralité des informations fournies.

② Relevez les deux informations principales de cette Une, identifiez leur hiérarchie, et montrez l'intention recherchée.

> **Conseils**
>
> *Répondez en montrant aussi ce que la Une ne valorise pas.*

Étape 3 *Dégager l'intérêt historique du document*

▶ Replacer les événements abordés dans leur contexte.

▶ Montrer comment la Une témoigne ou non d'un tournant historique.

③ Montrez comment le journal amplifie les événements.

> **Conseils**
>
> *Tenez compte de la partialité du journal.*

EXERCICE D'APPLICATION

Sujet La presse de Vichy et la jeunesse

> **CONSIGNE**
>
> Montrez quelle image du régime la Une de cet hebdomadaire met en avant, ainsi que la place et le rôle de la jeunesse.

La presse de propagande pendant la guerre

Une de la revue *Cœurs vaillants*, 17 août 1941.

Dès juillet 1940, la presse de la zone Sud est soumise au régime de Vichy. Georges Lamirand, secrétaire d'État à la jeunesse, encourage l'hebdomadaire catholique *Cœurs vaillants*, fondé en 1929, qui crée son propre mouvement de jeunesse, apparenté au scoutisme.

Formuler la problématique d'un sujet

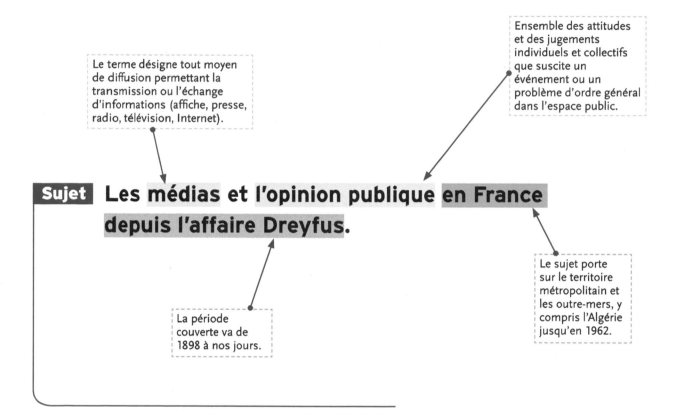

Le terme désigne tout moyen de diffusion permettant la transmission ou l'échange d'informations (affiche, presse, radio, télévision, Internet).

Ensemble des attitudes et des jugements individuels et collectifs que suscite un événement ou un problème d'ordre général dans l'espace public.

Sujet **Les médias et l'opinion publique en France depuis l'affaire Dreyfus.**

La période couverte va de 1898 à nos jours.

Le sujet porte sur le territoire métropolitain et les outre-mers, y compris l'Algérie jusqu'en 1962.

Aide-mémoire

- **1898** Affaire Dreyfus.
- **1934** Crise du 6 février.
- **1940** Défaite militaire, occupation allemande, régime de Vichy.
- **1958** Chute de la IV\e République.
- **1968** Crise sociale et politique.
- **2002** Jean-Marie Le Pen au second tour de l'élection présidentielle.

FICHE MÉTHODE
Formuler la problématique

Rappel: Bien comprendre le sujet (méthode générale p. 12 et fiche méthode p. 176).

Identifiez les mots clés du sujet.

> **Conseils**
>
> *Interrogez-vous sur l'absence de l'expression «crises politiques».*

Rappel: Définir et délimiter les termes du sujet (fiche méthode p. 124).

Recensez les types de médias et leur période d'apparition.

> **Conseils**
>
> *Aidez-vous des leçons p. 164 et 172.*

Étape 1 *Interroger le sujet pour en identifier les enjeux*

▶ Identifier le type de sujet et étudier son évolution et ses ruptures.

▶ Analyser l'intérêt et l'importance du sujet dans son contexte historique.

① Montrez que ce sujet appelle à étudier de profondes évolutions sur la longue période.

> **Conseils**
>
> *Comparez la situation historique de départ à celle qui prévaut à la fin de la période.*

Étape 2 *Identifier le questionnement historique qui se rapporte au sujet*

▶ Identifier les enjeux que le sujet représente pour les historiens, sa spécificité, sa complexité, les questions qu'il pose, les contradictions ou le paradoxe qu'il soulève.

▶ Lorsque le sujet est une question, il faut en expliquer le sens et justifier le fait qu'elle se pose.

② Analysez l'interaction entre les médias et l'opinion.

> **Conseils**
>
> *Interrogez-vous sur la façon dont se forme l'opinion publique dans le contexte des grandes crises politiques.*

Étape 3 *Transformer le sujet en une question*

▶ Veiller à ce que la problématique reflète ces différents enjeux.

▶ La problématique porte le plus souvent sur les causes ou les conséquences du phénomène étudié.

③ Rédigez une question qui formule les enjeux ainsi dégagés.

> **Conseils**
>
> *N'hésitez pas à reprendre les termes essentiels du sujet.*

EXERCICE D'APPLICATION

Sujet 1 Les médias et les grandes crises politiques de la Ve République.

> **Conseils**
>
> *Veillez à bien donner une définition des «grandes crises politiques» et à délimiter le sujet en conséquence.*

Sujet 2 Les médias, un acteur des crises politiques de l'affaire Dreyfus à la chute de la IIIe République?

> **Conseils**
>
> *Identifiez et caractérisez le rôle joué par les médias avant, pendant et après chaque crise.*

PROLONGEMENTS

Élaborer un plan (voir p. 210)

→ Identifiez les principales césures chronologiques qui permettent de distinguer trois grandes périodes dans l'histoire du rapport entre les médias et l'opinion publique.

Rédiger l'introduction (voir p. 308)

→ Synthétisez dans le premier paragraphe les éléments relatifs à la définition et à la délimitation des termes du sujet.

Composition

Sujet ## Le rôle des médias dans les grandes crises politiques en France au XXe siècle

Conseils

Bien comprendre le sujet: définissez les «grandes crises»; le sujet ne porte pas sur toute la vie politique, seulement sur les épisodes marquants et dramatiques.

Définir et délimiter les termes du sujet: «rôle» ne signifie pas «participation»; pensez à examiner les différents aspects étudiés dans le chapitre, à savoir: le reflet ou l'influence.

Mobiliser ses connaissances: distinguez les différents médias, leurs orientations et leurs modes d'action.

Sujet ## L'impact des nouveaux médias sur l'opinion publique en France depuis 1945

Conseils

Définir et délimiter les termes du sujet: cernez ce que recouvre l'expression «nouveaux médias»; le caractère de nouveauté ne se juge pas par rapport à aujourd'hui mais au fur et à mesure de l'évolution historique. Les nouveaux médias apparaissent à des dates différentes, à partir de 1945.

Formuler la problématique: soyez attentif à bien définir le terme d'«impact» qui n'est pas synonyme de «rôle».

Étude critique de document(s)

Conseils

Relevez les éléments particuliers qui caractérisent le lieu et le contexte.

Retrouvez dans le cours (p. 172) les événements qui ont lieu peu avant la date ou à la date même de cette assemblée générale. Situez ainsi l'assemblée dans la chronologie de la crise de mai 1968.

Distinguez les différentes catégories de personnes visibles sur la photo et analysez leur comportement.

Sujet ## Mai 1968: une crise « médiatisée »

La contestation étudiante

Assemblée générale, Grand amphithéâtre de la Sorbonne, 28 mai 1968.

Assis au bureau face au micro, Daniel Cohn-Bendit, un des porte-parole de la contestation étudiante.

CONSIGNE

Présentez ce document et replacez-le dans son contexte, puis montrez dans quelle mesure il reflète les caractères particuliers de la crise de mai 1968 et le rôle qu'y ont joué les médias.

Sujet L'élection présidentielle de 2002, une crise politique et médiatique

1. L'incertitude des sondages d'opinion

Dix jours avant le premier tour, un journaliste suisse souligne l'imprécision des sondages, liée notamment au très grand nombre de candidatures (16 dont 8 du centre-gauche à l'extrême gauche). Le 21 avril, le taux d'abstention atteint le niveau record de 28 %.

« La campagne présidentielle se déroule depuis des mois sous un déluge de sondages d'opinion. [...] Les éditorialistes plaident la méfiance, et les candidats affichent une indifférence hautaine à l'égard de leur courbe de popularité. [...] Aucun d'entre eux n'avouera qu'il suit les variations de l'opinion avec l'attention qu'un météorologue a pour la carte des pressions atmosphériques [...]

L'élection présidentielle de 2002 restera à coup sûr dans les annales. À près d'une semaine du scrutin, on enregistre des écarts inédits entre les différents instituts. Une enquête BVA publiée jeudi par *Paris Match* donne Lionel Jospin gagnant au deuxième tour avec 52 % des intentions de vote. Le même jour, une enquête Ifop publiée par *L'Express* donne Chirac gagnant avec 51,5 %. Les chiffres sont tout aussi variables au premier tour, avec une égalité à 20 % pour BVA et 17,5 à Lionel Jospin contre 21 % en faveur de Chirac pour Ifop. Jean-Marie Le Pen est à 12 [%]. »

Laurent Wolf, « La boussole des sondages s'affole et interdit toute prévision pour les deux tours », *Le Temps* (Genève), 12 avril 2002.

> **Conseils**
>
> **Relevez** les éléments qui attestent et expliquent l'incertitude du premier tour en 2002.
>
> **Analysez** le rôle apparent des médias dans les documents 1 et 2.
>
> **Retrouvez** le résultat du second tour et mettez-le en relation avec le message porté par le document 2.

2. Un appel à la mobilisation

Une du quotidien *Libération*, 30 avril 2002

Contre toute attente, Jean-Marie Le Pen arrive deuxième au premier tour avec moins de 200 000 voix d'avance sur Lionel Jospin, alors Premier ministre. Entre les deux tours, de nombreux partis et journaux de gauche appellent à manifester et à faire barrage au Front national. La manifestation du 1er mai réunit environ 400 000 personnes à Paris et entre 1 et 2 millions dans toute la France.

CONSIGNE

Confrontez les deux documents. Analysez de façon critique ce que l'élection de 2002 a eu d'exceptionnel et quel rôle ont pu jouer les médias, en particulier entre les deux tours du scrutin présidentiel.

Religion et société aux États-Unis depuis les années 1890

La société américaine, majoritairement protestante, est fondée sur une stricte séparation des Églises et de l'État ainsi que sur une complète liberté religieuse. Depuis la fin du XIXe siècle, les croyances et les pratiques des Américains se sont fortement diversifiées.

Quelle est la place des religions dans la société américaine depuis la fin du XIXe siècle ?

1 Un protestantisme traditionnel qui s'identifie aux origines de la nation

Un dimanche d'hiver dans l'ancien temps, lithographie, vers 1875. New York (États-Unis), collection Granger.

La grande majorité des Américains appartient aux diverses Églises protestantes qui ont joué un rôle clé dans l'édification de la jeune nation.

	1890	1900	1950	2000

CROYANCES ET PRATIQUES RELIGIEUSES	**1890** Abandon de la polygamie par les mormons	**Vers 1900** Les catholiques représentent environ 15 % de la population	**Années 1920** Croisade puritaine Prohibition **1916** Création de la première association fondamentaliste protestante	**1954** Création de la Scientologie	**À partir des années 1970** Développement du télévangélisme

ÉTAT ET RELIGION		**1896** L'Utah, bastion mormon, devient État fédéré	**1923** Ajout de la devise « *In God We Trust* » sur les billets de banque	**1925** Procès du Singe (Créationnisme) **1960** Élection de J. F. Kennedy, catholique, à la Maison Blanche	**1962** Interdiction de la prière à l'école publique **1973** Légalisation de l'avortement	**2000-2008** Présidence de George W. Bush, *Born again Christian*

2 L'importance de la religion dans la vie publique

Prestation de serment du président Barack Obama, 20 janvier 2009.
La coutume veut que le président, lors de son investiture, prête serment la main sur une Bible. La religion a une place primordiale dans le débat et le discours politiques, mais les États-Unis sont un État dans lequel la stricte séparation des Églises et de l'État, ainsi que la liberté religieuse, sont inscrites dans la Constitution.

QUESTIONS

1. Comment l'attachement des Américains à leur religion se manifeste-t-il ?

2. Quels éléments montrent que les États-Unis sont un pays profondément religieux ?

L'Amérique religieuse au début du XXᵉ siècle

À la fin du XIXᵉ siècle, les États-Unis sont une société très religieuse adhérant massivement à différentes Églises protestantes. Toutefois, avec les débuts de l'immigration de masse, les catholiques franchissent le seuil des 10 % de la population et les juifs s'implantent dans l'Est des États-Unis.

Au sein du protestantisme, les Églises évangéliques, baptistes ou méthodistes s'affirment surtout dans le Sud et le Middle West, leur zone de plus forte présence prenant le nom de *Bible Belt* (Ceinture de la Bible). Les luthériens d'origine scandinave peuplent le Nord des Grandes plaines. Les Africains-Américains, rejetés, se rassemblent dans leurs propres Églises évangéliques.

1 L'évangélisme dominant dans le Sud

Un chœur religieux du Mississippi, à l'occasion d'un rassemblement évangélique, en 1912.

Depuis leur création au XVIIIᵉ siècle, les Églises évangéliques réaffirment la foi des fidèles à l'occasion de rassemblements de masse itinérants, sous des grandes tentes, mêlant prêches et chants. Au début du XXᵉ siècle, ces mouvements religieux excluent toute mixité raciale.

2 La progression des juifs et des catholiques

À partir de 1890, les immigrants viennent majoritairement d'Europe de l'Est et d'Europe du Sud. Ils sont surtout catholiques et juifs.

3 Le dynamisme religieux des communautés noires

Fidèles Africains-Américains à la sortie d'un culte dans le Sud, vers 1900.

Dans le Sud, les églises, malgré leur pauvreté, sont pratiquement les seuls espaces dans lesquels peuvent s'organiser les communautés noires. Elles y affirment, à travers la foi, leur dignité et leurs espérances.

MAINE
Augusta
VERMONT
NEW HAMPSHIRE
Concord
MASSACHUSETTS
NEW YORK
Boston
Providence
RHODE ISLAND
Hartford
CONNECTICUT
DAKOTA DU NORD
MINNESOTA
WISCONSIN
M I C H I G A N
New York
NEW JERSEY
DAKOTA DU SUD
Minneapolis
Buffalo
Milwaukee
Detroit
PENNSYLVANIE
Philadelphie
DELAWARE
IOWA
Chicago
Cleveland
Pittsburgh
Baltimore
Washington DC
NEBRASKA
ILLINOIS
INDIANA
OHIO
VIRGINIE OCCIDENTALE
MARYLAND
Cincinnati
Charleston
VIRGINIE
KANSAS
Saint Louis
MISSOURI
KENTUCKY
CAROLINE DU NORD
OKLAHOMA
TENNESSEE
CAROLINE DU SUD
ARKANSAS
Atlanta
MISSISSIPPI
Montgomery
GEORGIE
ALABAMA
LOUISIANE
TEXAS
La Nouvelle-Orléans
FLORIDE
Corpus Christi

0   500 km

Les principales communautés religieuses

1. Le protestantisme prédominant

☐ Plus de 80 % de protestants

La force des courants évangéliques

⬭ Forte proportion de baptistes / méthodistes

⬭ Églises noires

⬭ *Bible Belt*

L'Église luthérienne

⬭ Implantation récente (Scandinaves)

2. Une diversité récente qui se diffuse

Catholiques

▨ Forte présence

▨ Présence significative

Mormons

▨ Forte majorité

▨ Présence significative

Juifs

◯ Forte présence

4 **Un protestantisme militant**

Une quête de l'Armée du Salut dans les rues de New York en 1908.
Sur le panneau on lit : « 25 000 repas de Noël gratuits pour les pauvres de la ville ».

Fondée en Grande-Bretagne en 1878 comme une Église protestante indépendante, l'Armée du Salut* a beaucoup de succès aux États-Unis. Elle s'engage dans la moralisation de la société et l'aide aux pauvres.

QUESTIONS

1. Comment la prédominance protestante se manifeste-t-elle dans la société américaine ?

2. Le protestantisme est-il uni ?

3. Dans quelles régions les autres communautés sont-elles implantées ?

Une société profondément religieuse

Quelle place la religion occupe-t-elle dans la société américaine jusqu'aux années 1950 ?

A. Le socle protestant de la nation américaine

• Aux États-Unis, les Églises et l'État sont strictement séparés par la Constitution de 1787. Depuis la période coloniale, **le protestantisme est diversifié mais majoritaire** [doc. 1]; il fournit des références communes et le socle d'une **religion civile** consensuelle.

• À la pratique religieuse protestante est associé un comportement fait de travail, de sens de l'épargne et de rigueur morale [doc. 2]. **La réussite individuelle est ainsi considérée comme un signe de protection divine.**

• **Les diverses Églises protestantes se sont multipliées au XIXe siècle**, protégées par la liberté religieuse énoncée dans le 1er amendement de la Constitution : « Le Congrès ne fera aucune loi qui touche à l'établissement ou interdise le libre exercice d'une religion ». Aux très rigoristes courants héritiers de la pensée de Calvin (XVIe siècle) comme les presbytériens*, se sont ajoutées, au cours des XVIIIe et XIXe siècles, des Églises évangéliques au recrutement plus populaire, comme les baptistes et les méthodistes.

B. Les mutations religieuses de la fin du XIXe siècle

• **Au tournant du XXe siècle, le protestantisme est bouleversé** par les avancées de la science, ce qui entraîne une rupture entre les protestants modernistes, qui veulent adapter les anciens dogmes aux savoirs nouveaux, et les fondamentalistes qui affirment que la Bible est la seule source de vérité.

• **De nouvelles religions ou sectes** se développent sur le sol américain, comme les mormons*, qui cherchent à établir une **théocratie** dans l'Utah (voir p. 192), ou les Témoins de Jéhovah*.

• **Des immigrants catholiques, orthodoxes et juifs** arrivent du Sud et de l'Est de l'Europe. D'abord stigmatisés, ils sont progressivement acceptés au nom de la tolérance et de la liberté religieuse [doc. 3]. **La communauté noire se structure** quant à elle autour de ses propres Églises évangéliques [doc. 4].

C. La religion au cœur des combats de société

• **L'industrialisation et l'urbanisation ont pour conséquence un commencement de sécularisation** de la société, mais les valeurs protestantes d'engagement social, communautaire ou de philanthropie demeurent. Ainsi, **Walter Rauschenbush** et les tenants de l'Évangile social* au tournant du XXe siècle, utilisent les enseignements de l'Église pour combattre la misère ouvrière.

• Inquiets de ces changements, des fondamentalistes de la *Bible Belt* lancent une « croisade puritaine » à partir des années 1920, marquée par la lutte contre la théorie de l'évolution (voir p. 194), contre les relations hors mariage et contre l'alcool (prohibition). Le **Ku Klux Klan** s'attaque quant à lui aux Noirs, aux catholiques et aux juifs, qu'il juge inassimilables [doc. 5].

• Cependant, de 1945 à 1960, la pratique religieuse traditionnelle progresse encore, reflet d'une société conformiste. **Les Églises noires du Sud, aidées par des Églises progressistes du Nord, politisent leur message pour lutter contre la ségrégation** (voir p. 196).

1 **L'ancrage du protestantisme**

Centre-ville de Fairhaven, Massachusetts.
Plusieurs églises protestantes construites au XIXe siècle entourent la mairie de la ville, dont une église congrégationaliste (1845) et une église unitarienne (inaugurée en 1901).

1. Comment la religion s'inscrit-elle dans ce paysage urbain ?

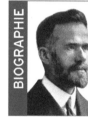

BIOGRAPHIE

Walter Rauschenbush (1861-1918) Théologien américain protestant, il est la figure de l'Évangile social, un mouvement chrétien engagé contre la pauvreté et les inégalités liées à l'industrialisation.
Rauschenbush vers 1905.

MOTS CLÉS

***Bible Belt* (Ceinture de la Bible) :** États protestants très pratiquants du Sud des États-Unis.

Ku Klux Klan : organisation raciste et violente créée en 1865. Elle prône la suprématie des Blancs protestants.

Religion civile américaine : croyance en la protection divine de la nation américaine associée au respect des documents fondateurs (Constitution) et des valeurs protestantes.

Sécularisation : affaiblissement des croyances ou pratiques religieuses.

Théocratie : système de gouvernement dans lequel le pouvoir est exercé directement ou indirectement par l'Église dominante, qui impose ses dogmes par la loi.

DATES

1865 Création du Ku Klux Klan
Années 1890 Naissance de l'Évangile social
Années 1920 Croisade puritaine

2 La morale protestante enseignée dans les manuels des écoles primaires publiques

Les manuels scolaires édités par William Holmes McGuffey se sont vendus à 120 millions d'exemplaires entre 1836 et 1960. Ils reflètent l'enseignement donné dans les écoles primaires publiques, en particulier à la campagne.

« 1. Quand tu te lèves le matin, rappelle-toi qui t'a gardé des dangers durant la nuit. Rappelle-toi qui a pris soin de toi pendant que tu dormais, à qui appartient le soleil qui brille autour de toi, et qui te donne la douce lumière du jour.

2. Que ton cœur remercie Dieu, pour sa bonté et ses soins ; et prie pour qu'Il t'accorde Sa protection durant toutes les heures de la journée.

3. Rappelle-toi que Dieu a voulu que toutes ses créatures soient heureuses. Il ne fera rien qui pourrait les empêcher de l'être, sans une bonne raison. [...]

8. Fais toujours ce que tes parents te demandent. Obéis-leur toujours, avec le sourire.

9. Ne fais jamais rien dont tu serais effrayé ou aurais honte que tes parents l'apprennent. Rappelle-toi que même si personne ne t'observe, Dieu te voit, et rien ne peut Lui être caché, même tes pensées les plus secrètes.

10. La nuit, avant d'aller te coucher, demande-toi si tu as mal agi durant la journée, et prie pour que Dieu te pardonne. Si quelqu'un t'a blessé, pardonne-lui dans ton cœur. »

« Things to remember », Lesson 25,
McGuffey's Third Eclectic Reader, 1879.

1. Comment Dieu est-il présenté aux écoliers ?

2. Quelle est la place de la religion à l'école primaire ?

4 Le poids de la tradition dans la religion des Noirs

Depuis la fin de la guerre de Sécession, les Africains-Américains du Sud se regroupent essentiellement au sein de leurs Églises évangéliques, baptistes ou méthodistes, dont les pratiques sont ici critiquées par un pasteur noir d'une Église moderniste du Nord.

« [Le Noir] reçoit trop de mauvaise religion, c'est-à-dire cette religion qui l'encourage à porter son attention sur son existence future dans l'autre monde au lieu de s'intéresser à ce qui se passe ici et maintenant – le type de religion qui inculque une satisfaction servile au lieu de provoquer un mécontentement rebelle... Le lecteur a déjà compris le type de religion dont nous avons besoin ; une religion présente et pratique, qui se préoccupe profondément du monde d'ici-bas, et qui fait de l'insatisfaction une vertu si l'insatisfaction est une prémisse nécessaire pour faire de cette terre un endroit où règnent la justice, la paix et l'amour. »

F. Ethelred Brown, « La religion des Noirs », *The New York Amsterdam News*, 6 janvier 1926. Cité dans Isabelle Richet (dir.), *Harlem 1900-1935*, Autrement, 1993.

1. Quelles spécificités de la religiosité noire traditionnelle l'auteur critique-t-il ?

2. Pourquoi les critique-t-il ?

3 Les États-Unis, terre d'accueil

« Cessez l'oppression cruelle des juifs », chromolithographie, 1904. Washington, Librairie du Congrès.

Caricature publiée aux États-Unis pour dénoncer les pogroms et, en particulier, le massacre de Kichinev (Russie) au cours duquel 120 juifs ont été tués et plusieurs centaines blessés (6 et 7 avril 1903). En haut à gauche, le président Theodore Roosevelt* (1901-1909) s'adresse au Tsar. Environ 2 millions de juifs immigrent aux États-Unis au tournant du XXe siècle.

1. Quelle politique les États-Unis adoptent-ils vis-à-vis des juifs européens ?

THIS TREE MUST COME DOWN

5 Le rejet de la diversité religieuse

Illustration de Branford Clarke, « L'arbre doit être abattu », 1925. Au sommet de l'arbre, sur le livre ouvert, on peut lire *Holy Bible* « Sainte Bible ».

Interdit en 1877, le Ku Klux Klan renaît en 1915 comme une organisation raciste, anticatholique et antisémite qui revendique une identité américaine exclusivement protestante.

1. Comment le catholicisme est-il présenté ?

2. Quel lien ce document fait-il entre le protestantisme, l'identité nationale et le rôle du Ku Klux Klan ?

Les mormons à la fin du XIXᵉ siècle

Le mormonisme est une religion nouvelle née dans l'Est des États-Unis vers 1830. Fondée sur des révélations faites au «prophète» Joseph Smith, elle scandalise par sa théocratie et ses pratiques religieuses, dont la polygamie. Les mormons se réfugient à partir de 1847 dans les montagnes Rocheuses où ils veulent créer un vaste État, dans lequel l'Église mormone contrôle l'économie et la vie publique. L'arrivée de l'armée et d'immigrants protestants après 1860 relance l'hostilité sociale et légale envers les mormons, qui sont alors confrontés à une grave crise. Les deux camps invoquent la liberté religieuse garantie par la Constitution américaine.

Que révèle la crise mormone sur la place de la religion aux États-Unis à la fin du XIXᵉ siècle ?

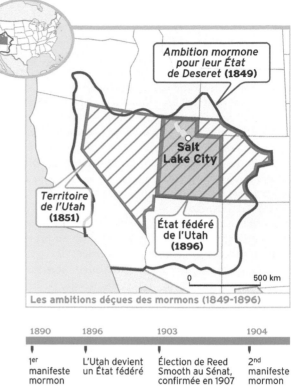

Les ambitions déçues des mormons (1849-1896)

1890	1896	1903	1904
1er manifeste mormon	L'Utah devient un État fédéré	Élection de Reed Smooth au Sénat, confirmée en 1907	2nd manifeste mormon

1 Une Église puissante et dominante en Utah

Le Temple de Salt Lake city, capitale de l'Utah, peu après son inauguration en 1892.
Les textes religieux mormons autorisent le contrôle de l'économie par l'Église. En Utah, l'Église mormone possède de nombreuses sociétés et propriétés, et construit des lieux de culte imposants. La domination d'une seule Église dans un territoire donné est alors unique dans le pays.

2 La Cour suprême fixe le cadre de la liberté religieuse

En 1887, la loi Edmund Tucker enlève à l'Église mormone la possession de ses biens, des sociétés qui contrôlaient une très grande part de l'économie de l'Utah. Les mormons contestent alors cette loi, en alléguant des usages charitables de ces biens. La Cour suprême confirme la loi.

«Il a aussi été établi [...] que les buts religieux et charitables de l'Église sont la diffusion des doctrines de l'Église mormone. [...]

L'organisation d'une communauté consacrée à étendre la polygamie est un retour, dans une certaine mesure, à la barbarie. C'est contraire à l'esprit de la Chrétienté, et de la civilisation qu'elle a produite en Amérique. La question est donc de savoir si la promotion d'un système et d'une pratique si néfastes à nos lois et aux principes de la civilisation doit être permise par le gouvernement lui-même et si les fonds accumulés dans ce but doivent être rendus à ces mêmes usages illégaux antérieurs, au détriment des vrais intérêts de la société civile. Il est inutile ici de se référer à l'histoire passée de la secte, à son mépris des autorités gouvernementales, à sa volonté d'établir une communauté indépendante, à ses efforts pour chasser du territoire ceux qui n'étaient pas en communion avec eux. [...]

Quelles que soient les persécutions qu'ils ont pu subir [dans le passé] ils n'ont aucune excuse pour leur défiance constante de la loi.»

Arrêt de la Cour suprême, 19 mai 1890.

3 **Le scandale de la polygamie**

Le «prophète» Joseph F. Smith, ses femmes et ses enfants en 1904.

En 1890, l'Église mormone interdit à ses adeptes de devenir polygames, mais ceux qui le sont déjà peuvent le rester.
Contraint de témoigner devant la commission sénatoriale qui examine le cas de l'éligibilité du sénateur mormon Reed Smooth, le président de l'Église, Joseph F. Smith, ne peut cacher qu'il a 5 femmes et 48 enfants, dont 11 nés après 1890.

4 La normalisation des mormons

Sous la pression de la Cour suprême et du Sénat, les mormons font évoluer leurs pratiques religieuses et obtiennent que l'Utah devienne un État fédéré en 1896.

a. La fin de la polygamie

«Attendu que le congrès a voté des lois interdisant les mariages pluraux [...] je déclare par la présente mon intention de me soumettre à ces lois et d'user de mon influence auprès des membres de l'Église que je préside, pour qu'ils fassent de même.»

Révélation du président-prophète Woodruff, 23 septembre 1890, dite «Premier manifeste».

b. Le renoncement au monopole économique de l'Église

«Il n'y aura pas de religion d'État et aucune Église ne dominera l'État [...]. Aucun argent public ou propriété ne sera approprié par un culte [...].
Le mariage n'est que l'union légale entre un homme et une femme. [...]
Aucune entreprise ne fera de discrimination dans ses activités. Nul ne pourra tenter de monopoliser une activité économique.»

Constitution de l'État de l'Utah (1895), extraits des articles 1 et 12.

c. Le renoncement à toute forme de polygamie

«J'annonce par la présente que tous les mariages de ce genre sont interdits et que tout responsable qui prendrait sur lui de célébrer ou contracter tout mariage de ce type [...] sera excommunié.»

Révélation du président-prophète Smith dite «Second manifeste», 6 avril 1904.

5 La théocratie mormone fait peur aux Américains

«La vraie objection à Smooth», *Puck*, 1904.
En 1903, l'élection comme sénateur de l'Utah de Reed Smooth, l'un des dirigeants de l'Église mormone, avive l'hostilité de l'opinion publique américaine.
Sur cette image, le personnage barbu («Hiérarchie mormone») porte sur ses vêtements les textes : *meurtre des apostats, rébellion mormone, résistance aux soldats fédéraux, massacre de Mountain Meadow* (en 1857, des émigrants vers la Californie sont massacrés par des Indiens et des mormons).

QUESTIONS

Les mormons et la société américaine

1. Quels sont les problèmes que posent les mormons à la société américaine ? (doc. 2, 3, 4, 5)

2. Comment les mormons font-ils évoluer leurs règles ? (doc. 3, 4)

La résolution de la crise

3. Pourquoi et comment la crise est-elle finalement résolue ? (doc. 2, 3, 4)

4. Comment la loi américaine intègre-t-elle les mormons à la société ? (doc. 4, 5)

Bilan : Que révèle la crise mormone sur la place de la religion aux États-Unis à la fin du XIXe siècle ?

Étude critique de document
➔ **MÉTHODE** p. 245

Présentez le document 2 et expliquez quelle conception de la liberté religieuse il contient. Montrez ensuite sa portée et ses limites.

Le procès du Singe

En expliquant comment les différentes espèces évoluent et s'adaptent par sélection naturelle, Charles Darwin révolutionne, en 1859, la biologie moderne. Aux États-Unis, ses théories provoquent une controverse entre les évolutionnistes* qui soutiennent ses idées, et les créationnistes* pour qui l'homme a été créé par Dieu à son image. Après le vote d'une loi interdisant l'enseignement de la théorie de l'évolution dans les écoles publiques de l'État du Tennessee (*Butler Act*, 1924), le conflit est porté devant les tribunaux: un instituteur de la petite ville de Dayton, John Scopes, est jugé pour avoir enseigné la théorie de Darwin à ses élèves. C'est ce que l'on a appelé le procès du Singe.

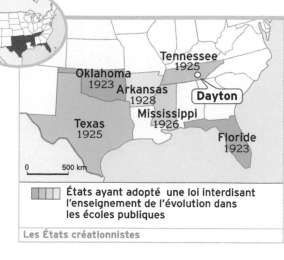

États ayant adopté une loi interdisant l'enseignement de l'évolution dans les écoles publiques

Les États créationnistes

1924	1925		1968
Butler Act	10 juillet Début du procès	21 juillet Condamnation de Scopes	Abrogation du *Butler Act*

En quoi le procès du Singe reflète-t-il la difficile sécularisation de la société américaine?

1 Le *Butler Act*: une loi contre la science?

Le Butler Act, *voté en 1924 dans l'État du Tennessee, interdit l'enseignement de la théorie de l'évolution au sein des écoles publiques.*

« Il est interdit à tout enseignant de l'une des Universités, Écoles normales et toutes les autres écoles publiques de l'État financées grâce à des fonds publics, d'enseigner toute théorie qui nierait l'histoire de la Création divine de l'homme telle qu'elle est enseignée dans la Bible, ou d'enseigner que l'homme serait descendu d'animaux d'ordre inférieur. [...]

Il est en outre statué que tout enseignant reconnu coupable de la violation de la présente loi sera coupable d'un délit. En cas de condamnation, il doit être condamné à une amende qui ne peut être inférieure à 100 dollars, ni supérieure à 500 dollars. »

Butler Act, 1924.

2 Le combat des créationnistes

Manifestation de la ligue anti-évolutionniste à Dayton, 1925. Conduits par William Jennings Bryan*, ancien candidat démocrate à la présidence, les créationnistes multiplient les manifestations pour interdire l'enseignement de la théorie de l'évolution à l'école, car elle diffère du récit de la Bible.

3 Un procès très médiatisé

À la fin du procès de l'instituteur John Scopes, Clarence Darrow, son avocat, interroge W. J. Bryan, chef de file des créationnistes. John Scopes est condamné et perd son emploi mais le discours créationniste, ridiculisé, subit un coup d'arrêt.

« C. Darrow: Vous avez considérablement étudié la Bible, n'est-ce pas Monsieur Bryan ? [...] Prétendez-vous que l'on devrait tout interpréter de façon littérale ?

W. J. Bryan: Je crois que tout dans la Bible doit être accepté comme tel. Certains passages peuvent être interprétés au figuré. Par exemple : "Vous êtes le sel de la terre". Je ne soutiendrais pas que l'homme soit véritablement fait de sel. [...]

C. Darrow: Mais la Bible affirme que Josué a demandé au Soleil de s'immobiliser afin que le jour se prolonge [pour qu'il puisse gagner son combat contre des ennemis d'Israël, les Amorrites]. Vous y croyez ?

W. J. Bryan: Oui, j'y crois.

C. Darrow: Vous pensez alors qu'à cette époque, le Soleil tournait autour de la Terre ?

W. J. Bryan: Non, c'est la Terre qui tourne autour du Soleil. [...] Mais je pense, Monsieur Darrow, que la Bible est un livre inspiré, que Josué était donc inspiré, qu'il écrivit son récit tel qu'il lui fut dicté, sans exprimer sa propre opinion. »

Transcription de l'interrogatoire de W. J. Bryan par la défense, publiée en 1925.

4 La science muselée par la religion

« Une salle de cours de l'université du Tennessee selon W. J. Bryan. »
Caricature de Rollin Kirby, *New York World*, 1925.
L'enseignant, bâillonné et ligoté, désigne, devant le portrait du gouverneur de l'État et une image de l'enfer, une terre représentée comme plate.

5 La Cour suprême dénonce le *Butler Act*

Ce n'est que plus de 40 ans après le procès de John Scopes, en 1968, que la Cour suprême fédérale revient sur l'enseignement du créationnisme dans les écoles publiques, qu'elle déclare contraire à la Constitution américaine.

« Le fait est que la loi [*Butler Act*] sélectionne dans l'ensemble des savoirs un ensemble particulier [la théorie de l'évolution] dont il interdit [l'enseignement] pour l'unique raison qu'il entre en conflit avec une doctrine religieuse particulière, c'est-à-dire avec une certaine interprétation du livre de la Genèse par un groupe religieux particulier. [...]

Dans notre démocratie, le gouvernement doit être neutre en matière de théorie, de doctrine ou de pratique religieuse. [...] Il ne peut être hostile ni à une religion ni aux partisans de l'absence de religion [...]. Le Premier amendement oblige à une neutralité gouvernementale entre les religions et entre la religion et l'absence de religion. »

Arrêt *Epperson contre Arkansas*, 1968.

QUESTIONS

Les créationnistes lors du procès du Singe

1. Pourquoi les créationnistes veulent-ils interdire l'enseignement de la théorie de l'évolution dans les écoles publiques ? (doc. 1, 2, 3)

2. Comment le fondamentalisme religieux s'exprime-t-il au cours du procès du Singe ? (doc. 3)

La lente victoire des évolutionnistes

3. Comment les théories créationnistes sont-elles tournées en ridicule par les évolutionnistes ? (doc. 3, 4)

4. Que révèlent ce procès et ses suites sur les évolutions de la société américaine ? (doc. 3, 4, 5)

Bilan: En quoi le procès du Singe reflète-t-il la difficile sécularisation de la société américaine ?

Étude critique de documents

Mettez en relation les documents 1 et 5 et montrez ce qu'ils révèlent des évolutions de la place de la religion dans la société américaine.

Martin Luther King, un pasteur dans la lutte pour les droits civiques

Martin Luther King Jr (1929-1969) naît en Géorgie, dans la *Bible Belt*. Fils de pasteur traditionnaliste, il développe une vision sociale de la religion et se lance, jeune pasteur lui-même, dans le mouvement des droits civiques qui soulève le Sud des États-Unis à partir des années 1950. Porté par la place centrale de la religion dans la culture et les luttes des Africains-Américains, il élabore sa doctrine d'une non-violence active qui lui assure un large soutien.

Quelle est la place de la religion dans la lutte pour les droits civiques de Martin Luther King ?

Chronologie

1954	Pasteur baptiste à Montgomery (Alabama).
1955	Boycott des bus de Montgomery pour lutter contre la ségrégation dans les transports (382 jours).
1957	Président de la Conférence des chrétiens du Sud, organisation pacifique qui milite en faveur des droits civiques.
1963	Marche sur Washington.
1964	Prix Nobel de la paix.
1967	Campagne des pauvres, contre l'injustice sociale.
1968	M. L. King est assassiné à Memphis (Tennessee).

1 Une enfance dans un milieu religieux traditionnel africain-américain

Martin Luther King naît à Atlanta. Cette ville sudiste où existe la ségrégation entre Noirs et Blancs est imprégnée d'un fondamentalisme qui le marque durablement malgré son progressisme futur.

« J'ai adhéré à l'Église à l'âge de cinq ans. [...] L'Église a toujours été mon second foyer. Aussi loin que je puisse m'en souvenir, j'allais à l'église tous les dimanches. Mes meilleurs amis suivaient l'école du dimanche[1], et elle a beaucoup contribué à développer mon aptitude à m'entendre avec autrui. [...] Les leçons que l'on m'enseignait à l'école du dimanche s'inscrivaient dans le droit fil du fondamentalisme. Aucun de mes professeurs ne doutait jamais de l'infaillibilité des Écritures. La plupart d'entre eux manquaient d'instruction et n'avaient jamais entendu parler de la critique biblique. »

Martin Luther King, *Autobiographie*, textes réunis par Clayborne Carson, Bayard, 2000.
1. Cours de religion chez les protestants.

2 Un engagement politique qui nourrit l'engagement religieux

Étudiant, il intègre les enseignements de l'« Évangile social » qui forment alors la base d'un engagement politique qu'il distingue nettement de ses fonctions religieuses.

« Continuons d'espérer, de travailler et de prier pour que dans le futur, nous puissions vivre dans un monde sans guerre, où la richesse sera mieux distribuée et où la fraternité transcendera les frontières de la race ou de la couleur de peau. C'est cet Évangile que je prêcherai au monde. »

Lettre à sa future épouse, Coretta Scott, 18 juillet 1952, dans *Autobiographie*, op. cit.

3 La lutte non violente contre la ségrégation raciale

En 1963, Martin Luther King organise la Campagne de Birmingham : sit-in et marches non violentes pour protester contre la ségrégation. Il est emprisonné pendant une semaine et rédige une lettre qui résume son engagement. Il reçoit le soutien du président John Fitzgerald Kennedy.

« Je n'ai pas demandé à mon peuple : "Oublie tes sujets de mécontentement." J'ai tenté de lui dire, tout au contraire, que son mécontentement était sain, normal, et qu'il pouvait être canalisé vers l'expression créatrice d'une action directe non violente. Cette attitude est dénoncée aujourd'hui comme extrémiste. [...] J'ai progressivement ressenti une certaine satisfaction à être considéré comme un extrémiste. Jésus n'était-il pas un extrémiste de l'amour ? »

Martin Luther King, *Lettre* de la prison de Birmingham, 1963, dans *Autobiographie*, op. cit.

Martin Luther King à Birmingham (Alabama), 1963.

4 Un pasteur au service de la cause des droits civiques

Martin Luther King conduit la prière durant le Pèlerinage de prière pour la Liberté qui rassemble 25 000 personnes à Washington, le 17 mai 1957.

Pasteur baptiste à Montgomery (Alabama) en **1953** puis à Atlanta (Géorgie), il s'engage par ses sermons dans les combats pour les droits civiques et promeut l'action non violente. C'est dans ce cadre qu'il co-organise le Pèlerinage de prière pour la Liberté pour pousser le président Eisenhower à soutenir la fin de la ségrégation à l'école.

5 Les références bibliques du discours « I have a dream »

En août 1963, lors de la Marche sur Washington pour le travail et la Liberté, Luther King prononce un discours devant 250 000 personnes.
« J'ai aujourd'hui un rêve !

Je rêve que, un jour, même en Alabama où le racisme est vicieux, [...] un jour, justement en Alabama, les petits garçons et les petites filles noirs, les petits garçons et les petites filles blancs, pourront se prendre par la main comme frères et sœurs. J'ai un rêve aujourd'hui !

Je rêve que, un jour, tout vallon sera relevé, toute montagne et toute colline seront rabaissés, tout éperon deviendra une plaine, tout mamelon une trouée, et la gloire du Seigneur sera révélée à tous les êtres faits de chair tous à la fois. [...] Au flanc de chaque montagne que sonne la cloche de la liberté. [...] Quand nous ferons en sorte que la cloche de la liberté puisse sonner, [...] nous pourrons hâter la venue du jour où tous les enfants du Bon Dieu, les Noirs et les Blancs, les juifs et les gentils[1], les catholiques et les protestants, pourront se tenir par la main et chanter les paroles du vieux *spiritual* noir : "Libres enfin. Libres enfin. Merci Dieu tout-puissant, nous voilà libres enfin." »

Martin Luther King, « I Have a dream », 1963, DR.

1. Gentil : nom donné par les juifs aux non-juifs.

6 La reconnaissance de la société américaine

Robert F. Wagner, maire de New York, remet à Martin Luther King la Médaille d'honneur de la ville. City Hall, New York, 17 décembre 1964.

Après le prix Nobel de la paix, il reçoit la Médaille d'honneur de la ville de New York qui consacre la reconnaissance et l'admiration des Américains pour son combat en faveur des droits civiques.

QUESTIONS

Un engagement religieux et politique

1. Comment la pensée de Martin Luther King évolue-t-elle ? (doc. 1, 2, 3)

2. Comment cette évolution a-t-elle nourri son engagement politique ? (doc. 2, 3, 4)

Martin Luther King et les Américains

3. Comment le combat de Martin Luther King s'adresse-t-il aux Africains-Américains et à tous les Américains ? (doc. 2, 3, 4 et 5)

4. Comment expliquer ses succès ? (doc. 3, 4, 5 et 6)

Bilan : Quelle est la place de la religion dans la lutte pour les droits civiques de Martin Luther King ?

Étude critique de documents

À partir des documents 4 et 5, montrez la place de la religion dans la lutte de Martin Luther King pour les droits civiques.

John Fitzgerald Kennedy, un catholique candidat à la Maison blanche

Le 8 novembre 1960, le démocrate catholique d'origine irlandaise, John Fitzgerald Kennedy remporte de peu l'élection présidentielle américaine. Premier catholique président, son élection est un symbole pour les 40 millions de catholiques américains. Sénateur du Massachusetts depuis 1952, il y bénéficie du poids de son parti et de sa famille au sein des minorités ethniques et religieuses. Mais à l'échelle nationale, convaincre les électeurs protestants, majoritaires, est un défi.

Que révèle l'élection du catholique John F. Kennedy des mutations religieuses de la société américaine ?

Chronologie

1947 Député du Massachusetts à la Chambre des représentants.

1953 Sénateur du Massachusetts, réélu en 1958.

1956 **Mars** Échec de la candidature de Kennedy à la vice-présidence démocrate.

Novembre Échec du candidat démocrate, Adlai Stevenson, à l'élection présidentielle.

1960 **Juillet** Candidat démocrate à la présidence.

Septembre Discours de Houston.

Novembre Gagne l'élection contre le républicain Richard Nixon avec un écart de 0,17 % des voix.

1963 **Juillet** Visite au Vatican pour le couronnement de Paul VI.

Novembre Assassinat de John Fitzgerald Kennedy à Dallas (Texas).

1 Une puissante famille irlandaise au catholicisme très affirmé

Vatican, le 20 mars 1939. John, à la droite de son père ; Robert (devant son frère John), futur ministre de la Justice et sénateur de l'État de New York, et Teddy (le jeune enfant), futur sénateur du Massachusetts.

Joseph Kennedy, catholique pratiquant d'origine irlandaise et ambassadeur des États-Unis au Royaume-Uni, est choisi par le président Roosevelt pour représenter son pays au couronnement du pape Pie XII.

2 La religion du candidat, une question très sensible

Le Central Bible Quaterly *est une revue semestrielle baptiste. La désignation de John F. Kennedy comme candidat démocrate à la présidence entraine de nombreuses réactions polémiques dans ces milieux protestants.*

« Est-ce que les obligations envers son Église d'un catholique pratiquant interfèrent d'une manière ou d'une autre avec sa possibilité de respecter et de servir la Constitution des États-Unis ? C'est la question qui se pose aujourd'hui aux Américains.

Il faut être clair sur certaines choses. D'abord, il y a beaucoup de catholiques qui sont de bons et loyaux Américains. [...] Ensuite, beaucoup de fonctionnaires catholiques exercent fort bien leurs fonctions au service du peuple.

La question qui se pose n'est donc pas celle des capacités personnelles des citoyens ou des hommes politiques catholiques. Il s'agit seulement de savoir si la position de l'Église catholique sur la séparation de l'Église et de l'État entre en conflit avec [le principe de séparation] garanti dans le Premier amendement. [...]

[Or, pour les catholiques] le Pape est infaillible. La doctrine de soumission de l'État à l'Église est au fondement de l'Église catholique, comme en conviendra quiconque a une connaissance de son histoire et de ses pratiques. »

Ernest Pickering, « Les États-Unis doivent-ils élire un président catholique ? », *Central Bible Quaterly*, été 1960.

3 Le discours du candidat Kennedy sur la religion

John F. Kennedy, à l'invitation de pasteurs protestants du Sud, prononce un discours largement diffusé et, d'après des sondages, décisif.

« Du fait que je suis catholique, et qu'aucun catholique n'a jamais été élu président [...], il semblerait qu'il me faille à nouveau expliquer non pas à quelle Église j'appartiens, car cela ne regarde que moi, mais bien en quelle Amérique je crois.

Je crois en une Amérique où la séparation de l'Église et de l'État est absolue, une Amérique où aucun prélat catholique ne saurait dicter au Président (fût-il catholique) comment agir, et où aucun pasteur protestant ne saurait dire à ses paroissiens pour qui voter. Une Amérique où aucune église ou école religieuse ne saurait recevoir d'argent ou des faveurs de l'État. [...].

Je crois en une Amérique qui n'est officiellement ni catholique, ni protestante, ni juive ; une Amérique où aucun agent public ne saurait solliciter ni accepter de directives politiques, qu'elles proviennent du Pape [ou] du Conseil National des Églises [protestantes], [...] où chaque homme a le même droit d'appartenir ou non au culte de son choix [...].

Mais si cette élection devait se décider sur l'idée que 40 millions d'Américains ont perdu la possibilité de devenir président le jour où ils ont été baptisés, alors c'est toute la nation qui serait perdante [...].

C'est pourquoi, sans aucune réserve, je peux "jurer solennellement que j'exécuterai avec loyauté les fonctions de Président des États-Unis, et qu'au mieux de mes capacités, je protégerai et défendrai la Constitution, avec l'aide de Dieu." »

Discours de John Fitzgerald Kennedy devant l'Association des pasteurs de Houston (Texas), le 12 septembre 1960.

5 Un catholicisme assumé

Le président John F. Kennedy avec le pape Paul VI le 2 juillet 1963 dans la bibliothèque du Vatican, après un échange de portraits officiels.

S'étant engagé à ne pas ouvrir d'ambassade auprès du Vatican, John F. Kennedy, une fois élu, s'y rend en visite. Il est le troisième président des États-Unis, après Wilson et Eisenhower, à rencontrer un pape. Depuis, tous les présidents américains ont accompli ce voyage.

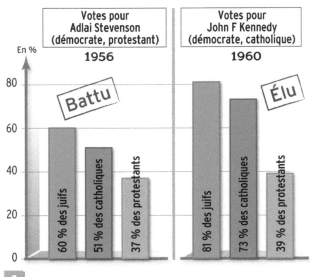

4 Des minorités religieuses décisives dans l'élection de Kennedy

Répartition des votes pour le candidat démocrate à l'élection présidentielle, par affiliation religieuse.

La comparaison des scores des candidats démocrates, lors des élections présidentielles de 1956 et 1960, montre l'importance de la religion dans le choix des électeurs. En 1960, les électeurs catholiques se sont fortement mobilisés pour John F. Kennedy.

QUESTIONS

Le catholicisme : un handicap pour J. F. Kennedy

1. Qu'est-ce qui peut gêner en 1960 un candidat catholique à la présidence ? (doc. 2, 3, 4)

2. John F. Kennedy peut-il ne pas affirmer son catholicisme ? (doc 1, 3, 4)

Le succès de J. F. Kennedy

3. Comment ce problème est-il dépassé par la société et le candidat ? (doc. 3, 5)

4. En quoi cette élection marque-t-elle une étape essentielle entre l'État et les religions aux États-Unis ? (doc. 2, 3, 5)

Bilan : Que révèle l'élection du catholique John F. Kennedy des mutations religieuses de la société américaine ?

Étude critique de document → **MÉTHODE** p. 339

En vous appuyant sur une étude critique du document 3, montrez la façon dont J. F. Kennedy considère la place de sa religion dans l'exercice de ses fonctions de président.

Les transformations religieuses depuis les années 1960

Comment la place de la religion dans la société américaine a-t-elle changé depuis les années 1960 ?

A. Les progrès de la diversité religieuse

● L'élection de John F. Kennedy en 1960 (voir p. 198) **marque un tournant symbolique. L'identité américaine ne se confond plus avec le protestantisme,** et l'intégration des minorités religieuses est acquise [doc. **2**]. La reprise de l'immigration après 1965 contribue à ce tournant en augmentant la part du catholicisme (Latinos) [doc. **1**], puis des religions asiatiques, et de l'islam qui recrute aussi parmi les militants noirs tel **Malcom X.** Les mariages inter-confessionnels, auparavant rares, se généralisent dans les années 1970.

● **Au sein du protestantisme, la crise des courants traditionnels s'accompagne du développement des évangéliques** *born again* **grâce aux** *mega-churches* **et aux télévangélistes** (voir p. 202). Si le protestantisme reste majoritaire (plus de 60 % de la population en 1990 et 52 % en 2007), les Américains de toutes religions ont de nouvelles attentes spirituelles, comme en atteste le succès du **pentecôtisme**, en particulier auprès de certains Latinos, mais aussi du **New Age** et de la scientologie* (voir p. 206).

B. Une laïcisation réelle mais controversée

● **La pratique religieuse hebdomadaire reste forte** mais régresse (42 % en 1970 contre 49 % en 1955), ce qui accélère une sécularisation qui ne va cependant pas aussi loin qu'en Europe. Ce phénomène s'accompagne d'un **renforcement de la séparation de l'État et de la religion**, commencée par la Cour suprême dès les années 1960. L'interdiction de la prière dans les écoles publiques [doc. **3**], puis des signes religieux dans les bâtiments publics, bouleverse les Américains attachés à une religion visible et reconnue.

● **L'évolution des mœurs** – l'arrêt de la Cour suprême *Roe contre Wade* de 1973 légalisant l'avortement et les progrès des droits des femmes et des homosexuels – scandalise les Américains conservateurs et, dans les années 1980 et 1990, **assure le succès de fondamentalistes protestants.**

C. La politisation des questions religieuses

● Depuis les années 1960, **les clivages politiques s'élargissent**. Les évangéliques, apolitiques jusqu'aux années 1970, rejoignent les républicains en 1980 avec l'élection de Ronald Reagan. Son discours sur les valeurs traditionnelles attire d'anciens électeurs démocrates, notamment des catholiques et des Blancs protestants du Sud, ces États devenant républicains. **Cette droite religieuse assure les succès républicains** jusqu'aux élections de George W. Bush en 2000 et 2004.

● Cependant, **les Églises protestantes progressistes**, fortes dans le Nord-Est et sur la côte Ouest, **sont toujours actives** [doc. **4**]. Certains évangéliques ou catholiques traditionnels votent démocrate, notamment parmi les minorités. La virulence des fondamentalistes peut les isoler. Ainsi, pendant la campagne présidentielle de 2008, le candidat démocrate Barack Obama a affirmé sa foi et ses valeurs religieuses, mais a dénoncé avec succès l'intolérance de la droite religieuse.

---

1 **Une recomposition du christianisme**

Grands courants religieux		Type d'Églises	Évolution des effectifs 1965-2005
Protestants	Protestantisme traditionnel	Églises protestantes progressistes	- 40 %
		Églises protestantes modérées	- 23 %
	Courant évangélique	Églises évangéliques conservatrices	+ 43 %
		Églises pentecôtistes	+ 27 %
Autres		Catholiques	+ 40,5 %
		Mormons	+ 200 %

D'après Pew Form.

1. Quels sont les Églises qui gagnent des fidèles ?

Malcolm X (1925-1965)
Enfant des ghettos du Nord, converti puis prêcheur à *Nation of Islam*, mouvement noir séparatiste en marge de l'islam, il devient un leader charismatique du mouvement des droits civiques. Il adopte, en 1964, l'islam sunnite. Il est assassiné en 1965 par un membre de son ancienne Église.
Malcolm X, vers 1960.

MOTS CLÉS

***Born again Christian*:** littéralement «chrétien né de nouveau»; terme qui désigne un converti aux mouvements évangéliques ayant vécu une renaissance religieuse personnelle.
***Megachurch*:** lieu de culte où plusieurs milliers de fidèles sont assemblés chaque semaine pour assister à une prédication.
New Age : mouvements religieux sans dogme ni Église, nés à partir des années 1960 de la fusion de croyances orientales et occidentales.
Pentecôtisme : branche de l'évangélisme mettant l'accent sur une foi émotionnelle et l'intervention divine directe, telle la guérison.

DATES

1962 Interdiction de la prière dans les écoles publiques
1973 Légalisation de l'avortement

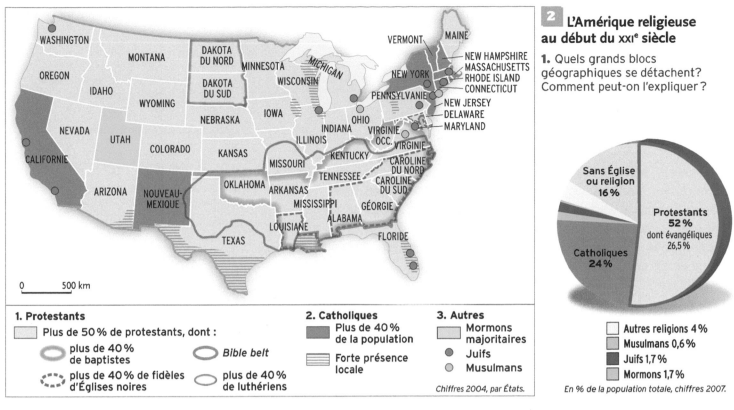

1. Protestants

	Plus de 50 % de protestants, dont :
---	plus de 40 % de baptistes
	plus de 40 % de fidèles d'Églises noires

Bible belt

plus de 40 % de luthériens

2. Catholiques

Plus de 40 % de la population

Forte présence locale

3. Autres

Mormons majoritaires

● Juifs

○ Musulmans

Chiffres 2004, par États.

2 **L'Amérique religieuse au début du XXIe siècle**

1. Quels grands blocs géographiques se détachent ? Comment peut-on l'expliquer ?

Sans Église ou religion 16 %

Protestants **52 %** dont évangéliques 26,5 %

Catholiques **24 %**

☐ Autres religions 4 %
☐ Musulmans 0,6 %
☐ Juifs 1,7 %
☐ Mormons 1,7 %

En % de la population totale, chiffres 2007.

3 **L'action de la Cour suprême**

À la suite d'une plainte de parents d'élèves, la Cour suprême rend un arrêt concernant la prière récitée dans les écoles publiques de l'État de New York : « Dieu tout-puissant, nous reconnaissons notre dépendance à Ton égard et nous implorons Ta bénédiction pour nous, nos parents, nos professeurs et notre Pays. »

« Nous reconnaissons [...] que l'interdiction constitutionnelle de lois établissant une religion officielle signifie à tout le moins que, dans ce pays, ce n'est certainement pas l'affaire du gouvernement que de rédiger des prières officielles [...] en tant qu'élément d'un programme religieux mis en œuvre par l'État. [...]

Ni le fait que la prière puisse être neutre confessionnellement, ni le fait que son observation par les élèves soit volontaire ne peut l'affranchir des prescriptions imposées par la clause d'exercice du 1er amendement[1]. [...]

Lorsque le pouvoir, le prestige et le soutien financier du gouvernement se mobilisent derrière une religion particulière, la contrainte exercée sur les minorités religieuses [...] est évidente. Mais les principes qui sous-tendent la clause d'établissement vont plus loin que cela. Son premier but, et le plus immédiat, repose sur la conviction qu'une association du gouvernement et de la religion tend à détruire le gouvernement et à avilir la religion. »

Cour suprême, Arrêt *Engels contre Vitale*, 1962.

1. Il s'agit du **1er** amendement de la Constitution qui stipule entre autres que « le Congrès ne fera aucune loi qui touche à l'établissement d'une religion ».

1. Quelle interprétation nouvelle la Cour Suprême fait-elle de la liberté religieuse ?

2. S'agit-il d'une politique anti-religieuse ?

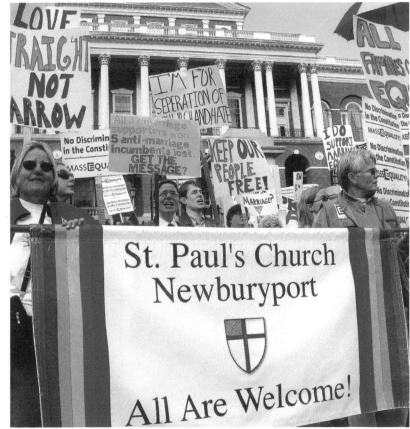

4 **L'action militante des Églises progressistes**

Manifestation en faveur du le mariage homosexuel, devant le congrès du Massachusetts (2007). Le slogan « Tous sont bienvenus » est entouré du drapeau gay (bandes multicolores).

Comme beaucoup d'Églises protestantes du Nord-Est, l'église Saint-Paul de Newburyport est devenue au XXe siècle progressiste et moderniste ; elle incarne une vision de la religion à l'opposé de celle des évangéliques.

1. Comment se mêlent ici action religieuse et action civique ?

Le télévangélisme : un phénomène américain

À partir des années 1950, la télévision reprend la vieille tradition du prêche évangélique itinérant, portant le message biblique au plus grand nombre. Plusieurs centaines de chaînes religieuses sont créées, presque toutes évangéliques, qui rassemblent des communautés religieuses virtuelles autour de pasteurs vedettes. Elles diffusent de véritables shows religieux, à grand spectacle, qui sont source d'énormes profits. Depuis les années 1970, ces programmes télévisés se sont politisés, contribuant à la création d'une droite chrétienne au sein du Parti républicain.

Comment le succès des télévangélistes dans la société américaine s'explique-t-il ?

Chronologie	
1952	Premier prêche télévisé (Rex Humbard). Invention du mot *télévangéliste*.
1960	Possibilité pour les Églises d'acheter du temps d'antenne à la télévision.
1962	Création du *Talk show* religieux à succès, le *700 Club* par Pat Robertson.
1979	Création de *La Majorité morale* par Jerry Falwell, qui appuie Ronald Reagan.
1988	Pat Robertson candidat à la primaire républicaine aux présidentielles.
1999	Création de l'*Internet Evangelism Coalition* par Billy Graham.
2010	Le nombre de chaînes religieuses aux États-Unis dépasse 160.

1 Les origines d'un succès populaire

a. «Certains [télévangélistes] sont des pasteurs d'église, mais la plupart n'ont pour fidèles que les téléspectateurs. Le télévangélisme est né dans les années 1960 aux États-Unis, avec l'apparition sur le petit écran de modestes programmes religieux, protestants mais aussi catholiques. On parle alors d' "Églises électroniques". Devenus des stars à partir des années 1970, les télévangélistes évangéliques ont créé leurs propres réseaux qui fédèrent des centaines de chaînes locales et leur offrent une tribune mondiale ainsi qu'un impact politique considérable.»

Céline Hoyeau, *La Croix*, 8 octobre 2010.

b. «Pourquoi le marché du télévangélisme se maintient-il ? "Il existe une grande ignorance religieuse aux États-Unis. Beaucoup de gens croient en Dieu, mais ils ont une mauvaise compréhension de la doctrine et de la Bible. Nous avons une culture religieuse, qui s'accompagne d'un degré élevé d'ignorance religieuse. Ce n'est pas de la bêtise, mais un manque de connaissances théoriques concernant la religion."
[Deuxième facteur, d'après Quentin Schultzen], les Américains aiment les personnalités charismatiques, que ce soient des artistes, des sportifs, des journalistes ou des pasteurs. "Les idées les intéressent moins que les personnalités, les *people*." Or, le télévangélisme est centré autour de ce type de personnalités.»

Q. Schultzen, professeur d'université, cité par Alan Sayre, The Associated Press, 10 novembre 1993.

2 Le succès des prêcheurs vedettes

Prêche de Jimmy Swaggart, octobre 1980.
Le télévangélisme reprend la tradition évangélique de l'adresse au public. La majorité des prêches télédiffusés sont mis en scène pour la télévision afin de tout centrer sur la personne du pasteur.

3 Le poids politique des télévangélistes

Des télévangélistes comme Jerry Falwell ou Pat Robertson, tous deux conservateurs, ont su utiliser leur notoriété acquise dans les médias pour construire une «droite religieuse» et peser dans le débat politique.

«La droite religieuse a transformé la politique américaine, et c'est Pat Robertson qui en est responsable. Dans les années 1980, les conservateurs chrétiens, sous la direction inepte de Jerry Falwell, ne représentaient qu'un groupe [de] la large coalition soutenant Reagan. Tout a changé dans les années 1990: M. Robertson, stratège politique de génie, a permis à la droite chrétienne de gagner suffisamment d'influence au sein du Parti républicain pour opposer son veto à la désignation de candidats jugés inacceptables. [...] Les obsessions des fondamentalistes chrétiens telles que l'avortement, l'homosexualité, la pornographie et les théories de l'évolution sont encore aujourd'hui les thèmes de prédilection de cette droite remodelée par Robertson. [...]

En gonflant le nombre de ses partisans et en prétendant être l'artisan de la reconquête du Congrès par les républicains en 1994, M. Robertson a réussi à convaincre républicains opportunistes et démocrates timorés que la droite religieuse était une force montante qu'il fallait prendre en compte.»

Courrier international n° 581-582, 20 déc. 2010/2 janv. 2011.

5 Un lien étroit avec le public

Pour l'ethnologue Jacques Gutwirth, le télévangélisme manifeste une pratique religieuse aux États-Unis, plus individuelle. Celle-ci est aujourd'hui également relayée par Internet.

«L'Église électronique cède évidemment par certains côtés au show-biz et au *business*, car elle est tributaire de l'utilisation du média télévisuel dans le contexte d'une économie de marché. Elle comporte néanmoins, quel que soit son contenu théologique ou idéologique, des dimensions religieuses qui ne sont pas négligeables. En effet, la relation avec le public n'est pas unilatérale; ce type de télévision se veut interactif: le rôle du téléphone, du courrier, pour l'écoute et le réconfort des téléspectateurs, pour les prières d'intercession, est capital. Enfin, il y a toutes les offres complémentaires qui permettent au téléspectateur de participer – par procuration – aux réalisations du télévangéliste: institutions universitaires pour plusieurs d'entre eux, hôpital, maisons de retraite. [...] Il s'agit donc d'un phénomène religieux et social vivant [...] qui, dans le contexte de la vie américaine, marquée par les grandes distances, le climat souvent rigoureux et enfin l'omniprésence de la télévision, ne peut être simplement traité par le mépris.»

Jacques Gutwirth, *L'Église électronique. La saga des télévangélistes*, Bayard, 1998 © DR.

4 Les moyens financiers et techniques des télévangélistes

Prêche du pasteur télévangéliste Joel Osteen à Lakewood Church, Houston (Texas), devant 25 000 fidèles, le 9 avril 2006.

La télévision a permis à certains pasteurs de devenir de grandes vedettes et d'attirer des dons considérables. C'est avec ces dons que sont édifiées de *megachurches*, d'où sont retransmis leurs prêches filmés par des professionnels.

6 L'omniprésence des chaînes religieuses

Mikola Vorontsov, *Caricature*, CartoonStock.com, 2012.

Plus de 160 chaînes religieuses de télévision et de radio sont diffusées sur le territoire américain. Majoritairement évangéliques, elles ont un public fidèle mais suscitent aussi de nombreux rejets ou moqueries de la part de ceux qui récusent ce type de religiosité.

QUESTIONS

Le succès des télévangélistes

1. Comment le succès des télévangélistes se manifeste-t-il? (doc. 1, 2, 4)

2. En quoi l'essor des télévangélistes reflète-t-il les mutations de la société américaine? (doc. 4, 5)

Le télévangélisme en débat

3. Quel message politique les télévangélistes véhiculent-ils? (doc. 3)

4. Quelles sont les critiques les plus fréquemment adressées aux télévangélistes? (doc. 1, 3, 6)

Bilan: Comment le succès des télévangélistes dans la société américaine s'explique-t-il?

Étude critique de documents

Confrontez les documents 1 et 5, et montrez que les télévangélistes sont au cœur des évolutions religieuses américaines.

Grant Wood, *American Gothic*

Comment l'art représente-il une Amérique religieuse protestante, puritaine et traditionnelle ?

- **En 1930, le peintre Grand Wood** représente deux personnages devant une maison de l'Iowa, un État rural du Middle West (centre des États-Unis). **Cette œuvre**, d'abord mal reçue, **est devenue depuis l'un des tableaux les plus célèbres de toute la peinture américaine.**

- Grant Wood a représenté une maison réelle, typique du style néogothique rural en vogue à la fin du XIXe siècle. Ses modèles sont son dentiste, le Dr McKeeby, et sa propre sœur, Nan Wood Graham.

- Les personnages portent des habits de la fin du XIXe siècle, ce qui renforce **cette image d'une Amérique rurale encore totalement protestante.** L'homme qui se tient à la gauche de la jeune femme, son épouse ou sa fille, est un fermier, mais il ressemble à un pasteur et sa maison à une église. Toute leur attitude montre un contrôle de soi et de ses sentiments qui **incarne le puritanisme* américain.**

- **Grant Wood a toujours dit qu'il s'agissait d'un hommage à l'Amérique traditionnelle**, austère, portée par la foi et le sens du devoir et du travail. Pourtant, **on y a également vu une critique** des certitudes religieuses et morales étroites de l'Amérique profonde.

FOCUS   Une œuvre souvent caricaturée

En 2005, le Bureau de l'éducation de l'État du Kansas adopte l'obligation d'enseigner le créationnisme au même titre que la théorie scientifique de l'évolution.

« Le Kansas en a assez de l'éducation. »

« Trop de livres... besoin seulement d'un seul. »

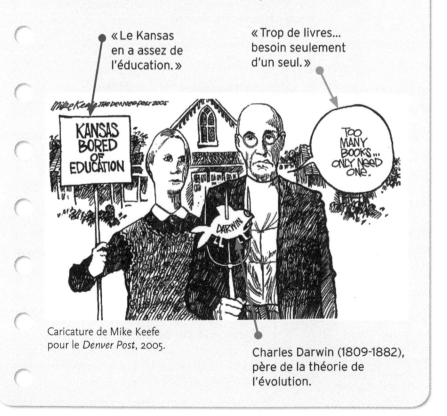

Caricature de Mike Keefe pour le *Denver Post*, 2005.

Charles Darwin (1809-1882), père de la théorie de l'évolution.

ANALYSE DE L'ŒUVRE

ANALYSER LE TABLEAU

1. Quels sont les rapports des personnages entre eux et avec le spectateur ?

2. Qu'est-ce qui renvoie à une Amérique traditionnelle ?

3. Quels sont les éléments directement ou indirectement religieux ?

DÉGAGER LA PORTÉE DE L'ŒUVRE

4. Quelles valeurs positives l'auteur célèbre-t-il ? Comment ?

5. Comment comprendre, d'après les personnages et la composition, qu'on y ait vu une critique d'une religiosité protestante traditionnelle ?

6. Comment expliquer le succès de cette œuvre et ses nombreuses caricatures ?

Grant Wood, *American Gothic*,
Huile sur bois, (78 × 65,3 cm), 1930.
Chicago, Art Institute.

1 Étudier un texte

Louis D. Brandeis (1856-1941) est en 1906 un juriste progressiste célèbre. Ce futur conseiller économique du président Woodrow Wilson (1913-1921) devient en 1916 le premier juge juif à la Cour suprême. Il est une figure de premier plan d'un judaïsme intégré à la société américaine et fier de ses origines.

« L'Amérique offre à l'homme sa meilleure chance, la liberté dans la paix. [...] Et à ces fins chacun des nombreux peuples qu'elle a accueillis sur ses côtes doit contribuer au mieux de ses capacités. Cette contribution à l'Amérique est particulièrement grande pour les juifs. La Constitution américaine cherche à rendre réelle la fraternité entre les hommes [...], l'Amérique au XXᵉ siècle exige la justice sociale. Les juifs la demandent depuis des siècles. Leur religion et leurs malheurs les ont préparés à une réelle démocratie. La persécution a fait de la fraternité une nécessité, elle a approfondi leur passion de la justice, elle a leur a enseigné l'endurance, la persistance, le contrôle et le sacrifice de soi. Plus encore, la généralisation de l'étude des textes juifs a développé leurs qualités intellectuelles et les a rendus moins sensibles au préjugés et plus ouverts à la raison. [...]

Le patriotisme américain autant que la loyauté à notre passé nous imposent de revendiquer cet héritage de l'esprit. »

Louis Brandeis, *Lettre* soutenant la création de la Menorah Society
(association dédiée à l'étude de la culture juive), octobre 1906.

L'identification du judaïsme aux valeurs américaines

1. Comment l'auteur présente-il l'Amérique aux juifs récemment arrivés, et pourquoi ?

2. À qui Louis Brandeis s'adresse-t-il quand il défend le patriotisme américain ?

3. Comment rend-il compatible le maintien des traditions et de la mémoire avec l'assimilation souhaitée ?

---

2 Analyser une image

Une nouvelle religion américaine : la scientologie

L'actrice hollywoodienne Jenna Elfman, scientologue elle-même, salue la foule lors de l'inauguration d'une nouvelle église à Buffalo, État de New York, le 16 décembre 2003.

La scientologie est née en 1953. Fondée par l'écrivain L. Ron Hubbard, elle obtient le statut juridique d'Église, ce qui lui permet de ne pas payer d'impôts, et, par exemple, de célébrer des mariages. En dehors des États-Unis, la scientologie est parfois considérée comme une secte.

1. Comment l'intégration de l'Église scientologue dans la société américaine se traduit-elle dans ce document ?

2. Quelles sont les stratégies de communication de la scientologie ?

3. Comment peut-on expliquer le statut de ce mouvement aux États-Unis ?

---

3 Utiliser une base documentaire

Un candidat catholique à la présidence

1. Allez sur le site de la Bibliothèque John F. Kennedy dans la partie consacrée aux grands discours de JFK : http://www.jfklibrary.org/JFK/Historic-Speeches.aspx

Dans la 2e section : « *Address to the Greater Houston Ministerial Association* », cliquez sur « *multilingual versions of this speech* » et sélectionnez « *French* ».

Cliquez à droite sur la version filmée du discours.

2. Regardez les images télévisées du discours, consultez le texte français à côté puis rédigez un court paragraphe dans lequel vous montrerez ce qui, dans la forme et le ton, montre l'importance de la question religieuse pour les élections de 1960.

L'essentiel

Religions et société aux États-Unis depuis les années 1890

1. Une société profondément religieuse (1890-1960)

● **En 1890, le protestantisme dans sa diversité domine le paysage religieux américain.** Il structure la vie politique et morale de la nation et de ses diverses communautés, comme celle des Africains-Américains. S'il reste dominant et majoritaire, il est progressivement concurrencé par les religions catholique, juive et orthodoxe en plein essor.

● Ces transformations, ainsi que l'avancée de la pensée scientifique et la sécularisation progressive de la société, effraient **certains conservateurs qui lancent une vaine « croisade puritaine »** durant l'entre-deux-guerres afin de combattre les effets du pluralisme confessionnel et de la modernité religieuse sur la société.

2. Les transformations religieuses depuis les années 1960

● **À partir de 1960, les mutations religieuses s'accélèrent.** Le poids des protestants diminue face aux catholiques et aux autres religions, dont l'islam. La laïcité légale progresse avec l'interdiction de la prière à l'école. Un plus grand nombre d'Américains quitte leur Église d'origine pour rejoindre une autre Église, voire pour cesser de pratiquer.

● **De nouvelles formes religieuses voient le jour comme le New Age ou des sectes**, tandis que l'évangélisme évolue dans ses pratiques avec par exemple le télévangélisme et les *megachurches*. La vitalité de la religion dans la société américaine reste forte.

● Si **les protestants évangélistes et d'autres croyants conservateurs refusent les évolutions sociales ou morales**, tels le droit à l'avortement ou la libération sexuelle, et constituent à partir de 1980 une force politique très influente, d'autres Églises acceptent ou soutiennent ces mouvements.

Schéma de synthèse

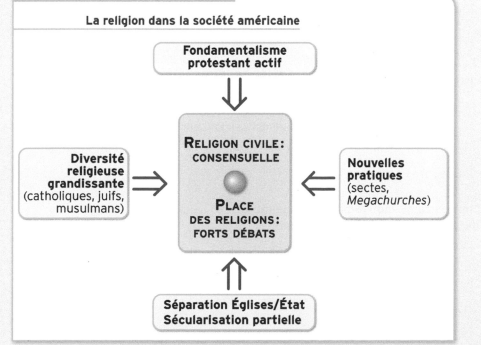

La religion dans la société américaine

- Fondamentalisme protestant actif
- Diversité religieuse grandissante (catholiques, juifs, musulmans)
- RELIGION CIVILE : CONSENSUELLE — PLACE DES RELIGIONS : FORTS DÉBATS
- Nouvelles pratiques (sectes, *Megachurches*)
- Séparation Églises/État — Sécularisation partielle

LES ACTEURS

William Jennings Bryan (1860-1925) Candidat démocrate à trois élections présidentielles (1896, 1900 et 1908), il devient le champion des créationnistes durant les années 1920.

George W. Bush (né en 1946) Fils du président George Bush, il se déclare sauvé de l'alcoolisme par l'évangélisme et la prière. Il devient Gouverneur républicain du Texas (1994-2000), puis président des États-Unis (2001-2009).

LES ÉVÉNEMENTS

1925 Le procès du Singe
En 1925, un instituteur d'une petite ville du Texas est jugé pour avoir enseigné la théorie de l'évolution à ses élèves. Le procès oppose les créationnistes aux évolutionnistes.

1960 Élection de J. F. Kennedy
L'élection, pour la première fois dans l'histoire des États-Unis, d'un président catholique reflète les mutations religieuses de la société américaine.

NE PAS CONFONDRE

Religion civile : croyances institutionnalisées sur la nation américaine (aide et protection divines) qui unissent une population religieusement très diverse autour du culte des documents fondateurs (Constitution).

Religion officielle : reconnaissance par l'État d'une religion dotée du monopole légal ou de privilèges divers. Ceci est interdit dès 1791 au niveau fédéral, puis progressivement élargi aux États et interprété plus strictement.

Fondamentalisme : retour aux « fondements », c'est-à-dire attachement strict au texte biblique, pris comme source de toute vérité historique et scientifique.

Évangélisme : courant populaire conservateur du protestantisme, il demande une nouvelle conversion et prône une relation individuelle avec Dieu.

Laïcisation : renforcement de la séparation des Églises et de l'État, par voie législative ou judiciaire.

Sécularisation : éloignement de tout ou partie de la société des croyances ou pratiques religieuses.

Analyser un article de journal

Sujet **La jeunesse évangéliste aux États-Unis**

Le rassemblement Explo'72

Alors que les années 1960 avaient été marquées par des révoltes de jeunes, les années 1970 voient le renouveau de mouvements religieux conservateurs. En 1972, a lieu à Dallas le plus grand rassemblement évangélique : Explo'72.

« Avant, c'était la musique qui rassemblait des milliers de jeunes. Maintenant, c'est Dieu. La semaine dernière, plus de 100 000 d'entre eux se pressaient au Texas pour assister à une semaine de festivités [...]. Les fidèles, des lycéens et des étudiants originaires de la classe moyenne blanche, sont venus pour apprendre comment convertir le monde entier au christianisme d'ici 1980. Tous ont payé 25 dollars pour assister à des séminaires sur des sujets comme la morale sexuelle ou "comment s'entendre avec ses parents", pour écouter des prédicateurs vedettes comme le révérend Billy Graham, pour applaudir et pour crier leur foi en Jésus [...] et pour écouter le groupe de rock *Armageddon Experience*. [...] Ce Mouvement pour Jésus, [...] est multiple. À Dallas, on voit de jeunes enthousiastes à cheveux courts, tout à fait respectables, côtoyer des originaux à cheveux longs, les *Jesus Freaks*. Ces derniers ont remplacé les drogues par Dieu, ont abandonné leurs études et se sont enfuis de leur maison. [...] À la différence des Églises traditionnelles, activement impliquées dans la vie sociale et politique, ces nouveaux venus se retirent du monde, s'isolent spirituellement. Plutôt que de se préoccuper de la guerre du Vietnam, des tensions raciales ou de la pauvreté, ils ne font que citer la Bible, compter les nouvelles conversions, et attendre avec enthousiasme le retour du Christ sur terre. »

"En attendant Dieu", *The Economist*, 24 juin 1972.

Théologien et télévangéliste protestant américain (né en 1918), proche de Richard Nixon.

Le *Jesus Movement*, né sur la côte ouest américaine à la fin des années 1960, cherche à introduire un message religieux protestant au sein de la contre-culture hippie américaine.

Groupe de rock et folk chrétien, diffusant un message religieux.

Référence aux Églises et pasteurs qui ont milité en faveur des droits civiques ou contre la guerre du Vietnam.

« Fous de Jésus », nom donné aux membres du Mouvement pour Jésus.

Magazine hebdomadaire britannique libéral qui paraît depuis 1843. Ses articles ne sont jamais signés : ses journalistes et éditorialistes restent anonymes.

CONSIGNE

Montrez ce que cet article apprend de l'influence du mouvement évangélique sur la jeunesse. Montrez ensuite quels aspects de l'article sont critiquables.

FICHE MÉTHODE
Analyser un article de journal

Étape 1 *Identifier et présenter le document*

▶ Identifier le type d'article, factuel (qui rapporte des faits), de fond (qui résulte d'une enquête) ou d'opinion.

▶ Identifier son auteur, le journal qui le publie, son contexte de parution et son orientation politique éventuelle.

① Montrez de quel type d'article il s'agit et si son contenu est crédible.

Conseils

Évaluez si le journal prend du recul par rapport à l'événement.

Étape 2 *Analyser le document*

▶ Prélever de façon critique les informations contenues dans l'article.

▶ Tenir compte du degré d'information de l'auteur et de la précision des informations.

② Prélevez les informations qui permettent de caractériser le mouvement évangéliste.

Conseils

Distinguez les informations de fond de celles qui relèvent davantage de l'anecdote.

Étape 3 *Dégager l'intérêt historique du document*

▶ Étudier la portée de l'article, au regard de la pertinence de ses informations ou de la thèse soutenue.

③ Replacez le contenu de l'article dans son contexte historique pour en déterminer la portée.

Conseils

Appuyez-vous sur le cours p. 200.

EXERCICE D'APPLICATION

Sujet **Religion et politique aux États-Unis**

Dieu à la Maison Blanche

Richard Nixon, président des États-Unis de 1969 à 1974, s'appuie pour gouverner sur la « majorité silencieuse » des conservateurs et des chrétiens face aux hippies et aux tenants de la contre-culture. Il favorise de ce fait la renaissance religieuse des années 1970.

« Un mardi sur deux, à 6h30 du matin, a raconté récemment le *New York Times*, une douzaine d'amiraux et de généraux s'assemblent dans la salle à manger particulière du Secrétaire à l'armée, au Pentagone : ils y [...] étudient la Bible pendant une heure et demi. À la Maison Blanche, une vingtaine de collaborateurs se sont réunis dernièrement en un petit-déjeuner de prière. [...] Les réunions de la Maison Blanche, qui ont débuté en 1971, et où l'on compte ordinairement une vingtaine de personnes, se tiennent dans une salle à manger particulière, de 8 à 9, un jeudi matin sur deux : petit-déjeuner, prière, un participant prend la parole, discussion, prière finale. Les groupes de prière matinale du Sénat et de la Maison Blanche s'assemblent eux au Capitole[1], l'un le mercredi, l'autre le jeudi. [...] Ces séances se rattachent à un aspect peu connu de la vie du Capitole et du gouvernement – un réseau, sans organisation stricte, de petits-déjeuners de prière, de "séminaires" d'études bibliques et autres cellules religieuses. Les réunions, généralement hebdomadaires, attirent des fonctionnaires des plus hautes sphères gouvernementales. Nul ne sait le nombre de ces groupes, mais il faut les compter par douzaines, et leurs participants par centaines. [...] Quant au niveau, il se situe, dit-on, entre les causeries théologiques les plus poussées et la simple célébration de Dieu et de la patrie. »

« Dieu et la patrie. Oraisons matinales à la Maison Blanche », *Le Monde*, 29 avril 1974.

1. Le bâtiment qui sert de siège au Congrès des États-Unis (Sénat et Chambre des représentants).

CONSIGNE

Analysez l'article pour montrer ce qu'il révèle de la place de la religion d'une part, et du regard que porte ce journal français d'autre part. Montrez ensuite que le degré d'information de l'auteur de l'article est critiquable.

Élaborer un plan

Action, généralement prolongée dans le temps, qui s'exerce sur l'orientation du gouvernement ou de l'administration, sur l'économie ou sur les évolutions sociales et culturelles d'une société donnée.

Au singulier, désigne le fait religieux (croyances, pratiques, formes d'encadrement) comme un tout, au-delà des différences entre les religions ou les confessions religieuses.

Sujet **L'influence de la religion aux États-Unis dans les années 1960.**

La géographie religieuse des États-Unis (voir p. 200) reflète la variété des Églises qui y sont implantées, en même temps que la tradition qui fait de cette nation, depuis sa création, un espace de liberté religieuse.

Les années 1960 sont marquées notamment par l'élection d'un catholique, John Fitzgerald Kennedy, à la Maison Blanche (voir p. 198) et par l'action du pasteur Martin Luther King (voir p. 196).

Aide-mémoire

• **Vers 1890** Naissance de l'«Évangile social».

• **1919** Début de la prohibition.

• **1925** «Procès du singe».

• **1960** Élection de J. F. Kennedy à la présidence.

• **1973** *Arrêt Roe contre Wade*.

FICHE MÉTHODE
Élaborer un plan

Rappel: Bien comprendre le sujet
(méthode générale p. 12 et fiche méthode p. 76).

Identifiez le sens du sujet.

> **Conseils**
>
> *Demandez-vous sur quoi ou sur qui s'exerce l'influence de la religion.*

Rappel: Définir et délimiter les termes du sujet
(fiche méthode p. 124).

Définissez et délimitez l'influence de la religion.

> **Conseils**
>
> *Montrez que l'influence de la religion s'exerce sur la vie politique aussi bien que sur la société américaine.*

Rappel: Formuler la problématique
(fiche méthode p. 182).

Analysez la place de la religion dans la société américaine.

> **Conseils**
>
> *Interrogez-vous sur la profondeur de l'influence de la religion.*

Étape 1 *Identifier le type de sujet*

▶ Un sujet diachronique invite à étudier l'évolution d'un phénomène dans la durée.

▶ Un sujet synchronique concerne un thème indépendamment de son évolution (sujet tableau, qui invite à faire le point sur une question à un moment précis, ou sujet bilan, qui demande d'aborder les conséquences d'un événement).

▶ Un sujet analytique (souvent libellé sous la forme d'une question) renvoie directement à des enjeux historiques.

① Expliquez pourquoi il ne peut pas s'agir d'un sujet diachronique.

> **Conseils**
>
> *Étudier l'étendue chronologique du sujet.*

Étape 2 *Choisir un type de plan adapté*

▶ Au sujet diachronique correspond un plan chronologique, découpé en périodes à partir d'une ou deux dates importantes qui séparent les parties.

▶ Au sujet synchronique correspond un plan thématique, qui organise la réponse au sujet autour de quelques grandes idées articulées de façon cohérente.

▶ Au sujet analytique correspond un plan chrono-thématique, qui allie une approche thématique, en dégageant les aspects essentiels, et une structure chronologique.

② Identifiez les thèmes principaux que le sujet invite à traiter.

> **Conseils**
>
> *Appuyez-vous sur les cours p. 200.*

PROLONGEMENTS

Bâtir un plan détaillé
(voir p. 276)

➜ Associez à chaque thème principal les idées directrices et les arguments qui permettront de l'appuyer.

Rédiger l'introduction
(voir p. 308)

➜ Expliquez pourquoi l'année 1960 marque symboliquement une césure dans l'histoire des religions aux États-Unis.

EXERCICE D'APPLICATION

Sujet 1 Le fondamentalisme religieux aux États-Unis au xxᵉ siècle.

> **Conseils**
>
> *Identifiez-la ou les césures chronologiques du sujet et déduisez-en le plan adapté.*

Sujet 2 Les mutations religieuses aux États-Unis depuis les années 1960.

> **Conseils**
>
> *Choisissez un plan qui permette de mettre en évidence les différents types de mutation qui sont à l'œuvre.*

Composition

Sujet La place et le rôle des religions dans la société américaine depuis les années 1890.

Conseils

Bien comprendre le sujet : soyez attentif aux mots « place » et « rôle », qui ont deux sens distincts et complémentaires. Le premier évoque l'importance, le second l'influence et l'action.

Définir et délimiter les termes du sujet : utilisez tout le programme, mais distinguez des ruptures, des évolutions si vous voulez construire un plan chronologique.

Sujet Les États-Unis sont-ils un État laïque ?

Conseils

Bien comprendre le sujet : adaptez au contexte américain le mot « laïque », qui n'a pas la même définition qu'en France ; notez l'emploi du mot État, qui a un sens plus restreint que « société » (thème du programme).

Formuler une problématique : développez le sens des mots clés dans l'introduction. Vous ne devez pas répondre par oui ou par non mais examiner les arguments dans un sens et dans l'autre.

Étude critique de document(s)

Sujet La religion et l'État aux États-Unis

George W. Bush, un président très croyant

« "Je crois que Dieu veut que je sois président." Comment ? George Bush a vraiment dit ça ? Le président imagine-t-il avoir une mission divine ? M. Bush semble aussi croire qu'il y a une sorte de plan divin pour le monde. Dans son discours au Congrès neuf jours après les attaques du 11 septembre, le président déclarait que "la liberté et la peur, la justice et l'oppression se sont toujours combattues, et nous savons que Dieu n'est pas neutre dans ce combat." Autrement dit, Dieu se mêle des affaires des hommes, et s'opposer à la liberté et à la justice est aller contre la volonté de Dieu. [...]

En fait, M. Bush est dans la continuité de ses prédécesseurs. [...] Durant son mandat, Jimmy Carter enseignait au catéchisme. Bill Clinton a parlé de Jésus plus souvent que M. Bush et a discouru dans plus d'églises que M. Bush n'a fréquenté de dîners de charité. Dans le contexte américain, la croyance du président que Dieu est impliqué dans les affaires du monde n'est pas plus dérangeante. Le dernier paragraphe de la *Déclaration d'indépendance* – pas moins– commence par un appel au "Juge suprême de l'univers" et finit par "avec une totale confiance dans la providence divine". Les deux références incluses dans le texte fondateur de l'Amérique sont beaucoup plus engagées que le commentaire de M. Bush sur la préférence de Dieu entre la liberté et la peur. Elles associent Dieu et l'intérêt national des États-Unis ; M. Bush ne l'a pas fait. »

The Economist, 16 décembre 2004.

Conseils

Examinez ce qui peut justifier l'intérêt porté aux références religieuses utilisées par G. W. Bush.

Résumez la thèse de l'article en une phrase.

Recherchez d'autres exemples (parmi les présidents mais aussi dans la vie sociale ou les institutions américaines) pour alimenter la thèse de l'article ; trouvez aussi des contre-arguments ou des éléments pour nuancer ce point de vue.

CONSIGNE

Examinez le texte pour montrer dans quelle mesure la religion joue depuis toujours un rôle essentiel aux États-Unis, puis montrez ses limites.

Sujet La prière à l'école, un objet de débats aux États-Unis

1. La religion à l'école

Une classe en prière au début des cours en Caroline du Sud, en 1966, après la décision de la Cour suprême déclarant cette prière inconstitutionnelle.

2. Un débat toujours actuel

L'association des Américains unis pour la Séparation de l'Église et de l'État (AU) a été fondée en 1947; elle milite pour convaincre les Américains que la liberté religieuse passe par une séparation des Églises et de l'État. En 2012, elle conclut un accord avec les autorités scolaires de Castroville (Texas) pour suspendre une procédure judiciaire engagée en mai 2011 au nom de la famille Schulz.

« La famille Schulz est agnostique et s'opposait aux prières officielles durant la cérémonie de remise des diplômes et à d'autres manifestations religieuses au sein de l'école.

Selon les termes de l'accord, les autorités scolaires, les administrateurs, les professeurs, la direction et tout autre employé ne devront pas commencer, solliciter ou diriger des prières; se joindre à des étudiants en prière; recruter ou inviter d'autres personnes à avoir de telles pratiques.

"Cet accord met fin à plusieurs pratiques dont nous pensions qu'elles sont anticonstitutionnelles et qu'elles violent les droits des élèves, a déclaré le Révérend Barry W. Lynn, directeur exécutif d'AU. Je suis heureux que nous ayons pu résoudre cette affaire en évitant un procès."

L'accord prévoit aussi que:

– le personnel scolaire ne disposera pas de croix, d'images religieuses, de citations religieuses, de Bibles ou d'autres textes religieux, ou tout autres images ou objets religieux sur les murs, dans les couloirs ou autres endroits de l'école;

– le district scolaire n'invitera pas de conférencier, y compris des membres du gouvernement ou des dirigeants de la communauté, dont il aurait des raisons de croire qu'ils feraient du prosélytisme ou la promotion d'une religion durant leur intervention;

– le carnet d'élève du lycée de Medina Valley contiendra une partie sur les droits des élèves à la liberté religieuse. »

The Economist, 9 février 2012.

Conseils

Replacez chaque document dans son contexte historique et géographique.

Retrouvez dans le document 2 les comportements en usage dans cette école et qui provoquent la réaction de la famille et de l'association; notez qui est le porte-parole de l'association AU.

Recherchez dans le cours (p. 190 et 200) les arguments utilisés pour justifier les pratiques religieuses à l'école; retrouvez également sur quoi l'association AU s'appuie pour juger ces pratiques anticonstitutionnelles.

CONSIGNE

Confrontez les deux documents et analysez de façon critique la place des manifestations religieuses dans l'espace public aux États-Unis depuis les années 1960.

PUISSANCES ET TENSIONS DANS LE MONDE DE LA FIN DE LA PREMIÈRE GUERRE MONDIALE À NOS JOURS

Les enjeux géopolitiques du monde actuel sont déterminés par le rôle et la place des puissances mondiales, ainsi que par l'ampleur de certains conflits régionaux, dont les origines historiques sont parfois très anciennes et dont les répercussions se font sentir dans le monde entier. Le XXᵉ siècle, marqué par deux guerres mondiales et de nombreux conflits régionaux, s'est ainsi traduit par de profonds bouleversements qu'illustrent les évolutions des puissances chinoise et américaine, et la complexité des conflits au Proche et au Moyen-Orient.

New York (États-Unis), 11 septembre 2001.
Les attentats perpétrés le 11 septembre 2001 à New York et à Washington par des terroristes se réclamant d'al-Qaïda causent près de 3 000 victimes, et révèlent au monde entier la contestation de la puissance des États-Unis.

1918 1919	1929	1941	1945	1947 1949
Mouvement du 4 mai en Chine	Krach de Wall Street	Entrée des États-Unis dans la Seconde Guerre mondiale	Création de l'ONU Fondation de la Ligue arabe	Proclamation de la République populaire de Chine
«14 points» du Président Wilson				Plan Marshall

1973
Fin de la
guerre du
Vietnam

1979
Début de
l'ouverture
économique
de la Chine

1991
Première
guerre du Golfe

2001
Attentats
du 11 septembre

2003
Début
de la
guerre
d'Irak

2008
Jeux
Olympiques
de Pékin

2011
« Printemps
arabe »

215

Les chemins de la puissance

Qu'est-ce que la géopolitique ?

La géopolitique est l'étude des rapports qui existent entre les données géographiques et la politique des États. Plus largement, elle consiste en l'étude de l'espace comme enjeu de rivalités et de conflits entre des acteurs dont le mode d'action est l'usage direct ou indirect de la violence organisée. Le mot, d'abord apparu en Suède en 1889, est la traduction du terme allemand *Geopolitik*, titre d'un ouvrage de Friedrich Ratzel. La géopolitique se distingue de la géostratégie, qui s'interroge sur l'influence de la géographie sur la conduite des guerres et s'intéresse aux théâtres d'opération des conflits aussi bien qu'aux alliances entre les acteurs. Elle se distingue aussi de la géographie politique, qui s'intéresse à l'espace comme un cadre politique et étudie les conflits dans leurs différentes échelles en accordant une attention aux frontières et aux pôles politiques.
Pour analyser la complexité du monde contemporain, les géopoliticiens font de plus en plus appel à des notions abstraites, comme l'idée de nation.

Géopolitique et histoire

L'universitaire Yves Lacoste (né en 1929) est l'un des fondateurs de la géopolitique française contemporaine. Il a notamment créé la revue de référence en matière géopolitique, Hérodote, *en 1976.*

« Le raisonnement historien et la méthode d'analyse géopolitique sont en vérité indissociables. [...] L'important est d'expliquer les conflits actuels, en associant les cartes qui les représentent à l'analyse des conséquences présentes d'événements qui se sont produits il y a plus ou moins longtemps – quelques mois, quelques années ou plusieurs siècles. Il n'est pas possible de comprendre, même à grands traits, une situation géopolitique sans savoir "comment on en est arrivé là", c'est-à-dire sans être informé grosso modo des rivalités de pouvoirs qui se sont historiquement succédé sur les territoires en question, car, de nos jours, certaines forces politiques ravivent la mémoire de vieux conflits que l'on croyait oubliés. [...] Il faut être conscient que la manipulation des souvenirs historiques est classique, surtout s'ils sont des arguments géopolitiques pour un camp ou un autre. Aussi faut-il s'efforcer de confronter les versions contradictoires de l'Histoire que diffusent les protagonistes de la plupart des conflits. Les propagandes utilisent, chacune à leur profit, telle ou telle période de l'Histoire et en passent d'autres sous silence. [...] La fréquence avec laquelle le mot « géopolitique » est aujourd'hui utilisé, et presque toujours à juste titre, traduit le fait que ces problèmes intéressent nombre d'hommes et de femmes qui se soucient du destin de leur pays, de ce qui se passe dans le monde. »

Yves Lacoste, *Géopolitique. La longue histoire d'aujourd'hui*, Larousse, 2008.

Comment définir la puissance ?

Dans les relations internationales, la puissance correspond à la faculté ou la capacité d'un acteur de produire ou d'empêcher un effet. La puissance dépend des rapports de force mais aussi de la perception qu'en ont les différents acteurs. Pour les États, la puissance se confond d'abord avec le pouvoir militaire et économique et la capacité d'intervenir militairement. Dans la première moitié du XXᵉ siècle, les États-Unis et l'URSS affirment progressivement leur hégémonie, c'est-à-dire leur suprématie sur d'autres puissances, qui s'affirme pleinement pendant la Guerre froide. Cette hégémonie, ainsi que celle des puissances coloniales, est contestée dans la seconde moitié du siècle, en particulier par les pays non alignés.

La puissance chinoise selon Mao

Pendant la Guerre froide, la dissuasion nucléaire garantit l'équilibre des grandes puissances. Toutefois, Mao qualifie dès 1946 la bombe atomique de «tigre de papier», estimant qu'elle n'est pas le facteur décisif de la puissance chinoise.

« Peut-on prévoir quel sera le nombre de victimes provoquées par une future guerre ? Il se peut que ce soit un tiers des 2 700 millions de la population du monde entier, c'est-à-dire seulement 900 millions de personnes. J'estime que c'est encore peu si les bombes atomiques sont larguées. Certes, c'est horrible. Mais même si c'était la moitié, ce ne serait pas encore si mal. Pourquoi ? Parce que ce n'est pas nous qui l'aurons voulu, mais eux, qui nous imposent la guerre. Je pense, personnellement, que le monde entier connaîtra ces horreurs quand la moitié de l'humanité périra et peut-être plus que la moitié. J'au eu une discussion à ce propos avec Nehru qui est plus pessimiste que moi sur cette question. Je lui ai dit que si la moitié de l'humanité devait périr l'autre moitié subsistera et, en revanche, l'impérialisme sera complètement supprimé, il ne restera que le socialisme dans le monde entier. En cinquante ans ou en l'espace de cent ans la population doublera ou même plus. »

Mao Zedong, Déclaration dans la *Pravda*, 21 septembre 1963.

Comment évolue la notion de puissance au début du XXIe siècle ?

La mondialisation et la fin de la Guerre froide ont fait évoluer les registres de la puissance. À la « puissance dure » (*hard power*), dont les acteurs sont l'économie et l'armée, se superpose de plus en plus la « puissance douce » (*soft power*), qui provient du rayonnement de la culture, des valeurs politiques et de la politique étrangère. Cette puissance n'émane pas seulement des États, mais aussi des acteurs non étatiques tels que les Organisations non gouvernementales (ONG), les groupes religieux, les diasporas, les médias, les firmes nationales, le cinéma ou les universités.

De la « puissance douce » à la puissance « intelligente »

*Professeur à Harvard (États-Unis), le géopoliticien Joseph S. Nye a inventé en 1990 le concept de « puissance douce » (*soft power*). Dans son dernier livre,* The Future of Power *(2011), il analyse les mutations de la puissance sur la scène internationale.*

« Deux grands basculements de puissance sont à l'œuvre. Le premier, c'est une transition de puissance entre États, de l'Occident vers l'Asie. Plus qu'une ascension de la Chine, il s'agit d'une réémergence de l'Asie qui va progressivement retrouver sa position d'avant la révolution industrielle du XIXe siècle, quand elle représentait plus de la moitié de l'économie et de la population mondiales. [...] Le second basculement, c'est la dissémination de la puissance, des États vers les acteurs non gouvernementaux. La nouvelle révolution de l'information change la nature de la puissance et augmente sa dissémination. [...] Les États resteront les acteurs dominants, mais sur une scène mondiale plus peuplée et plus difficile à contrôler. [...] Pour faire face aux grandes mutations en cours, les gouvernements vont devoir apprendre à penser et à exercer différemment la puissance. C'est ce que j'appelle la puissance intelligente, c'est-à-dire la capacité à combiner dans des stratégies efficaces la puissance dure traditionnelle – militaire et économique –, et la puissance douce – "le soft power" – ou le pouvoir d'attraction et de persuasion. On pensait traditionnellement que l'issue d'un conflit ou d'un différend serait décidée par la partie qui a l'armée la plus importante. À l'ère de l'information globale, ce conflit peut être gagné par celui qui a la meilleure "narration". »

Entretien avec Joseph S. Nye, « Les gouvernements doivent repenser leur exercice de la puissance », *La Croix*, 16 février 2012.

Quelles formes prennent les conflits dans le monde contemporain ?

Les matières premières, enjeu de conflits

Raffineries iraniennes d'Abadan en feu, 22 septembre 1980. Photographie d'Henri Bureau.
Le contrôle des gisements de matières premières joue un rôle dans de nombreux conflits contemporains.

Le mot « conflit » désigne au sens propre un choc, un heurt qui se produit lorsque des forces antagonistes entrent en contact. Il oppose plusieurs acteurs sur des espaces plus ou moins vastes. Le conflit peut prendre la forme d'une opposition violente, mais aussi d'un rapport de force, d'une rivalité. Le XXe siècle a été marqué par des conflits, interétatiques ou intra-étatiques, renvoyant à une profonde opposition de vues et d'intérêts débouchant sur des guerres. Depuis la fin de la Guerre froide, les nouvelles conflictualités se caractérisent notamment par la plus grande diversité de leurs acteurs, et le développement de formes de violence comme le terrorisme ou la piraterie (conflits dissymétriques), qui rendent inefficaces les modes traditionnels de résolution des conflits. Un même conflit peut en outre se dérouler à plusieurs échelles, du territoire local à l'échelle internationale. La mondialisation et l'interdépendance croissantes des économies n'ont pas diminué le nombre des conflits.

Les États-Unis et le monde
depuis les « 14 points » du président Wilson

À partir de 1918, les États-Unis étendent leur influence dans le monde. Hésitant entre isolationnisme et interventionnisme, ils s'affirment, dès la Seconde Guerre mondiale, comme une superpuissance. Le nouvel ordre mondial qu'ils entendent mettre en place à la fin de la Guerre froide est cependant remis en cause.

Comment les États-Unis s'affirment-ils comme une puissance mondiale au XXᵉ siècle ?

1 **La naissance d'une grande puissance**

« Les croisés de Pershing », affiche d'un film de guerre du gouvernement américain, 1917.
Le général Pershing est le commandant du corps expéditionnaire américain en France pendant la Première Guerre mondiale.

Longtemps en retrait de la scène diplomatique européenne, les États-Unis entrent en guerre aux côtés de l'Entente en 1917. Leur engagement, décisif, révèle à quel point ce pays est devenu une puissance économique et militaire de premier plan.

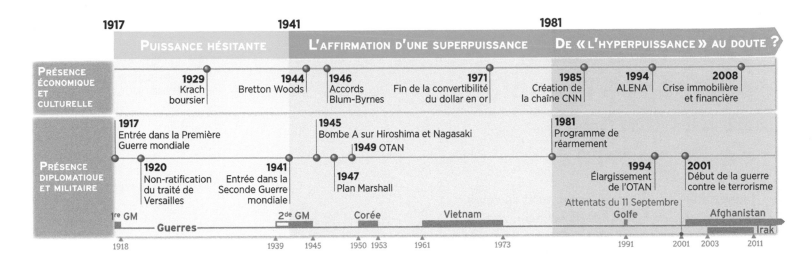

	1917		1941		1981		
	PUISSANCE HÉSITANTE		L'AFFIRMATION D'UNE SUPERPUISSANCE		DE « L'HYPERPUISSANCE » AU DOUTE ?		

| PRÉSENCE ÉCONOMIQUE ET CULTURELLE | **1929** Krach boursier | **1944** Bretton Woods | **1946** Accords Blum-Byrnes | **1971** Fin de la convertibilité du dollar en or | **1985** Création de la chaîne CNN | **1994** ALENA | **2008** Crise immobilière et financière |

| PRÉSENCE DIPLOMATIQUE ET MILITAIRE | **1917** Entrée dans la Première Guerre mondiale | | **1945** Bombe A sur Hiroshima et Nagasaki **1949** OTAN | | **1981** Programme de réarmement | | |
| | **1920** Non-ratification du traité de Versailles | **1941** Entrée dans la Seconde Guerre mondiale | **1947** Plan Marshall | | | **1994** Élargissement de l'OTAN | **2001** Début de la guerre contre le terrorisme |

Attentats du 11 Septembre

| 1re GM | 2de GM | Corée | Vietnam | Golfe | Afghanistan |
| Guerres | | | | | Irak |

1918 — 1939 — 1945 — 1950 — 1953 — 1961 — 1973 — 1991 — 2001 — 2003 — 2011

2 L'interventionnisme américain contesté

Manifestation anti-américaine, Karachi (Pakistan), 17 août 2008.

Devenus la principale puissance mondiale à l'issue de la Guerre froide, les États-Unis font face à l'opposition d'opinions publiques qui dénoncent l'unilatéralisme américain.

QUESTIONS

1. Quel usage est fait du drapeau américain dans ces documents ?

2. Que révèlent ces images de la place des États-Unis dans le monde ?

Les États-Unis, puissance mondiale au lendemain de la guerre

Jeune nation, unifiée progressivement au cours du XIXᵉ siècle, les États-Unis deviennent, au début du XXᵉ siècle, une puissance politique, économique et militaire qui étend son influence au-delà de ses frontières. L'entrée en guerre aux côtés des Alliés avec, pour la première fois, l'envoi de troupes en Europe, donne aux États-Unis un pouvoir inédit et des responsabilités nouvelles. Cependant, malgré leur rôle majeur dans le règlement de la paix, les États-Unis amorcent une période de repli diplomatique qui dure ensuite jusqu'en 1941.

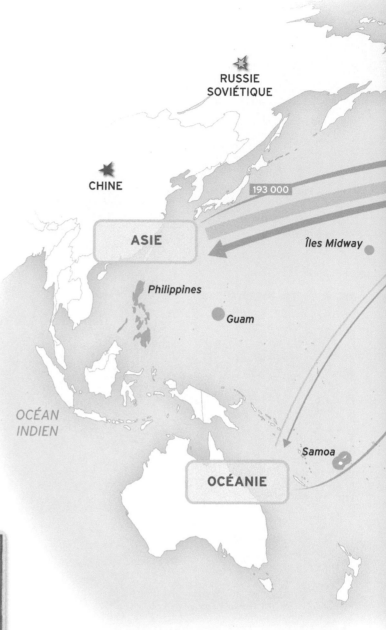

1 **Un engagement au nom des valeurs américaines**

Affiche américaine, « Ils ont défendu nos voies maritimes. Souscrivez à l'emprunt pour la liberté et la victoire », 1918.
Les États-Unis entrent en guerre en avril 1917, en réponse à la guerre sous-marine menée par l'Allemagne.
En novembre 1918, on dénombre près de 2 millions d'Américains venus combattre aux côtés des Alliés en Europe.

2 **Une présence militaire à l'étranger**

Marines américains devant le département de la Marine chinois, Nankin, 1927.
Les États-Unis sont présents militairement en Chine depuis 1920, pour protéger les citoyens américains et leurs biens, notamment dans la concession internationale de Shanghai et à Pékin.

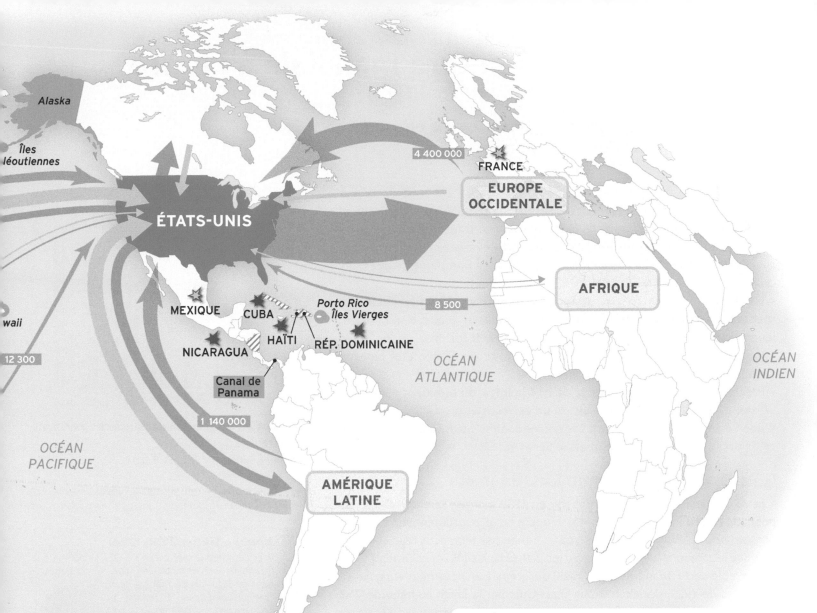

Alaska

Îles Aléoutiennes

waii

12 300

ÉTATS-UNIS

FRANCE

4 400 000

EUROPE OCCIDENTALE

MEXIQUE

CUBA

Porto Rico
Îles Vierges

HAÏTI

RÉP. DOMINICAINE

NICARAGUA

Canal de Panama

1 140 000

AFRIQUE

8 500

OCÉAN ATLANTIQUE

OCÉAN INDIEN

OCÉAN PACIFIQUE

AMÉRIQUE LATINE

Les États-Unis dans le monde au lendemain de la Première Guerre mondiale

1. Les États-Unis et leurs possessions

- ▮ Les 48 États
- ▮ Possessions d'outre-mer
- ▨ Protectorats de fait

2. La présence militaire américaine

- ☆ Intervention militaire de courte durée
- ★ Installation militaire de longue durée

3. Une forte attractivité

Flux commerciaux
- ← Exportations
- → Importations

Migrations
- 8 500 Nombre de migrants (1911-1920)

3 **Les premières entreprises américaines transnationales**

Affiche publicitaire pour l'entreprise automobile Ford, 1934.

Après la Première Guerre mondiale, les grandes entreprises américaines commencent à produire à l'étranger pour accéder à de nouveaux marchés. Dans les années 1920, Ford implante des usines en Grande-Bretagne, en France et en Allemagne.

QUESTIONS

1. Quelles sont les principales régions où s'implante la puissance américaine dans le monde ?

2. Quelles sont les modalités de cette présence extérieure ?

D'une guerre mondiale à l'autre

Pourquoi les États-Unis, malgré leur entrée en guerre en 1917, mènent-ils une politique isolationniste?

A. L'engagement américain dans la guerre et la paix

● Au début du xxᵉ siècle, **les États-Unis sont la première économie mondiale et défendent la politique de la Porte ouverte**. Dans le Pacifique et les Caraïbes, ils contrôlent les Philippines et Porto-Rico mais, conformément à la **doctrine Monroe**, ils se tiennent à l'écart de l'Europe et mènent une politique isolationniste.

● En 1917, en réponse aux attaques des sous-marins allemands qui menacent leur commerce, les États-Unis entrent en guerre et mobilisent leur population car les effectifs de leur armée sont insuffisants [doc. 2]. Ils apportent une contribution décisive à la victoire de l'Entente et peuvent ainsi peser sur le règlement de la guerre.

● Prélude au règlement du conflit, **les «14 points» du président démocrate Wilson** (voir p. 224) **affirment des valeurs universelles** et proposent la création d'une Société des Nations visant à régler les conflits entre États. La SDN* est créée par le traité de Versailles mais le Sénat américain refuse de le ratifier.

B. Une grande puissance isolationniste

● **Le retour des républicains au pouvoir en 1920 marque le renouveau d'une politique isolationniste.** Tout en développant leurs investissements à l'étranger [doc. 1], les États-Unis, premier créancier mondial, tentent de régler la question des réparations allemandes avec les plans Dawes (1924) et Young (1929) puis avec le pacte Briand-Kellogg (1929) qui prépare un désarmement général.

● **La crise de 1929, déclenchée aux États-Unis par le krach boursier de Wall Street, affecte le monde entier,** car les investissements américains à l'étranger sont rapatriés et les importations stoppées. Le Congrès par les lois de neutralité [doc. 3] veut empêcher tout engagement dans une Europe instable.

● **Cette crise n'enraye cependant pas l'essor de l'influence culturelle américaine,** illustrée par trois prix Nobel de littérature dans les années 1930 et la diffusion internationale de productions destinées à un très large public, tels les films de l'industrie cinématographique naissante, notamment à Hollywood.

C. La sortie progressive de l'isolationnisme

● **Dans l'entre-deux guerres, les États-Unis multiplient les interventions** en Amérique centrale et dans les Caraïbes, leur zone d'influence directe.

● **Le président Franklin D. Roosevelt** (1933-1945) (voir p. 226), conscient que l'opinion publique est hostile à toute intervention extérieure, **mène une politique isolationniste** mais, dès 1937, avec la montée des tensions internationales, il prépare son pays à de nouvelles responsabilités [doc. 4].

● L'engagement américain dans la Seconde Guerre mondiale est d'abord indirect: la **loi *Cash and Carry*** (novembre 1939) et du «Prêt-bail» (mars 1941) font des États-Unis l'«arsenal des démocraties». L'attaque surprise du Japon à Pearl Harbor le 7 décembre 1941 précipite l'entrée en guerre des États-Unis. **L'engagement massif de l'armée américaine** dans le Pacifique puis sur le front européen [doc. 5] **contribue ensuite de manière décisive à la victoire des Alliés** en 1945.

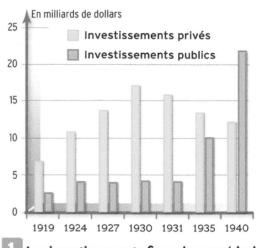

1 **Les investissements financiers américains à l'étranger**

Historical Statistics of the United States, Cambridge University Press.

1. À quel rythme augmentent les investissements américains sur la période?

MOTS CLÉS

Doctrine Monroe: doctrine diplomatique énoncée en 1823 par le président James Monroe, qui refuse toute ingérence européenne sur le continent américain et exclut toute intervention américaine en Europe.

Isolationnisme: politique d'isolement d'une nation, particulièrement le refus de s'engager dans des traités pouvant entraîner une intervention militaire.

Loi *Cash and Carry*: loi autorisant la vente d'armes aux pays en guerre, sous réserve que les acheteurs paient comptant et assurent le transport.

Porte ouverte: doctrine économique qui exige le droit, pour tout pays, de commercer librement avec les colonies, quelle que soit leur métropole.

DATES

1918 «14 points» de Wilson
1920 Non-ratification du traité de Versailles
1929 Krach boursier de Wall Street
1941 Pearl Harbor

COLORED MEN
The First Americans Who Planted Our Flag on the Firing Line

"Liberty And Freedom Shall Not Perish"
A. Lincoln

TRUE SONS OF FREEDOM

2 Une guerre au nom de la liberté

« Les vrais fils de la liberté », affiche américaine présentant le président Lincoln (mort en 1865) regardant les soldats américains « de couleur » combattre les Allemands, 1918.

1. Quelle image est donnée de la nation américaine en guerre ?

3 Une politique de neutralité

Poussé par une opinion publique qui refuse le précédent de 1917 et s'inquiète du retour de la menace de guerre en Europe, le Congrès vote trois lois de neutralité entre 1935 et 1937.

« [Quand] le président constate qu'il existe un état de guerre, civile ou entre deux États étrangers ou plus, [il] le proclame et il est alors illégal d'exporter [...] des armes, munitions ou du matériel de guerre vers tout port de [ces États] ou tout port neutre pour être réexporté dans un pays en guerre. Toute personne qui s'engage dans la production, exportation ou l'importation d'armes doit s'enregistrer. »

Loi de neutralité de 1935.

« Il est illégal de faire un prêt ou crédit [à un gouvernement en guerre]. »

Loi de neutralité de 1936.

« [Tout autre bien] ne peut être exporté vers un tel État que s'[il a déjà entièrement été payé] par un gouvernement, une personne [...] ou entreprise étrangère. »

Loi de neutralité de 1937.

1. Quels dangers les auteurs de ces lois veulent-ils éviter ?
2. Qu'ajoutent les lois de 1936 et 1937 à celle de 1935 ?

4 Le discours de la « quarantaine »

En 1936 et 1937, les dangers s'accumulent à l'échelle mondiale avec le militarisme nazi, la guerre civile en Espagne et l'attaque de la Chine par le Japon.

« La situation politique mondiale qui a progressivement empiré depuis peu [...] a commencé par des ingérences injustifiées dans les affaires intérieures d'autres nations ou par l'invasion de territoires étrangers en violation des traités, et a maintenant atteint un stade où les fondements mêmes de la civilisation sont gravement menacés. [...] Que personne ne s'imagine que l'Amérique en réchappera, que l'Amérique puisse attendre la miséricorde [divine], que cet hémisphère occidental ne sera pas attaqué et qu'il va continuer à poursuivre tranquillement et paisiblement les us et les coutumes de la civilisation. Le monde moderne est solidaire et interdépendant, aussi bien sur le plan technique que sur le plan moral : une nation ne peut se tenir à l'écart des bouleversements économiques et politiques qui agitent le reste du monde [...]. Nous sommes déterminés à rester en dehors de la guerre, mais nous ne pouvons pas nous assurer contre les effets désastreux de la guerre ni contre les dangers de l'engagement. »

Franklin D. Roosevelt, *Discours*, 5 octobre 1937.

1. Comment Roosevelt prépare-t-il l'opinion publique à des changements de politique étrangère ?

5 Une puissance libératrice

Omaha Beach (Basse-Normandie), juin 1944.

Le débarquement américain en Normandie est un tournant décisif de la Seconde Guerre mondiale : 3 millions de soldats alliés partent à l'assaut de la France occupée dans les mois qui suivent.

1. Comment se manifeste la puissance américaine ?

Des 14 points du président Wilson au refus de la SDN

Quand la guerre se déclare en Europe en 1914, l'opinion publique américaine considère que ses intérêts immédiats, notamment commerciaux, ne sont pas menacés. Le président Wilson est néanmoins très engagé dans la réflexion pour la paix et, en entrant dans le conflit en avril 1917, il espère pouvoir peser sur son règlement. Au moment où les troupes américaines commencent à arriver sur le front européen, les « 14 points » dessinent ce que devrait être cette paix future selon Wilson. Cependant, après la victoire, il doit composer avec les Alliés comme avec ses compatriotes qui s'opposent à ses projets.

Chronologie

1917 Février Guerre sous-marine allemande contre les navires de commerce des pays neutres.

1917 6 avril Entrée en guerre des États-Unis.

1918 Janvier « 14 points »; Premiers soldats américains en France.

Novembre Armistice.

1919 Juin Signature du traité de Versailles créant la SDN.

Septembre Début de la tournée américaine de W. Wilson pour soutenir la SDN.

1920 Le Sénat, devenu majoritairement républicain, rejette la ratification du traité de Versailles.

Comment le président Wilson conçoit-il le rôle mondial des États-Unis de 1917 à 1919 ?

1 Une nouvelle vision diplomatique

En janvier 1917, Wilson pense encore pouvoir éviter l'entrée en guerre de son pays.

« Dans les jours futurs il faudra un plan créant de nouvelles fondations de paix entre les nations. Il est inconcevable que le peuple des États-Unis ne joue pas de rôle dans cette grande entreprise. [...] Il sera absolument nécessaire [une fois la guerre terminée] qu'une force soit créée en garantie des accords de paix [...].

Je propose que toutes les nations adoptent d'une seule voix le principe du président Monroe pour le monde entier : qu'aucune nation ou peuple ne cherche à s'agrandir aux dépens d'autres mais que tous soient libres de déterminer leur propre État et leur propre développement, sans pressions, contraintes ni menaces, les petits comme les grands et puissants [...]. Je propose des gouvernements par le consentement des gouvernés, la liberté des mers et la modération des armements qui fasse des armées et des marines de simples forces d'ordre et non des instruments d'agression ou de violence égoïste.

Il s'agit des principes américains, de la politique américaine. [...]. Ce sont aussi les principes et la politique de tous les hommes et les femmes qui regardent vers le futur, de toute nation moderne, de toute communauté éclairée. Ce sont les principes de l'humanité et ils doivent l'emporter. »

W. Wilson, *Discours* au Sénat, 22 janvier 1917.

2 Les « 14 points » du président Wilson

La guerre sous-marine allemande provoque l'entrée en guerre des États-Unis en avril 1917. Le président Wilson est alors soucieux de se distinguer des Alliés. Refusant un simple partage des territoires allemands, austro-hongrois ou ottomans, il expose les fondements d'une paix durable.

« 1. Une diplomatie qui procédera toujours franchement et ouvertement, à la vue de tous.

2. Liberté absolue de navigation sur les mers, en dehors de eaux territoriales, aussi bien en temps de paix qu'en temps de guerre [...].

3. Suppression dans la mesure du possible de toutes les barrières économiques et établissement de conditions commerciales égales entre toutes les nations [...].

4. Les armements de chaque pays seront réduits au seuil minimum compatible avec sa sécurité intérieure.

5. Arrangement librement débattu, dans un esprit large et tout à fait impartial, de toutes les revendications coloniales [...]. Les intérêts des populations pèseront d'un même poids.

7. La Belgique, tout le monde en conviendra, devra être évacuée et restaurée [...].

8. Le tort causé à la France par la Prusse en 1871 en ce qui concerne l'Alsace-Lorraine [...] devra être réparé [...].

9. Le rétablissement de la frontière italienne devra être effectué conformément au [...] principe des nationalités.

10. Aux peuples de l'Autriche-Hongrie [...] on devra accorder [...] la possibilité d'un développement autonome.

13. Un État polonais indépendant devra être établi [...].

14. Il faudra constituer une association générale des nations [...] visant à offrir des garanties mutuelles d'indépendance politique et d'intégralité territoriale aux grands comme aux petits États. »

W. Wilson, *Message* au Sénat américain, 8 janvier 1918.

3 Wilson plaide pour le traité de Versailles

À l'été 1919, le président Wilson cherche à promouvoir le traité de Versailles et à amener le Sénat, où les isolationnistes sont majoritaires, à le ratifier.

« Vous dites : "Nous avons entendu dire que nous pourrions être dans une position désavantageuse dans la Société des Nations". Ceux qui vous ont dit cela ou bien ont délibérément falsifié la réalité ou bien n'ont pas lu le règlement de la Société des Nations. [...] Je vous laisse juger par vous même :

C'est une organisation très simple. Il y a le Conseil qui consiste en un représentant de chacun des alliés (É-U, Grande-Bretagne, France, Italie et Japon) [...]. Le conseil est la source de la politique de la SDN, et chaque décision doit avoir l'unanimité du Conseil. Ne s'en suit-il pas qu'absolument aucune décision ne peut-être adoptée sans l'accord des États-Unis ? [...]

Nous pouvons utiliser le vote des États-Unis, à bon ou à mauvais escient, de manière à rendre impossible d'entraîner les États-Unis dans toute action ou toute entreprise où ils refuseraient d'être entraînés [...].

Est-il besoin de répéter encore que le règlement [de la SDN] dit expressément qu'aucun de ses articles ne sera utilisé pour invalider la doctrine Monroe[1], par exemple ? »

W. Wilson, Discours de Pueblo (Colorado),
25 septembre 1919.

1. Doctrine du début du XIXe siècle qui fonde l'isolationnisme américain (voir p. 222).

4 La négociation entre vainqueurs

Hôtel Crillon, Paris, décembre 1918.

Le président américain Woodrow Wilson (à droite), avec les Premiers ministres italien (Orlando, à gauche), britannique (Lloyd George, deuxième à gauche) et français (Clemenceau, deuxième à droite). Wilson joue un rôle déterminant dans l'élaboration des traités de paix (janvier-juin 1919).

5 L'échec de Wilson et le retour à l'isolationnisme

« La pièce manquante du pont ». Caricature britannique parue dans *Punch Magazine*, 10 décembre 1919.

On peut lire sur l'écriteau : « Ce pont de la SDN a été conçu par le président des États-Unis ». Les États-Unis, représentés par l'oncle Sam à droite, sont la « clé de voûte » (*keystone* en anglais), manquante du pont. L'isolationnisme des États-Unis est très mal perçu en Europe.

QUESTIONS

Les buts de guerre du président Wilson

1. Pour quelles raisons les Américains sont-ils entrés en guerre ? (doc. 1, 2)

2. Quels principes défend le président Wilson pour la paix future ? Peut-il les imposer ? (doc. 1, 2, 3)

Les États-Unis et la SDN

3. Pourquoi Wilson tient-il tant à une Société des Nations ? (doc. 1, 3)

4. Pourquoi le Sénat américain s'oppose-t-il à la SDN ? (doc. 3)

5. Quelles en sont les conséquences ? (doc. 5)

Bilan : Comment le président Wilson conçoit-il le rôle mondial des États-Unis de 1917 à 1919 ?

Étude critique de document → **MÉTHODE** p. 339

Analysez le document 2 et montrez comment les « 14 points » révèlent l'application de valeurs américaines à la situation européenne.

Franklin Roosevelt et l'Amérique en guerre

Le démocrate Franklin Delano Roosevelt est élu président des États-Unis d'Amérique en 1932 et réélu en 1936, pour remédier à la crise économique. Sur le plan de la politique extérieure, non prioritaire à cette période, il suit l'opinion publique américaine et prône la neutralité*. La montée des périls dans le monde le décide à se représenter en 1940 pour convaincre les Américains et le Congrès de la nécessité d'un plus grand interventionnisme*. Il fait entrer les États-Unis dans la Seconde Guerre mondiale en 1941 et incarne, dès ce moment, l'Amérique en guerre, tant sur le plan intérieur qu'auprès des Alliés.

Comment le président Roosevelt conduit-il les États-Unis en guerre ?

Chronologie

1882	Naissance de Franklin D. Roosevelt.
1932	Élection à la présidence des États-Unis.
1935	Première loi de neutralité.
1936	Réélection de Roosevelt.
1937	Discours de la « Quarantaine ».
1939	Loi *Cash and Carry*.
1940	Deuxième réélection.
1941	Loi du Prêt-bail. Déclaration de guerre.
1943	Conférences de Casablanca, du Caire et de Téhéran.
1944	Troisième réélection.
1945	Conférence de Yalta. Mort de Roosevelt.

1 Une forte opposition à l'intervention

Roosevelt est confronté, dès les années 1930, à la vigueur du courant pacifiste, représenté par l'America First Committee («l'Amérique d'abord»), soutenu par Charles Lindbergh, premier aviateur à avoir traversé l'Atlantique sans escale en 1927 et admirateur du régime nazi.

«Depuis ce jour de septembre 1939, il y a eu un effort croissant pour contraindre les États-Unis à entrer dans le conflit. [...] Qui est responsable de ce changement dans notre politique nationale, qui est passée de la neutralité et de l'indépendance à l'implication dans les affaires européennes ? Les sondages américains montrent que, en 1939, lorsque l'Angleterre et la France ont déclaré la guerre à l'Allemagne, moins de 10 % de la population était favorable à un engagement des États-Unis. Cependant, il y avait divers groupes, ici et à l'étranger, dont les intérêts et les idées rendaient l'intervention américaine nécessaire. [...] Les trois groupes les plus importants qui ont fait pression sur notre pays sont les Britanniques, les Juifs et l'administration Roosevelt. [...] Derrière ces groupes, mais d'une importance moindre, se trouvent des capitalistes, des anglophiles et des intellectuels qui pensent que l'avenir de l'humanité dépend de la domination de l'Empire britannique. Ajoutez à cela les groupes communistes qui étaient opposés à notre intervention il y a encore quelques semaines et je crois que j'aurai nommé les principaux bellicistes de ce pays.»

Charles Lindbergh, *Discours*, 11 septembre 1941.

2 Le choc de Pearl Harbor et l'entrée en guerre des États-Unis

Les habitants de San Francisco lisent l'édition spéciale du *San Francisco Chronicle*, le 8 décembre 1941.

L'attaque japonaise surprise de Pearl Harbor, base navale américaine dans le Pacifique, le 7 décembre 1941, est un véritable choc national. Les journaux publient des éditions spéciales, et Roosevelt déclare la guerre au Japon dès le lendemain, unanimement soutenu par l'opinion publique américaine.

3 Les buts de guerre selon Roosevelt

Lors de son discours annuel devant le Congrès américain, le président Roosevelt expose la vision de la paix défendue par l'Amérique en guerre.

« Nous ne devons jamais oublier ce pour quoi nous combattons. [...]

Nous voulons une paix vraie et durable. Dans les années entre la fin de la Première Guerre mondiale et le début de la Seconde, nous ne vivions pas dans une [telle] paix. [...]

Rappelons-nous aussi que la sécurité économique pour l'Amérique du futur est menacée s'il n'y a pas une plus grande stabilité économique dans le reste du monde. Nous ne pouvons transformer l'Amérique en une île, du point de vue ni militaire ni économique. [...] La victoire dans cette guerre est notre premier et principal but. La victoire dans la paix est le prochain. [...] Après la Première Guerre nous avons tenté d'établir un système pour une paix durable, fondé sur un magnifique idéalisme. Nous avons échoué. Mais notre échec nous a appris que nous ne pouvons maintenir la paix seulement par de bonnes intentions. Cela veut dire s'engager dans l'agrandissement de la sécurité des hommes dans le monde entier. »

F. D. Roosevelt, *Discours sur l'état de l'Union*, janvier 1943.

4 Avec Roosevelt, les États-Unis prennent le relais des Britanniques

« Libérateurs du monde », affiche de propagande américaine, 1942.

Dès 1942, Roosevelt lance le « Programme de la victoire », mettant ainsi le système de production américain au service de la guerre aux côtés de l'Empire britannique qui dépend de plus en plus de l'aide des États-Unis.

5 Roosevelt à la conférence de Yalta

Winston Churchill, Franklin Roosevelt et Joseph Staline en février 1945 à Yalta.

Dans toutes les conférences de guerre (Casablanca, Téhéran, Le Caire en 1943, et Yalta en 1945), le président Roosevelt est présent et joue un rôle central. À Yalta, il est obligé d'accepter la nouvelle place de l'URSS en Europe mais parvient à faire accepter la future Organisation des Nations unies.

QUESTIONS

Les Américains et la guerre

1. Quels sont les arguments des neutralistes contre Roosevelt ? Comment les renverse-t-il ? (doc. 1, 3)

2. Comment la population américaine réagit-elle à la guerre ? (doc. 1, 2)

Les objectifs diplomatiques de Roosevelt

3. Quels enseignements Roosevelt tire-t-il de la Première Guerre mondiale ? (doc. 3, 5)

4. Quels sont les objectifs de la guerre dans la vision diplomatique de Roosevelt ? (doc. 3, 4, 5)

Sujet : Comment le président Roosevelt conduit-il les États-Unis en guerre ?

Étude critique de document
→ **MÉTHODE** p. 339

Analysez le document 3 et, après l'avoir situé dans son contexte, mettez en évidence son apport pour la compréhension des enjeux de l'entrée en guerre des États-Unis.

La superpuissance américaine pendant la Guerre froide

À partir de 1947, les États-Unis, leaders du bloc de l'Ouest, sont confrontés au bloc soviétique, mené par l'URSS. Assumant leur statut de grande puissance, ils étendent leur influence dans le cadre du nouvel ordre mondial dont ils ont posé les fondements au lendemain du conflit. Avec la Guerre froide, la puissance américaine repose autant sur leur avance économique, technologique et militaire que sur le modèle culturel et politique qu'ils promeuvent.

1 **La diffusion de la culture et du mode de vie américains**

Une du magazine *Time*, mai 1950.
Pendant la Guerre froide, les États-Unis promeuvent partout dans le monde leur mode de vie et leur culture. On nomme cette influence culturelle le *soft power*.

2 **L'action de la CIA, au service de la puissance américaine**

Sceau de la CIA, 1974.
Fondée en 1947, la CIA*, agence centrale de renseignement, est chargée de l'espionnage à l'extérieur des frontières américaines. Elle est à l'origine de nombreuses opérations, notamment à Cuba, au Guatemala, au Nicaragua, en Iran, en Afghanistan.

3 **Un réseau mondial d'alliances**

Traité avec les États-Unis	Pays signataires
OEA* 1946	Tous les États du continent américain, Cuba exclu (1962-2003)
OTAN* 1949	Canada, Islande, Grande-Bretagne, Norvège, Danemark, Benelux, France, RFA, Espagne (1986), Italie, Portugal, Grèce (1952), Turquie (1952)
ANZUS* (1951)	Nouvelle-Zélande, Australie
Pacte de Bagdad (1955-1979)	Turquie, Irak, Iran, Pakistan, Royaume-Uni
OTASE* (1954-1977)	Pakistan, Thaïlande, Philippines, Nouvelle-Zélande, Australie
Traité bilatéral de protection	Japon (1951), Corée du Sud (1953), Taiwan (1954)
Autres alliances bilatérales	Arabie saoudite (1945), Israël (1962), Égypte (1978)

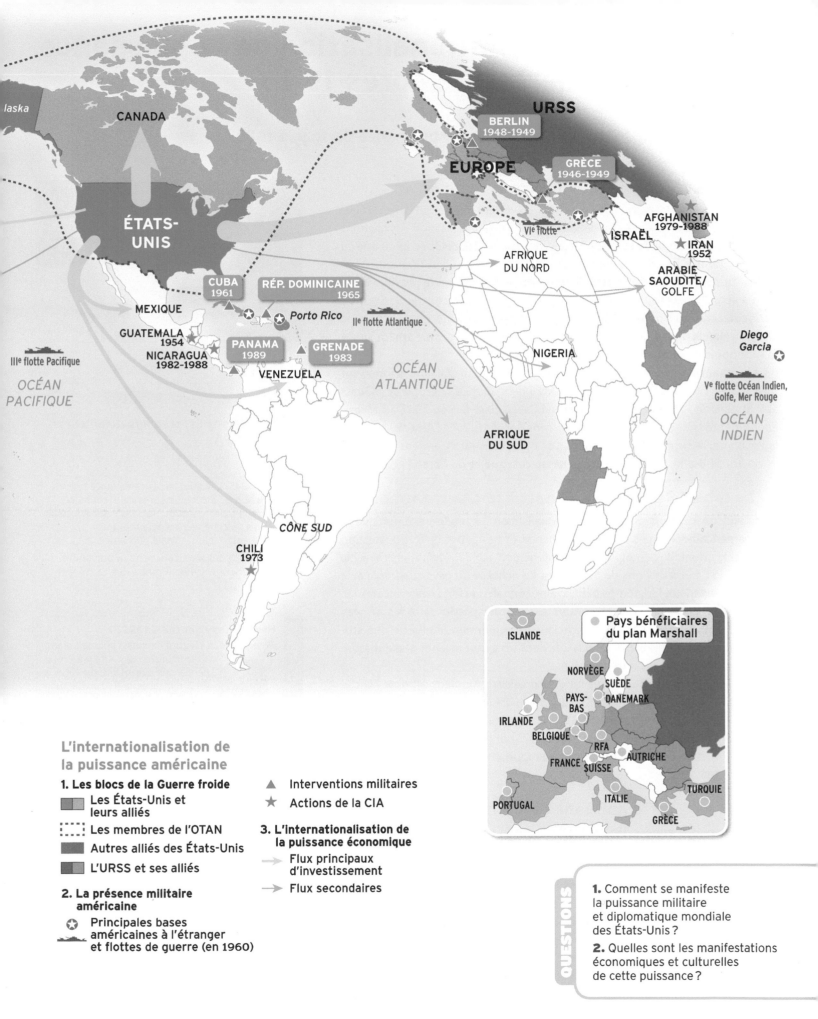

laska

CANADA

URSS

BERLIN
1948-1949

EUROPE

GRÈCE
1946-1949

ÉTATS-
UNIS

VIe flotte

AFGHANISTAN
1979-1988

ISRAËL

IRAN
1952

CUBA
1961

RÉP. DOMINICAINE
1965

AFRIQUE
DU NORD

ARABIE
SAOUDITE/
GOLFE

MEXIQUE

Porto Rico

IIe flotte Atlantique

Diego
Garcia

GUATEMALA
1954

IIIe flotte Pacifique

PANAMA
1989

GRENADE
1983

NIGERIA

Ve flotte Océan Indien,
Golfe, Mer Rouge

NICARAGUA
1982-1988

OCÉAN
ATLANTIQUE

OCÉAN
PACIFIQUE

VENEZUELA

OCÉAN
INDIEN

AFRIQUE
DU SUD

CÔNE SUD

CHILI
1973

Pays bénéficiaires
du plan Marshall

ISLANDE

NORVÈGE

SUÈDE

PAYS-
BAS

DANEMARK

IRLANDE

BELGIQUE

RFA

AUTRICHE

FRANCE

SUISSE

PORTUGAL

ITALIE

TURQUIE

GRÈCE

L'internationalisation de la puissance américaine

1. Les blocs de la Guerre froide

Les États-Unis et
leurs alliés

Les membres de l'OTAN

Autres alliés des États-Unis

L'URSS et ses alliés

**2. La présence militaire
américaine**

Principales bases
américaines à l'étranger
et flottes de guerre (en 1960)

▲ Interventions militaires

★ Actions de la CIA

**3. L'internationalisation de
la puissance économique**

Flux principaux
d'investissement

Flux secondaires

QUESTIONS

1. Comment se manifeste
la puissance militaire
et diplomatique mondiale
des États-Unis ?

2. Quelles sont les manifestations
économiques et culturelles
de cette puissance ?

L'internationalisation de la puissance américaine après 1945

Comment les États-Unis affirment-ils leur puissance de 1945 à 1980 ?

A. L'affirmation de la puissance mondiale

- **Au lendemain de la guerre, les États-Unis, jouent un rôle décisif** dans le règlement de la paix aux côtés des Soviétiques et dans la réorganisation des relations internationales autour de l'ONU*. **La guerre a renforcé le poids économique du pays** qui domine les négociations de Bretton Woods et du GATT (voir p. 374).
- À partir de 1947, **les défis de la Guerre froide conduisent le président Truman à abandonner tout isolationnisme** [doc. 3]. Il crée un conseil de Sécurité nationale, qui coordonne les ministères et agences américaines, dont la **CIA**, et relance les dépenses militaires. Jusqu'en 1949, l'armée américaine a le monopole de la puissance nucléaire [doc. 1].
- **La puissance américaine est confirmée par un réseau d'alliances fondé sur des traités.** Le plus important est l'**OTAN** (1949) qui lie l'Europe de l'Ouest aux États-Unis, comme le plan Marshall l'avait déjà fait en 1947 au niveau économique [doc. 2]. D'autres traités tissent des liens avec l'Amérique latine, le Pacifique, l'Asie et le Moyen-Orient. Les États-Unis interviennent ainsi dans le blocus de Berlin (1948-1949) comme dans la guerre de Corée (1950-1953).

B. Le modèle américain pendant la Guerre froide

- **Les années 1950 marquent l'internationalisation du modèle économique et social américain** et l'extension du libre-échange. Entre 1950 et 1970, la population américaine, dont la démographie est alimentée par l'immigration (voir p.238) passe de 151 à 203 millions de personnes. **La richesse du pays quadruple et le commerce extérieur**, longtemps bénéficiaire, **connaît une forte croissance** [doc. 5].
- **L'influence culturelle des États-Unis est à son apogée** dans les années 1950 et 1960 notamment avec la production cinématographique des studios de Hollywood (voir p. 232). Le pays devient un géant scientifique qui attire savants et étudiants du monde entier.
- Sur le plan diplomatique et militaire, **le président Kennedy affronte l'URSS lors de la crise de Cuba en 1962.** Il crée par ailleurs les *Peace Corps*, volontaires civils travaillant dans le tiers-monde. Son successeur, Lyndon Johnson, engage le pays dans la guerre du Vietnam (1965-1973) et le président Richard Nixon (1969-1974), aidé de **Henry Kissinger**, se rapproche de la Chine populaire en 1971 (voir p. 260).

C. L'érosion de la puissance américaine

- **Le tournant des années 1960 est difficile sur le plan économique.** En 1971, les dépenses militaires engagées au Vietnam obligent le président Nixon à suspendre la parité fixe dollar-or, un des symboles de la solidité du pays. **La crise économique de 1973 frappe le pays durablement** et l'Allemagne comme le Japon deviennent de redoutables concurrents sur le marché mondial et intérieur.
- **Les présidents Ford (1974-1976) et Carter* (1977-1981) doivent également affronter le traumatisme de la guerre du Vietnam** et des échecs face à l'expansionnisme soviétique en Afrique et en Amérique centrale. En 1979, la politique anti-américaine du nouveau régime islamique d'Iran impose un nouveau revers à la diplomatie américaine avec la prise d'otages de Téhéran [doc. 4].

1 Les États-Unis, premiers détenteurs de la bombe A

Explosion de la bombe A à Hiroshima (Japon), le 6 août 1945.

Le 6 août 1945, l'aviation américaine lance une première bombe atomique sur la ville japonaise d'Hiroshima puis, le 9 août, une autre sur Nagasaki. La maîtrise de cette technologie montre au monde entier leur nouvelle puissance.

1. Pourquoi la démonstration de la puissance atomique change-t-elle la place des États-Unis dans le monde ?

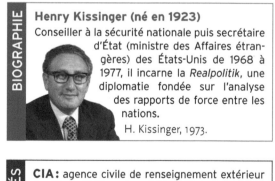

BIOGRAPHIE

Henry Kissinger (né en 1923)
Conseiller à la sécurité nationale puis secrétaire d'État (ministre des Affaires étrangères) des États-Unis de 1968 à 1977, il incarne la *Realpolitik*, une diplomatie fondée sur l'analyse des rapports de force entre les nations.

H. Kissinger, 1973.

MOTS CLÉS

CIA : agence civile de renseignement extérieur fondée en 1947 par le président Truman, chargée de collecter des informations et d'organiser des opérations, clandestines ou non.
OTAN : Organisation du Traité de l'Atlantique Nord, issue du traité de défense mutuelle signé entre les États-Unis, le Canada et les pays d'Europe occidentale, elle comporte une organisation commune des forces armées.

DATES

1947 Création du Conseil de sécurité nationale et de la CIA
1962 Crise de Cuba
1979 Prise d'otages de Téhéran

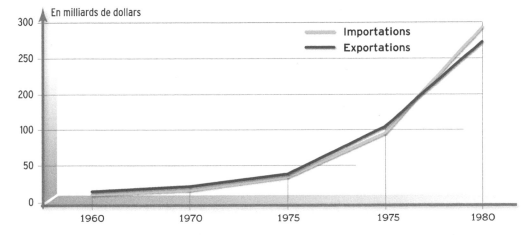

GLI AIUTI D'AMERICA
GRANO·CARBONE·VIVERI·MEDICINALI
CI AIUTANO AD AIUTARCI DA NOI

2 Le plan Marshall, un outil diplomatique

Affiche italienne de 1948: «Les aides américaines (blé, charbon, aliments, médicaments) nous aident à nous aider nous-mêmes».

Le «programme de rétablissement européen» lancé par le secrétaire d'État George Marshall* en 1947 combine des prêts, des dons en nature et en argent, et vise à repousser l'influence du bloc communiste.

1. Quel aspect du plan Marshall est mis en avant par cette affiche?

4 Les États-Unis humiliés par l'Iran

Manifestants iraniens sur le toit de l'ambassade américaine, 9 novembre 1979.

Le 4 novembre 1979, 400 étudiants iraniens assiègent puis investissent l'ambassade américaine et détiennent 63 diplomates en otage pendant plus d'un an. Une opération militaire en vue de libérer les otages échoue en avril 1980. Ils ne sont relâchés que le 20 janvier 1981, jour de l'investiture du président Reagan.

3 La politique de l'endiguement

En février 1946, George Kennan, numéro deux de l'ambassade américaine à Moscou, envoie un long télégramme à Washington. Il devient l'un des principaux inspirateurs de la diplomatie américaine de la période.

«D'une part, la diplomatie soviétique est [...] prête à céder sur des secteurs isolés du front diplomatique [...]. D'autre part, elle ne se laisse pas aisément vaincre ou décourager par une seule victoire de ses adversaires. [...]

Dans ces circonstances, il est clair que le principal élément de n'importe quelle politique des États-Unis à l'égard de la Russie soviétique doit être de contenir avec patience, fermeté et vigilance ses tendances à l'expansion.

D'après ce qui vient d'être exposé, il apparaît clairement que la pression soviétique contre les libres institutions du monde occidental peut être contenue par l'adroite et vigilante application d'une force contraire sur une série de points géographiques et politiques continuellement changeants,[...] mais qu'il est impossible de nier l'existence de cette pression et de la supprimer par le seul effet des paroles.»

George Kennan, *Télégramme* au secrétariat d'État, 22 février 1946.

1. Comment ce télégramme peut-il renforcer l'hostilité américaine envers l'URSS?

5 Une ouverture commerciale croissante (1960-1980)

Évolution du commerce extérieur américain (1960-1980). U.S. Census Bureau, Foreign Trade Division.

La crise économique des années 1970 réduit la compétitivité des exportations américaines et augmente le coût des importations.

1. Comment se manifeste l'internationalisation de l'économie américaine?

En milliards de dollars

Importations
Exportations

Hollywood et la Guerre froide

Hollywood, un quartier de Los Angeles, concentre les industries cinématographiques américaines dès les années 1910. Les films américains produits par les grands studios commencent à s'exporter dès le lendemain du premier conflit mondial. Cette tendance se renforce dans le contexte de la Guerre froide : le cinéma devient alors un instrument de la diffusion des valeurs et du mode de vie américains. Il reflète le *soft power* des États-Unis, c'est-à-dire leur capacité à influer sur les relations diplomatiques par la diffusion d'un modèle de vie et d'une culture.

Comment Hollywood renforce-t-il la puissance américaine dans le monde durant la Guerre froide ?

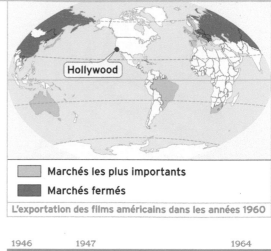

Marchés les plus importants

Marchés fermés

L'exportation des films américains dans les années 1960

1946	1947	1964
Accords Blum-Byrnes	Liste noire de la Commission des activités anti-américaines	*Docteur Folamour*

1 Hollywood contre les « valeurs antiaméricaines »

Dès le début de la Guerre froide, l'industrie du cinéma est associée à la lutte contre l'influence communiste. En 1947, l'Association pour la Préservation des Idéaux Américains au Cinéma publie un guide à l'attention des cinéastes. Au même moment, la « Commission des activités anti-américaines » du Congrès établit une liste noire d'artistes suspectés d'appartenir, ou d'avoir appartenu, au Parti communiste dans le but de leur interdire de travailler à Hollywood.

« Le but des communistes à Hollywood n'est pas la production de films politiques prônant ouvertement le communisme. Leur but est de corrompre les fondements de notre morale en corrompant les films non-politiques – en introduisant de petits morceaux de propagande dans d'innocentes histoires – amenant ainsi les gens à intégrer les principes de base du collectivisme [...]

1. Ne prenez pas la politique à la légère [...]
2. Ne critiquez pas le système de la libre entreprise [...]
3. Ne critiquez pas les industriels [...]
4. Ne critiquez pas la richesse [...]
5. Ne critiquez pas la recherche du profit [...]
7. Ne glorifiez pas l'échec [...]
8. Ne glorifiez pas la dépravation [...]
9. Ne déifiez pas l'homme de la rue [...]
10. Ne glorifiez pas la collectivité [...]
11. Ne critiquez pas un homme indépendant [...]
13. Ne calomniez pas les institutions américaines [...]

Le principe de la liberté d'expression exige que nous n'utilisions pas la force pour interdire aux communistes d'exprimer leurs idées [...] Mais le principe de la liberté d'expression n'exige pas que nous fournissions aux communistes les moyens de répandre leurs idées. »

Association pour la Préservation des Idéaux Américains au Cinéma, *Guide du cinéma pour les Américains*, 1947. ©DR

2 Le cinéma hollywoodien, une industrie qui s'exporte

Évolution des recettes provenant de l'exportation de films produits à Hollywood.

En % des recettes provenant de l'exportation

3 Hollywood ironise sur la Guerre froide

Affiche de *Dr. Folamour*, 1964.
En 1964, alors que la confrontation avec l'URSS diminue d'intensité après l'alerte de la crise de Cuba, le cinéaste américain Stanley Kubrick réalise *Dr. Folamour*. Financé par le studio hollywoodien Columbia, le film expose sur un mode ironique la mécanique infernale de la course aux armements nucléaires.

4 **La propagande anticommuniste dans les films hollywoodiens**

Affiche du film de Robert Stevenson, *J'ai épousé un communiste*, 1949.
On lit « Sa beauté est mise au service d'une mafia terroriste dont le seul but est de détruire ».
À partir de 1948, Hollywood produit des films ouvertement anti-communistes.
Dans *J'ai épousé un communiste*, une jeune mariée s'aperçoit que son mari, ex-communiste,
subit un chantage de la part de son ancien parti pour participer à un meurtre.

5 **La peur de l'invasion des films américains en France**

En 1946, le président du Conseil français Léon Blum signe avec le secrétaire d'État américain, Byrnes, l'abandon des restrictions sur les importations de produits américains. Le monde du cinéma, soutenu par le PCF, obtient en définitive le maintien des quotas de films américains (120 par an).

« Le cinéma français est dans une situation désespérée [...]. L'*Humanité* a publié des chiffres qui disent la ruine de nos industries nationales et le triomphe de ses concurrents américains. Ayant obtenu des visas de censure[1] dans le premier trimestre 1946 : 38 films américains et 46 films français ; dans le deuxième semestre 1946 : 145 films américains et 46 films français, et dans le premier semestre 1947 : 338 films américains et 55 films français. Mais la question n'est pas seulement celle du profit réalisé par les Américains et de la ruine et du chômage, de la misère qui frappe les artistes, les musiciens et les travailleurs des studios français. Il faut y voir un aspect de la préparation idéologique, à laquelle les Américains soumettent les peuples qu'ils se proposent d'asservir. »

Maurice Thorez, secrétaire général du PCF,
« Les conséquences des accords Blum-Byrnes », L'Humanité, 30 octobre 1947.

1. Visa de censure : document autorisant la distribution d'un film.

QUESTIONS

L'anti-communisme à Hollywood

1. Pourquoi et comment l'anticommunisme domine-t-il à Hollywood au début de la Guerre froide ? (doc. 1, 2, 4)

2. Comment la Guerre froide influence-t-elle les cinéastes d'Hollywood ? (doc. 1, 3, 4)

Hollywood dans la Guerre froide

3. Comment se diffusent les films hollywoodiens dans le monde ? Y a-t-il des oppositions ? (doc. 2, 5)

4. Peut-on dire que Hollywood n'est qu'un instrument de propagande ? (doc. 4, 5)

Bilan : Comment Hollywood renforce-t-il la puissance américaine dans le monde durant la Guerre froide ?

Étude critique de document → **MÉTHODE** p. 275

Présentez et décrivez le document 4 puis montrez ce que cette affiche révèle du rôle de Hollywood dans la diffusion de la culture américaine à l'époque de la Guerre froide.

La réaffirmation de la puissance américaine

Comment les États-Unis deviennent-ils une puissance sans rival à partir des années 1980 ?

A. Le retour des États-Unis sur la scène mondiale

• **Le président Ronald Reagan (1981-1989) arrive au pouvoir avec pour slogan « l'Amérique est de retour »**. Il engage son pays dans des interventions secrètes (Afghanistan, Amérique centrale) ainsi que la course aux armements [doc. **1**]. Sa politique intransigeante face à l'URSS, populaire aux États-Unis, contribue à pousser Mikhaïl Gorbatchev à négocier un repli militaire et diplomatique.

• **Les États-Unis connaissent également un nouvel essor de leur puissance technologique** dans les années 1980. Dans le domaine informatique, des entreprises telles que Microsoft ou Apple se développent rapidement même si la concurrence des produits asiatiques s'accroît et entraîne des déficits commerciaux.

• **La suprématie américaine est confortée par la chute du rideau de fer** puis, en 1991, par celle de l'Union soviétique.

B. Les États-Unis, seule superpuissance après 1991

• Désormais sans rival, **les États-Unis s'affirment, sous la conduite des présidents George H. Bush (1989-1993) et Bill Clinton (1993-2001), comme les « gendarmes du monde »**, notamment lors de la guerre du Golfe (1991), puis en Somalie et en ex-Yougoslavie [doc. **2**]. Sous l'impulsion américaine, l'OTAN s'élargit à l'Europe centrale et balkanique au moment où l'Union européenne peine à définir une politique étrangère commune.

• Malgré de nombreuses délocalisations industrielles, **l'économie américaine reste productrice de hautes technologies** [doc. **3**]. Les entreprises espèrent profiter de l'**ALENA**, tandis que les investisseurs étrangers, notamment asiatiques, achètent en masse sa dette publique. **Les produits culturels américains continuent de dominer les marchés mondiaux**, tandis que les principaux réseaux de communication liés aux nouvelles technologies, comme Internet ou le système de géolocalisation GPS, ont leur centre aux États-Unis. Le ministre français des Affaires étrangères Hubert Védrine parle en 1999 d'« hyperpuissance » pour décrire ce quasi-monopole mondial.

C. Un déclin relatif au XXIᵉ siècle

• **Les attaques terroristes du 11 septembre 2001 provoquent une nouvelle phase d'interventions militaires** en Afghanistan (voir p. 236) et en Irak (2003), inspirées par les **néoconservateurs** et lancées par le président **George W. Bush** (2001-2009). **L'armée américaine reste de loin la première armée du monde** et envahit aisément ces deux pays sans toutefois parvenir à les pacifier.

• Cette politique alimente des courants anti-interventionnistes aux États-Unis et nourrit des formes d'impopularité dans le monde. Par ailleurs, **des puissances émergentes comme la Chine** (voir p. 264) **acquièrent une dimension économique et commerciale** qui leur permet de **contester le monopole diplomatique et militaire américain**. Le président Barack Obama*, élu en 2008, alors qu'éclate une nouvelle crise économique aux États-Unis, s'efforce de ménager l'opinion publique internationale [doc. **4**], mais ne refuse pas les interventions militaires, comme en Libye en 2011.

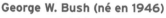

1 La reprise de la course aux armements

« Défense de la Défense, les batailles autour du budget et la guerre des étoiles », *Time magazine*, avril 1983.
En 1983, Ronald Reagan propose un programme de satellites armés antimissiles, l'« Initiative de défense stratégique » (IDS).

1. Comment la puissance américaine est-elle présentée par cet hebdomadaire ?

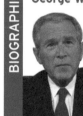

BIOGRAPHIE

George W. Bush (né en 1946)

Président républicain de 2001 à 2009, il entreprend, après les attentats du 11 septembre 2001, une « guerre contre le terrorisme », qui se traduit par une politique étrangère interventionniste en Irak et en Afghanistan.
G. W. Bush, 2007.

MOTS CLÉS

ALENA : accord de libre-échange entre les États-Unis, le Canada et le Mexique entré en vigueur en 1994 à l'initiative des États-Unis.

Néoconservateurs : intellectuels et hommes politiques qui, au nom des valeurs traditionnelles américaines et de la promotion de la démocratie, préconisent des interventions extérieures, notamment après le 11 septembre 2001.

Puissances émergentes : pays en croissance économique (Chine, Inde, Brésil en particulier) devenus, à partir des années 1990, des puissances régionales voire mondiales.

DATES

1983 Programme de réarmement du président Reagan
1991 Première guerre du Golfe
2001 Attentats du 11 Septembre et intervention en Afghanistan

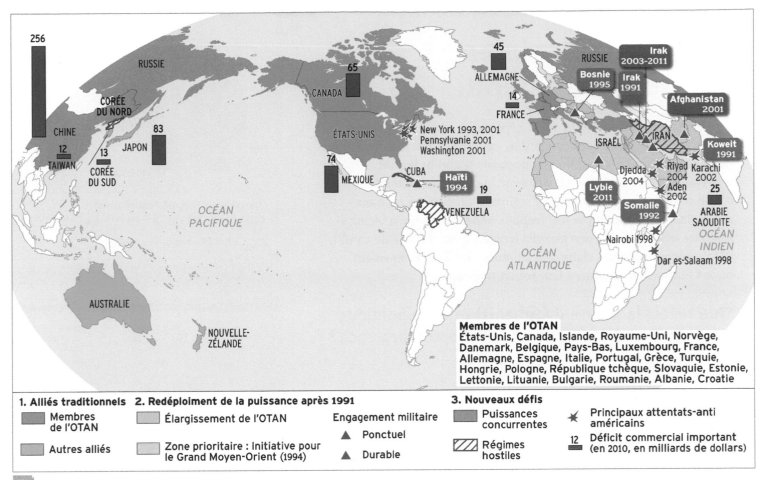

Membres de l'OTAN
États-Unis, Canada, Islande, Royaume-Uni, Norvège, Danemark, Belgique, Pays-Bas, Luxembourg, France, Allemagne, Espagne, Italie, Portugal, Grèce, Turquie, Hongrie, Pologne, République tchèque, Slovaquie, Estonie, Lettonie, Lituanie, Bulgarie, Roumanie, Albanie, Croatie

1. Alliés traditionnels
- Membres de l'OTAN
- Autres alliés

2. Redéploiement de la puissance après 1991
- Élargissement de l'OTAN
- Zone prioritaire : Initiative pour le Grand Moyen-Orient (1994)

Engagement militaire
- ▲ Ponctuel
- ▲ Durable

3. Nouveaux défis
- Puissances concurrentes
- Régimes hostiles
- ✶ Principaux attentats-anti américains
- 12 Déficit commercial important (en 2010, en milliards de dollars)

2 Les États-Unis et le monde au XXIᵉ siècle

1. Comment la présence américaine dans le monde se manifeste-t-elle aujourd'hui ?

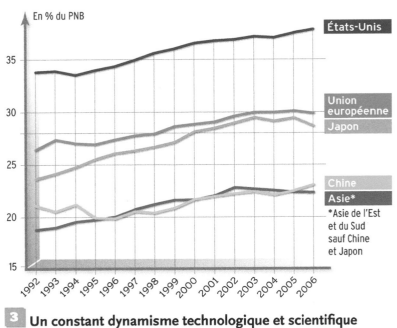

3 Un constant dynamisme technologique et scientifique

Part des industries et services de haute-technologie dans le PNB des principales puissances mondiales.

1. Comment la part de la haute technologie évolue-t-elle entre 1980 et 2001 aux États-Unis et chez leurs principaux concurrents ?

2. La domination américaine dans les hautes technologies est-elle menacée ?

4 Barack Obama contre l'américanophobie

Barack Obama se rend en Égypte en 2009, alors que les interventions en Irak et en Afghanistan ont renforcé l'impopularité des États-Unis dans les pays musulmans.

« Je suis venu ici au Caire en quête d'un nouveau départ pour les États-Unis et les musulmans du monde entier, un départ fondé sur l'intérêt mutuel et le respect mutuel, et reposant sur la proposition vraie que l'Amérique et l'islam ne s'excluent pas et qu'ils n'ont pas lieu de se faire concurrence. Bien au contraire, l'Amérique et l'islam se recoupent et se nourrissent de principes communs, à savoir la justice et le progrès, la tolérance et la dignité de chaque être humain. [...]
Tout comme les musulmans ne se résument pas à un stéréotype grossier, l'Amérique n'est pas le stéréotype grossier d'un empire qui n'a d'autre intérêt que le sien. [...]
Au vu de notre interdépendance, tout ordre mondial qui élève un pays ou un groupe d'individus au détriment d'un autre est inévitablement voué à l'échec. Quelle que soit notre opinion du passé, nous ne devons pas en être prisonniers. Nous devons régler nos problèmes par le biais du partenariat et partager nos progrès. »

Barack Obama, *Discours* à l'université du Caire, 4 juin 2009.

1. À qui s'adresse ce discours ?

2. Sur quoi le « nouveau départ » voulu par Barack Obama se fonde-t-il ?

Les États-Unis en Afghanistan depuis 2001

Au lendemain des attentats du 11 septembre 2001, le président américain George W. Bush lance une « guerre contre le terrorisme » qui vise d'abord l'Afghanistan, soupçonné d'abriter le chef d'al-Qaïda, Oussama Ben Laden. Avec la contribution militaire d'une coalition internationale, le régime islamiste des talibans est rapidement vaincu par des frappes aériennes mais la victoire militaire laisse place à une guérilla larvée. Après dix ans de conflit, l'Afghanistan demeure dans une situation instable au moment où les États-Unis entament leur retrait militaire.

Que révèle la guerre d'Afghanistan de la politique extérieure américaine après le 11 septembre 2001 ?

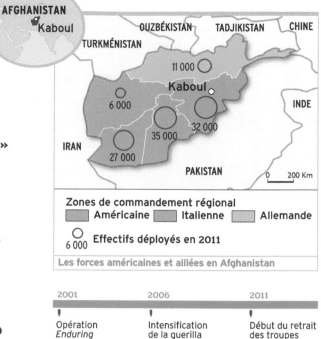

Zones de commandement régional
Américaine — Italienne — Allemande

○ Effectifs déployés en 2011
6 000

Les forces américaines et alliées en Afghanistan

2001	2006	2011
Opération *Enduring Freedom*	Intensification de la guerilla talibane	Début du retrait des troupes américaines

1 Le lancement de l'opération *Enduring Freedom* (« Liberté immuable »)

Moins d'un mois après les attentats du 11 Septembre, le président George W. Bush annonce le lancement de l'opération militaire menée d'abord par les États-Unis puis sous le commandement de l'OTAN à partir du 20 décembre 2011.

« Sur mes ordres, l'armée américaine a commencé des frappes contre les camps d'entraînement terroristes d'Al-Qaïda et contre les installations militaires du régime des talibans en Afghanistan. [...] Nous sommes rejoints dans cette opération par notre fidèle amie la Grande-Bretagne. D'autres amis proches, notamment le Canada, l'Australie, l'Allemagne et la France, ont engagé des forces alors que l'opération se déroule. Plus de quarante pays, au Moyen-Orient, en Afrique, en Europe et en Asie, ont accordé des droits de survol aérien ou d'atterrissage. Beaucoup d'autres ont partagé leurs renseignements. Nous sommes soutenus par la volonté collective du monde. [...] Cette action militaire fait partie de notre campagne contre le terrorisme [...]. Nous n'avons pas demandé cette mission, mais nous allons l'accomplir. [...] Nous défendons non seulement nos libertés précieuses, mais aussi la liberté des peuples de par le monde, pour qu'ils vivent et élèvent leurs enfants sans crainte. »

George W. Bush, *Adresse à la Nation*, 7 octobre 2001.

2 Kaboul, libéré des talibans

Le 12 novembre 2001, les soldats afghans de l'« Alliance du Nord », soutenus par les États-Unis, entrent dans Kaboul, sous le contrôle des talibans depuis 1996.

3 Le coût de la guérilla pour les États-Unis

Après la chute du régime taliban, la lutte contre la guérilla talibane s'avère longue et coûteuse d'un point de vue humain et matériel, tant pour les soldats de la coalition que pour les Afghans. Les pertes talibanes et les victimes civiles sont encore difficiles à évaluer.

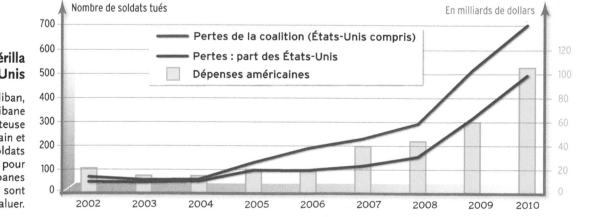

Nombre de soldats tués — En milliards de dollars

— Pertes de la coalition (États-Unis compris)
— Pertes : part des États-Unis
□ Dépenses américaines

2002 2003 2004 2005 2006 2007 2008 2009 2010

4 Le maintien de la menace talibane

Soldats américains tirant au mortier sur les talibans depuis leur position surplombant le village de Bargematal, août 2009.
Les montagnes d'Afghanistan et le soutien d'une partie de la population offrent aux forces militaires des talibans un grand avantage qui contrecarre la supériorité technologique des troupes de l'OTAN.

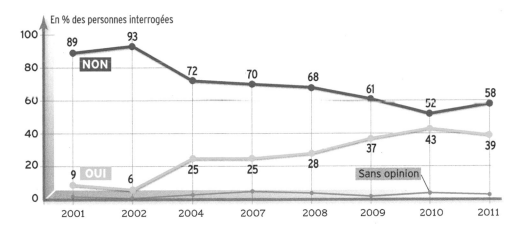

5 Le soutien déclinant de l'opinion américaine

Sondage d'opinion de l'institut Gallup pour le quotidien *USA Today*.
La question posée est la suivante :
« À propos de l'intervention militaire américaine en Afghanistan lancée en octobre 2001, pensez-vous que les États-Unis ont fait une erreur en envoyant des forces militaires en Afghanistan ? »

6 Une guerre perpétuelle ?

Le président Obama annonce le retrait progressif, avant l'été 2012, du tiers des forces américaines stationnées en Afghanistan, soit 33 000 hommes.

« Quand le président Obama a présenté son projet de réduction des effectifs américains en Afghanistan, il s'est efforcé d'assurer à une opinion publique américaine fatiguée que la guerre la plus longue qu'ait connue le pays touchait à sa fin [...].

Il n'a pas promis la fin des guerres de l'Amérique. Il a plutôt laissé entendre que les États-Unis devaient trouver de nouveaux moyens plus efficaces et moins coûteux de les mener, sans avoir à déployer des dizaines de milliers de fantassins et de *Marines* [...]. Tout en commençant à rapatrier des unités d'Afghanistan, le gouvernement Obama a multiplié les frappes de drones [...]. Une des leçons des interminables guerres d'aujourd'hui, c'est qu'il va falloir apprendre à vivre avec un certain degré d'insécurité et de peur. »

Greg Jaffe, « L'Amérique empêtrée dans une guerre perpétuelle »,
The Washington Post, 8 septembre 2011.

QUESTIONS

L'intervention en Afghanistan

1. Quelles sont les raisons et les moyens de l'intervention américaine en Afghanistan ? (doc. 1, 2, 3, 4)

2. Quelles sont les conséquences de l'intervention militaire et de sa durée ? (doc. 2, 3, 5, 6)

Le retrait d'Afghanistan

3. Pourquoi Barack Obama décide-t-il de retirer les troupes américaines d'Afghanistan ? (doc. 3, 5, 6)

4. Les objectifs militaires américains sont-ils atteints en 2011 ? À quels nouveaux défis les États-Unis sont-ils confrontés ? (doc. 1, 5, 6)

Bilan : Que révèle la guerre d'Afghanistan de la politique extérieure américaine après le 11 septembre 2001 ?

Étude critique de documents

Confrontez les documents 3 et 5 et montrez ce qu'ils révèlent du rôle des États-Unis dans le conflit et l'impact de ce dernier sur l'opinion américaine.

Les États-Unis et l'immigration après 1945

Première terre d'accueil du monde, les États-Unis ont connu au XIXᵉ siècle une immigration de masse, principalement en provenance d'Europe. En 1921, alors que près d'un Américain sur huit est né à l'étranger, l'isolationnisme pousse les États-Unis à restreindre les flux migratoires. Après 1945, l'internationalisation de la puissance américaine les conduit progressivement à une politique d'accueil limitée des migrants en provenance du monde entier.

Comment l'immigration reflète-t-elle le rapport des États-Unis vis-à-vis du reste du monde ?

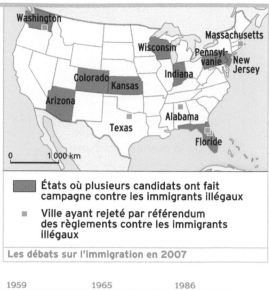

■ États où plusieurs candidats ont fait campagne contre les immigrants illégaux

■ Ville ayant rejeté par référendum des règlements contre les immigrants illégaux

Les débats sur l'immigration en 2007

1959	1965	1986
Premiers immigrés cubains anticastristes	Fin des quotas d'origine géographique	Répression systématique de l'immigration illégale

1 Un siècle de lois sur l'immigration

Date	Contenu des lois
1917	• Interdictions de l'immigration des criminels, alcooliques, déficients mentaux, homosexuels, anarchistes • Interdiction de l'immigration asiatique
1921	• Instauration de quotas annuels par nationalité (3 % du nombre de résidents américains nés dans le pays concerné et vivant aux États-Unis en 1910)
1924	• Abaissement des quotas à 2 % des résidents américains en 1890 (sauf pour le continent américain) • Limitation du nombre total d'immigrés
1952	• Libéralisation de l'immigration asiatique • Possibilité d'expulser les immigrés clandestins soupçonnés de communisme
1965	• Libéralisation de l'immigration (limitée à 300 000 par an) et fin des quotas géographiques • Choix des immigrés en fonction des compétences professionnelles et des liens familiaux aux États-Unis
1986	• Sanction de l'immigration clandestine • Régularisation des clandestins présents depuis plus de 4 ans
1996	• Possibilité d'expulser les immigrés clandestins

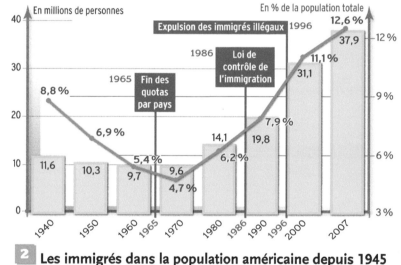

2 Les immigrés dans la population américaine depuis 1945

3 Le tournant de 1965

En 1965, le président Johnson* présente la loi sur l'immigration et la nationalité, au cours d'une cérémonie solennelle devant la statue de la Liberté.

« C'est une des lois les plus importantes du Congrès et de [mon] administration, car elle [...] corrige une faute ancienne et cruelle [...]. [Elle] dit seulement que ceux qui souhaitent immigrer aux États-Unis seront admis sur la base de leurs compétences et de leur proximité avec ceux déjà présents. C'est une condition simple et juste. [...] Notre pays a prospéré parce qu'il a été nourri de tant de sources, de tant de cultures, de traditions et de peuples. Et de cette expérience presque unique dans l'histoire des nations est venue l'attitude de l'Amérique envers le reste du monde. [...]
Cette année nous voyons au Vietnam mourir des hommes qui s'appellent Fernandez, et Zajac et Zelinko et Mariano et McCormick. [...]
Aujourd'hui, sous le monument qui a accueilli tant [d'immigrants] [...], l'Amérique revient à ses meilleures traditions. »

Lyndon B. Johnson, *Discours*, 3 octobre 1965.

5 L'«américanisation» des immigrés irréguliers

*En 1975, le Texas adopte une loi excluant les enfants d'immigrés en situa-
tion irrégulière de ses écoles publiques. Celle-ci est contestée localement puis
finalement devant la Cour suprême, qui la déclare inconstitutionnelle à une
majorité de 5 contre 4.*

«Il est tout simplement impossible de faire respecter – ou de faire respecter strictement – les lois qui interdisent l'entrée de main-d'œuvre sur
notre territoire. [...]
L'État ne peut, sans porter atteinte aux principes de justice élémentaire,
punir les enfants pour des fautes commises par leurs parents. [...] Le
refus de donner à des groupes ostracisés le moyen d'intégrer les valeurs
et les compétences sur lesquels repose l'ordre social comporte, pour
notre pays, des coûts collectifs que nous ne pouvons pas ignorer.»

Arrêt de la Cour suprême Plyer contre Doe, 1982.

6 La crainte de la perte de l'identité américaine

Samuel Huntington, professeur à Harvard, connu pour avoir écrit en 1996 Le
Choc des civilisations, *publie en 2004 un article très controversé qui applique
l'idée de choc mondial des civilisations à la situation interne des États-Unis.*

«Le flot persistant des immigrants hispaniques menace de diviser les
États-Unis [...]. À la différence des groupes passés d'immigrants, les
Mexicains et autres Latinos [...] ont formé leurs propres enclaves politiques et linguistiques – de Los Angeles à Miami – rejetant les valeurs
anglo-protestantes qui ont construit le rêve américain. [...]
[Si] les contributions culturelles des immigrants ont modifié et enrichi la
culture anglo-protestante des Père fondateurs [de la Constitution], celle-
ci est restée le fondement de l'identité américaine au moins jusqu'aux
dernières décennies du xxᵉ siècle. [...].
La continuation de cette immigration (sans une meilleure assimilation)
pourrait diviser les États-Unis en un pays avec deux langues et deux
cultures.»

Samuel Huntington, «Le défi hispanique» dans *Foreign Policy*, Mars-avril 2004.

4 Les conséquences migratoires de la politique étrangère

Réfugiés cubains à Key West (Floride), mai 1980.
Depuis 1959, les États-Unis accueillent
de très nombreux réfugiés cubains, jouissant
du statut de réfugiés politiques et donc non concernés
par les limitations légales. En 1980, Fidel Castro
laisse partir 125 000 Cubains, et en profite pour
expulser des «indésirables».

QUESTIONS

L'évolution de l'immigration

1. Comment évolue la politique américaine
en matière d'immigration ? (doc. 1, 2, 3)

2. Quelles populations sont les plus directement
visées par les lois ? (doc. 1, 2, 5, 6)

Un enjeu international

4. Comment l'évolution de la puissance
américaine se traduit-elle dans leur politique
migratoire ? (doc. 1, 2, 3)

5. Quels facteurs nationaux et internationaux
pèsent sur la question de l'immigration après
1945 ? (doc. 1, 3, 6)

Bilan : Comment l'immigration reflète-t-elle
les rapport des États-Unis vis-à-vis du reste
du monde ?

Étude critique de document → **MÉTHODE** p. 389
Analysez le document 2 et montrez ce qu'il révèle
de l'ouverture internationale des États-Unis
après 1945. Montrez ensuite les limites
de cette ouverture à l'immigration.

Daniel Authouart, *Manhattan colors*

Comment un artiste français représente-t-il les mythes américains mondialisés ?

● *Manhattan colors* fait partie de la *Trilogie new-yorkaise* du peintre français Daniel Authouart. Les deux premières œuvres, *Movie Street* et *American psycho*, présentent des stars de cinéma et des personnages fictionnels ou quotidiens ; *Manhattan colors* y ajoute des références à l'art contemporain.

● Daniel Authouart développe son œuvre depuis quarante ans autour de ces images et mythes, dans **un style hyperréaliste, saturé d'objets de consommation mais aussi d'images de fiction**. Il cherche ainsi à retranscrire son enfance, comme il le relate en 2004 : « Si nous avions vu un western, on jouait aux cow-boys et aux Indiens. [...] Mon imaginaire, et celui de presque toute ma génération, a été nourri par les images de ces films [...]. Aujourd'hui, on ne peut que le reconnaître : c'est l'Amérique qui satellise tout, impose son économie, son mode de vie et ses modèles [...]. J'en suis une victime ou son enfant... À vous de juger... ».

L'ARTISTE

Daniel Authouart
Né en 1943, il entre à 16 ans à l'École des Beaux-arts de Rouen. Après avoir pratiqué la publicité et l'enseignement, il se consacre entièrement à la peinture et au dessin à partir de 1974. Aux marges des tendances dominantes de l'art contemporain, il a séduit peu de musées mais nombre de collectionneurs européens et américains.
D. Authouart.

LE MOUVEMENT

L'hyperréalisme
Ce courant artistique naît aux États-Unis dans les années 1960 en réaction à l'art abstrait. Il représente des images de la société de consommation d'une manière très proche de la photographie. Authouart, qui dessine directement dans la rue avec une grande précision, appartient à ce mouvement, mais il en rejette la volonté de neutralité et d'objectivité.

FOCUS | Un hommage au rayonnement de l'art américain contemporain

Daniel Authouart dialogue avec humour, entre hommage et critique, avec des figures d'artistes contemporains très connues.

Tableau Pop art de l'américain **Roy Lichtenstein** (1923-1997).

Jean Hélion (1904-1987) peintre abstrait français installé aux États-Unis.

Jackson Pollock (1912-1956), peintre américain expressionniste abstrait, inventeur du « dripping », projections de peinture sur la toile.

La **peinture de Pollock** se mêle au sang de l'homme à terre.

Menacés d'être renversés par une automobile, deux artistes à succès : l'artiste allemand **Joseph Beuys** (1921-1986) affublé d'un nez de clown, et **Andy Warhol** (1928-1987), icône du pop art américain.

Daniel Authouart (né en 1943),
Manhattan colors, huile sur toile
(192,5 x 273,5 cm), 1998.
La scène représentée
se situe à Time Square,
au cœur de Manhattan,
à New York. L'artiste met en
scène des images de publicité,
des références au cinéma,
à la presse, à l'actualité
et à l'art contemporain.
Le rêve américain côtoie
un univers urbain violent
et dangereux.

ANALYSE DE L'ŒUVRE

ANALYSER L'ŒUVRE

1. Identifiez et classez les éléments
culturels présents dans le tableau.

2. Identifiez ce qui relève du réalisme
documentaire et ce qui relève
de la fiction.

3. Quels artistes ou objets représentés
dans le tableau viennent de l'étranger ?
Lesquels, américains ou non,
ont un rayonnement mondial ?

DÉGAGER LA PORTÉE DE L'ŒUVRE

4. En accumulant ces références,
que cherche à dire le peintre à propos
de la culture américaine ?

5. Que dit l'artiste de l'influence
de la culture américaine dans le monde
et de ses effets sur notre époque ?

1 Analyser une caricature

L'absence d'engagement des États-Unis critiqué

« Pourquoi s'inquiéter ? La fuite est de son côté » clame un isolationniste, *The Gazette*, quotidien canadien, 12 février 1941.

En 1941, le Canada, solidaire de l'Empire britannique, espère l'engagement américain au côté du Royaume-Uni, qui lutte militairement contre le nazisme.

1. Quel rôle le dessinateur attribue-t-il aux Américains ?

3 Interroger une base documentaire

Allez sur le site de l'OTAN en français www. nato.int/cps/fr/natolive/what_is_nato.htm
Télécharger la Brochure « Une présentation de l'alliance ...». À partir de la partie « S'adapter aux changements », expliquez comment l'OTAN présente son rôle après la Guerre froide et l'importance de son existence et de son action pour les États-Unis.

2 Confronter deux textes

Le déclenchement de la guerre en Irak

a. George Bush justifie l'intervention des États-Unis

À l'occasion de son discours annuel devant la Chambre des Représentants et le Sénat américains, le président des États-Unis expose en janvier 2003 les raisons qui justifient à ses yeux l'intervention des États-Unis contre l'Irak de Saddam Hussein.

« Ce dictateur, qui est en train d'assembler les armes les plus dangereuses du monde, en a déjà usé contre [son peuple] [...], laissant des milliers de ses propres citoyens morts, aveugles ou défigurés. [...] Si cela n'est pas maléfique, alors ce mot est vide de sens. [...] Le jour où lui, et tout son régime, seront chassés du pouvoir, ce jour-là sera celui de votre libération. Le monde a attendu 12 ans que l'Irak désarme. Les États-Unis n'accepteront pas qu'un danger sérieux et croissant pèse sur leur peuple, sur leurs amis et sur leurs alliés. Les États-Unis demanderont au Conseil de sécurité des Nations unies de se réunir le 5 février [...]. Nous sommes disposés à consulter, mais que personne ne s'y trompe : si Saddam Hussein ne désarme pas totalement, pour la sécurité de notre peuple et pour la paix du monde, nous conduirons une coalition pour le désarmer. »

George W. Bush, *Discours sur l'état de l'Union*, 28 janvier 2003.

b. Hugo Chavez critique l'interventionnisme américain trois ans après

Hugo Chavez*, président du Vénézuela depuis 1999 et leader d'un courant de contestation de l'influence américaine en Amérique latine, dénonce l'intervention américaine en Irak à la tribune de l'ONU.

« Hier, le diable est venu ici. [...] Hier, Mesdames et Messieurs, de cette tribune, le président des États-Unis [G. W. Bush], le monsieur que j'appelle le Diable, est venu ici parler comme s'il possédait le monde entier. Vraiment. Comme s'il était le propriétaire du monde. [...] Ils disent qu'ils veulent imposer un modèle démocratique. Mais c'est cela leur modèle démocratique ! [...] une démocratie très originale qui s'impose par les armes, les bombes et l'artillerie. Quelle étrange démocratie ! [...] Les impérialistes voient des extrémistes partout. Ce n'est pas que nous soyons des extrémistes. C'est que le monde se réveille. Il se réveille partout. Et les gens se lèvent. J'ai le sentiment, cher dictateur du monde, que vous allez vivre le reste de votre vie comme un cauchemar, parce que le reste d'entre nous se lève, tous ceux qui se soulèvent contre l'impérialisme américain, qui réclament l'égalité, le respect, la souveraineté des nations. »

Hugo Chavez, président vénézuelien, *discours* à la tribune de l'Assemblée générale de l'ONU, 20 septembre 2006.

1. Comment George W. Bush justifie-t-il l'interventionnisme américain en Irak ?

2. Sur quoi se fonde l'anti-américanisme exprimé par Hugo Chavez ?

3. Comment les deux leaders conçoivent-ils la morale et l'idée de démocratie ?

4. En quoi cette période est-elle un tournant dans l'histoire de la place des États-Unis dans le monde ?

L'essentiel

Les États-Unis et le monde depuis les « 14 points » du président Wilson

1. D'une guerre mondiale à l'autre

● **En 1917, les États-Unis affirment leur puissance** et leur place nouvelle dans le monde **par leur engagement dans la Première Guerre mondiale** puis par leur rôle dans la victoire et l'élaboration de la paix. En refusant d'adhérer à la SDN, **le pays retourne toutefois à une politique isolationniste**, tout en veillant sur ses intérêts économiques extérieurs. En 1941, attaqués sur leur sol, **les États-Unis se résolvent à intervenir dans la Seconde Guerre mondiale**.

2. L'internationalisation de la puissance américaine

● De 1945 à la fin des années 1970, les États-Unis affirment leur puissance dans la Seconde Guerre mondiale puis dans la Guerre froide. **Face à l'URSS, ils font valoir leur modèle politique, économique, social et culturel**, ainsi que leur mode de vie. Leaders du « monde libre », ils ne subissent pas de revers diplomatiques ou militaires majeurs jusqu'à leur retrait du Vietnam.

3. L'affirmation de la puissance américaine

● Le président Reagan, élu en 1981, assure l'affirmation des États-Unis sur la scène internationale. La chute de l'URSS et la capacité des États-Unis à se moderniser leur permettent de s'affirmer comme **seule puissance mondiale dans les années 1990**. Au XXIe siècle, malgré la recrudescence des interventions extérieures des États-Unis, **un déclin relatif est visible**, avec la concurrence de puissances émergentes comme la Chine.

Schéma de synthèse

Les États-Unis et le monde

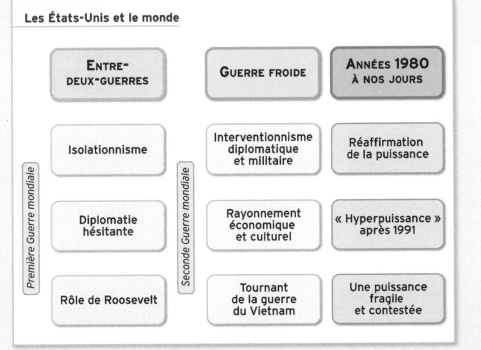

LES ACTEURS

Ronald Reagan (1911-2004)
Président républicain conservateur de 1981 à 1989. Sa politique extérieure correspond à un retour à l'interventionnisme américain, au moment où l'URSS entre dans une crise profonde.

- -

Barack Obama (né en 1961)
Démocrate, il est élu président en 2008, succédant au républicain George W. Bush. Fils d'un Kenyan et d'une Américaine, il est le premier président africain-américain des États-Unis.

LES ÉVÉNEMENTS

1920 : Le refus du traité de Versailles et de la SDN
En 1920, le Sénat américain refuse de ratifier le traité de Versailles. Les États-Unis retournent à une politique isolationniste.

- -

2001 : L'intervention en Afghanistan
À la suite des attentats du 11 septembre 2001, les États-Unis se lancent dans une « guerre contre le terrorisme », qui réaffirme leur place centrale dans les relations internationales.

NE PAS CONFONDRE

Impérialisme : politique de domination formelle (militaire, politique) ou informelle (économique, culturelle) d'un État sur d'autres États.
Interventionnisme : politique par laquelle un État s'engage, notamment militairement, dans les affaires d'autres États, seul ou dans un cadre multilatéral ou international.

- -

Superpuissance : expression qui désigne un pays qui, par ses ressources économiques, militaires, politiques et culturelles, domine le monde. Le terme désigne les États-Unis et l'URSS durant la Guerre froide.
« Hyperpuissance » : terme forgé par Hubert Védrine pour désigner la puissance complète et sans rival des États-Unis après la fin de la Guerre froide.

- -

Hard power : puissance d'un État venant de ses ressources militaires et économiques.
Soft power : puissance d'un État venant de son influence culturelle et idéologique.

Étudier un texte juridique

Sujet ## La Résolution Vandenberg

Il s'agit de l'Organisation des Nations unies (ONU).

Les cinq membres permanents de l'ONU disposent d'un droit de veto au conseil de Sécurité.

La résolution intervient quelques semaines après la création de l'Organisation des États américains (OEA)*, dans le contexte du projet de traité d'Alliance atlantique.

Il constitue, avec la Chambre des Représentants, le Congrès des États-Unis, et exerce un pouvoir législatif et le contrôle de l'exécutif. Il dispose de compétences spécifiques dans le domaine diplomatique.

Aux États-Unis, seul le Congrès peut déclarer la guerre.

L'article 51 de la Charte des Nations unies du 26 juin 1945 reconnaît un droit de légitime défense, individuelle ou collective, dans le cas où un membre des Nations unies est l'objet d'une agression armée.

La Résolution Vandenberg

«Attendu que la paix, la justice, la défense des droits de l'homme et de ses libertés fondamentales supposent une étroite coopération internationale qu'il est possible d'atteindre dans le cadre des Nations unies, le Sénat des États-Unis a décidé : (a) de réaffirmer la volonté des États-Unis de maintenir la paix et la sécurité internationales dans le cadre des Nations unies afin de ne pas recourir à la force armée, sauf dans l'intérêt commun ; (b) que le Président des États-Unis soit informé du désir du Sénat de voir le gouvernement poursuivre, par la voie constitutionnelle, les objectifs suivants dans le cadre de la Charte des Nations unies :

1. Acceptation volontaire d'éliminer le veto de toutes les questions impliquant des règlements pacifiques des problèmes et différends internationaux et de l'admission de nouveaux membres.

2. Mise au point progressive de mesures régionales ou collectives de défense individuelle et collective, conformément aux buts, aux principes et aux clauses de la Charte.

3. Association des États-Unis, par voie constitutionnelle, avec ces mesures régionales ou collectives, fondées sur une aide individuelle et mutuelle, effective et continue.

4. Contribution au maintien de la paix en affirmant leur détermination d'exercer le droit de défense légitime individuelle ou collective (article 51) en cas d'attaque armée affectant leur sécurité nationale.

5. Effort maximum en vue de la signature d'accords mettant à la disposition des États-Unis des forces armées, comme il est prévu par la Charte ; signature d'un accord entre les nations membres sur le contrôle universel et la réduction des armements, accord muni des garanties adéquates contre toute tentative de violation. »

Résolution n°239, présentée par Arthur Vandenberg, au Sénat, Washington, 11 juin 1948.

À la différence d'une loi, adoptée dans les mêmes termes par les deux chambres, une résolution n'est adoptée que par l'une des chambres.

Sénateur républicain du Michigan, Arthur Vandenberg (1884-1951) a longtemps été isolationniste avant de se rallier en 1945 à l'internationalisme. À partir de 1947, il préside la Commission des affaires internationales du Sénat.

CONSIGNE

Montrez que cette résolution marque un tournant majeur dans la politique étrangère des États-Unis dans le cadre de la Guerre froide. Analysez ensuite ce qu'elle révèle des difficultés de l'ONU.

FICHE MÉTHODE
Étudier un texte juridique

Étape 1 *Identifier et présenter le document*

▶ Identifier l'identité du producteur de cette norme juridique (pouvoir législatif, pouvoir exécutif, partenaires sociaux) et son type.

▶ En déduire sa valeur dans la hiérarchie des normes.

① Montrez que, sans avoir de valeur contraignante, cette résolution engage les États-Unis.

Conseils

N'oubliez pas de mentionner le rôle du président des États-Unis.

Étape 2 *Analyser le document*

▶ Analyser son objet et ses buts en replaçant le document dans son contexte.

▶ Accorder de l'attention à ce que dispose le texte (ou ce que stipule un contrat).

② Décrivez la nature et le contenu des nouvelles formes d'association que la résolution autorise.

Conseils

Identifiez les principes de la Charte des Nations unies sur lesquelles la résolution s'appuie.

Étape 3 *Dégager l'intérêt historique du document*

▶ Montrer la nouveauté apportée par le document juridique.

▶ Étudier la façon dont le texte est appliqué.

③ Montrez que ce texte marque une rupture dans la politique étrangère des États-Unis et un abandon de l'isolationnisme.

Conseils

Aidez-vous du cours p. 230 pour identifier les traités que cette résolution a rendu possibles.

EXERCICE D'APPLICATION

Sujet **La Charte de l'Atlantique**

Le 14 août 1941, en mer, au large de Terre-Neuve, Franklin Delano Roosevelt et Winston Churchill signent la Charte de l'Atlantique.

« Le président des États-Unis d'Amérique et M. Churchill [...] jugent bon de faire connaître certains principes sur lesquels ils fondent leurs espoirs en un avenir meilleur pour le monde et qui sont communs à la politique nationale de leurs pays respectifs. [...]

2. Ils ne désirent voir aucune modification territoriale qui ne soit en accord avec les vœux librement exprimés des peuples intéressés.

3. Ils respectent le droit qu'a chaque peuple de choisir la forme de gouvernement sous laquelle il doit vivre [...].

4. Ils s'efforcent [...] d'ouvrir également à tous les États, grands ou petits, vainqueurs ou vaincus, l'accès aux matières premières du monde et aux transactions commerciales qui sont nécessaires à leur prospérité économique.

5. Ils désirent réaliser entre toutes les Nations la collaboration la plus complète, dans le domaine de l'économie, afin de garantir à toutes l'amélioration de la condition ouvrière, le progrès économique et la sécurité sociale.

6. Après la destruction finale de la tyrannie nazie, ils espèrent voir s'établir une paix qui permettra à toutes les nations de demeurer en sécurité à l'intérieur de leurs propres frontières [...]. »

Charte de l'Atlantique, 14 août 1941.

CONSIGNE

Identifiez le type de document et son contexte historique, puis analysez ce qu'il révèle des projets des États-Unis et de la Grande-Bretagne pour l'organisation du monde après la guerre.

Mobiliser ses connaissances

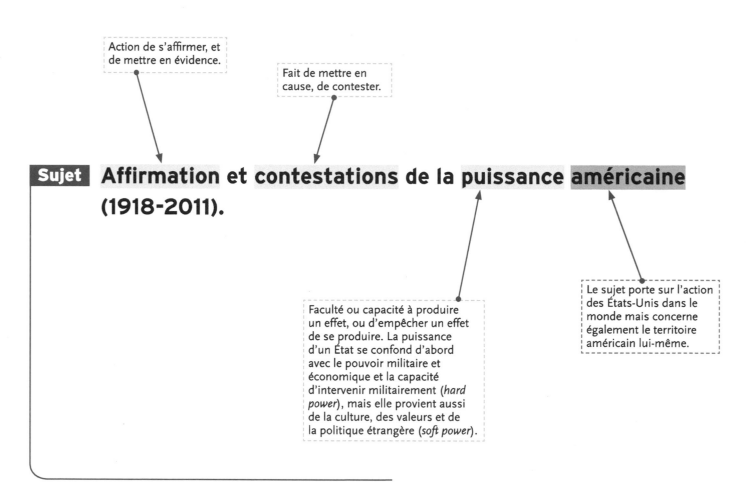

Action de s'affirmer, et de mettre en évidence.

Fait de mettre en cause, de contester.

Sujet **Affirmation et contestations de la puissance américaine (1918-2011).**

Faculté ou capacité à produire un effet, ou d'empêcher un effet de se produire. La puissance d'un État se confond d'abord avec le pouvoir militaire et économique et la capacité d'intervenir militairement (*hard power*), mais elle provient aussi de la culture, des valeurs et de la politique étrangère (*soft power*).

Le sujet porte sur l'action des États-Unis dans le monde mais concerne également le territoire américain lui-même.

Aide-mémoire

- **1918** « Quatorze points » de Wilson.
- **1920** Non-ratification du traité de Versailles.
- **1929** Krach boursier de Wall Street.
- **1941** Attaque japonaise de Pearl Harbor.
- **1945** Bombardements d'Hiroshima et Nagasaki.
- **1947** Création de la CIA.
- **1962** Crise des missiles de Cuba.
- **1991** Première guerre du Golfe.
- **2001** Attentats du 11 Septembre et début de la guerre d'Afghanistan.

FICHE MÉTHODE
Mobiliser ses connaissances

Rappel: Bien comprendre le sujet (méthode générale p. 12 et fiche méthode p. 76).	Identifiez le sens général du sujet. **Conseils** *Interrogez-vous sur l'ordre des termes et sur l'emploi du singulier ou du pluriel.*
Rappel: Définir et délimiter les termes du sujet (fiche méthode p. 124).	Expliquez ce que recouvre la notion de contestations. **Conseils** *N'oubliez pas de mentionner les contestations internes aussi bien qu'externes.*
Rappel: Formuler la problématique (fiche méthode p. 182).	Interrogez-vous sur l'étendue de la puissance des États-Unis. **Conseils** *Vous pouvez faire appel à la notion de «superpuissance» ou d'«hyperpuissance».*

Étape 1 *Identifier les points essentiels*

▶ Relever les thèmes principaux du sujet.

▶ Identifier les grandes caractéristiques du thème étudié.

① Qualifiez les étapes de la manifestation de la puissance des États-Unis.

Conseils

Rattachez les thèmes aux problématiques générales du cours de votre professeur et de votre manuel.

Étape 2 *Identifier pour chaque thème les arguments qui l'étayent*

▶ Confronter le sujet à ses connaissances.

▶ Faire appel aux connaissances nécessaires, les notions ou mots-clés, les personnages-clés.

② Montrez que la puissance américaine s'internationalise après 1945.

Conseils

Appuyez-vous pour répondre sur les cours p. 230 et 234.

Étape 3 *Identifier pour chaque argument les principaux exemples*

▶ Choisir des exemples appropriés.

▶ Opérer un tri parmi ses connaissances.

③ Donnez des exemples de l'internationalisation de la puissance des États-Unis après 1945.

Conseils

Il faut utiliser les connaissances apprises en cours mais sans les réciter.

EXERCICE D'APPLICATION

Sujet 1 Les États-Unis et la guerre au XXe siècle.

Conseils

Faites attention à ne pas traiter que les États-Unis en guerre, il s'agit d'étudier le rapport des États-Unis à la guerre y compris en temps de paix.

Sujet 2 La puissance des États-Unis au XXe siècle.

Conseils

Choisissez un plan chrono-thématique permettant de dégager à la fois les idées essentielles et les périodes.

PROLONGEMENTS

Bâtir un plan détaillé (voir p. 276)

➔ À partir des connaissances mobilisées, construisez un plan chronologique en réponse au sujet, et associez à chaque idée au moins un exemple précis.

Rédiger l'introduction (voir p. 308)

➔ Décrivez la situation de la puissance américaine au lendemain de la Première Guerre mondiale.

Composition

Sujet Les États-Unis et le monde de 1917 à 2011

Conseils

Analyser et délimiter les termes du sujet: privilégiez l'action des États-Unis dans le monde, leur vision du monde extérieur.

Choisir un plan: sur une période longue, un plan chronologique est souhaitable. Choisissez les inflexions chronologiques parmi les dates suivantes: 1929, 1939, 1941, 1945, 1962, 1973, 1979, 1989, 1991.

Sujet Le rôle des guerres mondiales dans l'affirmation de la puissance américaine

Conseils

Analyser et délimiter les termes du sujet: ne confondez pas avec le sujet: «Le rôle des États-Unis dans les deux guerres mondiales».

Choisir un plan: un plan chronologique risque de vous conduire à étudier toute la période 1919-1939, ce qui n'est pas nécessaire pour traiter le sujet posé.

Rédiger l'introduction: réfléchissez aux ressemblances et aux différences dans la façon dont les États-Unis participent aux combats et organisent l'après-guerre.

Étude critique de document(s)

Sujet L'engagement des États-Unis après la Seconde Guerre mondiale

Le projet du plan Marshall

« La vérité, c'est que les besoins de l'Europe en produits alimentaires et autres produits essentiels – en provenance essentiellement de l'Amérique au cours des trois ou quatre années à venir – dépassent à ce point sa capacité de paiement, qu'elle a besoin d'une aide supplémentaire importante si on veut lui éviter de graves troubles économiques, sociaux et politiques. En dehors des effets démoralisants sur le monde en général et les risques de troubles résultant du désespoir des peuples en cause, les conséquences sur l'économie américaine sont claires pour tous. Il est logique que les États-Unis fassent tout ce qui est en leur pouvoir pour favoriser le retour du monde à une santé économique normale sans laquelle il ne peut y avoir ni stabilité politique, ni paix assurée. Notre politique n'est dirigée contre aucun pays, ni doctrine, mais contre la faim, la pauvreté, le désespoir et le chaos. Son but devrait être le rétablissement d'une économie mondiale saine de façon à permettre le retour à des conditions politiques et sociales dans lesquelles peuvent exister des institutions libres [...] Tout gouvernement qui consent à nous aider dans la tâche de renaissance trouvera, j'en suis sûr, une coopération complète de la part du gouvernement américain. Tout gouvernement qui manœuvre pour arrêter la renaissance d'autres pays ne peut attendre d'aide de notre part. De plus les gouvernements, partis ou groupements qui cherchent à perpétuer la misère humaine pour en profiter politiquement ou autrement, rencontreront l'opposition des États-Unis. »

George Marshall, Secrétaire d'État américain, *Discours* prononcé à Harvard, le 5 juin 1947.

Conseils

Resituez le document dans le contexte de l'année 1947 et relevez le passage qui évoque directement ce contexte.

Relevez quel est l'auditoire direct, pensez aussi au public «élargi» par la diffusion du discours dans les médias.

Montrez que le discours reflète une vision américaine du monde.

Retrouvez les trois justifications du plan d'aide proposé par l'auteur.

CONSIGNE

Montrez en quoi ce discours s'inscrit dans une perspective d'affirmation de la puissance des États-Unis après la Seconde Guerre mondiale. À travers son étude critique, dégagez les motivations explicites et implicites de l'action qui est ici envisagée.

Sujet La politique extérieure américaine, entre réalisme et idéalisme

1. Les principes de la politique américaine durant la Détente

« *Le principe de la retenue*: les deux superpuissances ne pouvaient continuer à entretenir des relations convenables si l'une d'elles voulait obtenir des avantages unilatéraux ou tirer parti des crises survenant dans certains pays. [...] Nous souhaitions appliquer le principe "de la carotte et du bâton" en recourant à des sanctions en cas d'abus, ou en opérant un rapprochement en cas de bonne volonté.

Le principe de linkage: selon nous, les événements survenant à différents endroits du globe étaient tous liés et il en était de même dans une certaine mesure de la conduite de l'Union soviétique. [...]

Selon nous, le linkage pouvait revêtir deux formes: la première consistait, pour un diplomate, à prendre délibérément le parti de relier, lors d'une négociation, deux objectifs différents, en se servant de l'un pour mettre l'autre en valeur; la seconde reflétait tout simplement la réalité car, dans un monde interdépendant, les actions d'une des nations les plus puissantes sont inévitablement liées entre elles et entraînent des conséquences qui dépassent le problème ou la région immédiatement concernée. »

Henry Kissinger[1], *À la Maison Blanche*, Fayard, 1979.

1. H. Kissinger, universitaire spécialiste des relations internationales, a été conseiller à la Sécurité puis Secrétaire d'État dans l'administration républicaine Nixon – Ford (1969-1976).

Conseils

Recherchez dans le chapitre des détails sur H. Kissinger et la période de la Détente.

Replacez chaque document dans son contexte géopolitique et stratégique; interrogez-vous sur la situation du monde et celle des États-Unis à chaque période.

Retrouvez dans le cours des exemples d'application des principes du texte 1.

Interrogez-vous sur l'ensemble des motivations de l'opération *Restore Hope*; retrouvez d'autres cas d'interventions comportant une dimension humanitaire.

2. L'intervention en Somalie (1992)

Photographes devant un soldat américain durant l'opération *Restore Hope* en Somalie, décembre 1992.

L'armée américaine intervient en Somalie sur mandat de l'ONU à partir de décembre 1992, dans le cadre de l'opération *Restore Hope* (« redonner l'espoir »). Cette mission vise à fournir une aide humanitaire aux populations touchée par la guerre civile.

CONSIGNE

À travers l'analyse critique et la confrontation des deux documents, montrez que l'action des États-Unis dans le monde relève à la fois d'une inspiration idéaliste et d'une approche pragmatique.

CHAPITRE 10

La Chine et le monde depuis le mouvement du 4 mai 1919

En 1919, la Chine, tombée sous la domination de l'Occident et du Japon, a perdu sa puissance passée. Cependant, à partir de 1949, la République populaire de Chine cherche à obtenir un statut de grande puissance comparable à celui qui fut le sien du temps de l'Empire. Elle n'y parvient qu'à la fin du siècle, après de nombreux échecs.

Comment la Chine est-elle devenue l'une des plus grandes puissances mondiales au cours du XXᵉ siècle ?

1 Une Chine affaiblie et dominée

Affiche chinoise, vers 1900. L'ours représente la Russie, le lion l'Empire britannique, sa queue l'Allemagne, le soleil le Japon, l'aigle les États-Unis et la grenouille la France. Les personnages chinois incarnent la corruption, l'incompétence et l'opiomanie, jugées responsables de la faiblesse du pays.

Au début du XXᵉ siècle, la domination étrangère en Chine est à son apogée. Dans les villes, des courants nationalistes se développent et réclament une indépendance complète du pays.

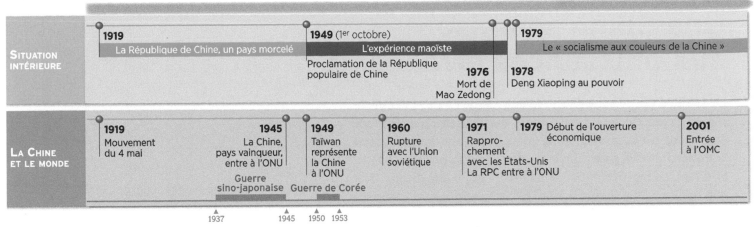

	1919	1949 (1er octobre)		1979
SITUATION INTÉRIEURE	La République de Chine, un pays morcelé	L'expérience maoïste		Le « socialisme aux couleurs de la Chine »
		Proclamation de la République populaire de Chine	**1976** Mort de Mao Zedong	**1978** Deng Xiaoping au pouvoir

	1919 Mouvement du 4 mai	**1945** La Chine, pays vainqueur, entre à l'ONU	**1949** Taïwan représente la Chine à l'ONU	**1960** Rupture avec l'Union soviétique	**1971** Rapprochement avec les États-Unis La RPC entre à l'ONU	**1979** Début de l'ouverture économique	**2001** Entrée à l'OMC
LA CHINE ET LE MONDE		Guerre sino-japonaise	Guerre de Corée				

1937   1945   1950   1953

2 La fierté retrouvée d'une grande puissance

Cérémonie d'ouverture des Jeux olympiques de Pékin, 8 août 2008. Le drapeau rouge à étoiles jaunes est celui de la République populaire de Chine.

Les Jeux Olympiques de 2008 sont l'occasion pour la Chine de mettre en scène son prestige et les signes de sa puissance devant les caméras du monde entier.

QUESTIONS

1. Quelle est l'image de la Chine dans chaque document ?

2. Comment évolue ici le rapport de la Chine au reste du monde ?

Une Chine soumise aux puissances étrangères

En 1919, la Chine est « l'homme malade de l'Asie » : depuis le milieu du XIXᵉ siècle, les puissances occidentales puis le Japon empiètent sur sa souveraineté en lui imposant des conditions commerciales inégales ainsi que des concessions. En 1911, l'immense Empire chinois, bimillénaire et peuplé de plus de 400 millions d'habitants – soit 1/5ᵉ de la population mondiale – est renversé par une révolution et remplacé par une république faible, qui contrôle mal un territoire divisé entre des chefs militaires rivaux : les Seigneurs de la guerre.

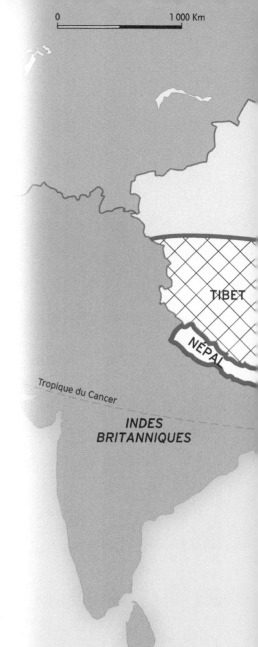

TIBET

NÉPAL

Tropique du Cancer

INDES
BRITANNIQUES

0   1 000 Km

1 Le partage du « gâteau » chinois

Caricature d'Henri Meyer, « En Chine, le gâteau des rois et des empereurs », dans *Le Petit Journal*, 16 janvier 1898.

Depuis la fin du XIXᵉ siècle, les puissances étrangères s'octroient de petites parts du territoire chinois : les concessions. De gauche à droite : le Royaume-Uni, l'Allemagne, la Russie, la France, le Japon. À l'arrière-plan : une allégorie de la Chine, qui reprend le stéréotype, courant à l'époque, du Chinois aux ongles crochus.

2 Sun Yat-sen, entre nationalisme et occidentalisation

Sun Yat-sen et son épouse, 1915.

Diplômé de médecine de l'université de Hong Kong, Sun Yat-sen, leader nationaliste fortement occidentalisé, devient le premier président de la République de Chine (1912). Sa famille appartient à la diaspora chinoise (c'est-à-dire aux Chinois dispersés à travers le monde).

3 La Chine dans la Première Guerre mondiale

Oudezeele, Nord de la France, juin 1918. Des Chinois participent aux travaux de routes et de tranchées.

En 1917, la Chine entre dans la Première Guerre mondiale aux côtés des Alliés. Militairement faible, elle envoie sur le front Ouest plus de 140 000 travailleurs manuels (*coolies*) dont 20 000 environ meurent durant le conflit.

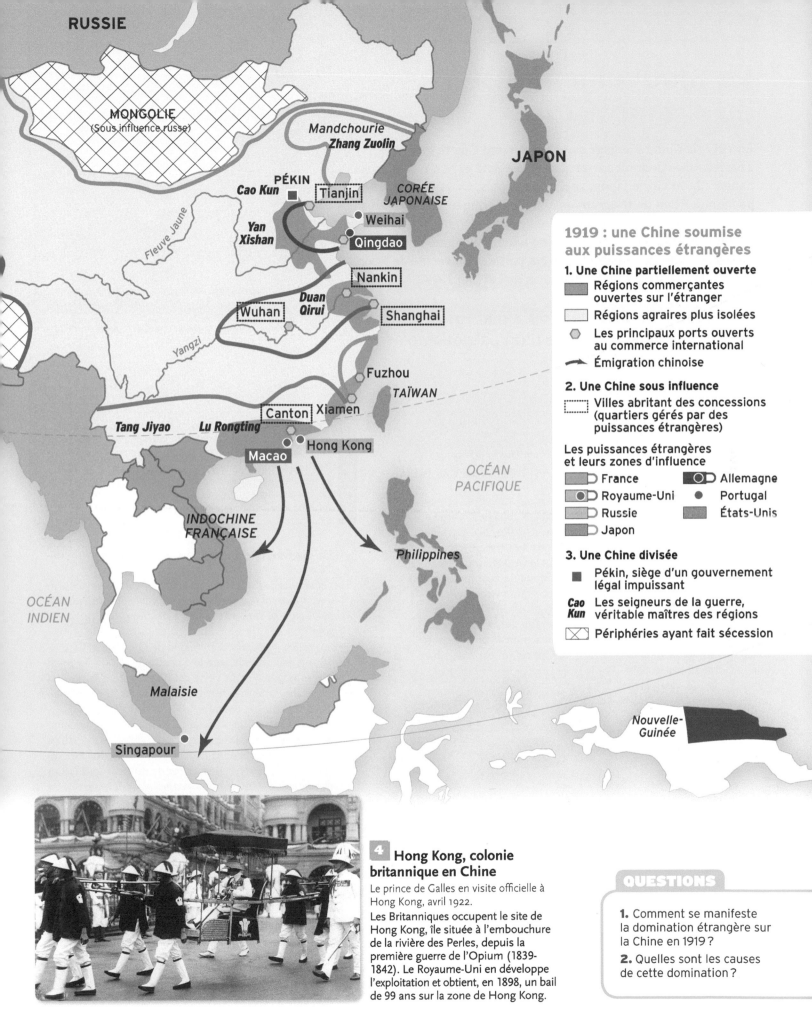

RUSSIE

MONGOLIE
(Sous influence russe)

Mandchourie
Zhang Zuolin

JAPON

PÉKIN
Cao Kun
Tianjin

CORÉE
JAPONAISE

Fleuve Jaune

Weihai
Qingdao

Yan
Xishan

Nankin

Duan
Qirui

Wuhan

Shanghai

Yangzi

Fuzhou

TAÏWAN

Tang Jiyao   Lu Rongting

Canton   Xiamen

Macao   Hong Kong

OCÉAN
PACIFIQUE

INDOCHINE
FRANÇAISE

Philippines

OCÉAN
INDIEN

Malaisie

Nouvelle-
Guinée

Singapour

1919 : une Chine soumise aux puissances étrangères

1. Une Chine partiellement ouverte

- Régions commerçantes ouvertes sur l'étranger
- Régions agraires plus isolées
- Les principaux ports ouverts au commerce international
- Émigration chinoise

2. Une Chine sous influence

- Villes abritant des concessions (quartiers gérés par des puissances étrangères)

Les puissances étrangères et leurs zones d'influence

- France
- Royaume-Uni
- Russie
- Japon
- Allemagne
- Portugal
- États-Unis

3. Une Chine divisée

- ■ Pékin, siège d'un gouvernement légal impuissant
- **Cao Kun** Les seigneurs de la guerre, véritable maîtres des régions
- ⊠ Périphéries ayant fait sécession

4 Hong Kong, colonie britannique en Chine

Le prince de Galles en visite officielle à Hong Kong, avril 1922.

Les Britanniques occupent le site de Hong Kong, île située à l'embouchure de la rivière des Perles, depuis la première guerre de l'Opium (1839-1842). Le Royaume-Uni en développe l'exploitation et obtient, en 1898, un bail de 99 ans sur la zone de Hong Kong.

QUESTIONS

1. Comment se manifeste la domination étrangère sur la Chine en 1919 ?

2. Quelles sont les causes de cette domination ?

Les possessions allemandes cédées au Japon

1917	Janv.-juin 1919	4 mai 1919
La Chine entre en guerre aux côtés des Alliés	Conférence de Paris menant au traité de Versailles	Les résultats de la conférence de Paris parviennent à Pékin

Le mouvement du 4 mai 1919

En 1917, la Chine s'engage dans la Première Guerre mondiale avec les Alliés pour recouvrer sa souveraineté et ne pas laisser son dangereux voisin, le Japon, seul à leurs côtés. Or, le 4 mai 1919, parvient à Pékin un télégramme annonçant que le traité de Versailles prévoit de céder au Japon les anciennes possessions allemandes en Chine. Cette nouvelle, vécue comme une humiliation, déclenche un vaste mouvement patriotique, qui part de l'université de Pékin et s'étend à toute la Chine urbaine en mai et juin 1919.

Comment le mouvement du 4 mai 1919 manifeste-t-il l'émergence d'un patriotisme influencé par l'Occident ?

1 Le salut par l'occidentalisation

Intellectuel occidentalisé et modernisateur, Chen Duxiu (1879-1942) est l'une des figures les plus influentes du mouvement du 4 mai. Il expose ses idées dès 1915.

« Toute notre éthique, nos lois, notre savoir, nos rites et nos coutumes traditionnels sont des survivances féodales. Comparés aux succès de la race blanche, il y a une différence de mille ans dans la pensée, bien que nous vivions à la même époque. Si nous nous contentons de révérer l'histoire des vingt-quatre dynasties [de la Chine ancienne] et que nous ne faisons pas de projets pour progresser et nous améliorer, notre peuple sera mis à l'écart du monde du vingtième siècle. [...]

Je préférerais mille fois voir disparaître l'ancienne culture de notre pays, plutôt que de voir périr notre nation à cause de son inadaptation au monde moderne. [...] Tout ce qui est incapable de se transformer habilement et de progresser avec le monde se trouvera éliminé par la sélection naturelle. »

Chen Duxiu, « Appel à la jeunesse », 1915.

Chen Duxiu fonde le journal *Nouvelle Jeunesse* (sous-titre en français : *La Jeunesse*) à Shanghai en 1915. Il l'utilise pour diffuser ses idées sur la nécessité de réformer la Chine en suivant des modèles occidentaux.

2 Le manifeste du mouvement du 4 mai

Les étudiants de l'université de Pékin, la plus prestigieuse de Chine, protestent le 4 mai 1919. Ils cherchent à sensibiliser la population aux dangers extérieurs qui, selon eux, menacent le pays.

« L'exigence japonaise d'annexion de Qingdao et de tous les droits [allemands] sur le Shandong est sur le point d'être satisfaite. [...] La perte du Shandong, c'est la destruction de l'intégrité territoriale chinoise ! Si son intégrité territoriale est détruite, la Chine est perdue !

C'est pourquoi nous, étudiants, défilerons aujourd'hui vers les légations[1] étrangères, pour demander aux Alliés de se ranger du côté de la justice. Nous espérons ardemment que les ouvriers et marchands du pays tout entier tiendront des assemblées citoyennes pour défendre notre souveraineté à l'extérieur et se débarrasser des traîtres à l'intérieur[2]. C'est pour la Chine une question de vie ou de mort ! Aujourd'hui, avec tous nos compatriotes, nous faisons ces serments :

Le territoire chinois peut être conquis, mais il ne sera pas cédé !

Le peuple chinois peut être massacré, mais il ne se soumettra pas !

Notre pays court à sa destruction ! Compatriotes, debout ! »

Manifeste des étudiants de Pékin, 4 mai 1919.

1. Ambassades.
2. « Traîtres » désigne les hommes politiques chinois favorables au Japon.

3 Des manifestations patriotiques

Manifestation d'étudiants, Pékin, 4 mai 1919.

Le 4 mai dans l'après-midi, plus de 3 000 étudiants pékinois, brandissant le drapeau de la République et la bannière de leur université, se rassemblent sur la place Tian'anmen pour protester contre le texte du traité de Versailles et contre le gouvernement chinois, qu'ils en jugent complice.

4 Les étudiants s'adressent aux étrangers de Shanghai

En juin, les étudiants de Shanghai, ville de Chine qui abrite le plus grand nombre d'étrangers, s'adressent en anglais à la communauté internationale.

« Dans le monde entier, comme la voix d'un prophète, la parole de Woodrow Wilson[1] a résonné, donnant des forces au faible et du courage à celui qui lutte. Et les Chinois ont écouté cette parole, et ils l'ont entendue... On leur a dit que dans les arrangements d'après-guerre, les nations non militaires comme la Chine auraient l'occasion de développer sans contraintes leur culture, leur industrie, leur civilisation. On leur a dit que les pactes secrets et les accords arrachés par la force ne seraient pas reconnus. Ils ont attendu l'aube de cette ère nouvelle ; mais aucun soleil ne s'est levé sur la Chine. Pire, on a volé le berceau de la nation[2]. »

Tract de l'union des étudiants de Shanghai, juin 1919.

1. Allusion aux « Quatorze Points » du président Wilson (1917).
2. La province du Shandong est considérée comme un berceau de la culture traditionnelle chinoise.

QUESTIONS

Un mouvement qui touche la Chine moderne

1. Quelles catégories sociales participent au mouvement du 4 mai 1919 ? (doc. 1, 2, 3, 4)

2. En quoi peut-on dire que les leaders du patriotisme chinois sont occidentalisés ? (doc. 1, 4)

Un mouvement nationaliste

3. En quoi peut-on dire que le mouvement du 4 mai est nationaliste ? (doc. 1, 2, 3, 4, 5)

4. Quelles sont les attitudes des protagonistes face aux différentes puissances étrangères ? (doc. 1, 2, 4)

Bilan : Comment le mouvement du 4 mai 1919 manifeste-t-il l'émergence d'un patriotisme influencé par l'Occident ?

Étude critique de documents

Analysez les documents 1 et 4 et montrez ce qu'ils révèlent de la puissance chinoise au lendemain de la Première Guerre mondiale.

5 La mémoire d'un événement

Affiche commémorative du mouvement du 4 mai, juillet 1976. Sur les banderoles : « À bas Confucius et son école ! », « Université de Pékin », « Abrogez les traités inégaux ! ».

Pour les communistes chinois, le 4 mai représente le début de la politisation de la jeunesse éduquée et donc du redressement national. Ce mouvement est, de ce fait, l'objet de commémorations importantes, notamment dans la Chine communiste.

La Chine entre domination étrangère et nationalisme (1919-1949)

Quelles sont les causes de l'impuissance chinoise entre 1919 et 1949?

A. Un pays ouvert mais assujetti

● **En 1919, la Chine n'est pas réellement souveraine:** elle est soumise aux traités inégaux imposés par les puissances étrangères. L'Empire chinois s'est effondré en 1911-1912 et ses marges (comme le Tibet) ont pris leur autonomie. Le gouvernement républicain ne parvient pas à se faire obéir sur l'ensemble du territoire: le pays est divisé entre chefs militaires régionaux, les Seigneurs de la guerre, ce qui laisse libre cours aux ambitions de l'Occident et du Japon et stimule le nationalisme chinois.

● **En 1917, la Chine entre en guerre aux côtés des Alliés,** espérant ainsi récupérer une partie de ses droits. Mais, en 1919, le traité de Versailles donne au Japon les colonies allemandes en Chine. Cette décision déclenche le mouvement patriotique du 4 mai 1919 (voir p. 254), qui défend la souveraineté chinoise tout en appelant à une modernisation sur le modèle occidental.

B. Un redressement national partiel

● **Dans les années 1920, deux partis autoritaires proposent des solutions** pour rétablir la puissance de la Chine et se débarrasser des dominations extérieures. Le Parti nationaliste ou **Guomindang*** (GMD), fondé par Sun Yat-sen, veut en priorité rétablir l'autorité de l'État et le prestige national [doc. 2]. **Le Parti communiste chinois** (PCC), bien plus modeste, naît en 1921 sous l'impulsion de l'URSS. Il veut en adopter le modèle politique et compte sur son aide pour lutter contre les impérialismes [doc. 1].

● Le GMD, allié au PCC sur l'initiative du **Komintern,** prend le pouvoir militairement en 1926-1928. L'État, dirigé par **Tchang Kaï-chek,** fait abolir une partie des traités inégaux, rehaussant ainsi le statut international du pays même si l'influence étrangère reste forte [doc. 4].

● **Mais Tchang Kaï-chek ne contrôle vraiment qu'une partie de la Chine côtière.** Le PCC, contre lequel il s'est retourné et qu'il réprime depuis 1927, s'est réfugié dans les campagnes. Mao Zedong* en prend la tête après la Longue Marche [doc. 3] et élabore un modèle communiste proprement chinois.

C. Une Chine qui reste très vulnérable

● **L'État chinois, faible et à la tête d'un pays divisé, ne peut faire face à l'expansionnisme du Japon.** Celui-ci envahit la Mandchourie en 1931, y établit un État qu'il contrôle, puis attaque et conquiert la Chine côtière en 1937.

● **La Seconde Guerre mondiale** (p. 258) **accroît la dépendance du pays,** même si Tchang Kaï-chek résiste et parvient à s'imposer comme un Grand parmi les Alliés. Les communistes, encouragés par Moscou, se rallient à lui.

● **En 1945, la Chine, pays vainqueur, devient membre permanent du Conseil de sécurité** de l'ONU. La guerre civile entre nationalistes et communistes reprend en 1946 et le GMD, épuisé par la guerre, est vaincu malgré l'aide militaire américaine: il se replie à Taïwan. **Pékin devient la capitale de la République populaire de Chine (RPC), proclamée par Mao le 1er octobre 1949** [doc. 5], tandis qu'une République de Chine distincte continue d'exister à Taïwan, et représente seule la Chine à l'ONU jusqu'en 1971.

1 **L'influence du Komintern en Chine**

Canton, 1923. Sun Yat-sen (au centre), sa femme et Mikhail Borodine (deuxième à partir de la droite), entourés de membres du Komintern.

Le Komintern est représenté en Chine à partir de 1923 par Mikhail Borodine, qui exerce une grande influence sur Sun Yat-Sen, qu'il pousse à se rapprocher du PCC.

1. Comment l'influence du Komintern se manifeste-t-elle?

BIOGRAPHIE

Tchang Kaï-chek (1887-1975)
Militaire issu de l'aile conservatrice du Guomindang, il succède à Sun Yat-sen et rompt violemment avec les communistes. Il est le dictateur faible d'une Chine partiellement réunifiée. À partir de 1937, il résiste au Japon. Défait dans la guerre civile, il se replie à Taïwan, où il dirige la République de Chine jusqu'à sa mort.
Tchang Kaï-chek, 1945.

MOTS CLÉS

Conseil de sécurité: organe exécutif de l'ONU, responsable du maintien de la paix. Il comprend 5 membres permanents (Chine, États-Unis, France, Royaume-Uni, URSS). Chacun dispose du droit de veto.

Komintern: Troisième Internationale communiste, contrôlée par l'URSS et active de 1919 à 1943; elle est destinée à coordonner les actions des partis communistes dans le monde.

DATES

1919 Mouvement patriotique du 4 mai
1937-1945 Invasion japonaise
1949 Proclamation de la RPC

2 Les moyens du redressement de la Chine selon Sun Yat-sen

Peu avant sa mort, le leader nationaliste, assisté de ses conseillers, énonce les principes qui doivent conduire au redressement du statut international de la Chine.
« Pendant quarante ans, je me suis consacré à la cause de la révolution nationale, dont l'objectif est de rendre à la Chine sa liberté et un rang égal [à celui des autres nations]. L'expérience de ces quarante ans m'a convaincu que si nous désirons atteindre cet objectif, il nous faut [...] nous unir avec les peuples du monde qui nous traitent sur un pied d'égalité pour poursuivre le combat commun. Aujourd'hui, la révolution n'a pas encore triomphé. [...] Il faut aussitôt que possible mettre en œuvre [mes] projets de réunion d'une convention nationale et d'abrogation des traités inégaux [...]. Telles sont mes instructions. »

Sun Yat-sen, *Testament politique*, 11 mars 1925, dans M.-C. Bergère, *Sun Yat-sen*, Fayard, 1994.

1. Quels sont les objectifs du mouvement nationaliste selon Sun Yat-sen ?

2. À qui Sun Yat-sen fait-il référence quand il parle des « peuples du monde qui nous traitent sur un pied d'égalité » ?

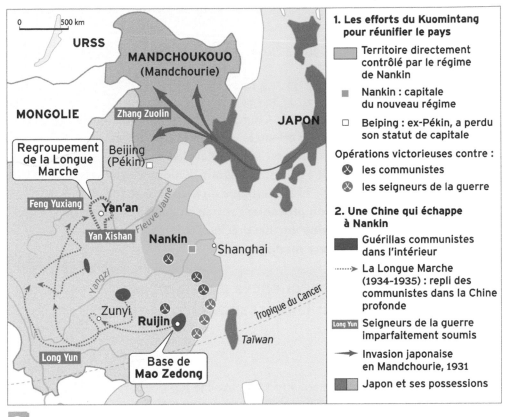

3 Le rétablissement partiel de l'unité intérieure (1928-1936)

En 1927, Tchang Kaï-chek installe sa capitale à Nankin. Pendant dix ans, il travaille à la reconstruction de l'État, condition indispensable au rétablissement de la puissance. En 1934-1935, il force les communistes à se réfugier dans le Nord-Ouest du pays : c'est la Longue Marche.

1. Quels progrès le Guomindang a-t-il fait pour la restauration de l'unité territoriale chinoise ?

2. Quelles sont les limites de son action ?

4 Les influences occidentales dans les années 1930

Enseignants et élèves d'une école de missionnaires catholiques américains, Chine, 1935.
Depuis la deuxième moitié du XIXᵉ siècle, les missionnaires occidentaux (catholiques ou protestants) ont une grande influence, surtout dans l'éducation. Ils conservent cette influence jusqu'à la Seconde Guerre mondiale.

1. Comment l'autorité et l'influence des missionnaires occidentaux se manifestent-elles sur cette photographie ?

5 La naissance de la République populaire de Chine : un redressement national ?

Mao commente la victoire du Parti communiste contre le Guomindang, quelques jours avant la proclamation de la République populaire de Chine.
« Nous avons vaincu le gouvernement réactionnaire du Guomindang soutenu par l'impérialisme américain. [...] Les Chinois, qui représentent un quart de l'humanité, se sont relevés. Nous avons toujours été une nation universaliste et travailleuse, ce n'est qu'à l'époque moderne que nous sommes entrés en déclin. Et ce déclin n'est que le résultat de l'oppression et de l'exploitation de l'impérialisme étranger, ainsi que des gouvernements réactionnaires de la Chine.
Depuis plus d'un siècle, nos ancêtres se sont opposés aux oppresseurs chinois et étrangers dans un combat sans relâche. Parmi ces combats, nous comptons la révolution [républicaine] de 1911, conduite par le docteur Sun Yat-sen, ce grand précurseur de la révolution chinoise. [...]
Désormais, notre nation ne sera plus humiliée : nous nous sommes relevés. »

Mao Zedong, *Discours* à la Conférence consultative politique du peuple chinois, 21 septembre 1949, *Œuvres Choisies*, Éditions en langues étrangères, Pékin, 1967.

1. Comment Mao présente-t-il les liens de la Chine avec l'étranger ?

La Chine dans la Seconde Guerre mondiale

En juillet 1937, le Japon envahit la Chine, qu'il juge une proie facile. Il occupe rapidement la partie orientale du pays et met en place des gouvernements collaborateurs. Tchang Kaï-chek et le PCC mettent de côté leur conflit et résistent depuis l'Ouest : c'est le Front uni. Le 7 décembre 1941, l'attaque de la base américaine de Pearl Harbor par le Japon provoque l'entrée en guerre des États-Unis, ce qui donne à la Chine un allié précieux et intègre le conflit sino-japonais dans la Guerre mondiale.

Quelles sont les conséquences de la Seconde Guerre mondiale sur la puissance chinoise ?

Chronologie

1931	Invasion de la Mandchourie par le Japon.
1937	**Juillet** Avancée japonaise en Chine orientale. Tchang Kaï-chek et Mao forment le Front uni.
1940	**Mars** Formation du gouvernement collaborateur de Nankin.
1941	**7 décembre** Attaque japonaise de Pearl Harbor. Entrée en guerre des États-Unis. La Chine sort de son isolement.
1943	Les Alliés renoncent aux traités inégaux.
1945	**6 et 9 août** Bombardements atomiques sur Hiroshima et Nagasaki (Japon).
	14 août Capitulation du Japon. La Chine figure parmi les pays vainqueurs.

---

1 Tchang Kaï-chek refuse la collaboration avec le Japon

Comme l'Allemagne en Europe, le Japon en Asie avance des justifications à son expansionnisme et cherche des collaborateurs en pays conquis. Tchang Kaï-chek s'y refuse.

« L'ennemi ne s'arrêtera pas tant qu'il n'aura pas réalisé ses sinistres desseins et atteint le but ultime de son agression : la destruction de la Chine. [...]
Selon le Premier ministre japonais, l'ordre nouveau en Asie de l'Est consiste à "[coopérer] pour combattre le péril rouge, protéger la civilisation orientale, abolir les frontières économiques et aider la Chine à sortir de son statut semi-colonial" [...]. Sous le prétexte de s'opposer au "péril rouge", le Japon veut contrôler les affaires militaires de la Chine ; quand il prétend exalter la civilisation orientale, il cherche à déraciner la culture de la race chinoise ; et en poussant à l'abolition des frontières économiques, il n'aspire qu'à exclure l'influence américaine et européenne pour dominer le Pacifique. »

Tchang Kaï-chek, *Discours* au quartier général du Guomindang, 26 décembre 1938.

2 Le gouvernement de Nankin collabore avec le Japon

Wang Jingwei*, rival de Tchang Kaï-chek au sein du Guomindang, a accepté de collaborer avec les Japonais et a installé son gouvernement à Nankin en mars 1940.

« La construction d'un ordre nouveau en Asie orientale repose, d'une part, sur l'effort pour éliminer d'Asie orientale les maux de l'impérialisme économique occidental, dont cette partie du monde a souffert pendant le siècle passé ; d'autre part sur la lutte contre la marée montante du communisme, qui menace notre prospérité depuis une vingtaine d'années. Le Japon [est] le seul pays oriental à pouvoir assumer ces responsabilités. [...].
Si nous [Chinois] nous demandons pourquoi nous avons échoué dans nos efforts pour purger le pays des maux de l'impérialisme économique occidental et entraver la montée du communisme, laissant ainsi le pays sombrer dans un état semi-colonial, et le peuple dans une détresse profonde, nous ne pouvons que reconnaître nos torts. Quand nous avons entendu l'appel du Japon à construire un ordre nouveau en Asie orientale, il nous est immédiatement apparu que les temps n'étaient plus aux querelles intestines [entre Asiatiques]. »

Wang Jingwei, *Discours* à la radio de Tokyo, 24 juin 1941.

3 La dépendance vis-à-vis des Alliés

Un soldat chinois garde des avions de chasse américains, Kunming, juillet 1942.
À partir de 1940, des volonaires américains, les Tigres volants, fournissent un soutien aérien à l'armée de Tchang Kaï-chek.

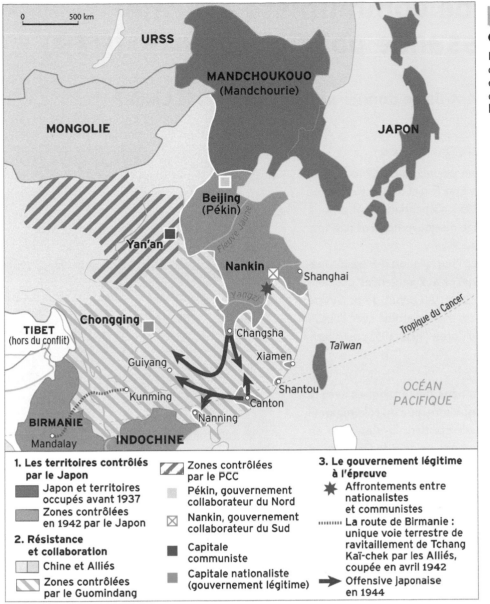

0   500 km

Légende :

1. Les territoires contrôlés par le Japon
- Japon et territoires occupés avant 1937
- Zones contrôlées en 1942 par le Japon

2. Résistance et collaboration
- Chine et Alliés
- Zones contrôlées par le Guomindang

Zones contrôlées par le PCC

- Pékin, gouvernement collaborateur du Nord
- Nankin, gouvernement collaborateur du Sud
- Capitale communiste
- Capitale nationaliste (gouvernement légitime)

3. Le gouvernement légitime à l'épreuve
- ✱ Affrontements entre nationalistes et communistes
- ·········· La route de Birmanie : unique voie terrestre de ravitaillement de Tchang Kaï-chek par les Alliés, coupée en avril 1942
- ➔ Offensive japonaise en 1944

4 La Chine dans la Seconde Guerre mondiale

Le Japon a besoin d'exploiter les ressources des pays conquis. Il concentre donc ses efforts sur la partie orientale et développée de la Chine. L'Ouest lui échappe et abrite les bases de résistance.

5 Le bilan des combats sino-japonais

	Chine	Japon
Pertes militaires (tués, blessés, disparus)	3 à 4 millions	400 000
Morts civils	Environ 7 millions	–

Bien que les troupes chinoises soient supérieures en nombre aux troupes japonaises, elles sont moins bien entraînées et équipées. Les civils chinois sont victimes d'une répression féroce et de crimes de guerre. Toutefois, en immobilisant environ un tiers des forces japonaises, l'armée chinoise apporte une contribution importante au camp allié.

6 La Chine, un Grand parmi les Alliés

Tchang Kaï-chek, Roosevelt et Churchill lors de la conférence du Caire, 25 novembre 1943.
Pendant la Seconde Guerre mondiale, la Chine est reconnue, malgré la réticence de Churchill, comme l'un des quatre Grands, avec les États-Unis, le Royaume-Uni et l'URSS. Les Alliés renoncent aux derniers traités inégaux en 1943.

QUESTIONS

Résistance ou collaboration

1. Pourquoi peut-on dire que le Japon profite des divisions internes de la Chine ? (doc. 1, 2, 4)

2. Quels motifs poussent les différents acteurs chinois de la guerre à résister ou à collaborer ? (doc. 1, 2)

Une victoire ambiguë

3. Quels bénéfices la Chine de Tchang Kaï-chek retire-t-elle de son choix de combattre aux côtés des Alliés contre le Japon ? (doc. 3, 4, 6)

4. Dans quelle mesure peut-on dire que la Chine est un pays vainqueur de la Seconde Guerre mondiale ? (doc. 3, 4, 5, 6)

Bilan : Quelles sont les conséquences de la Seconde Guerre mondiale sur la puissance chinoise ?

Étude critique de documents

Montrez ce que les documents 4 et 5 révèlent de la contribution de la Chine à l'effort de guerre allié.

La Chine communiste affirme sa puissance politique (1949-1979)

Comment les communistes essaient-ils de donner un rôle mondial à la Chine ?

A. La Chine populaire dans la Guerre froide

• **Mao Zedong** souhaite rendre à la République populaire de Chine (RPC) **un statut de grande puissance, en bâtissant un État fort et totalitaire.** L'unité territoriale est restaurée, le Tibet occupé en 1951. Cependant, Hong Kong demeure une colonie britannique et Taïwan, siège du gouvernement nationaliste en exil, passe sous protection américaine [doc. 2].

• Par hostilité au capitalisme et pour rompre avec l'humiliation des traités inégaux, **la RPC se ferme au commerce international** et aux influences occidentales. Ses liens avec la diaspora chinoise faiblissent. Au début de la Guerre froide, **la RPC choisit le bloc de l'Est** en signant un traité d'amitié avec l'URSS (février 1950) et en intervenant dans la guerre de Corée (1950-1953) (voir p. 262).

B. Le modèle soviétique

• **La plupart des pays conservent d'abord leurs liens diplomatiques avec la République de Chine (Taïwan), mais la Chine populaire joue un rôle régional important :** après son intervention en Corée, elle soutient le Viêt-minh en Indochine et est un acteur essentiel de la conférence de paix de Genève qui met fin à la première guerre d'Indochine (1954).

• **La République populaire prend modèle sur l'URSS qui lui fournit une aide matérielle et technique** [doc. 1], permettant aux Chinois de mettre au point la bombe atomique en 1964. **La Chine de Mao a aussi l'ambition d'une diplomatie autonome,** notamment en se rapprochant des **non-alignés** : le Premier ministre Zhou Enlai participe à la conférence de Bandung en 1955.

• **Cette autonomie conduit à l'éloignement puis à la rupture avec l'URSS** qui rappelle ses conseillers en 1960. Mao (voir p. 270) veut rivaliser avec elle et faire de la Chine le centre du communisme mondial. Malgré un conflit frontalier avec l'Inde (1962), il oriente sa propagande vers le tiers-monde, à qui il présente la Chine comme le modèle révolutionnaire **anti-impérialiste** [doc. 3].

C. L'échec de la voie communiste

• **La fermeture de la Chine conduit,** après huit ans de croissance économique, **à la stagnation. En 1958, le désastre du Grand Bond en avant,** une collectivisation agricole qui vise à «rattraper la Grande-Bretagne en quinze ans», provoque une famine qui fait plus de 20 millions de morts.

• **L'influence internationale de la Chine est limitée,** même si le **maoïsme** est populaire dans certains pays décolonisés et parmi les intellectuels européens [doc. 4]. La Chine ne parvient pas à supplanter l'influence soviétique et, pendant la **Révolution culturelle,** le prestige du pays est entamé. En 1969, un conflit frontalier avec les Soviétiques tourne à l'avantage de ces derniers.

• Pour réduire son isolement, **la RPC noue des liens avec les États-Unis** [doc. 5], ce qui lui permet de remplacer la République de Chine (Taïwan) au **Conseil de sécurité de l'ONU en 1971.** Elle continue d'affirmer sa puissance régionale en soutenant les Khmers Rouges contre le Vietnam.

• **Mao meurt en 1976.** En 1978, Deng Xiaoping prend la tête du pays, met fin au maoïsme et entreprend d'ouvrir économiquement la Chine.

1 **La coopération sino-soviétique**

Affiche de propagande chinoise, 1955.
Entre 1950 et 1960, l'URSS fournit à la Chine des crédits, des conseillers et une aide technologique.

1. Quel est l'objectif de cette affiche ?

BIOGRAPHIE

Mao Zedong (1893-1976)
Homme politique d'origine paysanne, il règne en despote sur le Parti communiste chinois à partir de 1942, et sur le pays de 1949 à sa mort. Il promeut un communisme chinois comme voie de redressement national.
Mao Zedong, vers 1945.

MOTS CLÉS

Anti-impérialisme : idéologie qui s'oppose à la domination politique et économique des pays riches sur les pays pauvres.

Maoïsme : communisme interprété par Mao, selon lequel la mobilisation politique de la population, majoritairement paysanne, peut suppléer le retard technique et économique du pays.

Non-alignés : pays qui refusent d'appartenir à l'un des deux blocs pendant la Guerre froide.

Révolution culturelle : campagne de purges politiques au sein du Parti (1966-1976), qui mène le pays au bord de la guerre civile.

DATES

1950-1953 Guerre de Corée
1955 Conférence de Bandung
1971 Entrée de la RPC à l'ONU

2 Taïwan sous protection américaine

Après 1945, les forces américaines du Pacifique, basées au Japon, ne considèrent pas la protection de Taïwan (également appelée Formose) comme une priorité. Les communistes chinois espèrent donc reconquérir l'île, mais les Américains modifient leur politique avec la guerre de Corée.

« Nous ne devons pas laisser tomber [l'île] entre les mains d'une puissance hostile, ou d'un régime qui accorderait l'utilisation militaire de Formose à une puissance potentiellement hostile [...].

Formose aux mains des communistes peut être comparée à un porte-avions insubmersible et à un ravitailleur de sous-marins idéalement situés pour servir une stratégie soviétique offensive [en Asie de l'Est]. [...] Il est évident que le temps viendra, dans un futur proche, où nous devrons tracer une ligne au-delà de laquelle l'expansion communiste sera arrêtée. »

Général Douglas MacArthur,
Mémorandum, 14 juin 1950.

1. En quoi la localisation de Taïwan, siège de la République de Chine, est-elle stratégique pour les États-Unis ?

2. Quelle est la puissance menaçante selon le général américain MacArthur ?

3 La Chine populaire contre l'impérialisme américain

Alors que la Chine ne dispose pas encore de la bombe atomique, Mao plaide pour une confrontation avec les États-Unis, qu'il considère comme un « tigre en papier ». Il défend ses vues devant des représentants du tiers-monde.

« Personne dans le monde n'aime les États-Unis, pas même la Grande-Bretagne. Les masses populaires ne les aiment pas. Le Japon n'aime pas les États-Unis parce qu'ils l'oppriment. Aucun pays oriental n'est préservé de l'agression américaine. Les États-Unis ont envahi notre province de Taïwan. [...]

Aujourd'hui l'impérialisme américain semble puissant, mais il ne l'est pas. Il est très faible politiquement parce qu'il est détaché des masses populaires, et que personne ne l'aime, y compris le peuple américain. En apparence, il est très puissant, mais en réalité il n'y a rien de redoutable, il n'est qu'un tigre en papier. [...]

Nos amis en Amérique Latine, Asie et Afrique sont dans la même position que nous, et nous accomplissons le même type de travail : nous œuvrons pour réduire l'oppression des peuples par l'impérialisme. [...] Nous ne sommes différents que par la situation géographique, la nationalité et la langue. »

Mao Zedong s'adressant à des représentants sud-américains,
14 juillet 1956.

1. Quel diagnostic Mao porte-t-il sur la diplomatie et la puissance américaines ? Ce diagnostic est-il réaliste ?

2. Que cherche à obtenir Mao par ce discours ?

4 L'influence du maoïsme en Occident

Rassemblement étudiant dans la cour de l'université de la Sorbonne à Paris, mai 1968.

À l'étranger, le maoïsme est considéré avec bienveillance par de nombreux intellectuels de gauche qui y voient un remède à la bureaucratie régnant dans le bloc de l'Est. « Servir le peuple » est un slogan de Mao.

1. Comment l'aura de la Chine communiste se manifeste-t-elle ?

5 Le rapprochement avec les États-Unis

Mao et Nixon à Pékin, 29 février 1972.

Le rapprochement entre la Chine et les États-Unis se manifeste d'abord par des rencontres sportives (« diplomatie du ping-pong »), puis par deux voyages secrets du conseiller Henry Kissinger (1971), avant la visite du président Nixon en 1972.

1. En quoi cette rencontre est-elle la preuve d'une rupture dans la diplomatie chinoise ?

La guerre de Corée

Le 25 juin 1950, la Corée du Nord communiste envahit, avec l'accord de Staline, la Corée du Sud alliée des Américains, qui est vite submergée. Les États-Unis mènent la contre-offensive vers le Nord sous le drapeau de l'Organisation des Nations unies. Le 25 octobre 1950, près de 300 000 «volontaires» chinois interviennent en Corée contre les troupes américaines, avec un soutien matériel limité de l'URSS : la Chine, en défendant sa sécurité à l'échelle régionale, entre dans la Guerre froide.

Comment la guerre de Corée fait-elle entrer la Chine dans la Guerre froide ?

1 Une alliance liée à la Guerre froide

Le 14 février 1950, la Chine signe un traité d'amitié avec l'URSS. Théoriquement, il s'agit d'un traité de défense contre une éventuelle agression japonaise. Dans les faits, ce sont les États-Unis, puissance protectrice du Japon, qui sont visés.

«Article 1. Les parties contractantes entreprennent de prendre conjointement toutes les mesures nécessaires en leur pouvoir pour empêcher une répétition de l'agression [japonaise]. Si l'une des parties contractantes était attaquée par le Japon ou des États alliés au Japon [...], l'autre partie contractante lui fournira immédiatement une assistance militaire et autre, avec tous les moyens à sa disposition. [...]

Art. 3. Aucune des parties contractantes n'entrera dans une alliance dirigée contre l'autre partie, ou ne participera à une coalition ou à toute autre action ou mesures dirigées contre l'autre partie.

Art. 4. Les deux parties contractantes se consulteront sur toutes les questions internationales importantes impliquant les intérêts communs de l'Union soviétique et de la Chine.»

Traité d'amitié sino-soviétique, 14 février 1950.

Mao et Staline au 70ᵉ anniversaire de Staline, Moscou, 21 décembre 1949.

Mao se rend à Moscou en décembre 1949 pour officialiser sa solidarité avec l'URSS. Malgré des relations glaciales avec Staline, qui voit en lui un allié trop indépendant, le Traité d'amitié sino-soviétique est signé.

Chronologie

1950
14 février Alliance sino-soviétique.
25 juin Invasion de la Corée du Sud par la Corée du Nord.
Juillet Les États-Unis interviennent en Corée et placent Taïwan sous protection navale.
25 octobre L'armée chinoise intervient en Corée.

1951 Avril Stabilisation du front.

1953 27 juillet Signature de l'armistice à Panmunjom.

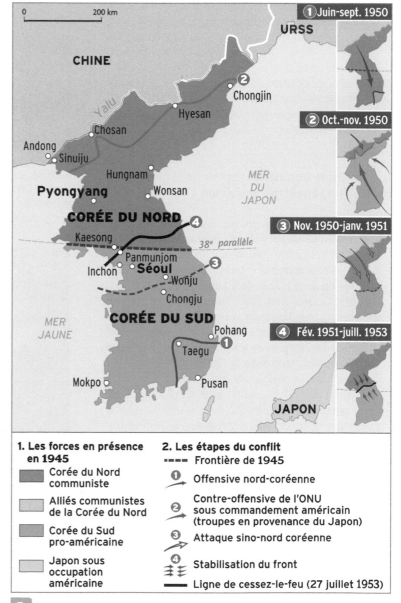

1. Les forces en présence en 1945

- Corée du Nord communiste
- Alliés communistes de la Corée du Nord
- Corée du Sud pro-américaine
- Japon sous occupation américaine

2. Les étapes du conflit

- ----- Frontière de 1945
- ① Offensive nord-coréenne
- ② Contre-offensive de l'ONU sous commandement américain (troupes en provenance du Japon)
- ③ Attaque sino-nord coréenne
- ④ Stabilisation du front
- Ligne de cessez-le-feu (27 juillet 1953)

2 Les opérations militaires

Les premières victoires communistes (juin-septembre 1950) sont essentiellement dues au nombre et à l'effet de surprise. Par la suite, la supériorité technologique des forces de l'ONU leur permet de contre-attaquer. La ligne d'armistice finale, fixée en 1953, correspond presque à l'ancienne frontière entre les deux Corées.

3 Les objectifs chinois en Corée

Staline veut une intervention chinoise en Corée, qui le dispenserait de s'engager directement, mais la Chine est affaiblie par la Seconde Guerre mondiale. Mao décide néanmoins d'appuyer les Nord-Coréens.

«Nous avons décidé d'envoyer des troupes en Corée sous le nom de volontaires, pour combattre les États-Unis et leur laquais Syngman Rhee[1] [...]: la force révolutionnaire coréenne va subir une défaite grave, et si les agresseurs américains occupent l'ensemble de la Corée, il n'y aura pas de limite à leur pouvoir de nuisance. [...]

La situation la plus défavorable pour nous serait [que le conflit sape] les plans pour la reconstruction économique de la Chine [...] et attise le mécontentement [...] du peuple (qui a très peur de la guerre).

[Nos troupes] combattront les ennemis s'ils osent traverser le 38e parallèle. [Pour attaquer], elles attendront la livraison des armes soviétiques. [Compte tenu de la supériorité technique américaine], pour éliminer complètement un corps ennemi [...], nous devons réunir quatre fois plus de troupes.»

Télégramme de Mao Zedong
à Staline, 2 octobre 1950.

1. Dictateur de Corée du Sud, anti-communiste et soutenu par les États-Unis.

4 Une propagande triomphaliste

Affiche de propagande, 1951. «Soutenons avec force le contingent des volontaires dans la guerre de résistance aux États-Unis et d'aide à la Corée.»

Le soldat debout est un «volontaire» chinois. Le soldat à la main bandée porte l'insigne nord-coréen. Derrière eux, lettres, médicaments et vivres symbolisent le soutien du peuple chinois à son armée. La population chinoise est en fait réticente à une guerre extérieure, le pouvoir communiste déploie donc une intense propagande pour faire accepter le conflit.

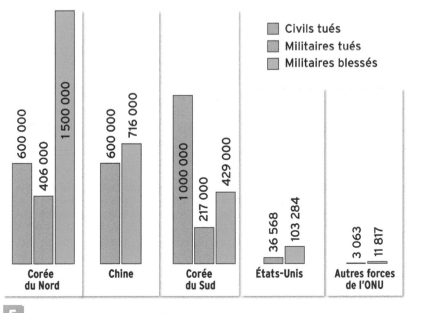

- Civils tués
- Militaires tués
- Militaires blessés

5 Un coût humain exorbitant

L'armée chinoise souffre d'une infériorité technologique considérable face à son adversaire américain, surtout sur le plan de l'aviation. Pour mener l'offensive, elle doit donc exposer ses soldats: le coût humain est très élevé.

QUESTIONS

Des enjeux régionaux et mondiaux

1. Quelle menace la Chine représente-t-elle pour les forces de l'ONU? (doc. 2, 3, 5)

2. Quelle image le pouvoir chinois cherche-t-il à donner de sa force? Qu'en est-il en réalité? (doc. 2, 3, 4, 5)

Un test pour la puissance chinoise

3. Quel intérêt national la Chine poursuit-elle en entrant en guerre aux côtés des Nord-Coréens? (doc. 2, 3)

4. Quel rôle l'Union soviétique joue-t-elle dans la conduite de la guerre par la Chine? (doc. 1, 2, 3)

Bilan: Comment la guerre de Corée fait-elle entrer la Chine dans la Guerre froide?

Étude critique de documents

Étudiez les documents 3 et 4. Analysez la façon dont est présentée l'intervention chinoise et montrez la place de l'URSS dans cette guerre.

L'affirmation d'une grande puissance mondiale depuis 1979

Quels sont les facteurs de l'émergence de la Chine comme puissance mondiale ?

A. La Chine dans la mondialisation

● **Le nouveau dirigeant** Deng Xiaoping maintient une loyauté de façade au communisme en promouvant le **socialisme aux couleurs de la Chine**, mais **oriente de fait le pays vers l'économie de marché**. Les autorités créent des **zones économiques spéciales (ZES)** où elles attirent technologies et capitaux étrangers, bâtissant **une économie d'exportation** [doc. 1] de **produits manufacturés** favorisée par le bas coût de la main-d'œuvre. Par ailleurs, la Chine renoue des liens économiques avec sa diaspora.

● Mais le régime craint que l'ouverture économique n'entraîne une influence libérale occidentale. **En juin 1989, il réprime dans le sang les manifestations démocratiques de la place Tian'anmen à Pékin** [doc. 2]. Cette répression est sévèrement critiquée par les puissances étrangères et l'ONU vote un embargo sur les ventes d'armes à la Chine.

B. Décollage économique et affirmation géopolitique

● L'isolement consécutif à 1989 est bref, car **la Chine est devenue un partenaire commercial majeur pour les principales puissances**. La croissance et l'insertion dans la mondialisation de villes comme Shanghai (voir p. 268) s'accélèrent dans les années 1990, la Chine adhérant à l'OMC* en 2001 (voir p. 382). Mais le PCC maintient un régime autoritaire et contrôle autant que possible les flux mondiaux d'information, notamment Internet.

● À l'échelle nationale, Hong Kong est restituée à la Chine par le Royaume-Uni (1997) et Macao par le Portugal (1999) mais **les tensions régionales restent fortes en Asie**. Pékin considère toujours Taïwan comme un territoire chinois, bien que l'île soit indépendante de fait et protégée par les États-Unis. Les contentieux avec le Japon subsistent, en particulier en mer de Chine, attisant un esprit de revanche datant de la guerre sino-japonaise. Pour ces raisons, **l'armée chinoise voit son budget croître rapidement**.

C. La Chine aujourd'hui, une puissance mondiale

● Malgré un niveau de vie moyen encore faible et de très fortes disparités régionales, **l'immense Chine (plus de 1,3 milliard d'habitants) est aujourd'hui la deuxième puissance économique mondiale**. Elle a pour premier partenaire commercial les États-Unis, dont elle est aussi le principal créancier.

● **Les autorités de Pékin se méfient de tout engagement qui limiterait la souveraineté nationale, notamment dans le domaine des droits de l'Homme**, et ne tolèrent aucune critique de leur domination au **Tibet**. Cette fierté trouve un écho dans la population, surtout chez les citadins enrichis qui font preuve d'un nationalisme parfois virulent.

● **La puissance chinoise se manifeste sur d'autres continents** (voir p. 266) et envisage désormais de concurrencer les États-Unis. En 2003, la Chine envoie son premier taïkonaute (astronaute) dans l'espace. **Il faut cependant nuancer le rayonnement mondial de la Chine** : si elle devient prépondérante en Asie orientale [doc. 4], sa **capacité de projection militaire** et son *soft power** restent limités, malgré les efforts menés dans ces domaines [doc. 3].

1 **La réouverture à l'économie mondiale**

« ZES, grandes portes ouvertes de la Chine. » Affiche, 1987. Avec l'ouverture économique de la Chine, les pays occidentaux sont présentés sous un jour favorable.

1. Comment l'ouverture économique de la Chine est-elle symbolisée ?

BIOGRAPHIE

Deng Xiaoping (1904-1997)

Secrétaire général du PCC de 1956 à 1966, il prend la tête du pays en 1978 et lance une politique de réformes. Il quitte le pouvoir en 1989, mais continue de dominer la politique chinoise pendant plusieurs années.

Deng Xiaoping, 1993.

MOTS CLÉS

« Socialisme aux couleurs de la Chine » : terme inventé par le Parti Communiste chinois pour qualifier la politique d'ouverture au marché et au monde menée depuis 1979.

Zone économique spéciale (ZES) : zone disposant d'avantages administratifs et fiscaux destinés à attirer les capitaux étrangers et qui est supposée travailler pour l'exportation.

DATES

1979 Début de l'ouverture au commerce international
2001 Adhésion de la Chine à l'OMC

3 Le prix Confucius : des valeurs chinoises pour le monde ?

Les dirigeants chinois, irrités par les critiques occidentales à propos des droits de l'Homme, tentent de promouvoir leurs propres valeurs, en créant un prix concurrent du prix Nobel de la paix.

« Accusé en Occident de faire peu de cas des libertés démocratiques, le Premier ministre russe Vladimir Poutine s'est vu décerner ce vendredi, en son absence, le prix Confucius de la paix 2011, institué l'an dernier en Chine pour contrer le prix Nobel alors attribué au dissident Liu Xiaobo[1]. Les organisateurs ont expliqué avoir choisi le dirigeant russe pour son opposition à l'intervention militaire de l'Otan en Libye[2]. [...] "Vladimir Poutine a été choisi parce qu'il a un cœur juste", a dit Qiao [le fondateur du prix]. "La guerre en Libye a fait de nombreux morts, pas seulement des soldats mais aussi des civils et des enfants." »

« Le prix Confucius de la paix décerné à Poutine, en son absence », 9 décembre 2011, www.express.fr.

1. Militant de la cause démocratique en Chine, actuellement emprisonné pour motifs politiques.
2. Intervention militaire de mars à octobre 2011 contre le dictateur libyen Mouammar Kadhafi. La Chine était défavorable à cette intervention.

1. Qu'espèrent les autorités chinoises en promouvant le prix Confucius de la paix ?

2 La répression devant les caméras du monde entier

Place Tian'anmen, Pékin, 5 juin 1989.

Dans la nuit du 3 au 4 juin 1989, l'armée chinoise écrase dans le sang des manifestations en faveur de la démocratie autour de la place Tian'anmen. Les médias du monde entier sont à Pékin pour la visite de du président russe M. Gorbatchev : le retentissement est mondial, et cette photographie devient une icône de la lutte contre la dictature chinoise.

1. Pourquoi cette image a-t-elle pu nuire à la réputation de la Chine dans le monde ?

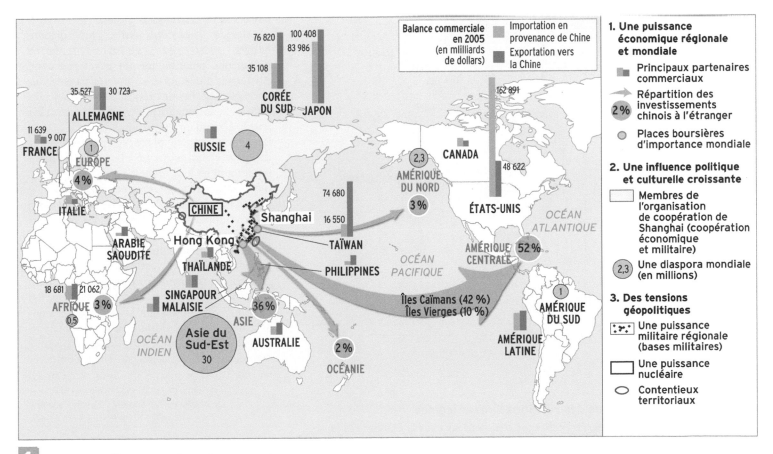

4 Les atouts d'une grande puissance

1. Quels sont les facteurs de la puissance chinoise aujourd'hui ?

2. Quelles en sont les limites ?

La Chine en Afrique

À l'époque maoïste, la Chine se veut, lors des conférences des pays non-alignés comme dans sa propagande, un modèle pour les peuples du tiers-monde qui visent à s'émanciper de la domination occidentale. À partir des années 2000, les considérations de Pékin sont essentiellement économiques et ses échanges commerciaux avec l'Afrique explosent. Aujourd'hui, la puissance grandissante de la Chine sur ce continent engendre de fortes rivalités avec les puissances occidentales.

En quoi le rôle de la Chine en Afrique témoigne-t-il de sa puissance à l'échelle mondiale ?

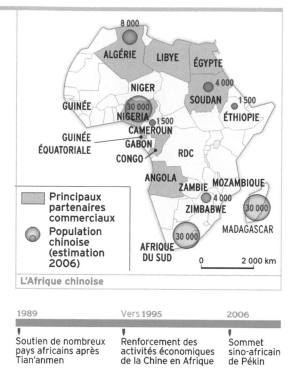

L'Afrique chinoise

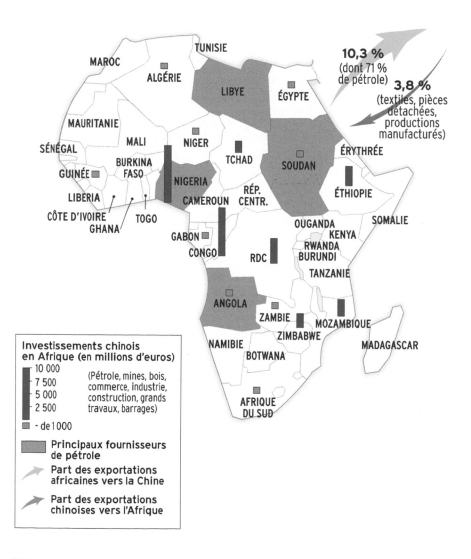

1 **Les bases économiques des relations sino-africaines**

Au cours des dix dernières années, les échanges commerciaux entre la Chine et l'Afrique ont connu une croissance extrêmement forte (de 10 milliards de dollars en 2000, ils sont passés à 114 milliards en 2010), de même que les investissements chinois dans certains pays africains. Cependant, en valeur absolue, les flux de marchandises et de capitaux entre l'Afrique et la Chine restent modestes par rapport à ceux qui existent entre l'Afrique et l'Union européenne ou les États-Unis.

1989	Vers 1995	2006
Soutien de nombreux pays africains après Tian'anmen	Renforcement des activités économiques de la Chine en Afrique	Sommet sino-africain de Pékin

2 **Le rôle moteur des autorités**

Ce texte diplomatique de 2006 émane du ministère des Affaires étrangères chinois.

« L'Afrique, vaste continent [...] doté d'abondantes ressources naturelles, renferme d'énormes potentialités de développement. Au terme d'une lutte de longue haleine, les peuples africains ont réussi à s'affranchir du joug de la domination coloniale et à conquérir leur indépendance [...].

[La Chine s'engage à] respecter le libre choix des pays africains quant à leur voie de développement [et leur modèle politique] [...].

[Les pays africains doivent reconnaître] le principe de l'unicité de la Chine [et s'abstenir] de développer des rapports et des échanges officiels avec Taïwan. [...]

Le gouvernement chinois encourage les entreprises chinoises à investir et à s'implanter en Afrique avec un soutien appuyé. Il continuera à leur accorder des prêts à taux préférentiel [...]. [Il désire] intensifier la coopération sino-africaine dans les domaines de la construction d'infrastructures, surtout du transport, des télécommunications, de l'hydraulique et de l'électricité. »

« Le rôle de la Chine à l'égard de l'Afrique »,
site de l'ambassade de Chine au Bénin,
mis en ligne le 12 janvier 2006.

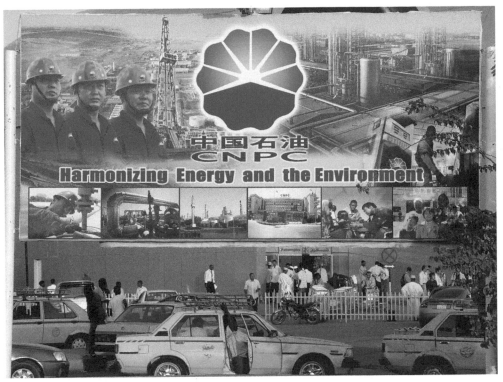

3 Une forte présence économique

Publicité pour la CNPC, compagnie pétrolière chinoise, Khartoum (Soudan), 2007.
La China National Petroleum Corporation, qui appartient à l'État chinois, est présente dans sur
le continent africain. La CNPC se classe au 6ᵉ rang des plus grandes entreprises mondiales en chiffre d'affaires. Implantée en Afrique depuis 1996, elle a une présence particulièrement forte au Soudan.

4 Les Chinois en Afrique

Depuis la fin des années 1990, les entrepreneurs chinois sont de plus en plus nombreux en Afrique. Roy Zhang, homme d'affaires chinois, vit au Nigeria depuis plusieurs années.

« J'ai commencé, comme tout le monde, par vendre de la pacotille chinoise. [Puis] j'ai établi une petite usine de chaussures, [puis un restaurant]. [...] Vous, les Occidentaux, vous êtes paternalistes. Quand vous arrivez ici, vous parlez aux Africains des droits de l'Homme, des droits de reproduction, de toutes sortes de droits. Vous les prenez de haut. Nous, on va droit au but, on parle business. [...]

Quand je vois comment les Nigérians qui demandent un visa se font humilier au consulat [français] ! C'est pas malin, certains sont vraiment très riches.

– Le consulat chinois fait mieux ?

Oh, oui ! Il trie les bons et les mauvais. Si c'est quelqu'un d'important [...] il aura son visa sur un plateau. Vous n'imaginez pas tout ce que le consulat fait pour nous, et tout ce qu'on fait pour lui. [...] Ça ne m'étonne pas qu'Alcatel ou Bolloré[1] perdent tellement de marchés au Nigeria. Notre gouvernement, lui, nous aide par tous les moyens. Des informations, des conseils juridiques, des prêts sans intérêts... »

Interview par Michel Beuret, Serge Michel et Paolo Woods, *La Chinafrique*, Grasset, 2008.

1. Alcatel et Bolloré sont de grands groupes industriels français.

5 La politique de non-ingérence chinoise

La non-ingérence dans les affaires intérieures d'un État est un des principes de la diplomatie chinoise.

« [Omar Al-Bachir], le président du Soudan, accusé de crimes de guerre et génocide par la cour internationale [de La Haye], a rencontré le président chinois Hu Jintao à Pékin [...]. Les deux nations ont signé des accords pour renforcer leur coopération dans la prospection pétrolière et pour financer une série de programmes agricoles [au Soudan]. [...] La Chine soutient depuis longtemps le Soudan, qui fournit environ 7% du pétrole chinois, et ce en dépit d'accusations persistantes d'atrocités soudanaises contre des civils au Darfour. [...] La visite [de M. Bachir] a commencé avec un jour de retard, apparemment parce que son avion n'a pas été autorisé à traverser l'espace aérien de pays d'Asie centrale obligés par traité d'appliquer le mandat d'arrêt de la Cour pénale internationale[1] [contre le président soudanais]. [...] M. Bachir a nié les accusations de la cour. »

Michael Wines, « Le Président du Soudan est le bienvenu en Chine », *New York Times*, 29 juin 2011.

1. La Chine quant à elle ne reconnaît pas la Cour pénale internationale de La Haye.

QUESTIONS

Des échanges économiques importants

1. Pourquoi et à partir de quand peut-on parler d'un poids croissant de la Chine en Afrique ? (doc. 1, 3, 4)

2. Par quoi la Chine est-elle intéressée en Afrique ? Quels liens peut-on faire avec la politique économique chinoise après 1979 ? (doc. 1, 2, 3)

Une stratégie d'influence

3. Qu'est-ce qui explique l'attractivité de la puissance chinoise pour les pays africains ? (doc. 2, 4, 5)

4. Quels sont les atouts de la Chine en Afrique comparés à ceux des pays occidentaux ? (doc. 4, 5)

Bilan : En quoi le rôle de la Chine en Afrique témoigne-t-il de sa nouvelle puissance à l'échelle mondiale ?

Étude critique de document

Analysez le document 2 et identifiez les arguments que le pouvoir chinois utilise pour convaincre les pays africains de renforcer leurs liens avec la Chine.

Shanghai au XXᵉ siècle : l'émergence d'une ville mondiale

Port d'importance moyenne, Shanghai devient le cœur de la Chine ouverte dans la deuxième moitié du XIXᵉ siècle, lorsque les Européens l'intègrent de force au commerce international et s'y installent. Berceau du capitalisme chinois et vitrine de la modernité, elle dispute aujourd'hui à Pékin le statut de ville la plus importante de Chine, bien que n'ayant jamais été capitale du pays. La ville joue un rôle croissant dans la mondialisation, par son attractivité et ses fonctions de commandement.

Comment les transformations de Shanghai reflètent-elles l'évolution du rôle de la Chine dans le monde ?

Chronologie

1919	Shanghai participe aux manifestations patriotiques du 4 mai.
1921	Fondation du PCC dans la concession française.
1937	Occupation de la ville par les Japonais, qui suppriment les privilèges des étrangers.
1943	L'occupant japonais supprime les concessions étrangères.
1949	Shanghai passe sous contrôle communiste et se ferme aux flux extérieurs.
1985	Shanghai est rouverte au commerce international.
2010	Exposition universelle de Shanghai.

1 **Une ville marquée par la présence étrangère**

Vue du Bund au bord du fleuve Huangpu, 1927.

Avant 1949, Shanghai est la ville chinoise qui concentre le plus d'étrangers et d'activités économiques internationales. Le quai, appelé « Bund » par les Britanniques, incarne par son architecture cette influence étrangère.

1. Entreprise anglo-néerlandaise
2. Shanghai Club : lieu où se retrouvent les élites marchandes
3. Compagnies d'assurance étrangères
4. Russel Company, entreprise américaine
5. Banque britannique
6. Maison des douanes
7. *North China Daily News* (journal britannique)

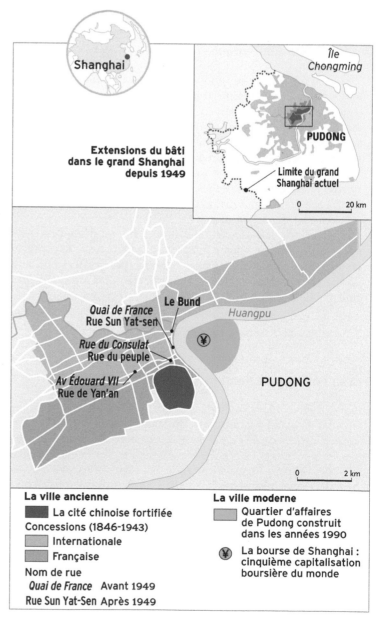

2 **Le centre de Shanghai : les marques de l'histoire**

Shanghai

Île Chongming

Extensions du bâti dans le grand Shanghai depuis 1949

PUDONG

Limite du grand Shanghai actuel

0   20 km

Quai de France
Rue Sun Yat-sen

Le Bund

Huangpu

Rue du Consulat
Rue du peuple

Av Édouard VII
Rue de Yan'an

PUDONG

0   2 km

La ville ancienne

■ La cité chinoise fortifiée

Concessions (1846-1943)

□ Internationale

▨ Française

Nom de rue
Quai de France Avant 1949
Rue Sun Yat-Sen Après 1949

La ville moderne

▨ Quartier d'affaires de Pudong construit dans les années 1990

¥ La bourse de Shanghai : cinquième capitalisation boursière du monde

3 Les entraves au commerce international après 1949

La révolution communiste se traduit par une fermeture du pays au commerce international. Dans cette scène du roman Le Matin de Shanghai, *qui a lieu un peu après 1949, Zhou Erfu met en scène Xu Yide, patron d'une grande filature de coton shanghaïenne, discutant avec son gérant.*

« – Le gérant : "Actuellement, le gouvernement restreint le transfert de devises vers l'étranger et il n'est pas facile de frauder. [Il] apparaît que le transfert ne sera possible qu'en passant par des sociétés implantées à Hong Kong. [...]

– Xu Yide : [...] Inutile de se préoccuper des restrictions du gouvernement, les moyens de transférer illégalement des devises ne manquent pas [....]". Quand l'Armée de Libération [communiste] eut traversé le Yangzi, Xu s'était douté que [l'ouverture de] Shanghai ne tiendrait pas longtemps. [...] Alors il avait demandé à son frère [...] de transférer[1] pour lui six mille broches dans une nouvelle usine à Hong Kong. Cet endroit présentait des atouts : en cas de changements dans son pays, il pourrait se retirer là-bas. Au même moment, il avait expédié[2] les plus grandes quantités possibles de filé de coton qui avaient été converties en dollars américains et hongkongais placés à la banque HSBC[3]. »

Zhou Erfu, Le Matin de Shanghai, 1958.

1. Ce qui était interdit par le régime communiste. 2. Idem.
3. Banque hong kongaise (britannique).

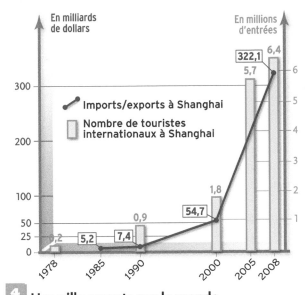

4 Une ville ouverte sur le monde

Évolution du commerce extérieur et du tourisme international à Shanghai, 1978-2008.

Shanghai, réouverte au commerce international en 1985, abrite le deuxième aéroport de Chine après Pékin et se situe à l'interface entre le monde et d'importantes régions manufacturières chinoises.

5 Une gigantesque métropole mondiale

Le nouveau quartier d'affaires de Pudong en 2009.

La construction de Pudong commence en 1993. Cette partie de la ville est conçue par les autorités chinoises comme la vitrine de la modernisation du pays : elle abrite la bourse de Shanghai, ainsi que d'autres activités économiques internationales.

QUESTIONS

Une tradition d'ouverture au monde

1. Quelles activités ont fait la richesse de Shanghai ? En quoi lient-elles le destin de la ville à l'étranger ? (doc. 1, 3, 4)

2. Comment l'influence occidentale se manifeste-t-elle dans la ville ? Avec quelles évolutions ? (doc. 1, 2, 5)

Des mutations sous le pouvoir communiste

3. Que peut-on dire de l'attitude du pouvoir communiste à l'égard de Shanghai ? Comment l'expliquer ? (doc. 2, 3)

4. En quoi peut-on dire que Shanghai a un rôle mondial après 1979 ? (doc. 4, 5)

Bilan : Comment les transformations de Shanghai reflètent-elles l'évolution du rôle de la Chine dans le monde ?

Étude critique de document
→ **MÉTHODE** p. 307

Présentez et analysez le document 2, et montrez ce qu'il révèle des principales étapes de l'extension de Shanghai. Mettez-les en relation avec l'histoire de la Chine.

Andy Warhol, *Portraits de Mao*

Comment une œuvre d'art américaine témoigne-t-elle de l'image de la Chine dans le monde ?

● Entre 1971 et 1973, Andy Warhol réalise une **série de portraits de Mao Zedong**, à la suite d'autres **portraits de célébrités**, comme Marilyn Monroe, conçus sur le même modèle.

● Ces portraits sont **contemporains du rapprochement diplomatique de 1971-1972 entre les États-Unis et la Chine**. Les deux pays apprennent alors à mieux se connaître, bien que la distance politique et culturelle qui les sépare reste très grande, et la méfiance considérable.

● Warhol n'est pas engagé politiquement, mais il est fasciné par la **production en masse de portraits de propagande**. Il choisit de partir d'une photographie de Mao, dont le culte de la personnalité est alors à son apogée en Chine.

● Le travail de l'artiste américain consiste essentiellement dans l'application de couleurs vives à coups de pinceaux énergiques, ainsi que dans la reproduction du portrait en de nombreux exemplaires. **Ces transformations changent de fond en comble la signification de l'image.**

● Les portraits de Mao par Warhol rencontrent un **succès considérable** et s'arrachent sur le marché international de l'art. Ils sont aujourd'hui partie intégrante du **patrimoine culturel américain**.

FOCUS   De la propagande au pop art

Le portrait qui sert de base aux tableaux de Warhol est une photographie de propagande. Mao y est impassible, présenté sous un jour à la fois bienveillant et dominateur. L'ajout de peinture sur la photographie fait ressortir le caractère artificiel et manipulateur de cette représentation politique.

Mao Zedong, dans les années 1940.

ANALYSE DE L'ŒUVRE

ANALYSER L'ŒUVRE

1. Pourquoi Warhol réalise-t-il plusieurs portraits de Mao ?

2. Quelle fonction remplissent les couleurs dans son travail ?

DÉGAGER LA PORTÉE DE L'ŒUVRE

3. Que dit cette œuvre de la stature internationale de Mao en 1973 ?

4. Quel changement de sens la démarche artistique de Warhol fait-elle subir au portrait du dirigeant communiste ?

5. Pourquoi cette œuvre n'aurait-elle pas pu être exposée en Chine communiste ?

Andy Warhol, série de portraits de Mao Zedong, 1973.
Peintures à l'huile et sérigraphies sur toile. Coll. part. et Metropolitan
Museum of Art (New York).

1 Analyser une œuvre de propagande

La Chine maoïste, soutien des luttes du tiers-monde

Affiche, 1960. « Le peuple chinois soutient sans réserve les mouvements démocratiques nationaux d'Asie, d'Amérique latine et d'Afrique. »,
« À bas l'impérialisme ! À bas le colonialisme ! ».

En 1960, la rupture avec l'URSS est consommée et la Chine essaie de s'imposer à la tête des combats du tiers-monde. Si les États-Unis sont toujours présentés comme l'ennemi principal, les Soviétiques sont absents de cette affiche.

1. Quels peuples sont représentés ici ?

2. Que suggère l'attitude des personnages de cette affiche ?

2 Analyser un article de journal

Le dalaï-lama, chef spirituel et ancien chef politique du Tibet, vit en exil en Inde depuis 1959. Il jouit d'un grand prestige en Occident, mais pour Pékin il incarne l'indépendantisme tibétain et est donc un ennemi politique.

« La rencontre [prévue le 6 décembre 2008] entre Nicolas Sarkozy et le dalaï-lama, le chef spirituel des Tibétains, ne passe toujours pas à Pékin. [...]

"C'est seulement s'il y a de bonnes relations bilatérales que nous pouvons créer une bonne atmosphère pour nos relations commerciales", [a insisté le porte-parole du ministère des Affaires étrangères Liu Jianchao].

"Le peuple chinois est mécontent. Nous espérons que la France prendra une position correcte et fera le bon choix. Par ailleurs, nous espérons que le public chinois restera calme" a conclu Liu Jianchao.

[Cet] avertissement voilé [...] concernant de possibles représailles populaires contre les intérêts français, rappelle la période très tendue qui a suivi l'annonce, en mars dernier, de Nicolas Sarkozy [qu'il] suspendait sa participation à la cérémonie d'ouverture des Jeux olympiques de Pékin à une amélioration de la situation au Tibet, frappé par une vague de répression après [des] émeutes. [...]

Si les produits français [étaient boycottés] par les Chinois (voire par leur gouvernement), les effets pourraient être sensibles. »

Charles Jaigu, « Dalaï-lama : la Chine menace encore la France »,
www.lefigaro.fr, 4 décembre 2008.

Des facteurs de tensions internationales

1. Pourquoi le gouvernement chinois s'offense-t-il de la rencontre entre Nicolas Sarkozy et le dalaï-lama ?

2. Quels sont les moyens de pression des autorités chinoises sur la France ?

3 Constituer un dossier de presse en ligne

La Chine sur la scène internationale

1. Constituez, à partir de la presse écrite en ligne (lemonde.fr, lefigaro.fr, liberation.fr), un dossier de presse de trois à cinq articles sur « La politique de la Chine à l'ONU en février-mars 2011, pendant le soulèvement libyen ». Combinez les mots-clés « Chine », « Libye » et « ONU » ou « Nations Unies » dans les moteurs de recherche des sites de presse.

2. À partir de ce dossier, montrez que la Chine d'aujourd'hui hésite sur le rôle qu'elle doit jouer dans la résolution des crises internationales.

L'essentiel

La Chine et le monde, depuis le mouvement du 4 mai 1919

1. La Chine entre domination étrangère et nationalisme

● **De 1919 à 1949, la Chine est un État faible et assujetti aux puissances étrangères** (Europe, Japon, États-Unis). Le GMD et le PCC proposent des solutions concurrentes pour le redressement national, en s'inspirant de modèles étrangers. Tchang Kaï-chek (GMD) dirige le pays à partir de 1927 sans parvenir à le réunifier complètement, avant que l'invasion japonaise de 1937 et la Seconde Guerre mondiale ne ruinent ses efforts. Après 1945, **une guerre civile permet au PCC de prendre le pouvoir (1949).**

2. La Chine communiste affirme sa puissance politique

● **La Chine communiste réunifiée est dirigée par Mao Zedong**; le pays se ferme aux influences extérieures, sauf à celle de l'URSS. La Chine populaire fait partie du bloc de l'Est, mais se brouille vite avec le grand frère soviétique en tentant d'affirmer sa puissance de manière autonome. Diplomatiquement, la Chine commence à se rapprocher des États-Unis dès 1971 mais, économiquement, **le pays est toujours fermé aux échanges internationaux, accusant de ce fait un retard technique et économique croissant.**

3. L'affirmation d'une grande puissance mondiale depuis 1979

● **En 1979, Deng Xiaoping prend acte de ce retard et décide de l'ouverture progressive de la Chine au commerce et aux capitaux internationaux.** Cette stratégie est une réussite : aujourd'hui, la Chine est la seconde puissance économique mondiale. Si sa force militaire et son rayonnement culturel ne sont pas encore à la mesure de son poids économique, **la Chine est devenue l'une des premières puissances mondiales.**

Schéma de synthèse

Les mutations de la puissance chinoise depuis 1919

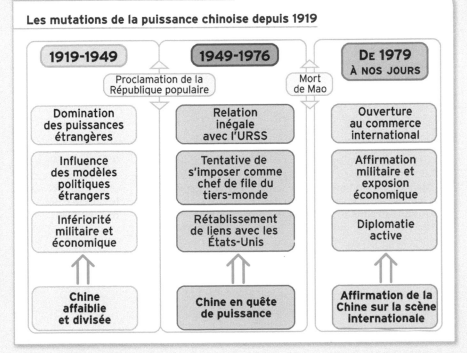

LES ACTEURS

Sun Yat-sen (1866-1925)
Révolutionnaire républicain et chrétien, il est le premier président de la République en 1912 puis à partir de 1921. Il a notamment vécu à Hawaï, au Japon et aux États-Unis. Il dirige le GMD jusqu'à sa mort et préside au rapprochement avec les communistes et l'URSS, par calcul politique plus que par conviction.

Zhou Enlai (1898-1976)
Premier ministre sous Mao. Ayant une bonne connaissance de l'étranger, il est l'architecte discret de la diplomatie chinoise. Il représente la ligne pragmatique au sein du PCC et est le véritable artisan du rapprochement avec les États-Unis dans les années 1970.

LES ÉVÉNEMENTS

Le 4 mai 1919
Manifestations déclenchées par la cession au Japon des possessions allemandes en Chine, à la suite de la Première Guerre mondiale. Révélant à la fois le nationalisme chinois et la profonde influence de l'Occident sur la jeunesse éduquée du pays, le mouvement du 4 mai porte aussi une volonté de modernisation de la Chine.

Le tournant de 1979
Deng Xiaoping lance sa politique de réformes. Sans abandonner officiellement le communisme, il ouvre la Chine à la mondialisation pour attirer technologie et capitaux étrangers. Cette politique pose les bases d'une forte croissance économique, qui met peu à peu la Chine au cœur de la scène économique et politique mondiale.

NE PAS CONFONDRE

Impérialisme : domination (politique, économique, culturelle) d'un État sur un ou plusieurs pays.
Colonialisme : conquête et contrôle politique direct de territoires étrangers.

Nationalisme : attachement fort à l'intérêt national, par opposition aux intérêts de l'étranger.
« Parti nationaliste » : Guomindang, nom du parti créé par Sun Yat-sen, au pouvoir en Chine continentale de 1927 à 1949. Le GMD est nationaliste, mais les autres forces politiques chinoises le sont également.

Analyser une affiche

Sujet **Le communisme chinois, entre influence étrangère et patriotisme**

À l'emplacement du soleil, les portraits de Marx et Engels ainsi que de Lénine et Staline (les dirigeants successifs de l'URSS). Ce sont les inspirateurs étrangers des communistes chinois, censés montrer la voie vers un avenir radieux.

Un ouvrier ou un jeune intellectuel porte le costume à «col Mao», typique de la Chine communiste. Son air confiant, son visage carré et ses mains épaisses symbolisent, pour la propagande, la force et l'optimisme de la Chine communiste en 1952. Il montre du doigt les succès économiques du régime.

Drapeau rouge du communisme.

La présence d'un bâtiment traditionnel signale le caractère proprement chinois de la révolution de 1949.

Premier tome des *Œuvres complètes* de Mao Zedong, publié en 1952. Le portrait de Mao figure sur la couverture.

Les tracteurs, de conception soviétique mais de construction chinoise, témoignent de l'aide technique apportée par l'URSS à la Chine après 1949. Ils symbolisent la mécanisation de l'agriculture, qui doit conduire à l'abondance.

Les cheminées d'usine symbolisent l'industrialisation et le progrès.

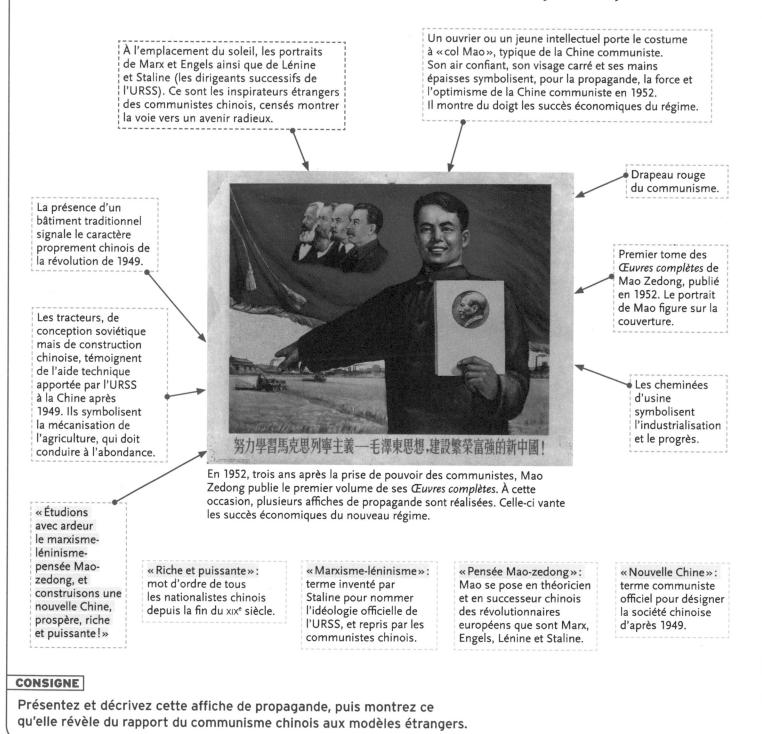

En 1952, trois ans après la prise de pouvoir des communistes, Mao Zedong publie le premier volume de ses *Œuvres complètes*. À cette occasion, plusieurs affiches de propagande sont réalisées. Celle-ci vante les succès économiques du nouveau régime.

«Étudions avec ardeur le marxisme-léninisme-pensée Mao-zedong, et construisons une nouvelle Chine, prospère, riche et puissante!»

«Riche et puissante»: mot d'ordre de tous les nationalistes chinois depuis la fin du XIXᵉ siècle.

«Marxisme-léninisme»: terme inventé par Staline pour nommer l'idéologie officielle de l'URSS, et repris par les communistes chinois.

«Pensée Mao-zedong»: Mao se pose en théoricien et en successeur chinois des révolutionnaires européens que sont Marx, Engels, Lénine et Staline.

«Nouvelle Chine»: terme communiste officiel pour désigner la société chinoise d'après 1949.

CONSIGNE

Présentez et décrivez cette affiche de propagande, puis montrez ce qu'elle révèle du rapport du communisme chinois aux modèles étrangers.

FICHE MÉTHODE
Analyser une affiche

Étape 1 *Identifier et présenter le document*

▶ Identifier la nature de l'affiche (publicitaire, politique, de propagande).

▶ Identifier son auteur et son commanditaire (parti, État, syndicat, association, etc.).

① Montrez qu'il s'agit d'une affiche de propagande du Parti communiste chinois.

> **Conseils**
> *Étudiez le slogan et le thème abordé.*

Étape 2 *Analyser le document*

▶ Décrire sa composition et son contenu : les éléments visuels, le décor, les personnages, les couleurs, les symboles et les objets représentés.

▶ Analyser l'apport de l'affiche à la question abordée en la replaçant dans son contexte et en étudiant son slogan, son titre.

② Montrez comment le modèle soviétique est mis au service de la propagande chinoise.

> **Conseils**
> *Relevez toutes les allusions à l'influence et à l'aide soviétique.*

Étape 3 *Dégager l'intérêt historique du document*

▶ Étudier le message et le but recherché, son impact possible.

▶ Montrer en quoi l'affiche reflète son époque ou les préoccupations de son commanditaire.

③ Analysez en quoi cette affiche reflète la politique entreprise par Mao dans les années 1950.

> **Conseils**
> *Appuyez-vous pour répondre sur le cours p. 260.*

EXERCICE D'APPLICATION

Sujet | **La Chine et le monde au début des années 1970**

La diplomatie du ping-pong

Affiche de propagande, 1972. « La balle argentée transmet l'amitié ». « Vive la grande union des peuples du monde entier ! ».

Avant la visite officielle du président Nixon en février 1972, la Chine et les États-Unis manifestent leur rapprochement en organisant des rencontres sportives. Sans mentionner directement les États-Unis, officiellement rejetés, l'affiche y fait allusion avec la joueuse noire, qui fait écho au discours anti-impérialiste du maoïsme.

CONSIGNE

Présentez et décrivez cette affiche de propagande, puis montrez qu'elle illustre un moment de transition dans les relations sino-américaines.

Bâtir un plan détaillé

Berceau de l'une des plus anciennes civilisations de la planète, la Chine a longtemps été une grande puissance. Son territoire évolue tout au long du siècle.

Depuis les milieux du XIXᵉ siècle, elle est soumise aux ambitions des grandes puissances coloniales occidentales et du Japon. L'effondrement de l'Empire en 1911 traduit son affaiblissement et sa division.

Sujet **La Chine, de la dépendance à l'affirmation d'une puissance mondiale au XXᵉ siècle.**

La victoire des communistes en 1949 se traduit par une quête de puissance politique et diplomatique à l'échelle mondiale. Après la mort de Mao en 1979, la Chine devient en moins de trente ans l'une des principales puissances économiques mondiales.

Aide-mémoire

- **1919** Mouvement patriotique du 4 mai.
- **1937-1945** Guerre sino-japonaise.
- **1949** Proclamation de la République populaire de Chine.
- **1950** Début de la guerre de Corée.
- **1955** Conférence de Bandung.
- **1960** Rupture sino-soviétique.
- **1976** Mort de Mao.

- **1989** Répression des manifestations de la place Tian'anmen.
- **1997** Restitution de Hong Kong par le Royaume-Uni.
- **2001** Adhésion de la Chine à l'Organisation mondiale du commerce.
- **2008** Jeux olympiques de Pékin.
- **2011** La Chine, 2ᵉ puissance économique mondiale.

FICHE MÉTHODE
Bâtir un plan détaillé

Rappel: Bien comprendre le sujet (méthode générale p. 12 et fiche méthode p. 76).	Identifiez les mots clés du sujet. **Conseils** *Tenez compte de l'ordre des termes.*
Rappel: Définir et délimiter les termes du sujet (fiche méthode p. 124).	Indiquez et justifiez les bornes chronologiques du sujet. **Conseils** *Pour la fin de la période, choisissez un fait emblématique.*
Rappel: Formuler la problématique (fiche méthode p. 182).	Formulez les enjeux du sujet. **Conseils** *Vous pouvez partir d'une présentation de la situation de la Chine au début et à la fin de la période.*

Étape 1 *Identifier deux ou trois idées directrices (parties)*

▶ Bâtir le plan sur les idées directrices, en veillant à les articuler de façon logique et à les hiérarchiser.

▶ Formuler le titre de la partie: une phrase verbale et démonstrative, qui peut reprendre tout ou partie de l'intitulé du sujet.

① Identifiez les trois idées principales et les périodes historiques qui leur correspondent.

Conseils

Adaptez vos connaissances au plan, et non le plan à vos connaissances.

Étape 2 *Pour chaque idée directrice, construisez une démonstration (sous-parties)*

▶ Veiller à ce que ces idées s'enchaînent logiquement et forment un ensemble cohérent.

▶ Retenir un nombre de sous-parties identique dans chaque partie.

② Formulez deux ou trois sous-parties à l'appui de l'idée d'une affirmation de la puissance mondiale de la Chine depuis 1979.

Conseils

Vous pouvez vous aider du cours p. 264.

Étape 3 *Associer idées et exemples*

▶ Chaque idée doit être étayée par plusieurs arguments.

▶ Chaque argument doit s'appuyer sur un ou plusieurs exemples, associés par des connecteurs logiques («ainsi», «par exemple», etc.).

③ Étayez l'idée que la Chine est aujourd'hui une puissance d'envergure mondiale par au moins deux exemples.

Conseils

Variez les exemples: associez un exemple économique et un exemple relatif au soft power.

EXERCICE D'APPLICATION

Sujet 1 La Chine, puissance politique ou puissance économique au XXe siècle?

Conseils

Interrogez-vous sur la nature de la puissance chinoise sur la longue période, et distinguez les grandes étapes de l'histoire de la Chine et du monde.

Sujet 2 La Chine communiste de 1949 à 1979, une puissance mondiale?

Conseils

Abordez les rapports entre la Chine et l'URSS et les différents modèles de puissance que les communistes mettent en œuvre sur la période.

PROLONGEMENTS

Rédiger l'introduction (voir p. 308)

➜ Veillez à bien délimiter la puissance, en abordant aussi bien les aspects militaires et économiques que les aspects sociaux et culturels.

Rédiger la conclusion (voir p. 390)

➜ Montrez les limites et les fragilités de la puissance chinoise aujourd'hui.

Composition

Sujet La Chine et le monde depuis 1919, entre ouverture et repli

Conseils

Bien comprendre le sujet: le sujet couvre toute la période du programme et propose une orientation problématisée; vous pouvez construire votre plan autour de la bipolarité proposée, ou selon une autre logique (périodisation par exemple).

Choisir un plan: même si le plan retenu finalement n'est pas chronologique, interrogez-vous sur la signification de certaines années ou périodes clés: 1937, 1945, 1949, 1958-1961, 1978, 1989.

Sujet La Chine depuis 1945: puissance asiatique, puissance mondiale

Conseils

Bien comprendre le sujet: partez d'une définition de la puissance et envisagez ses différentes dimensions: économique, politico-militaire, culturelle. La distinction classique de Joseph Nye entre soft et hard power peut être pertinente.

Définir et délimiter le sujet: tenez compte de la chronologie, car le sujet concerne toute la période et l'intensité de l'expression de la puissance chinoise varie au cours du siècle.

Étude critique de document(s)

Sujet La Chine face au risque de guerre atomique

Déclaration de Mao Zedong sur la puissance atomique

«Aujourd'hui, le danger d'une guerre mondiale et les menaces pesant sur la Chine viennent essentiellement des bellicistes aux États-Unis. Ils ont occupé notre province de Taïwan ainsi que le détroit de Taïwan, et envisagent une guerre atomique. [...] Le peuple chinois ne se soumettra pas au chantage atomique des États-Unis. Notre pays a une population de 600 millions d'habitants et une superficie de 9 600 000 kilomètres carrés. Les États-Unis ne peuvent anéantir la nation chinoise avec leur petite réserve de bombes atomiques. Même si les bombes atomiques américaines étaient assez puissantes pour traverser la terre, ou même la détruire, cela ne signifierait pas grand-chose à l'échelle de l'univers tout entier, bien que cela soit un événement important pour le système solaire. Nous avons une expression qui dit: "du millet plus des fusils". Dans le cas des États-Unis, c'est "des avions plus la bombe A". Toutefois, si les États-Unis, avec leurs avions et leur bombe A, lançaient une guerre d'agression contre la Chine, la Chine avec son millet et ses fusils en sortirait certainement victorieuse. Les peuples du monde entier nous soutiendront. [...] Si les États-Unis lançaient une Troisième Guerre mondiale, et en supposant qu'elle dure huit ou dix ans, le résultat serait l'élimination des classes dirigeantes aux États-Unis, en Grande-Bretagne et chez leurs complices, et la transformation de la plupart des pays du monde en États dirigés par des partis communistes.»

Mao Zedong, *Déclaration* à l'ambassadeur de Finlande, 28 janvier 1955.

Conseils

Caractérisez le contexte stratégique des années 1950 et retrouvez les raisons pouvant conduire à une guerre entre la Chine et les États-Unis.

Montrez que le raisonnement de Mao sur la bombe atomique ne correspond pas aux stratégies pratiquées par les autres puissances.

Relevez les références idéologiques et explicitez-les.

CONSIGNE

Analysez le document de façon critique pour montrer en quoi Mao Zedong envisage la perspective d'un conflit mondial d'une façon inhabituelle et marquée par l'idéologie.

Sujet ## L'évolution de la place de la Chine dans les relations internationales

1. La Chine au sein du bloc communiste

« Les dirigeants du peuple dans le monde », affiche de propagande chinoise, 1951 ou 1952.
En haut Mao et Staline, suivis de Maurice Thorez, Kim Il Sung et Ho Chi Minh au deuxième rang.

Conseils

Résumez le message principal de ce document et décrivez la position qu'il donne à la Chine.

Rappelez le contexte du document 2 en pensant à toutes les dimensions (relations Est-Ouest, crises régionales, affirmation du tiers-monde, économie, etc.).

Recherchez des éléments sur Deng Xiaoping.

Montrez que sa position montre une évolution de la Chine par rapport au bloc soviétique.

Retrouvez dans le cours (p. 260) les éléments d'explication des changements constatés.

2. la « théorie des trois mondes »

« Notre globe comporte, en fait, maintenant, trois parties, trois mondes qui sont à la fois mutuellement liés et opposés. Les États-Unis et l'Union soviétique forment le premier monde, les pays en voie de développement d'Asie, d'Afrique et d'Amérique latine le tiers-monde, et les pays développés qui se trouvent entre les deux, le second monde.

Les deux superpuissances, les États-Unis et l'Union soviétique, tentent, mais en vain, de s'assurer l'hégémonie mondiale. Elles cherchent, par divers moyens, à placer sous leur contrôle les pays en voie de développement [...] et, en même temps, elles malmènent les pays développés dont le potentiel est inférieur au leur. Les deux superpuissances, les plus grands exploiteurs et oppresseurs internationaux de notre époque, constituent un foyer d'une nouvelle guerre mondiale. Toutes deux disposent d'importantes quantités d'armes nucléaires. [...]

Les nombreux pays en voie de développement ont été pendant longtemps victimes de l'oppression et de l'exploitation du colonialisme et de l'impérialisme. Ils ont conquis l'indépendance politique. Cependant, ils se trouvent confrontés, sans exception, à la tâche historique de liquider les forces résiduelles du colonialisme, de développer l'économie nationale. »

Deng Xiaoping[1], *Discours* devant l'Assemblée de l'ONU, avril 1974.

1. Deng Xiaoping est membre du Comité central du Parti communiste chinois, proche du Premier ministre Zhou Enlai et de la ligne réformatrice.

CONSIGNE

Analyser et confronter les deux documents pour montrer comment la Chine modifie sa position au sein du bloc soviétique et sa vision des relations internationales entre les années 1950 et les années 1970.

CHAPITRE 11

Le Proche et le Moyen-Orient, un foyer de conflits depuis la fin de la Première Guerre mondiale

Depuis la défaite de l'Empire ottoman en 1918, le Proche et le Moyen-Orient constituent un foyer de tensions et de conflits, dont les répercussions se font sentir dans le monde entier. Cette zone est au cœur des enjeux géopolitiques actuels.

Quelles sont les origines et les conséquences des conflits au Proche et au Moyen-Orient ?

1 **Un espace géographique soumis aux conflits et aux tensions**

Soldat libanais observant une patrouille israélienne à la frontière entre le Liban et Israël près du village de Kfarkilla, 25 mai 2010.

Mosaïque de peuples, de nations et de religions, le Moyen-Orient a une histoire complexe marquée par de profondes rivalités entre les États. De nombreux conflits raniment constamment les tensions dans cette région.

TENSIONS RÉGIONALES								
1920 Traité de Sèvres, démantèlement de l'Empire ottoman	**1923** Traité de Lausanne	**1948** 1re guerre israélo-arabe	**1956** Crise de Suez et conflit israélo-arabe	**1967** "Guerre des Six-Jours"	**1973** "Guerre du Kippour"	**1979** Révolution iranienne	**1995** Finalisation des Accords d'Oslo	

ENJEUX MONDIAUX	Rivalité franco-britannique		Rivalité américano-soviétique			Influence des États-Unis	
	1917 Déclaration Balfour **1916** Accords Sykes-Picot	**1945** Création de l'ONU	**1956** Crise de Suez	**1973** 1er choc pétrolier	**1979** Intervention soviétique en Afghanistan, 2e choc pétrolier	**1991** 1re guerre d'Irak (guerre du Golfe)	**2003-2011** 2e guerre d'Irak **Depuis 2001** Guerre d'Afghanistan

2 Des affrontements régionaux aux tensions internationales

Un char de la Force intérimaire des Nations unies au Liban (Finul), patrouille à proximité du village de Deir Kiffa au Liban, le 19 septembre 2005, devant les portraits de l'ayatollah Ali Khamenei, Guide suprême de la révolution islamique en Iran, et de Hassan Nasrallah, chef du Hezbollah libanais.

Les conséquences des conflits au Proche et au Moyen-Orient se font sentir dans le monde entier en raison de la grande importance géostratégique de cette région au carrefour de l'Afrique, de l'Europe et de l'Asie.

QUESTIONS

1. Quels types de conflits sont représentés dans ces deux documents ?

2. Comment les conflits régionaux peuvent-ils prendre une dimension internationale ?

Le Proche et le Moyen-Orient, une zone de tensions, un foyer de conflits

Au début du XXIe siècle, le Proche et le Moyen-Orient sont des foyers de conflits parfois anciens, comme le conflit israélo-arabe, parfois plus récents, comme ceux qui sont liés à la montée de l'islamisme. Le contrôle des hydrocarbures est une cause majeure de tensions régionales et d'interventions étrangères. La diversité ethnique, religieuse, culturelle de la région et les inégalités de traitement de ces communautés nourrissent également les conflits, malgré de constants efforts régionaux et internationaux en faveur de la paix et de la démocratie.

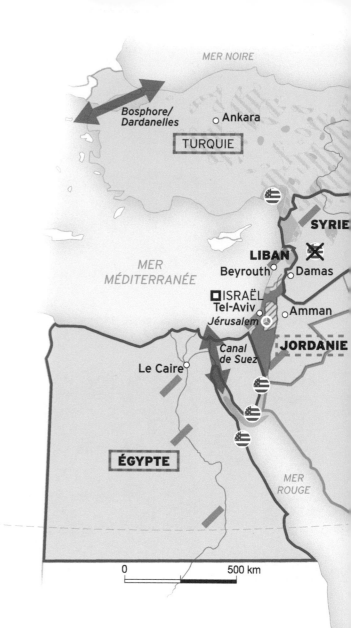

1 Le détroit d'Ormuz, carrefour stratégique

Porte-avion et navires de guerre américains patrouillant dans le détroit d'Ormuz par lequel passe 17 % du pétrole mondial.

L'exploitation et le transport des hydrocarbures du Golfe persique, première zone d'exportation de pétrole du monde, sont cruciaux pour les économies des pays développés comme pour les pays exportateurs.

2 Les tensions israélo-palestiniennes

De jeunes Palestiniens affrontent les troupes israéliennes près de la mosquée al-Aqsa, dans la vieille ville de Jérusalem, en décembre 2000.

Fortement médiatisé, l'affrontement entre des civils palestiniens et l'armée israélienne est devenu emblématique des conflits au Proche-Orient.

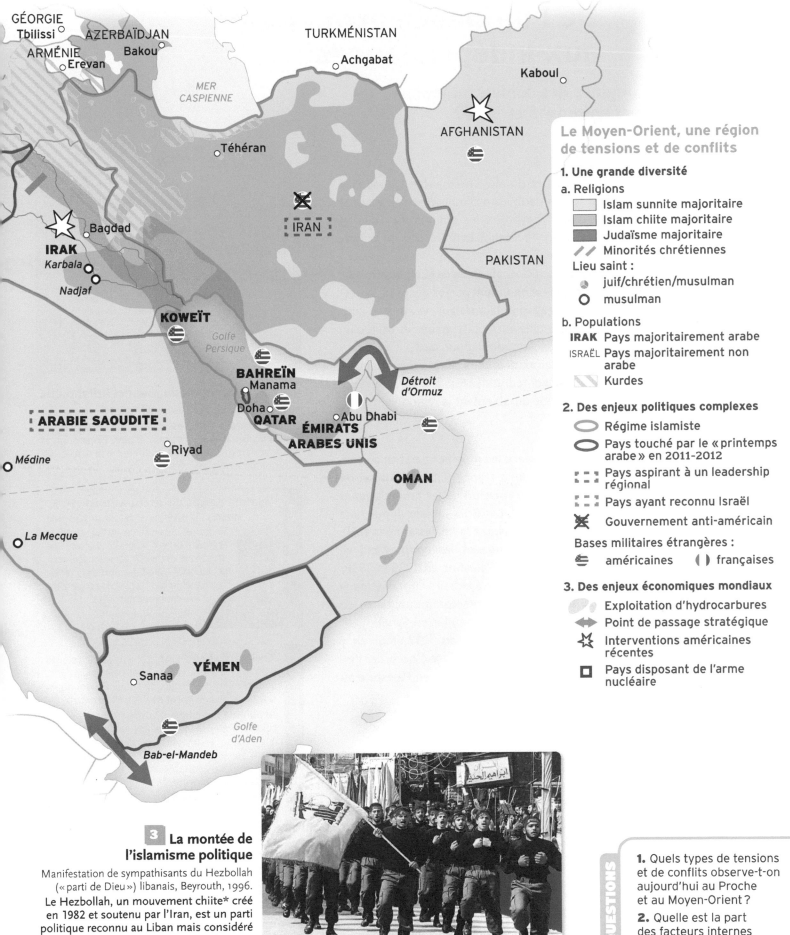

GÉORGIE
Tbilissi
ARMÉNIE
Erevan
AZERBAÏDJAN
Bakou

TURKMÉNISTAN
Achgabat

MER
CASPIENNE

Kaboul

AFGHANISTAN

Téhéran

IRAN

PAKISTAN

Bagdad
IRAK
Karbala
Nadjaf

KOWEÏT

Golfe
Persique

BAHREÏN
Manama
Doha
QATAR
ÉMIRATS
ARABES UNIS
Abu Dhabi

Détroit
d'Ormuz

ARABIE SAOUDITE

OMAN

Médine

Riyad

La Mecque

YÉMEN
Sanaa

Golfe
d'Aden

Bab-el-Mandeb

Le Moyen-Orient, une région de tensions et de conflits

1. Une grande diversité

a. Religions

- Islam sunnite majoritaire
- Islam chiite majoritaire
- Judaïsme majoritaire
- Minorités chrétiennes

Lieu saint :
- juif/chrétien/musulman
- musulman

b. Populations

- **IRAK** Pays majoritairement arabe
- ISRAËL Pays majoritairement non arabe
- Kurdes

2. Des enjeux politiques complexes

- Régime islamiste
- Pays touché par le « printemps arabe » en 2011-2012
- Pays aspirant à un leadership régional
- Pays ayant reconnu Israël
- Gouvernement anti-américain

Bases militaires étrangères :
- américaines
- françaises

3. Des enjeux économiques mondiaux

- Exploitation d'hydrocarbures
- Point de passage stratégique
- Interventions américaines récentes
- Pays disposant de l'arme nucléaire

3 La montée de l'islamisme politique

Manifestation de sympathisants du Hezbollah (« parti de Dieu ») libanais, Beyrouth, 1996.

Le Hezbollah, un mouvement chiite* créé en 1982 et soutenu par l'Iran, est un parti politique reconnu au Liban mais considéré comme une organisation terroriste par de nombreux pays. Sa branche armée affronte l'armée israélienne en 2006.

QUESTIONS

1. Quels types de tensions et de conflits observe-t-on aujourd'hui au Proche et au Moyen-Orient ?

2. Quelle est la part des facteurs internes et externes ?

De l'influence étrangère aux indépendances

Quelles sont les origines des conflits au Proche et au Moyen-Orient entre 1918 et 1946 ?

A. La fin de l'Empire ottoman

• **Avant 1914, la mosaïque du Proche et du Moyen-Orient est intégrée à l'Empire ottoman et à la Perse** tout en subissant l'influence des grandes puissances. Le Royaume-Uni occupe l'Égypte et les émirats du Golfe, et dispute aux Français, aux Russes et aux Allemands la protection de la Terre sainte* ainsi que le contrôle du pétrole.

• **Dès 1916, la France et la Royaume-Uni anticipent la chute de l'Empire ottoman,** allié de l'Allemagne, **et se partagent le Proche-Orient** par les **accords Sykes-Picot.** Le Royaume-Uni prend des engagements ambigus, voire contradictoires, promettant la création d'un ou plusieurs États arabes et celle d'un foyer national juif en Palestine, par la déclaration Balfour [doc. 3].

• **En 1918, les troupes britanniques et françaises et leurs alliés arabes attaquent les provinces arabes de l'Empire ottoman,** réduit dès lors à la Turquie. Cette politique britannique et française marque durablement la région.

B. Le système des mandats

• Par le traité de Sèvres (1920), **la SDN* place les provinces arabes anciennement ottomanes sous mandat*** [doc. 2] de la France (Liban, Syrie) et du Royaume-Uni (Palestine, Irak), qui ont pour mission de les administrer et de les conduire vers l'indépendance (voir p. 286). Les Britanniques appuient le **sionisme** et l'immigration juive en Palestine jusqu'à la fin des années 1930.

• **Les puissances mandataires répriment durement les peuples qui se révoltent** (Irak en 1921, Syrie et Liban en 1925, Palestine en 1929 et 1936) [doc. 1] et contrôlent le pétrole que l'on commence à extraire en Irak et dans le Golfe. De plus, elles exacerbent les tensions intercommunautaires en s'appuyant sur des minorités (chrétiens au Liban, alaouites en Syrie).

• **Les Britanniques donnent l'indépendance à l'Irak en 1932,** tout en y conservant des bases militaires tandis que la France refuse d'accorder l'indépendance à ses mandats. Aucune solution n'est trouvée en Palestine où l'antagonisme entre Juifs et Arabes s'accentue.

C. De nouveaux États et de nouvelles idéologies

• **L'État-nation est une notion récente et fragile dans la région, du fait de la tutelle occidentale et de la force des communautés,** tribales, ethniques et religieuses. La Turquie est une exception : **Mustafa Kemal,** dit Atatürk, y crée une République nationaliste laïque en abolissant le califat* en 1924 [doc. 4].

• **Ces États connaissent de forts débats idéologiques entre l'arabisme dominant et l'islamisme.** Ce dernier prône, notamment en Arabie Saoudite (État fondé en 1932), un usage politique et social de l'islam tourné contre l'influence occidentale.

• **Les pays du Proche et du Moyen-Orient se modernisent** et veulent s'émanciper, mais se heurtent à la tutelle du Royaume-Uni, qui administre le canal de Suez, limite la liberté de l'Égypte après la première proclamation de son indépendance, et dont les troupes occupent toute la région entre 1941 et 1945, y compris les territoires sous mandat français.

1 La contestation du mandat britannique

Jérusalem, manifestation devant la Porte Neuve, 1933.
Dans les années 1930, les manifestations arabes contre les Britanniques se multiplient. Un sentiment national palestinien se construit contre la tutelle britannique et le sionisme.

BIOGRAPHIE

Mustafa Kemal, dit Atatürk (1881-1938)
Militaire de carrière, il refuse le traité de Sèvres et renverse le sultan après la Première Guerre mondiale. Il fonde une république influencée par le modèle occidental (laïcité, droit de vote des femmes, alphabet latin). Il refuse de reconnaître des droits aux minorités.

Atatürk, en 1930.

MOTS CLÉS

Accords Sykes-Picot : accords secrets signés en mai 1916 entre la France et le Royaume-Uni, qui prévoient le partage du Moyen-Orient après la guerre, au détriment de l'Empire ottoman.

Arabisme : sentiment d'appartenance à la culture arabe définie comme un peuple ayant une langue et une histoire commune, débouchant sur un nationalisme. Ceux qui souhaitent unir les peuples arabes sont dits **panarabistes** ou nationalistes arabes.

Islamisme : idéologie politique et religieuse affirmant la primauté de l'islam, le rejet de l'Occident, et revendiquant l'application de la loi coranique (*charia*) dans les États.

Proche-Orient : pays à l'Est de la Méditerranée : Égypte, Turquie, Syrie, Liban, Israël, Cisjordanie, et Jordanie. Le **Moyen-Orient** comprend également l'Irak, la Péninsule arabique, l'Iran et l'Afghanistan.

Sionisme : mouvement fondé en 1896 à Vienne par Theodor Herzl, en réaction à l'antisémitisme européen, visant à créer par l'immigration un État juif en Palestine.

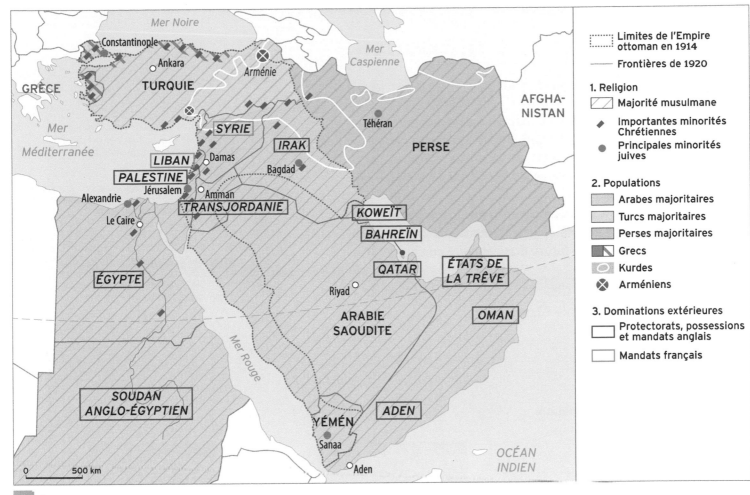

2 États, populations et religions en Orient au lendemain de la Première Guerre mondiale

1. En quoi le Moyen-Orient constitue-t-il une mosaïque culturelle ?

3 La déclaration Balfour

Le ministre des Affaires étrangères britannique, Arthur Balfour, écrit à un membre de la Fédération sioniste, branche britannique de l'Organisation sioniste, créée en 1897, pour favoriser la réalisation d'un foyer juif en Palestine ottomane.

« J'ai le grand plaisir de vous adresser de la part du gouvernement de Sa Majesté, la déclaration suivante de sympathie pour les aspirations sionistes des Juifs, déclaration qui, soumise au cabinet, a été approuvée par lui :

Le gouvernement de Sa Majesté envisage favorablement l'établissement d'un foyer national [*National Home*] pour le peuple juif, et emploiera tous ses efforts pour faciliter la réalisation de cet objectif, étant clairement entendu que rien ne sera fait qui pourrait porter préjudice aux droits civils et religieux des collectivités non juives en Palestine, ainsi qu'aux droits et au statut politique dont les Juifs pourraient jouir dans tout autre pays.

Je vous serais reconnaissant de porter cette déclaration à la connaissance de la Fédération sioniste. »

Lettre de Lord Balfour à Lord Rothschild, Londres, 2 novembre 1917.

1. Quelle promesse le Royaume-Uni fait-il aux sionistes ?

4 Le kémalisme : un modèle d'occidentalisation et d'indépendance

« *Article premier.* L'État turc est une République.

Art. 2. La religion de l'État turc est l'islam [*disposition supprimée en 1928*] ; la langue officielle est le turc ; la capitale est la ville d'Ankara. [...]

Art. 6. L'Assemblée exerce directement le pouvoir législatif.

Art. 7. L'Assemblée exerce le pouvoir exécutif par l'intermédiaire d'un président de la République et d'un conseil des ministres, nommé par lui. [...]

Art. 10. Tout Turc, de sexe masculin[1], ayant 18 ans accomplis, a le droit de prendre part à l'élection des députés. [...]

Art. 68. Tout Turc naît et vit libre. [...]

Art. 69. Les Turcs sont égaux devant la loi et sont, sans exception, obligés de la respecter. [...]

Art. 70. Les droits naturels des Turcs sont : l'inviolabilité de la personne, la liberté de conscience, de pensée, de parole, de publication, de voyager, de contracter, de travailler, de posséder, la liberté de réunion et d'association, celle de former des sociétés commerciales. »

Constitution de la République turque, 20 avril 1924.

1. Le droit de vote est accordé aux femmes en 1930.

1. Quel régime politique cette Constitution instaure-t-elle en Turquie ?

2. Quels termes montrent l'influence des modèles occidentaux ?

285

Le système des mandats au Proche-Orient

En 1920, la SDN confie le Proche-Orient aux vainqueurs européens de la guerre dans le but affiché d'aider les peuples de la région à construire des États et à devenir indépendants. Toutefois, en imposant de nouvelles frontières, en maintenant leur domination et leurs intérêts par la force, le Royaume-Uni et la France, par ailleurs en concurrence, contribuent à déstabiliser la zone. Le système des mandats engendre ainsi de nouveaux conflits entre futurs États et entre communautés.

Pourquoi la période des mandats fait-elle naître des conflits au Proche-Orient ?

Chronologie

1916	Accords Sykes-Picot.
1920	Traité de Sèvres.
1921	Conférence de Jérusalem. Séparation de la Syrie et du Liban par la France, de la Transjordanie et de la Palestine par le Royaume-Uni.
1932	Indépendance de l'Irak.
1936-1939	Grande révolte arabe en Palestine.
1937	Plan de partage britannique de la Palestine entre Juifs et Arabes.
1939	Livre blanc britannique, arrêt de l'immigration juive en Palestine.

1 Les mandats, entre domination et autonomie

En 1920, la France reçoit de la SDN un mandat sur la Syrie. Elle en détache le Liban où les communautés chrétiennes, qui lui sont favorables, sont majoritaires. En 1922, une charte de la SDN définit les droits et obligations du mandataire.

«Article 1. Le mandataire [...] édictera les mesures propres à faciliter le développement progressif de la Syrie et du Liban comme États indépendants. Le mandataire favorisera les autonomies locales dans toute la mesure où les circonstances s'y prêteront. [...]

Art. 2. Le mandataire pourra maintenir ses troupes dans lesdits territoires en vue de leur défense. Il pourra [...] organiser les milices locales nécessaires à la défense de ces territoires et les employer à cette défense ainsi qu'au maintien de l'ordre. [...]

Le mandataire disposera en tout temps du droit d'utiliser les ports, voies ferrées et moyens de communication [...] pour le passage de ses troupes et de tout matériel, approvisionnements ou combustibles. [...]

Art. 8. Le mandataire garantira à toute personne la plus complète liberté de conscience ainsi que le libre exercice de toutes les formes de cultes [...]. Il n'y aura aucune inégalité de traitement entre les habitants de la Syrie ou du Liban du fait des différences de race, de religion ou de langue. [...]

Art. 16. Le français et l'arabe seront les langues officielles de la Syrie et du Liban.»

Charte du mandat français pour la Syrie et le Liban, Londres, 24 juillet 1922.

2 La puissance britannique en Palestine

Photographie prise lors de la conférence de Jérusalem, mars 1921.
La Palestine est administrée en 1921 par un Haut-commissaire (Herbert Samuel, au centre) dépendant du ministre des Colonies britannique (Winston Churchill, à sa gauche). Tout en soutenant l'émigration juive en Palestine, le Royaume-Uni crée, à la conférence de Jérusalem, un État arabe à l'Est du Jourdain, la Transjordanie, confié à l'émir Abdallah (à droite d'Herbert Samuel).

3 L'occupation des pays sous mandat

Entrée des troupes britanniques à Bagdad (Irak), 1ᵉʳ janvier 1919.

L'occupation par les troupes mandataires provoque de nombreuses révoltes dans les années 1920 en Syrie et en Irak, et dans les années 1930 en Palestine. Ces révoltes sont facilement réprimées à cause de l'absence d'unité des populations de la région.

5 La dénonciation de l'exploitation des ressources

Grâce au mandat sur l'Irak, les Britanniques obtiennent ses ressources pétrolières et créent l'Iraqi Petroleum Company. Progressivement, l'État irakien en formation est exclu du capital.

«Ces puissances se croient le droit de se partager les biens d'autrui [par] le droit de la force : la poudre et le canon. [...] Les pays arabes ressentent toute la douleur de ces violations ; de cette colonisation effrénée de leur territoire, au seul profit de leur colonisateur. Après la répartition des territoires [*en 1920, entre la Grande Bretagne et la France*], on est passé au partage du pétrole, la plus grande richesse de ces pays. [...] On a eu le scrupule d'accorder une participation de 20 % à l'Irak [...].

Mais en 1925, au mois de mars [...], l'Irak [*a dû céder*] sa part à la *Near East Development Company*, c'est-à-dire aux États-Unis d'Amérique. Ainsi, le profit de l'Irak, qui est le pays producteur et le maître du territoire, se limitera aux bénéfices des perceptions fiscales, un shilling par tonne.

Peut-on aller plus loin dans le mépris du droit ?»

Ihsân al-Jabri, «La question du pétrole», *La Nation arabe*, n°9, Genève, novembre 1930.

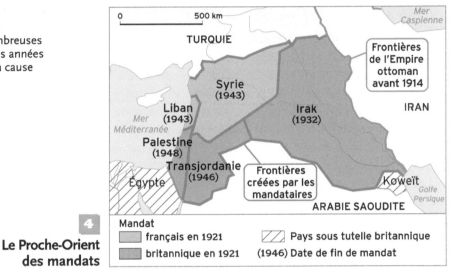

4 Le Proche-Orient des mandats

Mandat
- français en 1921
- britannique en 1921
- Pays sous tutelle britannique
- (1946) Date de fin de mandat

QUESTIONS

L'action des puissances mandataires

1. Quels droits les mandats donnent-ils au Royaume-Uni et à la France ? (doc 1, 4, 5)

2. Comment les utilisent-ils ? (doc. 2, 3, 4)

La naissance de nouveaux conflits

3. Quels conflits et tensions agitent la région ? (doc. 3, 5)

4. Quelles sont les particularités des tensions en Palestine ? (doc. 2, 3)

Bilan : Pourquoi la période des mandats fait-elle naître des conflits au Proche-Orient ?

Étude critique de documents

Confrontez les documents 1 et 5 et montrez en quoi ils permettent de présenter le système des mandats.

Le Proche et le Moyen-Orient dans la Guerre froide

Quelles sont les conséquences de la rivalité entre les États-Unis et l'URSS dans la région ?

A. Les bouleversements de l'après-guerre

- **Après 1945, la situation au Proche-Orient est modifiée** par le retrait européen [doc. 1], la fin des mandats et la création d'Israël. En 1946, la France évacue ses troupes de la Syrie et du Liban, et **le Royaume-Uni soumet la question de la Palestine à l'ONU.**
- Le plan de partage du 29 novembre 1947 est refusé par les Arabes. **Les Britanniques se retirent le 14 mai 1948, et les juifs proclament l'État d'Israël** (voir p. 290).
- **Les États arabes voisins, réunis dans la Ligue arabe créée en 1945, attaquent les Israéliens.** À l'issue de cette guerre, Israël obtient 78 % du territoire de la Palestine mandataire, la bande de Gaza étant administrée par l'Égypte et la **Cisjordanie** intégrée à la **Jordanie.** Les juifs chassés des pays arabes immigrent en Israël tandis que 80 % des Palestiniens quittent le pays (voir p. 296).

B. Un terrain d'affrontement indirect des deux Grands

- **Dès les années 1950, les États-Unis incluent le Proche et le Moyen-Orient dans leur dispositif antisoviétique** [doc. 2], notamment la Turquie et l'Iran, limitrophes de l'URSS, et l'Arabie saoudite. Ils s'opposent à l'Égypte de **Nasser**, qui devient un allié de l'URSS, et condamnent l'opération franco-britannique contre la nationalisation du canal de Suez (voir p. 292).
- **Israël devient l'allié le plus sûr des Américains** dans la région après 1960 et bat ses voisins arabes lors des guerres israélo-arabes de 1967 et 1973. Gaza, la Cisjordanie et Jérusalem-Est deviennent les **territoires occupés.**
- **Les organisations combattantes palestiniennes, après les défaites arabes de 1967, prennent le contrôle de l'OLP** (créé en 1964). Les oppositions se renforcent entre l'Égypte, la Syrie ou l'Irak, soutenus par l'URSS [doc. 3] mais rivaux, et les monarchies conservatrices pro-occidentales : Jordanie, Iran et pétromonarchies* du Golfe. Au Conseil de sécurité de l'ONU, les États-Unis prennent généralement la défense d'Israël, quitte à utiliser leur droit de veto si nécessaire. Ces tensions et échecs affaiblissent les régimes arabes laïques [doc. 4] et alimentent l'islamisme (voir p. 302).

C. De nouveaux conflits intérieurs et extérieurs

- **Le prix du pétrole quadruple après la guerre du Kippour en 1973,** ce qui renforce le poids international de l'Arabie saoudite, de l'Iran, de l'Irak et du Koweït. La paix entre l'Égypte et Israël en 1979 (accords de Camp David) ne suffit pas à stabiliser la zone [doc. 5]. Entre 1975 et 1990, le Liban est secoué par une guerre civile entre les différentes communautés chrétiennes et musulmanes, attisée par les interventions de la Syrie (1976) et d'Israël (1982).
- En 1979, la révolution qui établit la République islamique en Iran, puis l'invasion de l'Afghanistan par l'URSS, profitent aux mouvements islamistes. **En 1980, l'Irakien Saddam Hussein attaque la République islamique d'Iran** avec des soutiens arabes et occidentaux (voir p. 300). Dans ce contexte, les droits des minorités sont bafoués, en particulier ceux des Kurdes ou des chiites d'Irak. En 1987, les Palestiniens des territoires occupés lancent la Première **Intifada.**

1 **La perte d'influence des Européens**

Remise définitive de la citadelle du Caire aux forces égyptiennes, le 4 juillet 1945.

Le Royaume-Uni, qui a déployé ses forces dans tout le Proche-Orient entre 1940 et 1945, accepte le retrait de ses troupes stationnées en Égypte à partir de 1945.

BIOGRAPHIE

Gamal Abdel Nasser (1918-1970)
Officier nationaliste égyptien, il prend le pouvoir après un coup d'État contre la monarchie. Leader arabiste et non-aligné, il se rapproche de l'URSS. Son prestige est immense après la nationalisation du canal de Suez en 1956.
G. A. Nasser, 1969.

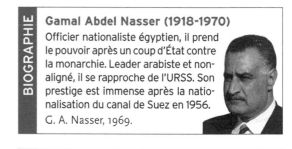

MOTS CLÉS

Intifada : révolte des Palestiniens des territoires occupés contre Israël de 1987 à 1991 puis de 2000 à 2004.

Jordanie : la Transjordanie, devenue un royaume indépendant en 1946, prend le nom de Jordanie qui entrera dans l'usage à partir de 1950.

Ligue arabe : organisation, fondée en 1945, comprenant tous les États arabes existants, puis ceux qui sont décolonisés.

Territoires occupés : expression employée par l'ONU pour désigner les territoires (Gaza, Cisjordanie, Jérusalem-Est) peuplés de Palestiniens, occupés et administrés par Israël après la guerre de 1967.

DATES

1945 Fondation de la Ligue arabe
1973 Guerre israélo-arabe ; choc pétrolier
1979 Invasion de l'Afghanistan par l'URSS

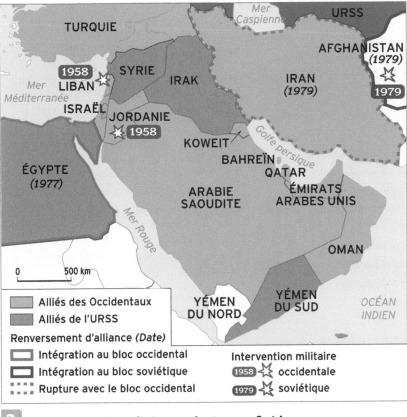

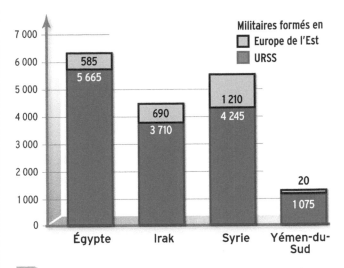

3 L'influence de l'URSS sur les armées arabes

Pendant la Guerre froide, les États du Moyen-Orient sont pour beaucoup des régimes militaires. La formation de leurs officiers est donc un vecteur d'influence pour les grandes puissances.

1. Quels sont les pays concernés ?

2. Le nombre d'officiers formés est-il important ?

2 Le Moyen-Orient divisé par la Guerre froide

1. Comment les influences américaines et soviétiques se manifestent-elles ? Comment évoluent-elles ?

4 L'instrumentalisation diplomatique de l'islam

En septembre 1969, suite à l'incendie de la mosquée al-Aqsa (Jérusalem) provoqué par un chrétien australien, le roi Faysal d'Arabie saoudite crée l'Organisation de la Conférence Islamique ouverte à tous les États musulmans. Financée par l'Arabie saoudite, elle concurrence l'influence de Nasser et de l'arabisme.

« [Le but de l'organisation est de :]

– Respecter le droit à l'autodétermination et à la non-ingérence dans les affaires intérieures et respecter la souveraineté, l'indépendance et l'intégralité territoriale de chaque État membre [...]

– Soutenir la restauration de la souveraineté complète et l'intégrité territoriale d'un État membre sous occupation étrangère par suite d'une agression, sur la base du droit international et de la coopération avec les organisations internationales et régionales compétentes [...]

– Soutenir le peuple palestinien et lui donner les moyens d'exercer son droit à l'autodétermination et à créer son État souverain, avec pour capitale al-Qods al-charif¹, tout en préservant le caractère historique et islamique ainsi que les Lieux saints de cette ville. »

Charte de l'OCI, 1969.

1. Nom arabe de Jérusalem.

1. Les objectifs de l'Organisation énoncés ici sont-ils uniquement religieux ?

2. Quelle dimension prend la question palestinienne dans cette charte ?

5 Les accords de Camp David donnent lieu à un traité de paix israélo-égyptien

Anouar el-Sadate, Jimmy Carter et Menahem Begin devant la Maison Blanche à Washington (États-Unis) lors de la signature du traité de paix israélo-égyptien, en 1979.

Négociés sous l'égide du président Carter en 1978, les accords de Camp David conduisent à un traité de paix entre l'Égypte et Israël, signé en 1979 par Anouar el-Sadate* et Menahem Begin*, prix Nobel de la paix. Ce traité, qui restitue le Sinaï à l'Égypte, est mal accueilli par les autres pays arabes et l'OLP. L'Égypte est exclue de la Ligue arabe pendant 10 ans. Sadate est assassiné en 1981 par des islamistes égyptiens.

1. Comment est mis en scène le rôle des États-Unis dans la signature des accords ?

La naissance de l'État d'Israël et la première guerre israélo-arabe

Au lendemain de la Seconde Guerre mondiale, l'une des conséquences de la Shoah est de renforcer l'urgence du projet sioniste de création d'un État juif. Le Royaume-Uni, dont le mandat sur la région arrive à échéance, s'y oppose tandis que les pays de la Ligue arabe apportent leur soutien aux Arabes chrétiens et musulmans de Palestine. Le Royaume-Uni confie alors une médiation à l'ONU, qui décide d'un plan de partage de la Palestine en deux États. Le rejet du plan onusien par la Ligue arabe, le retrait britannique et la proclamation de l'État d'Israël provoquent la première guerre israélo-arabe.

Pourquoi l'année 1948 constitue-t-elle une rupture majeure dans l'histoire du Proche-Orient ?

Chronologie

1947
18 février Annonce par la Grande-Bretagne d'un abandon rapide de son mandat.

29 novembre Plan de partage de l'ONU.

1948
14 mai Proclamation de l'indépendance de l'État d'Israël. Entrée en guerre et offensive du Liban, de la Syrie, de l'Égypte, de la Transjordanie et de l'Irak.

15 mai Départ des dernières troupes britanniques.

26 mai Fusion des groupes sionistes au sein d'une armée israélienne unifiée (*Tsahal*).

27 mai Prise de contrôle de Jérusalem-Est par la Légion arabe transjordanienne.

15 octobre Offensives victorieuses de *Tsahal*.

1949
23 janvier Élections. David Ben Gourion Premier ministre.

11 mars Fin des opérations militaires.

11 mai Israël entre à l'ONU.

---

1 La Résolution 181 de l'ONU

Le 29 novembre 1947, l'ONU adopte la Résolution 181, qui organise le plan de partage de la Palestine.

« Le mandat pour la Palestine prendra fin aussitôt que possible, et en tout cas le 1er août 1948 au plus tard. Les forces armées de la Puissance mandataire évacueront progressivement la Palestine; cette évacuation devra être achevée aussitôt que possible, et en tout cas le 1er août 1948 au plus tard. [...] Les États indépendants arabe et juif [...] commenceront d'exister en Palestine deux mois après que l'évacuation des forces armées de la Puissance mandataire aura été achevée et, en tout cas, le 1er octobre 1948 au plus tard. [...] Aucune expropriation d'un terrain possédé par un Arabe dans l'État juif (par un Juif dans l'État arabe) ne sera autorisée, sauf pour cause d'utilité publique. Dans tous les cas d'expropriation, le propriétaire sera entièrement et préalablement indemnisé. [...] La ville de Jérusalem sera constituée en *corpus separatum*[1] sous un régime international spécial et sera administrée par les Nations unies. »

Résolution 181 (document A/364) adoptée par l'Assemblée générale de l'ONU, le 29 novembre 1947.

1. Zone ayant un statut spécial.

2 La naissance d'Israël

Proclamation de l'État d'Israël, 14 mai 1948.
David Ben Gourion (1886-1973), leader du Parti travailliste israélien et fondateur de l'armée israélienne (Tsahal), lit la proclamation d'indépendance d'Israël devant le Conseil national représentant les juifs de Palestine et le mouvement sioniste. Cette proclamation ne précise pas les frontières du nouvel État, qui est reconnu par les États-Unis puis par l'URSS.

3 L'engagement des volontaires internationaux

Dès le lendemain de la proclamation de l'État d'Israël, les États de la Ligue arabe lancent une offensive militaire. Les deux camps sont soutenus par des volontaires internationaux. Ainsi 4 000 volontaires rejoignent les forces armées d'Israël.

« Une partie de ma famille a été déportée. Mes parents ont eu la chance d'être sauvés. Moi-même je suis passé en Suisse. [*Après la guerre*], je suis rentré en France. Mais pour moi il n'y avait pas de solution en Europe, après ce qui s'était passé. La seule chose, c'était d'aller en Israël. [...] J'ai embarqué le 13 mai 1948 sur un bateau appelé le *Providence*, et le 22 ou 23 mai on est arrivé à Haïfa, accueillis par des représentants du nouvel État d'Israël, mais il y avait aussi, encore, des officiers anglais. Après un entraînement militaire très succinct [...], j'ai été directement engagé dans le *Palmach*[1]. On est arrivé dans une unité engagée depuis longtemps, parfaitement structurée. [...] La discipline n'était pas celle, rigoureuse, des armées régulières, mais les engagés étaient d'un courage extraordinaire. Une atmosphère difficile à expliquer... »

Témoignage de Maurice Swarc, ancien volontaire, dans l'émission radiophonique « Mémoires vives », Fondation pour la Mémoire de la Shoah, 4 mai 2008.

1. Unité d'élite israélienne.

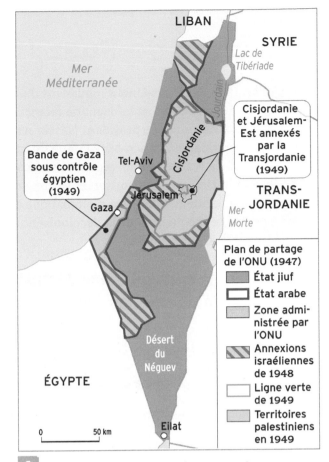

Plan de partage de l'ONU (1947)
- État jiuf
- État arabe
- Zone administrée par l'ONU
- Annexions israéliennes de 1948
- Ligne verte de 1949
- Territoires palestiniens en 1949

4 Le Proche-Orient transformé par la guerre

Après la victoire israélienne, les armistices signés entre février et juillet 1949 fixent les frontières sur la base des zones contrôlées par les armées. Non reconnues officiellement, elles ne satisfont ni les Arabes, ni les Israéliens.

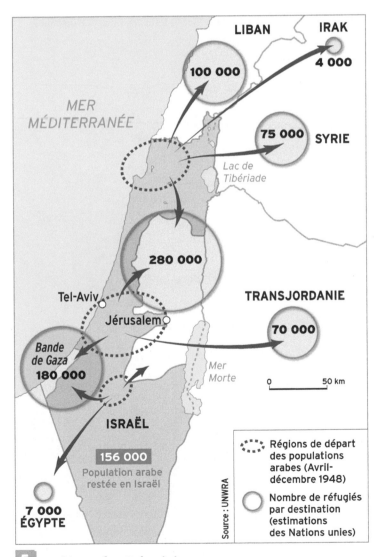

Source : UNWRA

- Régions de départ des populations arabes (Avril-décembre 1948)
- Nombre de réfugiés par destination (estimations des Nations unies)

5 Le départ des Palestiniens

La première guerre israélo-arabe provoque une recomposition démographique de la région. En 1948, la population juive, largement issue de l'immigration de juifs du Maghreb et d'Europe, atteint environ 700 000 habitants.

QUESTIONS

Le conflit et ses causes

1. Qu'est-ce qui provoque le déclenchement du conflit ? (doc. 1, 2, 4)

2. Quels facteurs contribuent à la victoire israélienne ? (doc. 2, 3)

Les conséquences de la déclaration d'indépendance et de la guerre

3. Quelles sont les conséquences de la guerre pour Israël et les pays voisins ? (doc. 4, 5)

4. Comment l'issue de la guerre peut-elle nourrir les conflits futurs ? (doc. 4, 5)

Bilan : Pourquoi l'année 1948 constitue-t-elle une rupture majeure dans l'histoire du Proche-Orient ?

Étude critique de documents

En analysant les documents 4 et 5, déterminez les effets immédiats de la première guerre israélo-arabe.

La crise de Suez (1956)

En juillet 1956, les États-Unis s'inquiètent d'un rapprochement de l'Égypte avec l'URSS et refusent de financer le projet égyptien de barrage à Assouan. Le président Nasser nationalise alors la très profitable compagnie franco-britannique du canal de Suez. Il suscite l'hostilité de la France, qui lui reproche son soutien au FLN algérien, du Royaume-Uni, qui veut conserver sa zone d'influence, et d'Israël qui craint une attaque. La crise diplomatique et militaire qui s'engage est une des conséquences de la décolonisation, du conflit israélo-arabe et de la Guerre froide.

Comment la crise du Canal de Suez change-t-elle les rapports de force au Proche et Moyen-Orient ?

Chronologie

1955
Septembre Achat d'armes à la Tchécoslovaquie communiste par Nasser.

19 juillet Suspension de l'offre américaine d'un prêt pour le barrage d'Assouan.

1956
26 juillet Nasser annonce la nationalisation de la Compagnie du canal de Suez.

24 octobre Accord secret entre la France, le Royaume-Uni et Israël pour intervenir contre l'Égypte (protocoles de Sèvres).

29 octobre Début des opérations israéliennes.

31 octobre Occupation de la zone du canal par les parachutistes franco-britanniques.

2 novembre Les États-Unis et l'ONU appellent à un cessez-le-feu.

6 novembre Fin des opérations militaires.

27 novembre Arrivée des troupes de l'ONU.

1957
Mars Retrait total des troupes israéliennes.

1 Nasser contre la présence occidentale

« En ce jour, nous accueillons la cinquième année de la Révolution. Nous avons passé quatre ans dans la lutte. Nous avons lutté pour nous débarrasser des traces du passé, de l'impérialisme et du despotisme ; des traces de l'occupation étrangère et du despotisme intérieur. [...] Nous ne permettrons pas que le Canal de Suez soit un État dans l'État. Aujourd'hui, le Canal de Suez est une société égyptienne, des fonds desquels l'Angleterre a pris 44 % de ses actions. L'Angleterre profite, jusqu'à présent des bénéfices de ces actions ; le revenu de ce Canal en 1955 a été évalué à 35 millions de livres, soit 140 millions de dollars, desquels il nous revient un million de livres, soit 3 millions de dollars. [...]
Nous reprendrons tous nos droits, car tous ces fonds sont les nôtres, et ce canal est la propriété de l'Égypte. La Compagnie est une société anonyme égyptienne, et le canal a été creusé par 120 000 Égyptiens, qui ont trouvé la mort durant l'exécution des travaux. La Société du Canal de Suez à Paris ne cache qu'une pure exploitation. [...] Les 35 millions de livres que la Compagnie encaisse, nous les prendrons, nous, pour l'intérêt de l'Égypte.
[...] Nous ne donnerons pas l'occasion aux pays d'occupation de pouvoir exécuter leurs plans, et nous construirons avec nos propres bras, nous construirons une Égypte forte, et c'est pourquoi j'assigne aujourd'hui l'accord du gouvernement sur l'étatisation de la Compagnie du Canal. [...] Aujourd'hui, ce seront des Égyptiens comme vous qui dirigeront la Compagnie du Canal, qui prendront consignation de ses différentes installations, et dirigeront la navigation dans le Canal, c'est-à-dire, dans la terre d'Égypte. »

G. A. Nasser, *Discours radiodiffusé*, prononcé à Alexandrie le 26 juillet 1956, publié dans *Le Journal d'Égypte*, 27 juillet 1956.

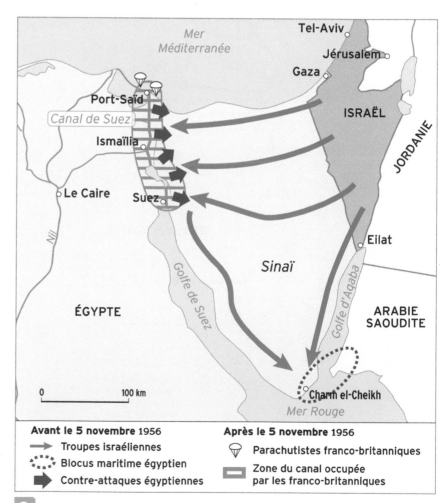

Avant le 5 novembre 1956
→ Troupes israéliennes
⊙⋯ Blocus maritime égyptien
► Contre-attaques égyptiennes

Après le 5 novembre 1956
▽ Parachutistes franco-britanniques
▭ Zone du canal occupée par les franco-britanniques

2 Une victoire militaire rapide

L'attaque israélienne conduit Nasser à fermer le canal. Ce coup de force entraîne, comme prévu par les protocoles de Sèvres en octobre 1956, l'intervention militaire franco-britannique.

3 Le blocage du canal de Suez

Vaisseaux sabordés à l'entrée du canal de Suez, octobre 1956.
Le sabordage de navires par les Égyptiens à la suite de l'attaque israélienne entraîne la fermeture durable du canal de Suez.

4 La « doctrine Eisenhower »

À l'issue de la crise, qui a vu les États-Unis et l'URSS s'opposer à l'action de la France et du Royaume-Uni, le président Eisenhower obtient du Sénat l'autorisation de mener une politique plus active au Proche-Orient.
« Si cette région devait tomber sous l'emprise du communisme international ce serait un désastre politique et économique pour les peuples du Proche-Orient mais aussi nombre d'autres pays libres [...]. Les États-Unis doivent tout mettre en œuvre pour aider les nations du Proche-Orient à maintenir leur indépendance. [...]
Le problème du canal de Suez est venu aggraver des difficultés déjà considérables. [...] La nouvelle doctrine du président a pour but de [l'] autoriser à aider les États de la région dans le développement économique, [...] à mettre en place des programmes d'assistance militaire, [...] à employer la force armée des États-Unis pour assurer et défendre l'intégrité territoriale des pays qui demanderaient une telle aide contre une agression ouverte d'une nation dominée par le communisme international. »

Foster Dulles, secrétaire d'État, *Déclaration* écrite au Sénat des États-Unis, le 7 janvier 1957.

5 Nasser, grand vainqueur de la crise de Suez

Caricature allemande de Behrendt, « Août 1956, l'homme au barril de pétrole » 1956.
Au lendemain de la nationalisation du canal de Suez, Nasser contrôle la principale route du pétrole moyen-oriental vers l'Ouest. La nationalisation du canal est perçue comme une victoire du tiers-monde face aux grandes puissances.

QUESTIONS

Les causes de la crise

1. Pourquoi Nasser veut-il nationaliser la société du canal de Suez ? **(doc. 1, 5)**

2. Pour quelles raisons la France et le Royaume-Uni s'opposent-ils à la volonté d'indépendance économique de Nasser ? **(doc 1, 2, 3, 4)**

Les conséquences de la crise

3. Quelles sont les conséquences de la crise pour les États-Unis ? **(doc. 4, 5)**

4. Quelles sont les conséquences de la crise pour l'Égypte ? **(doc. 2, 5)**

5. Quelles sont les conséquences de la victoire de Nasser sur les relations internationales ? **(doc. 4, 5)**

Bilan : Comment la crise du canal de Suez change-t-elle les rapports de force au Proche et au Moyen-Orient ?

Étude critique de documents

En confrontant les documents 4 et 5, montrez les menaces que cette crise fait peser sur l'approvisionnement en pétrole de l'Occident.

COURS 3 La globalisation des conflits

Comment évoluent les conflits au Moyen-Orient depuis 1990 ?

A. Une influence américaine prépondérante

● **En août 1990, l'Irak**, très endetté du fait de la guerre contre l'Iran, **envahit le Koweït**, qu'il considère comme une province perdue, pour s'emparer de son pétrole. L'ONU condamne cette action et les États-Unis organisent une coalition militaire de trente pays, dont l'Arabie saoudite, l'Égypte, la France, le Royaume-Uni et la Syrie.

● L'opération Tempête du Désert (janvier-février 1991) aboutit à la **libération du Koweït**, et non au renversement de Saddam Hussein, qui réprime durement les rébellions chiites et kurdes que la coalition avait encouragées.

● **Les États-Unis**, qui soutiennent Israël et les régimes autoritaires du Golfe et d'Égypte, **s'imposent comme le principal « gendarme » de la région**, ce qui renforce les manifestations d'anti-américanisme.

B. La résolution inachevée du conflit israélo-palestinien

● Des accords de reconnaissance mutuelle sont signés à Oslo en août 1993 par **Yitzhak Rabin**, Premier ministre israélien, et le dirigeant de l'OLP, Yasser Arafat [doc. **1**]. **Les négociations portent sur la reconnaissance mutuelle d'Israël et d'un État palestinien** en échange de l'arrêt de la répression israélienne comme du terrorisme palestinien. En 1994, la Jordanie signe un accord de paix séparée avec Israël.

● **Ce processus s'enlise cependant à partir de l'assassinat d'Yitzhak Rabin** par un extrémiste israélien en 1995. L'OLP, revenue dans les territoires occupés, ne parvient pas à obtenir le retrait israélien. Cette situation profite au mouvement islamiste **Hamas** qui prône la destruction de l'État d'Israël.

● **La mise en place des accords d'Oslo conduit à la création d'une Autorité palestinienne** sur les territoires dirigés par l'OLP alors que Gaza est contrôlé par le Hamas. Mais l'arrêt du processus devant conduire à la création d'un État palestinien suscite tensions et violences [doc. **2**].

C. Entre islamisme et démocratie

● **Les attentats du 11 septembre 2001, revendiqués par al-Qaïda marquent un tournant pour la région**. En effet, le président G. W. Bush déclare alors la guerre aux États accusés d'abriter des terroristes, et une coalition internationale renverse le régime des Talibans en Afghanistan en novembre. En 2003, les Américains envahissent l'Irak pour renverser Saddam Hussein.

● Toutefois, cet interventionnisme occidental attise les tensions dans la région. **L'islamisme politique progresse** en Irak, au Pakistan, dans les territoires palestiniens, où le Hamas gagne les élections en 2006, et au Liban, où Israël intervient militairement à l'été 2006 contre le Hezbollah de Hassan Nasrallah.

● **Depuis 2001, les attentats se multiplient**, aussi bien en Irak, en Afghanistan qu'au Yémen ou au Liban [doc. **3**]. La volonté de l'Iran de se doter de l'arme nucléaire déstabilise encore la région. Par ailleurs, le **« printemps arabe »** qui commence en Tunisie en 2010, a un impact important au Moyen-Orient et se traduit par des changements politiques et des heurts [doc. **4**]. En Syrie, face à la contestation d'une partie de la population et de l'armée, le régime cherche à se maintenir au pouvoir au prix d'une répression sanglante [doc. **5**].

1 **Les espoirs du « processus d'Oslo »**

Y. Rabin, B. Clinton et Y. Arafat, Washington, 13 septembre 1993.
Le président de l'OLP, Yasser Arafat et le Premier ministre israélien, Yitzhak Rabin, signent une déclaration de principe, négociée à Oslo, sous l'égide du président américain Bill Clinton.

1. En quoi ce processus est-il historique ?

MOTS CLÉS

Hamas : mouvement politico-militaire islamiste palestinien, utilisant le terrorisme contre Israël dont il refuse de reconnaître l'existence. Majoritaire aux élections palestiniennes de 2006, il est principalement implanté dans la bande de Gaza.

Al-Qaïda : nébuleuse d'organisations islamistes et terroristes internationales fondée en 1987, responsable notamment des attentats du 11 septembre 2001.

« Printemps arabe » : expression qui désigne, par référence au Printemps des peuples de 1848, un ensemble de contestations populaires qui se produisent dans de nombreux pays du monde arabe à partir de décembre 2010.

DATES

1991 Première guerre du Golfe
1993 Accords d'Oslo
2000 Début de la Seconde *Intifada*
11 septembre 2001 Attentats islamistes aux États-Unis
2011 « Printemps arabe »

2 La « barrière de sécurité » entre Israël et les territoires palestiniens

« En avril 2002, suite à une vague d'attentats qui a fait près d'un millier de victimes, le gouvernement d'Ariel Sharon a décidé de construire un mur continu le long de la Ligne verte, ligne d'armistice de 1949 et "frontière" établie en juin 1967. [...]
Côté israélien, la construction du "mur de séparation" ne suscite aucun état d'âme [...]. Les organisations non gouvernementales qui combattent son tracé [...] ou ses conséquences humanitaires n'ont pas remis en cause son principe même. [...] Pour les Israéliens, le mur répond au besoin fondamental de sécurité et de séparation et constitue une mesure de légitime défense.
Pour les Palestiniens, la construction du mur confisque leurs terres, les exproprie. Des plaintes sont régulièrement déposées [qui] n'ont permis de réduire que de 17 % à 9 % la part de la Cisjordanie confisquée par le tracé du mur de séparation. À terme, quand la construction du mur sera achevée, 274 000 Palestiniens seront enclavés et 400 000 séparés de leurs champs, de leur travail, de leur école et de leur hôpital. De façon paradoxale, sans les Palestiniens, leur main-d'œuvre, leurs entreprises, leurs carrières, ce mur n'aurait jamais vu le jour. 26 000 Palestiniens sont employés à sa construction ! »

Alexandra Novosseloff, « La construction du mur : de la protection à la séparation », *Questions Internationales*, n°28, novembre-décembre 2007.
© La documentation française.

1. Quels sont les arguments avancés pour et contre la construction de cette barrière ?

3 De la violence politique au terrorisme

Un attentat-suicide à l'explosif tue Rafiq Hariri ainsi qu'une vingtaine de passants à Beyrouth (Liban), le 14 février 2005.

Rafiq Hariri, dirigeant musulman sunnite et cinq fois Premier ministre du Liban entre 1992 et 2005, est assassiné en février 2005, dans un attentat-suicide à l'explosif qui tue également une vingtaine de passants. Cet assassinat politique s'inscrit dans le contexte de multiplication des attentats et de l'utilisation du terrorisme comme moyen d'action politique. En 2009, un Tribunal spécial des Nations unies pour le Liban est créé à La Haye, afin d'identifier et de juger les responsables.

1. En quoi cet attentat contribue-t-il à créer un climat de tensions ?

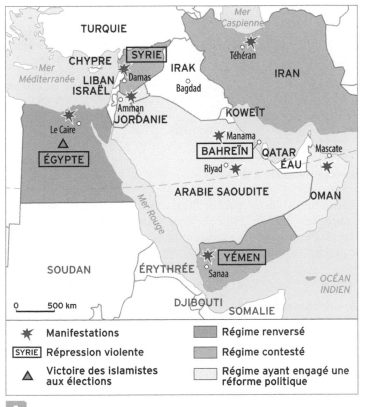

Légende :
- ★ Manifestations
- SYRIE Répression violente
- △ Victoire des islamistes aux élections
- Régime renversé
- Régime contesté
- Régime ayant engagé une réforme politique

4 Les contestations politiques au Moyen-Orient de nos jours

1. Où se situent les principaux mouvements de protestation ?

5 La révolte syrienne

Des membres de l'Armée libre de Syrie protègent une manifestation contre le régime dans le centre d'Idlib, 24 février 2012.

Depuis février 2011, une vague de contestations populaires sans précédent se traduit par de nombreuses manifestations, la désertion d'une partie de l'armée, et une violente répression, condamnée en août 2011 par le Conseil de sécurité de l'ONU.

Les Palestiniens, de 1948 à nos jours

Après la création d'Israël en 1948, les Palestiniens sont au cœur de conflits dans la région. Cette population, éclatée entre différents lieux de refuge, souvent mal accueillie dans les pays arabes et dans une situation matérielle globalement précaire, développe un nationalisme de combat avec l'Organisation de Libération de la Palestine (OLP) à la fin des années 1960. En 1993, l'OLP décide d'entrer dans un processus de paix avec Israël mais, en raison de l'enlisement de ce processus, le conflit est toujours prêt à reprendre.

Quels types de conflits naissent de la situation des Palestiniens ?

Chronologie

1948	Exil de Palestiniens.
1964	Création de l'OLP.
1967	Occupation de Gaza, de la Cisjordanie, du plateau de Golan et de Jérusalem-Est par Israël.
1969	Yasser Arafat donne à l'OLP une stratégie militaire et terroriste.
1982	Intervention israélienne au Liban. L'OLP quitte le Liban.
1987	Première Intifada.
1993	Accords d'Oslo. Installation de l'OLP en Cisjordanie.
2000-2003	Deuxième Intifada.
2006	Victoire du Hamas aux élections à Gaza.

1 La naissance de la question palestinienne en 1948

Entre mai 1948 et avril 1949, on estime que plus de 700 000 Arabes, musulmans ou, minoritairement, chrétiens quittent Israël. Ces événements sont qualifiés par eux d'«al-Nakba» («la catastrophe»).

«C'était en 1948. Les Palestiniens manquaient de leadership organisé. Ils ont pris peur à la suite des massacres de Palestiniens par les organisations juives notamment à Deir Yassin. On avait dit à la population qu'il valait mieux se mettre à l'abri à l'extérieur le temps pour les Arabes de gagner la guerre contre les juifs. Mon père, ma mère et les trois enfants qu'ils avaient à l'époque ont donc pris le chemin de l'exode [au Liban]. Ils ont beaucoup souffert en route. Les conditions étaient très dures. [...] Notre situation matérielle était très mauvaise. Nous n'avions pas de maison, nous avons logé sous des tentes durant de nombreuses années, ensuite dans des bicoques en tôle ondulée. [...] J'avais cinq frères et deux sœurs; c'était une enfance misérable.»

Rushdiyya Ghadbân, témoignage recueilli dans le camp de Bourj Barajneh (Beyrouth), le 2 novembre 1985.

2 Des attentats de Zarqa à Septembre noir

Explosion d'avions de ligne internationaux à Zarqa (Jordanie), le 12 septembre 1970.

Le FPLP (Front populaire de libération de la Palestine), branche de l'OLP qui compte des bases importantes en Jordanie et veut en déstabiliser le régime, dynamite trois avions après en avoir fait sortir les passagers. Le roi Hussein de Jordanie s'appuie sur cet attentat pour attaquer les camps de combattants palestiniens. Cette offensive fait plusieurs milliers de morts (Septembre noir).

3 De la lutte armée à la reconnaissance d'Israël

«La Palestine avec ses frontières de l'époque du mandat constitue une unité régionale indivisible. [...] Le peuple palestinien croit à la coexistence pacifique sur la base de l'existence légale.»

Charte de l'OLP, 1964.

«La lutte armée est la seule voie menant à la libération de la Palestine. [...] Le partage de la Palestine de 1947 et l'établissement d'Israël sont entièrement illégaux.»

Charte de l'OLP, 1968 (déclarée «caduque» par Yasser Arafat en 1989).

«Le mouvement de la Résistance islamique est un mouvement palestinien spécifique qui fait allégeance à Dieu, fait de l'islam sa règle de vie et œuvre à planter l'étendard de Dieu sur toute parcelle de la Palestine.»

Charte du mouvement islamiste Hamas, non-membre de l'OLP: août 1988.

«L'OLP reconnaît le droit de l'État d'Israël à vivre en paix et dans la sécurité. [...] L'OLP s'engage dans le processus de paix du Proche-Orient et dans une résolution pacifique du conflit entre les deux parties et déclare que toutes les questions en suspens liées au statut permanent seront résolues par la négociation.»

Lettre de Yasser Arafat au Premier ministre israélien Yitzhak Rabin, 9 septembre 1993.

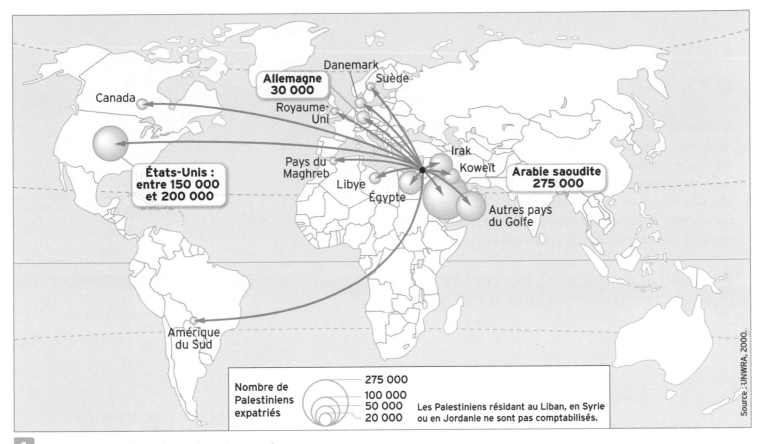

Source : UNWRA, 2000.

4 Les réfugiés palestiniens dans le monde au début du XXIᵉ siècle

L'UNWRA (Office de secours et de travaux des Nations unies pour les réfugiés de Palestine) s'occupe des 750 000 Palestiniens ayant quitté la Palestine en 1948-1949 et en 1967, ainsi que de leurs descendants. La moitié des Palestiniens du monde sont des réfugiés, et le tiers d'entre eux habite dans des camps.

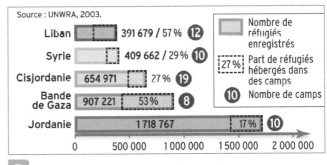

Source : UNWRA, 2003.

Liban	391 679 / 57 % ⑫		Nombre de réfugiés enregistrés
Syrie	409 662 / 29 % ⑩	27 %	Part de réfugiés hébergés dans des camps
Cisjordanie	654 971 27 % ⑲		
Bande de Gaza	907 221 53 % ⑧	⑩	Nombre de camps
Jordanie	1 718 767 17 % ⑩		

0   500 000   1 000 000   1 500 000   2 000 000

5 Les Palestiniens au Proche-Orient

6 La Seconde Intifada

Affrontements entre des jeunes Palestiniens et l'armée israélienne, dans l'espace qui sépare la ville palestinienne de Khan Younes de la colonie israélienne de Goush Katif, 24 octobre 2000.

Les espoirs suscités par les accords d'Oslo en 1993 échouent sur le partage du territoire. Gaza et la Cisjordanie restant occupés par Israël, la frustration des populations palestiniennes entraîne la Seconde Intifada de 2000 à 2003.

QUESTIONS

Une population dispersée

1. Quelles sont les conséquences de la dispersion des Palestiniens ? (doc. 1, 4)

2. Comment les États arabes ont-ils géré la question palestinienne ? (doc. 1, 2, 4, 5)

L'évolution de la situation des Palestiniens

3. Comment les Palestiniens réagissent-ils à l'évolution de leur situation depuis 1948 ? (doc. 1, 2, 3, 6)

4. Quels problèmes demeurent après les accords d'Oslo ? (doc. 3, 4, 6)

Étude critique de documents

Identifiez et présentez les textes du document 3 puis analysez ce qu'ils montrent de l'évolution de l'attitude de l'OLP envers Israël.

Le pétrole au cœur des conflits

À partir de 1945, le centre de gravité de l'exploitation pétrolière se déplace dans le Golfe, où l'or noir attise les rivalités entre États et entre compagnies américaines et européennes depuis la fin de la Première Guerre mondiale. Les luttes se multiplient, afin de prendre ou de récupérer le contrôle de ces immenses ressources : aux conflits préexistants s'ajoutent ainsi guerres, coups d'État et interventions extérieures.

Pourquoi le pétrole est-il au cœur des conflits et des tensions du Proche et du Moyen-Orient ?

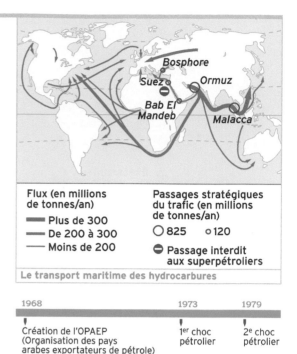

Flux (en millions de tonnes/an)
━━━ Plus de 300
━━ De 200 à 300
─ Moins de 200

Passages stratégiques du trafic (en millions de tonnes/an)
○ 825 ◦ 120
⊖ Passage interdit aux superpétroliers

Le transport maritime des hydrocarbures

1968 — Création de l'OPAEP (Organisation des pays arabes exportateurs de pétrole)

1973 — 1er choc pétrolier

1979 — 2e choc pétrolier

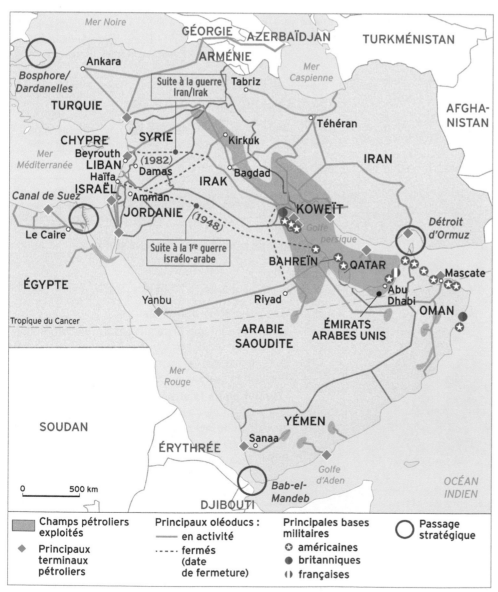

Champs pétroliers exploités
◆ Principaux terminaux pétroliers

Principaux oléoducs :
─ en activité
---- fermés (date de fermeture)

Principales bases militaires
✪ américaines
● britanniques
◖ françaises

○ Passage stratégique

1 Une ressource stratégique

Tensions et conflits dans la région définissent de nouvelles routes pour l'acheminement du pétrole, en fonction des alliances, des relations entre États et de la protection des forces extérieures.

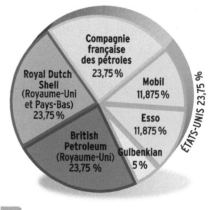

Royal Dutch Shell (Royaume-Uni et Pays-Bas) 23,75 %
Compagnie française des pétroles 23,75 %
Mobil 11,875 %
Esso 11,875 %
British Petroleum (Royaume-Uni) 23,75 %
Gulbenkian 5 %
ÉTATS-UNIS 23,75 %

2 Une entente qui exclut les États arabes et l'Iran

Répartition des parts du consortium de l'Irak Petroleum Company (IPC).

L'IPC, créé en 1928, est un consortium de plusieurs sociétés dont le capital est partagé entre 5 actionnaires : la Shell, la Compagnie française des pétroles, l'Anglo-Persian Company (Anglo-Iranian Company en 1930), des sociétés américaines (NEDC) qui ont près de 11,9 % chacune, et Calouste Gulbenkian, un financier arménien qui dispose des 5 % restants. Ils concluent un accord par lequel ils s'engagent à ne pas exploiter des concessions de l'ancien Empire ottoman (Koweït exclu) de façon indépendante. Ils conviennent également de la construction d'un oléoduc acheminant le pétrole irakien vers la Méditerranée.

3 Le monopole occidental contesté

Des manifestants protestent devant le parlement iranien contre la Grande-Bretagne en brandissant un portrait de Mossadegh, Téhéran, 30 septembre 1951.

Mohamed Mossadegh, Premier ministre iranien, annonce son intention de nationaliser la compagnie britannique Anglo-Iranian Petroleum. Après deux ans de fortes tensions avec l'Occident et malgré sa popularité, il est renversé en mars 1953 avec l'aide de la CIA.

6 Le pétrole irakien, un enjeu majeur

David Strahan, journaliste spécialisé dans les questions pétrolières, propose une analyse rétrospective des causes l'intervention militaire en Irak.

« Il est vrai que des preuves de l'intérêt des compagnies pétrolières internationales s'accumulent. BP et Shell ont fait un rapport sur l'état des puits irakiens dans l'espoir de s'assurer des contrats massifs quand les conditions seront meilleures. Chevron a une équipe qui attend au Koweït [...]. Mais, malgré [leur] capacité d'influence, si la guerre d'Irak s'est faite au sujet du pétrole c'est [en un sens plus large].

Dans un monde où la pénurie de pétrole se fait proche, l'Irak était une occasion unique.

Avec 115 milliards de barils de réserve, l'Irak dispose de la troisième réserve mondiale. À la fin des années 1990, la moyenne de sa production était de 2 millions de barils par jour mais, avec des investissements, ces réserves permettraient une production trois fois supérieure. [...] L'ironie la plus amère est bien sûr que l'invasion [en Irak] a créé une situation qui garantit que la production irakienne restera entravée dans les années qui viennent. »

David Strahan, « Des causes de l'intervention » *The Guardian*, 26 juin 2007.

4 Le tournant du choc pétrolier de 1973

La guerre du Kippour (1973) conduit les pays pétroliers à réduire leur production et bloquer leurs ventes aux alliés d'Israël.

« Le 16 octobre 1973, les ministres du Pétrole des six pays du Golfe membres de l'OPEP[1] décidaient, pour la première fois de l'histoire de leurs pays, que les prix du pétrole seraient désormais fixés unilatéralement par les pays exportateurs et non plus par les compagnies concessionnaires, en même temps qu'ils décrétaient une augmentation générale de 70 % des prix [...]. Le lendemain 17 octobre, les ministres arabes du Pétrole décidaient pour la première fois également l'utilisation du pétrole comme une arme politique dans le conflit israélo-palestinien. [...] Depuis, le mouvement d'émancipation pétrolière [...] est allé en s'accélérant : nouvelle augmentation unilatérale de 111,49 % des prix [de] décembre 1973 ; nationalisation de ce qui restait des intérêts américains et hollandais en Irak ; augmentation de la participation gouvernementale de 25 à 60 % dans les pays arabes du Golfe et ouverture de négociations en vue d'une prise de contrôle à 100 % sur les sociétés étrangères. »

Nicolas Sarkis (ancien conseiller auprès de pays producteurs de pétrole), *Le pétrole à l'heure arabe*, présentation par Éric Laurent, Stock, 1975.

1. Organisation des pays exportateurs de pétrole, fondée en 1960.

5 La présence américaine en Irak

Soldat américain protégeant des ouvriers irakiens, Rumeila, 1er avril 2003.

Alors que le régime de Saddam Hussein est sur le point de tomber durant la deuxième guerre d'Irak, l'armée américaine protège le plus grand gisement de pétrole du monde, près de Bassorah.

QUESTIONS

Un élément clé des rapports de force au Moyen-Orient

1. Quels sont les principaux pays producteurs de pétrole ? (doc. 1, 4, 6)

2. Quelles tensions provoque l'exploitation du pétrole jusqu'en 1973 ? (doc. 1, 2, 3, 4)

Une source de conflits internationaux

3. Comment le pétrole nourrit-il des tensions internes au Moyen-Orient ? (doc. 2, 3, 4)

4. Dans quelle mesure l'action des grandes puissances est-elle déterminée par l'enjeu pétrolier ? (doc. 2, 4, 5, 6)

Sujet : Pourquoi le pétrole est-il au cœur des conflits et des tensions du Proche et du Moyen-Orient ?

Étude critique de documents

En confrontant les documents 5 et 6, montrez quel rôle joue l'enjeu pétrolier dans la guerre en Irak en 2003.

La guerre Iran-Irak (1980-1988)

En 1979, l'ayatollah Khomeyni impose une révolution islamique sur la base du chiisme en Iran dont il souhaite faire un modèle pour tous les musulmans. Ce régime s'oppose en tous points à l'arabisme laïc de l'Irak de Saddam Hussein. En avril 1980, Khomeyni appelle à renverser le dictateur irakien. La tension monte et l'Irak attaque l'Iran le 22 septembre 1980. L'Irak est soutenu par presque tout le monde arabe et les puissances occidentales. De septembre 1980 à août 1988, la guerre Iran-Irak cause entre 300 000 et 400 000 morts de chaque côté.

Que révèle la guerre Iran-Irak de l'enjeu stratégique que représente le pétrole ?

- ▨ Offensives irakiennes de septembre 1980
- ➡ Offensives iraniennes de septembre 1981

Offensive et contre-offensive

Septembre 1980	Juillet 1987	1988
Attaque de l'Iran par l'Irak	Interdiction aux chiites iraniens d'aller en pélerinage à la Mecque	Fin de la guerre

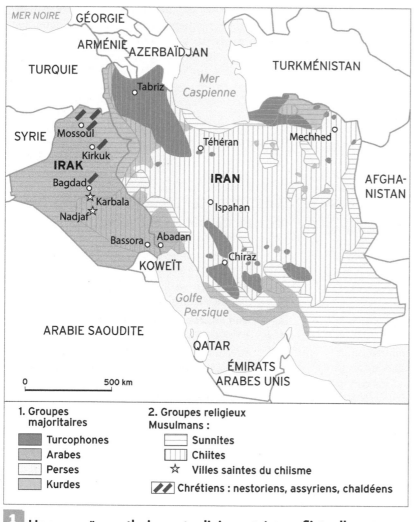

1 Une mosaïque ethnique et religieuse très conflictuelle

L'Iran est majoritairement peuplé de Perses chiites tandis que l'Irak est principalement composé d'Arabes sunnites. Les tensions qui opposent chiites et sunnites sont fortes dans les deux États. De plus, chaque pays réprime sa minorité kurde, tout en aidant celle de son voisin afin de le déstabiliser.

1. Groupes majoritaires
   - Turcophones
   - Arabes
   - Perses
   - Kurdes

2. Groupes religieux Musulmans :
   - Sunnites
   - Chiites
   - ☆ Villes saintes du chiisme
   - ▨ Chrétiens : nestoriens, assyriens, chaldéens

2 Des tensions idéologiques et ethniques à l'origine du conflit

La tension monte entre les deux pays au printemps 1980, lorsque l'ayatollah Khomeyni, dignitaire religieux chiite, appelle au renversement du régime irakien, jusqu'à l'attaque surprise lancée par l'Irak le 22 septembre 1980.

« Saddam et son gouvernement illégitimes veulent revenir à la période d'avant l'islam, temps de l'ignorance, [...] pour faire prévaloir le seul pouvoir des Arabes en ignorant l'influence de l'islam. Ces gens ne croient pas à l'islam. [...] Armée irakienne, rejoins ton peuple comme l'armée iranienne a rejoint le sien. Tu es responsable devant Dieu. Aucune excuse ne justifierait que tu fasses la guerre contre le peuple iranien et l'Iran musulman. Ce serait une guerre contre le Prophète Muhammad. L'armée irakienne accepterait-elle de faire la guerre contre le Coran et le Prophète ? L'Iran est aujourd'hui le pays du messager de Dieu. Sa révolution, son gouvernement et ses lois sont islamiques. Nous voulons fonder un État islamique qui réunisse l'Arabe, le Persan, le Turc et les autres nationalités sous la bannière de l'islam. »

Khomeiny, *Discours* radiodiffusé, avril 1980.

Saddam Hussein, musulman sunnite à la tête de l'Irak, prépare son pays à entrer en guerre contre l'Iran. Il déclenche l'attaque le 22 septembre.

« Nous avons pris la décision de recouvrer la pleine souveraineté et sur nos eaux [...]. Nous déclarons au monde à la nation arabe que [...] la religion n'est qu'un voile pour dissimuler le racisme et la haine millénaire des Persans à l'égard des Arabes. Elle est brandie pour attiser le fanatisme et la haine et dresser les peuples de la région les uns contre les autres, servant ainsi consciemment ou non les plans mondiaux du sionisme. »

Saddam Hussein, *Discours*, le 16 septembre 1980.

3 Une longue guerre de position

Le 24 février 1984 près de Bassorah.

Après deux ans d'avancées puis de reculs irakiens, le front se stabilise sur le sol irakien, et une terrible guerre de tranchée s'installe pour six ans, avec de violentes attaques des deux côtés.

4 Un conflit alimenté de l'extérieur

Principales origines des armes achetées par les deux belligérants, 1980-1988.
L'Iran et l'Irak, qui disposent de ressources pétrolières et d'alliés, contournent les tentatives d'embargo pour se procurer des armes. En 1987, 40 pays sont impliqués dans des contrats d'armements qui représentent près de 70 milliards de dollars. Plusieurs pays vendent simultanément aux deux parties.

Principaux pays producteurs ou fournisseurs d'armes	À l'Irak	À l'Iran
Grands pays producteurs	URSS, France, Brésil, Afrique du Sud, Italie, RFA, Royaume-Uni, États-Unis (après 1983)	Chine, Corée du Nord, États-Unis (avant 1983). Entreprises d'Europe occidentale : France , Suède, Royaume-Uni
Pays du Proche et du Moyen-Orient	Arabie Saoudite Égypte	Syrie Israël (et Libye)

5 La fin tardive du conflit

En 1987, le Conseil de sécurité de l'ONU adopte une résolution. L'Irak l'accepte immédiatement, l'Iran un an plus tard (28 juillet 1988).
« Le Conseil de sécurité [...]
Profondément préoccupé de ce que [...] le conflit entre l'Iran et l'Irak se poursuit sans diminuer d'intensité et continue d'entraîner de lourdes pertes en vies humaines et des destructions matérielles.
Déplorant également le bombardement de centres de peuplement exclusivement civils, les attaques contre des navires neutres ou des avions civils, les violations du droit international et d'autres règles relatives aux conflits armés et, notamment, l'utilisation d'armes chimiques [...].
Convaincu de la nécessité de parvenir à un règlement global, juste, honorable et durable entre l'Iran et l'Irak. [...]
Exige comme premières mesures en vue d'un règlement négocié, que l'Iran et l'Irak observent immédiatement un cessez-le-feu, suspendent toute action militaire sur terre, en mer et dans les airs, et retirent sans délai toutes les forces jusqu'aux frontières internationalement reconnues. »

Résolution 598 du Conseil de sécurité de l'ONU, 20 juillet 1987.

QUESTIONS

Les origines du conflit

1. Pour quels États de la région la révolution islamique iranienne, expression du chiisme révolutionnaire, est-elle une menace ? (doc. 1, 2)

2. Sur quelles aides s'appuie la République islamique d'Iran ? (doc. 2, 4)

Le déroulement du conflit

3. Comment peut-on caractériser le conflit ? (doc. 3, 4, 5)

4. Qu'est-ce qui explique la fin de la guerre ? (doc. 3, 5)

Bilan : Que révèle la guerre Iran-Irak de l'enjeu stratégique que représente le pétrole ?

Étude critique de documents

En confrontant les documents 1 et 4, montrez quelle est la dimension régionale et internationale du conflit.

L'affirmation de l'islamisme

À partir de 1970, les mouvements islamistes se développent dans l'ensemble du Moyen-Orient chiite (Liban, Iran et, partiellement, Irak) comme sunnite (dont l'Afghanistan et le Pakistan). Ces mouvements, qui reposent sur la réorganisation de la société et de l'État sur des bases purement islamiques, menacent les régimes en place, arabistes ou pro-occidentaux. Les plus radicaux, organisés en réseaux souvent terroristes agissant tant au Moyen-Orient qu'en Occident, refusent toute subordination de l'islam à un État ne respectant pas la loi coranique.

Comment l'islamisme s'affirme-t-il au Moyen-Orient à partir des années 1970 ?

Chronologie

1979 Révolution islamique en Iran.

1981 Assassinat de Sadate par des Frères musulmans* égyptiens.

1996 Conquête du pouvoir par les talibans en Afghanistan.

2001 **11 septembre** Attentats d'al-Qaïda aux États-Unis.
Novembre Défaite militaire des talibans en Afghanistan.

2002 Première victoire électorale des islamiques modérés de l'AKP en Turquie.

2005 Participation des chiites au nouveau régime irakien.

2012 **Janvier** Succès électoraux des Frères musulmans en Égypte.

1 La naisssance de l'islamisme

Fondée en 1928 par l'instituteur égyptien Hassan al-Banna (1906-1949), l'association des Frères musulmans* connaît une croissance rapide en Égypte et dans les pays voisins.

« Je promets [...] d'insuffler les enseignements de l'islam aux membres de ma famille. Je ne ferai pas entrer mes fils dans une école qui ne préserverait pas leurs croyances, leurs bonnes mœurs. Je lui supprimerai tous les journaux, livres, publications qui nient les enseignements de l'islam, et pareillement les organisations, les groupes, les clubs de cette sorte. [...] Je crois que tous les musulmans ne forment qu'une seule nation unie par la foi islamique [...] et je m'engage à déployer mon effort pour renforcer le lien de fraternité entre tous les musulmans [...].

Je crois que le secret du retard des musulmans réside dans leur éloignement de la religion, que la base de la réforme consistera à faire retour aux enseignements de l'islam et à ses jugements. [...] Je m'engage à m'en tenir fermement à ces principes, à rester loyal envers quiconque travaille pour [*les Frères musulmans*], et à demeurer un soldat à leur service, voire à mourir pour eux. »

Profession de foi des Frères musulmans (début des années 1930). Cité dans O. Carré et G. Michaud, *Les Frères musulmans* (1928-1932), L'Harmattan, 2001.

3 La république islamiste d'Iran, une force révolutionnaire

L'Ayatollah Khomeiny devant la foule, Téhéran, 1979.
En 1979, une révolution renverse le régime monarchique pro-occidental d'Iran et établit une république islamique sous l'autorité du «Guide de la révolution», l'ayatollah Khomeyni, qui revient de 14 ans d'exil le 1er février 1979.

2 L'affirmation de l'islamisme politique dans les années 1970

Après la mort de Nasser (1971) qui les avait violemment combattus, les Frères musulmans, toujours réprimés dans la majeure partie du monde arabe, se présentent en Égypte comme un mouvement de réflexion et d'entraide, ce qui assure leur popularité.

« Les Frères musulmans sont une organisation musulmane mondiale. Quiconque comprend l'islam correctement la reconnaîtra comme il se reconnaît lui-même. La première maison fut fondée à Ismaïlia au mois de Dhû-l-qa'da en l'an 1347 de l'hégire [*1928*]. Ils croient à la globalité de l'islam, à son intégralité, à savoir qu'il est religion et État, Livre saint et glaive, culte et commandement, patrie et citoyenneté. Ils affrontèrent de dures épreuves en 1948, 1954, 1965 de l'ère chrétienne de la main des agents [*de l'étranger*], et ils en sortirent vainqueurs. Ils subissent pareillement aujourd'hui l'épreuve en Syrie et ailleurs. Que le frère véridique [...] libère la patrie de toute domination étrangère non islamique, politique, économique, culturelle et réforme le gouvernement afin qu'il devienne réellement un gouvernement islamique. »

Tract des Frères musulmans égyptiens en 1972. Cité dans O. Carré et G. Michaud, *Les Frères musulmans* (1928-1932), L'Harmattan, 2001.

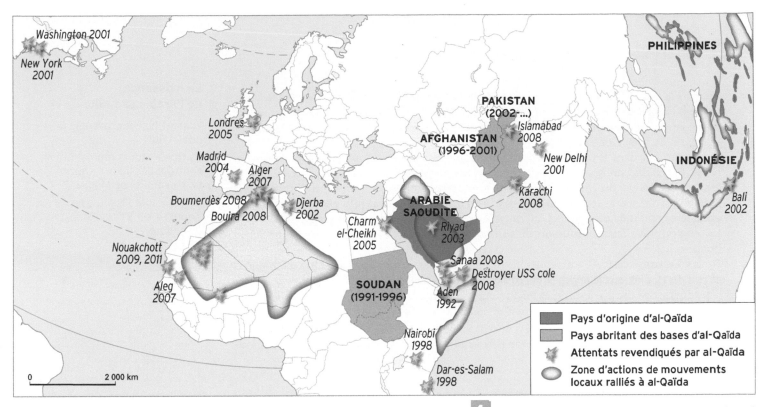

Légende:
- Pays d'origine d'al-Qaïda
- Pays abritant des bases d'al-Qaïda
- Attentats revendiqués par al-Qaïda
- Zone d'actions de mouvements locaux ralliés à al-Qaïda

0   2 000 km

5 Un mouvement islamiste entre politique et lutte armée

Le Hezbollah, créé officiellement en 1982, est un mouvement politico-militaire hostile à Israël, principalement implanté dans la communauté chiite libanaise.

« La fin des années 1980, avec l'arrêt du soutien de l'URSS aux mouvements de gauche et les Accords de Taëf qui autorisèrent le seul Hezbollah à continuer le combat [*contre les troupes israéliennes encore présentes au Sud du pays*], a marqué le début d'une assimilation de la résistance islamique, branche armée du Hezbollah, à une résistance nationale.

Ce rôle allait de pair avec son intégration dans la vie politique libanaise. Des élections législatives furent organisées en 1992. Malgré ses réticences, le Hezbollah y participa et remporta huit sièges. [...]

De nos jours, le Hezbollah se présente comme un parti libanais comme les autres auquel s'ajoutent des activités de résistance qu'il continue de revendiquer. »

Kinda Chaib, « Les identités chiites au Liban-Sud, entre mobilisation communautaire, contrôle partisan et ancrage local », *Vingtième siècle*, juillet-septembre 2009.

6 La force stabilisatrice d'un parti islamique

Sommet de réconciliation entre les présidents afghan et pakistanais à Istanbul. Au centre, le président turc Abdullah Gül, leader de l'AKP, 4 février 2010.

L'AKP, mouvement islamique modéré, remporte les élections en Turquie en 2002 puis de nouveau en 2007. Le gouvernement islamique modéré turc devient un modèle pour certains islamistes lors du Printemps arabe de 2011.

4 Al-Qaïda, un réseau terroriste transnational

Fondé à la fin des années 1980 par des combattants islamistes arabes venus aider la guérilla afghane antisoviétique, al-Qaïda engage une lutte contre les Occidentaux dans les années 1990. Ses partisans multiplient les attentats et font des adeptes parmi les populations de nombreux pays du Moyen-Orient.

QUESTIONS

L'islamisme, une force de déstabilisation

1. Comment les mouvements islamistes déstabilisent-ils les régimes en place au Proche et au Moyen-Orient ? (doc. 2, 3)

2. S'agit-il de forces anti-occidentales ? (doc. 1, 3)

La diversité des mouvements islamistes

3. Qu'est-ce qui distingue les grands mouvements se réclamant de l'islam ? (doc. 4, 5, 6)

4. Quel est le rapport des islamistes à l'exercice du pouvoir ? (doc. 2, 4, 6)

Sujet: Comment l'islamisme s'affirme-t-il au Moyen-Orient à partir des années 1970 ?

Étude critique de documents

Mettez en relation les documents 1 et 2 et montrez ce qu'ils révèlent des fondements de l'islamisme politique.

1 Analyser un témoignage

En 1926, le nouvel État d'Arabie saoudite, qui vient de conquérir la région de La Mecque (Hedjaz), contre le cherif Hussein allié des Britanniques, est fondé sur un islam fondamentaliste, le wahhabisme. Le roi Abdelaziz Al-Saoud donne un premier écho international à l'idéologie islamiste.

« Au nom de Dieu clément et miséricordieux, [...]

Vous savez que dans le passé, on n'attachait aucune importance à l'opinion publique musulmane. [...] Le mal atteignit son apogée lorsque, la souveraineté ottomane disparue, le Hedjaz tomba [aux mains] du chérif Hussein [...]. Son despotisme, ses exactions, son incapacité à maintenir l'ordre et la sécurité dans le pays – qu'il avait placé sous l'influence des puissances étrangères non musulmanes [...] ont causé un trouble profond dans l'islam. [...]

La religion nous faisait un devoir de soustraire le berceau de l'islam aux iniquités de cet homme. [...]

Nous vous convions [...] à vous consulter sur tout ce que vous jugerez dans l'intérêt religieux et civil du Hedjaz, sur le régime qu'il convient d'y établir afin de donner confiance au monde musulman, de faire prédominer la loi du Coran dans une contrée qui fut le berceau de l'islam et le lieu de la Révélation, de la purifier de toutes les hérésies [...] et enfin de consolider sa complète indépendance et de le mettre à l'abri de toute ingérence étrangère. »

Abdelaziz Al-Saoud, *Message* au Premier Congrès du monde musulman réuni par lui à La Mecque, 1926.

La naissance de l'Arabie saoudite

1. Identifiez et présentez le document.

2. Quels atouts représente le contrôle des lieux saints de La Mecque et de Médine ?

3. Comment l'islamisme du roi s'oppose-t-il à l'arabisme dominant à l'époque ?

2 Mettre en relation deux documents

a. GI's posant, le 14 avril 2003, devant le palais de Saddam Hussein à Tikrit, dernière ville à tomber aux mains de la coalition anglo-américaine. La chasse aux partisans du régime de Saddam Hussein est lancée et la 4e division d'infanterie américaine entre en Irak.

b. Manifestants irakiens, le 18 avril 2003 à l'issue de la prière du vendredi, à Bagdad. Sur la banderole : « Envahisseurs dehors ! Laissez-nous créer notre gouvernement nous-mêmes ». Les ministres égyptien et jordanien des Affaires étrangères lancent un appel similaire à la communauté internationale.

1. À partir de ces deux photographies, demandez-vous comment Américains et Irakiens semblent concevoir la liberté liée au renversement du dictateur Saddam Hussein.

3 Utiliser et critiquer des ressources documentaires en ligne

1. Présentez en une page le wahhabisme et l'Arabie saoudite en utilisant un moteur de recherche sur internet. Parmi les sites visités, identifiez précisément ceux dont les adresses suivent, et classez-les en fonction de leur fiabilité et de leur utilité pour votre recherche. http://www.ambafrance-sa.org/ (site de l'ambassade de France en Arabie Saoudite) http://sefr.mofa.gov.sa/ (site de l'ambassade d'Arabie Saoudite en France) http://fr.wikipedia.org/wiki/Histoire_de_l'Arabie_saoudite (article de l'encyclopédie coopérative en ligne wikipedia).

L'essentiel

Le Proche et le Moyen Orient, un foyer de conflits depuis la fin de la Première Guerre mondiale

1. De l'influence étrangère aux indépendances

● **Après 1918, le Moyen-Orient passe de la tutelle de l'Empire ottoman à celle des puissances mandataires** (France et Grande-Bretagne), qui développent en priorité leurs interêts pétroliers ou stratégiques et laissent des tensions non apaisées en 1945. **À la fin de la Seconde Guerre mondiale, la plupart des pays de la région ont accédé à l'indépendance**, mais l'espoir d'une nation arabe unie n'est pas réalisé.

2. Le Moyen-Orient dans la Guerre froide

● **La création d'Israël en 1948 transforme la situation de la Palestine** en foyer d'un conflit israélo-arabe qui éclate à quatre reprises (1948, 1956, 1967, 1973). **La Guerre froide attise les rivalités** entre les autres pays qui dégénèrent parfois en guerres internationales (Iran-Irak 1980-1988) ou en guerres civiles (chrétiens-musulmans au Liban, sunnites-chiites-kurdes en Irak). **L'islamisme progresse:** en Iran, la révolution islamique de 1979 dénonce le «Grand Satan» américain. En Afghanistan, les *moudjahiddin* résistent à l'occupation soviétique.

3. Le Moyen-Orient dans le nouvel ordre mondial

● **La région reste tendue dans les années 1990-2000**, malgré les espoirs de paix nés avec les accords d'Oslo (1993). **Les interventions étrangères se multiplient**, liées au terrorisme ou au pétrole (Irak en 2003, Afghanistan en 2001). **De nouvelles tensions se dessinent**, telles que les rivalités pour les matières premières ou les contestations démocratiques internes.

Schéma de synthèse

Origines des différents types de conflit au Proche et au Moyen-Orient

TYPE	ENJEUX	ACTEURS
Interventions étrangères	Géostratégie / Contrôle des ressources	• Impérialisme • Grandes puissances • Non-alignés
Affrontements interétatiques	Rivalité idéologique / Nationalisme	• Arabisme Islamisme • Leadership régional
Affrontements internes	Religions	• Musulmans / Juifs • Musulmans / Chrétiens • Sunnites / Chiites • Majorités / minorités
	Populations	• Turcs / Arabes / Perses • Majorités / minorités (Arméniens, Kurdes) • Arabes / Juifs
	Politique	• Alliés des puissances étrangères • Partisans de l'indépendance • Dictatures / régimes islamistes • Régimes libéraux

LES ACTEURS

Yasser Arafat (1929-2004)
Dirigeant du Fatah puis de l'OLP, il renonce au terrorisme au profit du processus de paix à la fin des années 1990. Prix Nobel de la paix en 1994, premier président de l'Autorité palestinienne, il se retrouve isolé après la Seconde Intifada.

Yitzhak Rabin (1922-1995)
Général dans l'armée israélienne, il est Premier ministre à deux reprises, de 1974 à 1977 et de 1992 à son assassinat par un israélien extrémiste religieux en 1995. Signataire des accords de paix d'Oslo, il reçoit le Prix Nobel de la paix en 1994.

LES ÉVÉNEMENTS

1916 : les accords Sykes-Picot
Ces accords secrets sont signés dès 1916 par la France et la Royaume-Uni qui anticipent la chute de l'Empire ottoman. Ils prévoient de se partager le Proche-Orient à la fin de la guerre. Ces accords sont le fondement du système des mandats après 1920.

1948 : Première guerre israélo-arabe
Le rejet par la Ligue arabe du plan onusien de partage de la Palestine et la proclamation de l'État d'Israël entraînent le Proche-Orient dans une guerre qui recompose la région en profondeur.

1980 : la guerre Iran-Irak
Guerre qui oppose pendant huit ans l'Iran chiite à l'Irak laïc, soutenu par pratiquement tout le monde arabe. La guerre, qui s'achève en 1988, a causé la mort de 300 à 400 000 soldats dans chaque camp.

NE PAS CONFONDRE

Arabes : population majoritaire au Proche-Orient et dans la Péninsule arabique, caractérisée par la pratique de la langue arabe et composée de différentes communautés religieuses et nationales (ex : arabes chrétiens du Liban).
Musulmans : personnes ayant l'islam pour religion, quelle que soit son origine.
Islam : religion et civilisation des musulmans, divisée en plusieurs courants dont les principaux sont le sunnisme et le chiisme.
Proche-Orient : terme désignant, en France, les pays situés à l'Est de la Méditerranée, comprenant Égypte, Turquie, Syrie, Liban, Israël et territoires occupés, Irak et Jordanie.
Moyen-Orient : désigne les pays du Proche-Orient auxquels on ajoute la Péninsule arabique, l'Iran et Afghanistan.

Analyser une carte historique

Sujet **La guerre des Six-Jours, guerre israélo-arabe de 1967**

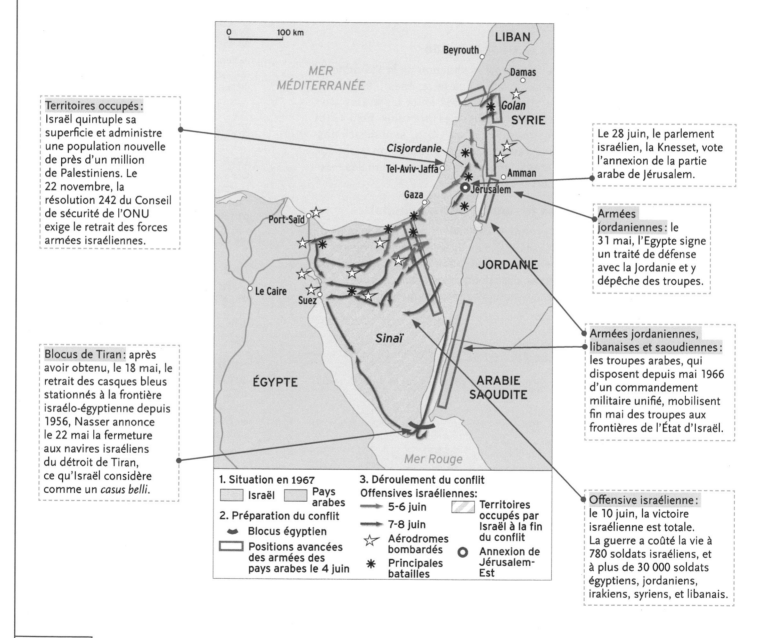

Territoires occupés : Israël quintuple sa superficie et administre une population nouvelle de près d'un million de Palestiniens. Le 22 novembre, la résolution 242 du Conseil de sécurité de l'ONU exige le retrait des forces armées israéliennes.

Blocus de Tiran : après avoir obtenu, le 18 mai, le retrait des casques bleus stationnés à la frontière israélo-égyptienne depuis 1956, Nasser annonce le 22 mai la fermeture aux navires israéliens du détroit de Tiran, ce qu'Israël considère comme un *casus belli*.

Le 28 juin, le parlement israélien, la Knesset, vote l'annexion de la partie arabe de Jérusalem.

Armées jordaniennes : le 31 mai, l'Egypte signe un traité de défense avec la Jordanie et y dépêche des troupes.

Armées jordaniennes, libanaises et saoudiennes : les troupes arabes, qui disposent depuis mai 1966 d'un commandement militaire unifié, mobilisent fin mai des troupes aux frontières de l'État d'Israël.

Offensive israélienne : le 10 juin, la victoire israélienne est totale. La guerre a coûté la vie à 780 soldats israéliens, et à plus de 30 000 soldats égyptiens, jordaniens, irakiens, syriens, et libanais.

CONSIGNE

Présentez la carte et montrez en quoi la guerre israélo-arabe de 1967 marque un tournant majeur dans la géopolitique du Proche-Orient.

FICHE MÉTHODE
Analyser une carte historique

Étape 1 *Identifier et présenter le document*

▶ Présenter la carte, sa source et l'époque représentée.

▶ Cerner son sens général et ce sur quoi la carte met l'accent, à travers son type (tableau d'un phénomène à un moment donné, ou carte d'évolution) et son thème.

① Indiquez quelle période est couverte par la carte et ce que cela implique.

> **Conseils**
>
> *Expliquez le choix qui a été fait de figurer la phase de préparation du conflit.*

Étape 2 *Analyser le document*

▶ Prélever les informations de la carte, aussi bien dans la légende que dans la traduction graphique.

▶ Critiquer le document en analysant les choix pour la légende, les figurés, les couleurs.

② Montrez comment les armées israéliennes ont mené leur offensive et à quoi aboutit leur victoire.

> **Conseils**
>
> *Aidez-vous de la légende pour reconstituer les étapes du conflit et en souligner la brièveté.*

Étape 3 *Dégager l'intérêt historique du document*

▶ Mobiliser ses connaissances pour situer le thème abordé dans son contexte historique, expliquer et interpréter les données de la carte.

▶ Montrer l'intérêt et les limites de la carte pour la connaissance du sujet.

③ Analysez l'importance de la guerre des Six-Jours dans l'histoire du Proche-Orient.

> **Conseils**
>
> *Aidez-vous du cours p. 288 pour mettre l'événement en perspective.*

EXERCICE D'APPLICATION

Sujet La guerre du Kippour, guerre israélo-arabe de 1973

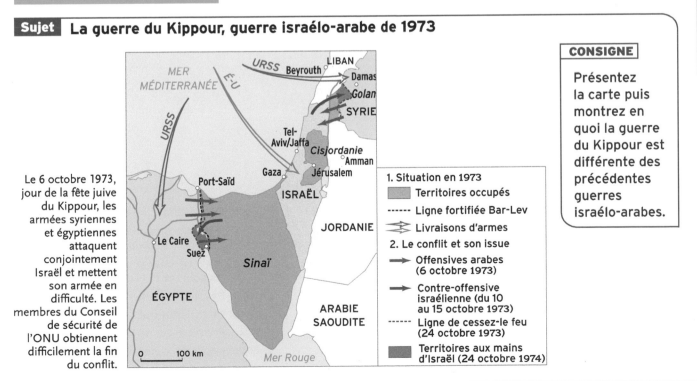

Le 6 octobre 1973, jour de la fête juive du Kippour, les armées syriennes et égyptiennes attaquent conjointement Israël et mettent son armée en difficulté. Les membres du Conseil de sécurité de l'ONU obtiennent difficilement la fin du conflit.

CONSIGNE

Présentez la carte puis montrez en quoi la guerre du Kippour est différente des précédentes guerres israélo-arabes.

Légende de la carte :

1. Situation en 1973
- Territoires occupés
- Ligne fortifiée Bar-Lev
- Livraisons d'armes

2. Le conflit et son issue
- Offensives arabes (6 octobre 1973)
- Contre-offensive israélienne (du 10 au 15 octobre 1973)
- Ligne de cessez-le-feu (24 octobre 1973)
- Territoires aux mains d'Israël (24 octobre 1974)

Rédiger l'introduction

Puissances capables d'exercer une suprématie ou une domination sur d'autres puissances. Cette domination peut relever du *hard power* aussi bien que du *soft power*.

L'expression Proche-Orient désigne en France les régions de l'Est du Bassin méditerranéen, de la Turquie à l'Égypte.

Sujet **Les grandes puissances et le Proche et le Moyen-Orient depuis 1918.**

L'ensemble des pays de l'Asie de l'Ouest et du Sud-Ouest, de la Turquie à l'Afghanistan, et du Sud du Caucase à la Péninsule arabique et à l'Égypte.

Aide-mémoire

- **1916** Accords Sykes-Picot.
- **1920** Traité de Sèvres, démantèlement de l'Empire ottoman.
- **1947** Partage de la Palestine.
- **1948** Création de l'État d'Israël.
- **1956** Crise de Suez.
- **1967** Guerre des Six-Jours.
- **1973** Guerre du Kippour et premier choc pétrolier.
- **1979** Révolution iranienne.

- **1981** Début de la guerre Iran-Irak.
- **1967** 2e guerre israélo-arabe (guerre des Six-Jours).
- **1973** 3e guerre israélo-arabe (guerre de Kippour) et 1er choc pétrolier.
- **1979** Révolution iranienne et 2e choc pétrolier.
- **1980** Guerre Iran-Irak.
- **1991** Première guerre d'Irak.
- **2001** Début de la guerre d'Afghanistan.
- **2003** Début de la deuxième guerre d'Irak.

FICHE MÉTHODE
Rédiger l'introduction

Rappel: Bien comprendre le sujet (méthode générale p. 12 et fiche méthode p. 76).	Identifiez les notions clés et le sens de la conjonction «et». **Conseils** *Faites attention au fait que ce sujet fait appel à plusieurs questions au programme.*
Rappel: Définir et délimiter les termes du sujet (fiche méthode p. 124).	Identifiez l'étendue du sujet et les différentes échelles concernées. **Conseils** *N'oubliez pas de citer les grandes puissances concernées en fonction des périodes.*
Rappel: Élaborer un plan (fiche méthode p. 210).	Montrez qu'un plan chronologique est le plus adapté pour répondre au sujet. **Conseils** *Identifiez les grandes césures chronologiques de l'histoire mondiale qui ont un impact notable sur le Proche et le Moyen-Orient.*

Étape 1   *Rédiger l'introduction au sujet*

▶ Formuler une entrée en matière sous la forme d'un paragraphe synthétique.

▶ Reprendre dans ce paragraphe les éléments de définition et de délimitation des termes du sujet.

① Mentionnez tout ce que recouvre la notion de «grande puissance».

Conseils
Débutez le premier paragraphe par une phrase qui introduise directement le sujet par une citation ou l'évocation d'un fait («accroche»).

Étape 2   *Rédiger la problématique*

▶ Formuler un court paragraphe qui met en évidence les enjeux du sujet.

▶ Ce paragraphe peut aussi exposer l'intérêt historique de la question posée.

② Interrogez-vous sur les facteurs de l'évolution du rapport entre les grandes puissances et la région sur la période.

Conseils
Aidez-vous des cours pour formuler la problématique.

Étape 3   *Rédiger l'annonce du plan*

▶ Formuler la réponse à la problématique, sous la forme de phrases verbales et affirmatives.

▶ Lier les phrases entre elles par des liens logiques («d'abord», «ensuite», «enfin», etc.).

③ Rédigez pour chaque partie une phrase énonçant l'idée principale en réponse à la problématique.

Conseils
Vous pouvez mentionner les bornes chronologiques de chaque partie dans l'annonce de plan.

EXERCICE D'APPLICATION

Sujet 1 Comment expliquer que le Moyen-Orient reste un foyer de conflit depuis la fin de la Première Guerre mondiale?

Conseils
Réfléchissez aux facteurs des conflits, dont vous établirez une typologie. Veillez à ne pas avoir une approche déterministe ou trop tranchée.

Sujet 2 L'accès aux ressources, un enjeu des conflits au Proche et au Moyen-Orient?

Conseils
Il s'agit ici d'aborder le rôle stratégique des ressources, notamment l'eau et le pétrole, sous l'angle de l'accès, ce qui implique de tenir compte de la géographie.

PROLONGEMENTS

Rédiger un paragraphe (voir p. 366)

➜ Rédigez un paragraphe relatif à l'action des grandes puissances pendant la crise de Suez.

Rédiger la conclusion (voir p. 390)

➜ Montrez quelles évolutions se sont produites dans la région depuis 2001.

Composition

Sujet Le Proche et Moyen-Orient, un lieu de tensions majeur depuis 1945

Conseils

Bien comprendre le sujet: il ne s'agit pas seulement d'établir un catalogue des tensions; tenez compte de la dimension explicative du sujet.

Rédigez l'introduction: évoquez les tensions qui s'amorcent avant 1945 et utilisez-les lorsqu'elles contribuent à expliquer un phénomène, mais ne détaillez pas les événements d'avant 1945.

Sujet La place et le rôle des religions dans le Proche et Moyen-Orient

Conseils

Définir et délimitez les termes du sujet: ne vous contentez pas de dresser un inventaire des religions dans cette région.

Rédigez l'introduction: ne présentez pas uniquement la dimension conflictuelle; pensez à utiliser d'autres parties du programme (voir le chapitre 1 p. 20 et suivantes).

Étude critique de document(s)

Sujet Les relations entre Israël et l'Égypte

Discours d'Anouar el-Sadate à Jérusalem (1977)

«Vous voulez vivre avec nous dans cette partie du monde et je vous le dis en toute sincérité: nous vous accueillerons avec plaisir parmi nous, en sûreté et en sécurité. Ce point en lui-même constitue un tournant historique et décisif, car nous avions coutume de vous rejeter, et nous avions nos raisons. [...]

Je vous dis, en vérité, que la paix ne sera réelle que si elle est fondée sur la justice et non sur l'occupation des terres d'autrui. Il n'est pas admissible que vous demandiez pour vous-mêmes ce que vous refusez aux autres. Franchement, dans l'esprit qui m'a poussé à venir aujourd'hui chez vous, je vous dis: vous devez abandonner une fois pour toutes vos rêves de conquêtes. [...]

Il y a de la terre arabe qu'Israël a occupée et qu'il continue à occuper par la force des armes. Nous insistons sur un retrait complet de ce territoire arabe, y compris Jérusalem arabe, Jérusalem où je suis venu comme dans une cité de paix, la cité qui a été et qui sera toujours l'incarnation vivante de la coexistence entre les fidèles des trois religions. [...]

Si vous avez trouvé la justification légale et morale de l'établissement d'une patrie nationale sur un territoire qui n'était pas le vôtre, alors il vaut mieux que vous compreniez la détermination du peuple palestinien à établir son propre État, une fois de plus, dans sa patrie.»

Anouar el-Sadate, président égyptien, *Discours* devant la Knesset à Jérusalem, le 20 novembre 1977.

CONSIGNE

Présentez et analysez ce document en insistant sur son contexte immédiat et élargi et en le confrontant à ce que vous savez des enjeux du conflit israélo-arabe.

Conseils

Montrez que ce discours, selon l'expression de l'auteur, marque un tournant majeur dans le conflit israélo-arabe; rappelez les étapes antérieures de ce conflit sans les détailler mais en évoquant le rôle de Sadate.

Expliquez en quoi le lieu de ce discours est lui-même symbolique et pourquoi la démarche de Sadate a pu être mal acceptée dans le monde arabe.

Reconstruisez, sans paraphraser, l'argumentation de Sadate pour expliquer les conditions qu'il pose à la paix entre Israël et les pays arabes et examinez les conséquences de ce discours à court et moyen terme.

Sujet Le terrorisme palestinien des années 1960-1970

1. La *Charte nationale palestinienne*

La Charte nationale palestinienne *est un des textes fondateurs de l'OLP et celui qui inspire son action dans les années 1960 et 1970. Déclarée «caduque» par Yasser Arafat en 1988, elle n'a pas été officiellement amendée.*

Première version (1964)

1. La Palestine est une terre arabe, unie par des liens nationaux étroits aux autres pays arabes. Ensemble, ils forment la grande nation arabe.

2. La Palestine, avec ses frontières de l'époque du mandat britannique, constitue une entité régionale indivisible. [...]

3. Le peuple arabe de Palestine a [droit] à sa patrie. [...]

15. La libération de la Palestine est un devoir national afin de refouler l'invasion sioniste et impérialiste du sol de la patrie arabe, et dans le but de purifier la Palestine de l'existence sioniste. La responsabilité intégrale en incombe à la nation arabe, aux peuples comme aux gouvernements, et à leur tête le peuple palestinien arabe. [...]

17. Le partage de la Palestine de 1947 et la création d'Israël sont des décisions illégales et artificielles quel que soit le temps écoulé, parce qu'elles ont été contraires à la volonté du peuple de Palestine et à son droit naturel sur sa patrie. Elles ont été prises en violation des principes fondamentaux contenus dans la charte des Nations unies, parmi lesquels figure au premier plan le droit à l'autodétermination.

18. La déclaration Balfour, le mandat et tout ce qui en a résulté sont des impostures.

Modifications de 1968

9. La lutte armée est la seule voie pour la libération de la Palestine. [...] Le peuple arabe palestinien affirme son droit à mener une vie normale en Palestine et à y exercer [...] sa souveraineté.

10. L'action des commandos constitue le noyau de la guerre populaire palestinienne de libération.

Conseils

Analysez le texte pour mettre en évidence le caractère intransigeant de la position de l'OLP.

*Trouvez dans le texte ce qui justifie le recours au terrorisme; **attention**: il n'est pas demandé de justifier le terrorisme ou de prendre parti pour ou contre la thèse de la Charte palestinienne mais d'en rendre compte.*

Complétez le document 2 avec d'autres exemples de l'action de l'OLP ou des organisations qui en sont membres.

Mettez les deux documents en relation et expliquez pourquoi les Palestiniens attaquent des objectifs en dehors d'Israël.

2. La prise d'otages aux Jeux olympiques de Munich (1972)

Un membre du commando palestinien apparaît au balcon de l'immeuble du village olympique où se déroule la prise d'otages, à Munich, le 5 septembre 1972.

Les 5 et 6 septembre 1972, durant les Jeux olympiques à Munich, un commando du groupe Septembre noir (groupe radical appartenant à l'OLP) prend en otage des membres de la délégation israélienne. L'opération aboutit à la mort de 17 personnes (11 Israéliens, 5 preneurs d'otages et un policier allemand).

CONSIGNE

Confronter les deux documents pour montrer quelle attitude politique conduit l'Organisation de libération de la Palestine (OLP) à une action violente dans les années 1960-1970 et quelles conséquences a cette action sur les relations internationales.

THÈME 4

LES ÉCHELLES DE GOUVERNEMENT DANS LE MONDE DE LA FIN DE LA SECONDE GUERRE MONDIALE À NOS JOURS

L'une des évolutions majeures intervenues au XXe siècle est la remise en cause du modèle de l'État-nation comme seul détenteur de la souveraineté et du pouvoir et, à ce titre, comme unique acteur des relations internationales. L'affirmation, depuis la fin de la Seconde Guerre mondiale, de deux nouvelles échelles de gouvernement, l'échelle régionale et l'échelle globale, transforme de façon décisive le mode de gestion des affaires publiques dans le monde.

Mosaïque des grandes découvertes vue depuis le monument des Découvreurs, Lisbonne.
À Lisbonne, d'où Vasco de Gama (1469-1524) est parti à la découverte des Indes en 1497, le monument des Découvreurs, inauguré en 1960, célèbre les grands découvreurs portugais des XVe et XVIe siècles qui ont contribué à amorcer le mouvement qui a conduit à la mondialisation actuelle.

1944 Accords de Bretton Woods

1946 Fondation de la IVe République

1947 Création du GATT

1948 Congrès de La Haye

1954 Échec de la Communauté européenne de défense (CED)

1957 Création de la Communauté économique européenne (CEE)

1971 Fin de la convertibilité du dollar en or

1982-1984
Premières lois de décentralisation en France

1986
Première cohabitation en France

1995
Création de l'Organisation mondiale du commerce (OMC)

1999
Création de l'euro

2005
Échec du projet de Traité constitutionnel européen

2008
Début de la crise économique et financière mondiale

313

Les échelles de gouvernement dans le monde

Qu'est-ce qu'une nation ?

La nation désigne à l'origine un groupe humain qui détient ou revendique une origine commune. Le mot est employé au Moyen Âge pour nommer les groupes d'étudiants des universités ou les colonies de marchands. En France, un sentiment d'appartenance à la nation se construit progressivement autour du roi et se cristallise pendant la guerre de Cent Ans. À l'époque moderne, en France et en Grande-Bretagne, la nation tend à se confondre avec une communauté politique ou religieuse, établie sur un territoire défini et personnifiée par une autorité politique. La Révolution française modifie en profondeur la définition de la nation en substituant à la souveraineté du roi celle de la nation tout entière, pensée comme une entité abstraite, et en promouvant le droit des peuples à disposer d'eux-mêmes. Le XIXᵉ siècle marque l'apogée de l'idée de nation, qui se caractérise par la conscience d'une unité et la volonté de vivre en commun.

« Un plébiscite de tous les jours »

Ernest Renan (1823-1892), écrivain, philosophe et historien rationaliste et républicain, s'oppose à la conception allemande de la nation, qui repose alors sur la langue, la religion et l'origine ethnique.

« Une nation est une âme, un principe spirituel. [...] La nation, comme l'individu, est l'aboutissant d'un long passé d'efforts, de sacrifices et de dévouements. [...] Avoir des gloires communes dans le passé, une volonté commune dans le présent ; avoir fait de grandes choses ensemble, vouloir en faire encore, voilà les conditions essentielles pour être un peuple. [...] Une nation est donc une grande solidarité, constituée par le sentiment des sacrifices qu'on a faits et de ceux qu'on est disposé à faire encore. Elle suppose un passé ; elle se résume pourtant dans le présent par un fait tangible : le consentement, le désir clairement exprimé de continuer la vie commune. L'existence d'une nation est (pardonnez-moi cette métaphore) un plébiscite de tous les jours, comme l'existence de l'individu est une affirmation perpétuelle de vie. [...] Les nations ne sont pas quelque chose d'éternel. Elles ont commencé, elles finiront. La confédération européenne, probablement, les remplacera. [...] À l'heure présente, l'existence des nations est bonne, nécessaire même. Leur existence est la garantie de la liberté, qui serait perdue si le monde n'avait qu'une loi et qu'un maître. »

Ernest Renan, « Qu'est-ce qu'une nation ? », conférence prononcée à l'université de la Sorbonne, le 11 mars 1882.

Comment s'affirme le modèle des États souverains ?

Le traité de Versailles et la consécration de l'État-nation

W. Orpen, *Signature du traité de Versailles dans la galerie des Glaces*, 1919. Londres, Imperial War Museum. Au centre, on distingue le président américain W. Wilson, le président du Conseil français G. Clemenceau, et le Premier ministre britannique D. Lloyd George

Le 28 juin 1919, après plusieurs mois de préparation, le traité de paix signé à Versailles réorganise l'Europe en redessinant les frontières et en créant de nouveaux États. Le principe des nationalités (le « droit des peuples à disposer d'eux-mêmes »), notamment défendu par Wilson, joue un grand rôle dans les négociations.

Forme d'organisation apparue au Moyen Âge, l'État, dans son sens moderne, désigne à la fois la personne morale à l'autorité de laquelle est soumis un groupe humain sur un territoire donné, et l'appareil administratif chargé d'élaborer et d'appliquer les lois. La notion de souveraineté naît au même moment pour légitimer l'indépendance des États naissants (la France, la Grande-Bretagne), vis-à-vis de l'empereur romain germanique et du pape. En 1648, les traités de Westphalie établissent l'idée que l'État ne reconnaît aucune autorité supérieure à la sienne sur son territoire. La souveraineté des États constitue dès lors le fondement du système politique international, qui exclut toute notion d'ingérence, c'est-à-dire l'intervention dans les affaires d'un État tiers. La Révolution française consacre ensuite le modèle de l'État-nation, et durant le XIXᵉ siècle des nations, comme l'Allemagne ou l'Italie, se dotent d'un État unifié. Enfin, au lendemain de la Première Guerre mondiale, les traité de paix aboutissent à la disparition des grands Empires (austro-hongrois, ottoman, russe) au profit de nouveau États-nations.

Qu'est-ce que la gouvernance ?

Platon (V^e-IVe siècle av. J.-C.), le premier, a utilisé de façon métaphorique le verbe grec *kubernân* («manœuvrer un navire») pour désigner le fait de gouverner les hommes. Depuis le Moyen Âge, le mot «gouvernement» désigne ainsi le fait de gouverner, c'est-à-dire d'exercer le pouvoir politique, en même temps que l'organe qui est chargé d'administrer l'État. Par ailleurs, depuis la fin du XVIIIe siècle en France, l'administration désigne l'ensemble des services et des agents chargés d'assurer l'application des lois et le fonctionnement des services publics. Longtemps tombé en désuétude, le terme «gouvernance», qui désigne depuis le Moyen Âge «l'art de gouverner les hommes», se généralise dans les années 1990 chez les économistes et les politologues anglo-saxons pour qualifier le fait de gouverner et le distinguer de l'organe de gouvernement, tout en promouvant un nouveau mode de gestion des affaires publiques («la bonne gouvernance»). À l'échelle internationale, la gouvernance mondiale désigne un système de prises de décisions qui valorise les acteurs non étatiques (entreprises, société civile).

Le préfet, reflet de la tradition étatique de la France

La France se caractérise par la stabilité de sa tradition étatique, par-delà les évolutions politiques. La Révolution française et l'Empire, tout en introduisant des changements décisifs dans l'ordre politique, ont ainsi prolongé, dans le domaine administratif, l'œuvre de la monarchie absolue, comme le note Alexis de Tocqueville, qui compare le préfet (créé en 1800), à l'intendant d'Ancien Régime.

«Les premiers efforts de la Révolution avaient détruit cette grande institution de la monarchie. Elle fut restaurée en 1800. Ce ne sont pas, comme on l'a dit tant de fois, les principes de 1789 en matière d'administration publique qui ont triomphé à cette époque et depuis, mais bien, au contraire, ceux de l'ancien régime qui furent tous remis alors en vigueur et y demeurèrent.

Si l'on me demande comment cette portion de l'ancien régime a pu ainsi être transportée tout d'une pièce dans la société nouvelle et s'y incorporer, je répondrai que, si la centralisation n'a point péri dans la Révolution, c'est qu'elle était elle-même le commencement de cette révolution et son signe [...]. La révolution démocratique, qui a détruit tant d'institutions de l'Ancien Régime, devait donc consolider celle-ci, et la centralisation trouvait si naturellement sa place dans la société que cette révolution avait formée, qu'on a pu aisément la prendre pour une de ses œuvres. [...] On ne saurait lire la correspondance d'un intendant de l'Ancien Régime avec ses supérieurs et ses subordonnés sans admirer comment la similitude des institutions rendait les administrateurs de ce temps-là pareils aux nôtres. Ils semblent se donner la main à travers le gouffre de la Révolution qui les sépare.»

Alexis de Tocqueville, *L'Ancien Régime et la Révolution*, édition de 1866.

Quelle nouveauté apporte l'échelle régionale ?

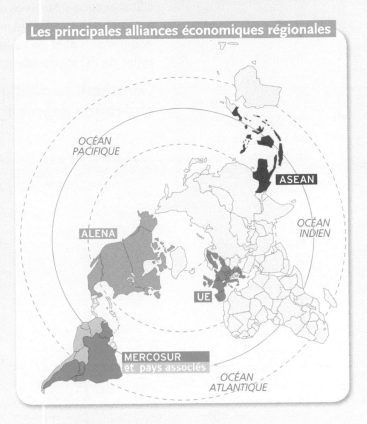

Les principales alliances économiques régionales

À l'échelle du monde, le régionalisme désigne depuis la Seconde Guerre mondiale l'association d'États-nations dans un ensemble régional supra-étatique, à l'instar de la Ligue arabe (1945), de l'Organisation des États américains (1948) ou de la Communauté économique européenne (1957). Ce phénomène, aussi appelé intégration régionale, se traduit par des degrés variables de transferts de souveraineté, depuis la simple zone de libre-échange jusqu'à la constitution d'un ensemble fédéral. Les années 1980 ont été marquée par un néo-régionalisme, c'est-à-dire une accélération du processus d'intégration régionale, et par une multiplication des ensembles régionaux (ASEAN 1967, Mercosur 1991, ALENA 1994). Ce processus ne doit pas être confondu avec la régionalisation à l'échelle infra-étatique, qui consiste en un processus de décentralisation, c'est-à-dire de transfert aux régions des pouvoirs administratifs, économiques et politiques jusqu'alors exercés par un État centralisé.

Gouverner la France depuis 1946

L'État occupe une place centrale en France, où il a contribué à la construction de la nation*. Après 1946, le modèle français d'État, intégrant une conception particulière du gouvernement et de l'administration, connaît de profondes évolutions, qui accompagnent celles de l'État-providence* et des autres échelles de gouvernement.

Comment la politique de l'État est-elle définie et mise en œuvre en France depuis 1946 ?

1 Un État modernisateur

Jean Monnet*, commissaire au Plan de 1945 à 1952, au siège du Conseil du Plan de modernisation et d'équipement, Paris, 1949. Au mur, la carte des productions avant-guerre, à la fin de la guerre et après la mise en œuvre du plan (1949).

Après 1945, les hommes au pouvoir, principalement issus de la Résistance, mettent en place un système d'encadrement fort de l'économie et le cadre d'une plus grande justice sociale. La nation se reconstruit ainsi sur l'idée d'État-providence.

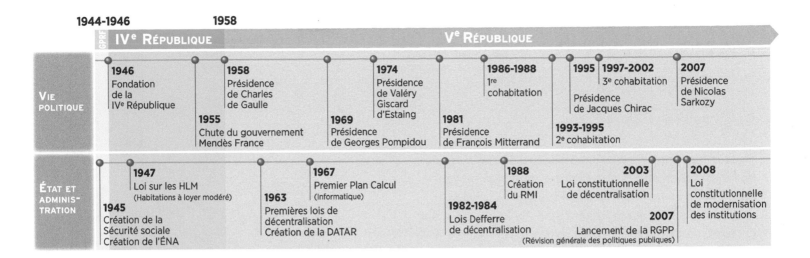

	1944-1946	1958						
	GPRF IVᵉ RÉPUBLIQUE				Vᵉ RÉPUBLIQUE			
VIE POLITIQUE	**1946** Fondation de la IVᵉ République	**1958** Présidence de Charles de Gaulle	**1974** Présidence de Valéry Giscard d'Estaing	**1986-1988** 1ʳᵉ cohabitation	**1995** Présidence de Jacques Chirac	**1997-2002** 3ᵉ cohabitation	**2007** Présidence de Nicolas Sarkozy	
		1955 Chute du gouvernement Mendès France	**1969** Présidence de Georges Pompidou	**1981** Présidence de François Mitterrand	**1993-1995** 2ᵉ cohabitation			
ÉTAT ET ADMINIS-TRATION	**1947** Loi sur les HLM (Habitations à loyer modéré)	**1967** Premier Plan Calcul (Informatique)		**1988** Création du RMI	**2003** Loi constitutionnelle de décentralisation	**2008** Loi constitutionnelle de modernisation des institutions	
	1945 Création de la Sécurité sociale Création de l'ÉNA	**1963** Premières lois de décentralisation Création de la DATAR		**1982-1984** Lois Defferre de décentralisation	**2007** Lancement de la RGPP (Révision générale des politiques publiques)		

2 Un État qui restreint ses missions

Manifestation contre le changement de statut de la Poste,
le 24 novembre 2009 à Paris.

Depuis les années 1970, le pouvoir de l'État*, ébranlé par la
crise, la mondialisation* et de nouvelles théories économiques
qui contestent son rôle, s'érode progressivement.
Le désengagement de l'État, en particulier dans l'économie
et les services publics*, entraîne de fortes résistances.

QUESTIONS

1. Quelles sont les principales caractéristiques
du gouvernement de l'État d'après ces documents ?

2. Comment la conception que l'État se fait de
ses missions évolue-t-elle ?

Paris, capitale politique et administrative de la France

Paris est au cœur de la longue construction historique de l'État-nation en France. Capitale depuis le Moyen Âge, Paris illustre le poids des héritages politiques et administratifs : l'Ancien Régime, puis la Révolution, ont conforté son caractère central dans le gouvernement et l'administration* du pays. Paris concentre ainsi les principaux lieux de pouvoirs politiques, administratifs, économiques et culturels.

Carte de Paris :

Vers la Défense

Présidence de la République
Palais de l'Élysée

Ministère de l'Intérieur
Hôtel de Beauvau

Place de l'Étoile

Conseil économique, social et environnemental
Palais d'Iéna

Ministère des Affaires étrangères
Quai d'Orsay

Bois de Boulogne

Siège de l'OCDE

Musée du quai Branly (2006)

Assemblée nationale
Palais Bourbon et Hôtel de Lassay

Siège de l'Unesco

Ministère de la Défense
Hôtel de Brienne

Ministère de la Défense
Balard
(Projet d'implantatiton)

Bd périphérique

0   2 km

1 La concentration des pouvoirs

La cour d'honneur du Palais de l'Élysée.

Les lieux de pouvoir sont extrêmement concentrés à Paris : à moins de 100 mètres de l'Hôtel de Beauvau, construit en 1770 et qui accueille depuis 1861 le ministère de l'Intérieur, se trouve le Palais de l'Élysée. Parfois surnommé « le Château », il fut acheté en 1753 par la marquise de Pompadour et est depuis 1848 la résidence officielle du président de la République.

2 La permanence des institutions

La cour d'honneur du Palais-Royal, les colonnes de Buren et la galerie d'Orléans (à gauche).

Construit en 1633 par Richelieu, le Palais-Royal abrite le Conseil d'État* (tribunal administratif suprême et conseiller législatif du gouvernement), ainsi que le Conseil constitutionnel* (instance qui vérifie que les lois sont en accord avec la Constitution), le ministère de la Culture et le théâtre de la Comédie-Française.

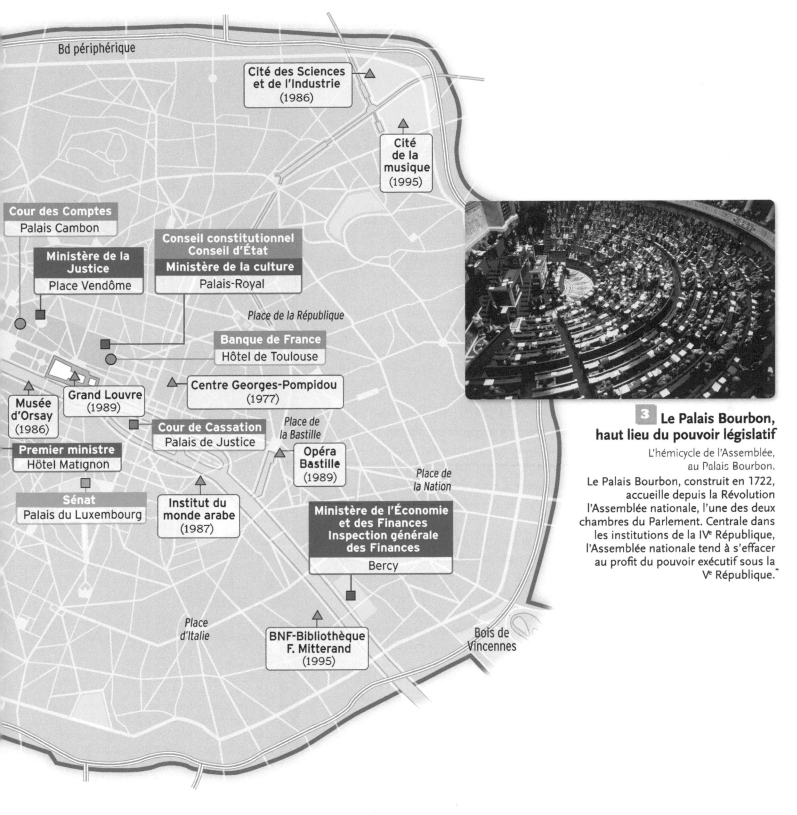

Bd périphérique

Cité des Sciences
et de l'Industrie
(1986)

Cité
de la
musique
(1995)

Cour des Comptes
Palais Cambon

Ministère de la
Justice
Place Vendôme

Conseil constitutionnel
Conseil d'État
Ministère de la culture
Palais-Royal

Place de la République

Banque de France
Hôtel de Toulouse

Musée
d'Orsay
(1986)

Grand Louvre
(1989)

Centre Georges-Pompidou
(1977)

Premier ministre
Hôtel Matignon

Cour de Cassation
Palais de Justice

Place de
la Bastille

Opéra
Bastille
(1989)

Place de
la Nation

Sénat
Palais du Luxembourg

Institut du
monde arabe
(1987)

Ministère de l'Économie
et des Finances
Inspection générale
des Finances
Bercy

Place
d'Italie

BNF-Bibliothèque
F. Mitterand
(1995)

Bois de
Vincennes

3 **Le Palais Bourbon,
haut lieu du pouvoir législatif**

L'hémicycle de l'Assemblée,
au Palais Bourbon.

Le Palais Bourbon, construit en 1722,
accueille depuis la Révolution
l'Assemblée nationale, l'une des deux
chambres du Parlement. Centrale dans
les institutions de la IVᵉ République,
l'Assemblée nationale tend à s'effacer
au profit du pouvoir exécutif sous la
Vᵉ République."

Les lieux de pouvoir à Paris

■ Pouvoir exécutif
◻ Pouvoir législatif
▪ Pouvoir judiciaire

● Autres institutions
de l'État

✦ Institutions internationales

▨ Quartier des ministères
▨ Quartier des ambassades

▲ Grands travaux présidentiels
(Date d'inauguration)

QUESTIONS

1. Quels pouvoirs sont
concentrés à Paris ?

2. Quelles sont les conséquences
de la concentration des
fonctions de décision sur le
fonctionnement de l'État?

Gouverner la France, moderniser l'État

Quelles réformes la IVe République entreprend-elle ?

A. La modernisation de l'État

● **Au lendemain de la Seconde Guerre mondiale, l'État-nation hérite, du long passé de la France, ses principaux caractères, en particulier la centralisation.** Les gouvernements de la IVe République entreprennent toutefois, à compter de 1946, des réformes ambitieuses et durables et redéfinit en profondeur les missions et les compétences de l'**État** [doc. 2].

● De fait, **les réformes adoptées après la Libération** en application du programme du CNR*, comme l'ordonnance de février 1945 créant les comités d'entreprise, la loi du 22 mai 1946 organisant la Sécurité sociale et la loi de 1947 sur les Habitations à loyer modéré (HLM) **mettent en place un État-providence, garant de la cohésion sociale.**

● **L'État apparaît également comme un vecteur de progrès économique.** La **planification** contribue à la reconstruction et à la modernisation du pays. Par les **nationalisations**, l'État devient un acteur économique majeur, en particulier dans les secteurs de la banque, de l'assurance, de l'énergie et de l'automobile [doc. 1].

B. Des missions nouvelles pour l'administration

● En tant qu'employeur, **l'État donne l'exemple en promulguant en 1946 un statut général unifié de la fonction publique,** qui garantit l'emploi et reconnaît le droit syndical et le droit de grève à ses agents. **L'État crée de nouveaux corps de fonctionnaires pour mener à bien les nouvelles missions** d'administration de l'économie, en particulier l'Institut national des Statistiques (Insee) et l'Inspection des impôts.

● Pour unifier et élargir le recrutement de la fonction publique, **l'État crée** les Instituts d'études politiques (IEP) et **l'École nationale d'administration (ÉNA).** La **haute fonction publique,** notamment celle issue de l'ÉNA (voir p. 328), investit les cabinets ministériels* [doc. 3] **et joue un rôle fondamental dans la reconstruction et la modernisation du pays**, en assurant la permanence de l'État au-delà des alternances politiques. Wilfrid Baumgartner*, gouverneur de la Banque de France de 1947 à 1960, voit ainsi se succéder 15 ministres des Finances.

C. La réforme de l'État malgré l'instabilité politique

● La France de la **IVe République connaît une instabilité gouvernementale chronique.** Les institutions de la IVe République [doc. 5], en vertu desquelles l'Assemblée nationale est élue au scrutin proportionnel, ne permettent pas d'assurer de majorité solide et stable. **Vingt-deux gouvernements se succèdent en moins de 11 ans,** et un seul dépasse 18 mois d'existence [doc. 4].

● **Ces gouvernements** sont donc toujours menacés d'être renversés par l'Assemblée et **sont privés de la possibilité de se projeter dans le long terme.** Certains ministres connaissent cependant une relative stabilité dans leur domaine d'action. Ainsi, Georges Bidault et Robert Schuman se relaient au poste de ministre des Affaires étrangères de septembre 1944 à juin 1954.

● **Certains des présidents du Conseil ont marqué la vie politique par leur action réformatrice.** C'est le cas notamment de Pierre Mendès France (voir p. 322) et de **Guy Mollet. La chute de la IVe République en 1958** tient donc autant aux circonstances extérieures (la guerre d'Algérie), qu'aux faiblesses internes du régime.

1 **L'essor de l'économie nationalisée**
Publicité pour Renault, entreprise nationalisée en 1945.

MOTS CLÉS

Centralisation : concentration des moyens d'action et de contrôle de l'État en un centre unique (Paris).

État : désigne à la fois la personne morale à l'autorité de laquelle est soumis un groupe humain sur un territoire donné, et l'appareil administratif chargé d'élaborer et d'appliquer les lois.

État-nation : autorité politique souveraine qui incarne, sur un territoire défini, un groupe humain caractérisé par la conscience de son unité et la volonté de vivre ensemble.

État-providence : forme d'État qui promeut une plus grande justice sociale par la protection contre le chômage, la maladie, la vieillesse.

Haute fonction publique : membres des grands corps de la fonction publique : Ponts et Chaussées, Corps des Mines, Conseil d'État, Cour des comptes, Inspection générale des Finances, etc.

Nationalisation : acquisition et prise de contrôle totale ou partielle d'une entreprise privée par l'État.

Planification : organisation de l'économie selon un plan fixé par l'État. Le premier plan, dit plan Monnet, s'applique de 1946 à 1953.

2 La mise en place de l'État-providence

Approuvée par référendum, la Constitution de la IVe République est précédée d'un préambule dont la valeur constitutionnelle a été réaffirmée sous la Ve République.

«La loi garantit à la femme, dans tous les domaines, des droits égaux à ceux de l'homme. [...].

Chacun a le devoir de travailler et le droit d'obtenir un emploi. [...]

Tout homme peut défendre ses droits et ses intérêts par l'action syndicale et adhérer au syndicat de son choix. [...]

Tout travailleur participe, par l'intermédiaire de ses délégués, à la détermination collective des conditions de travail ainsi qu'à la gestion des entreprises.

Tout bien, toute entreprise, dont l'exploitation a ou acquiert les caractères d'un service public national ou d'un monopole de fait, doit devenir la propriété de la collectivité.

La Nation assure à l'individu et à la famille les conditions nécessaires à leur développement. Elle garantit à tous, notamment à l'enfant, à la mère et aux vieux travailleurs, la protection de la santé, la sécurité matérielle, le repos et les loisirs. [...]

La Nation proclame la solidarité et l'égalité de tous les Français devant les charges qui résultent des calamités nationales.

La Nation garantit l'égal accès de l'enfant et de l'adulte à l'instruction, à la formation professionnelle et à la culture.»

Préambule de la Constitution du 27 octobre 1946.

1. Quels sont les objectifs de l'État d'après la Constitution ?

	Gouv. provisoire (1945-1946)	IVe République (1946-1958)	Ve République (jusqu'en 1972)
Entreprises privées	7	9	4
Professions libérales	11	7	2
TOTAL PRIVÉ	18 %	16 %	6 %
Inspection des Finances	3	6	6
Conseil d'État	3	4	3
Cour des compte	2	3	4
Diplomatie	5	4	8
Magistrature	3	4	5
Préfectorale	7	13	13
Autres fonctionnaires	30	34	34
Militaires	20	9	13
Enseignants	8	4	5
Secteur nationalisé	1	3	3
TOTAL PUBLIC	82 %	84 %	94 %
(Effectifs totaux)	*(444)*	*(1061)*	*(820)*

3 Origine des membres des cabinets ministériels (%)

Origine professionnelle avant la première entrée dans un cabinet ministériel.

Depuis 1848, chaque ministère est doté d'un cabinet ministériel, composé d'un ensemble de collaborateurs chargés d'aider le ou la ministre dans l'accomplissement de ses missions.

1. Peut-on parler de fonctionnarisation des cabinets ministériels sous la IVe République ?

2. Comment la place de la haute fonction publique évolue-t-elle ?

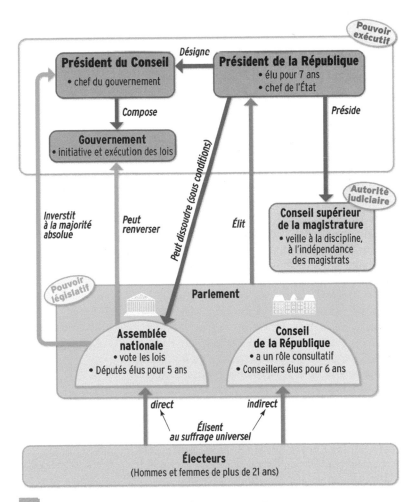

4 L'instabilité gouvernementale

Par roulement ?
— J'ai trouvé ! Présidents du Conseil : de 8 h à 9 h 30, Robert Schuman. De 9 h 30 à 11 h, André Marie. De 11 h à 13 h 30, Paul Ramadier. De 13 h 30 à 15 h, Dabo Sissoko.

Caricature de Sennep, *Le Figaro*, 9 septembre 1948.

5 Le système politique de la IVe République

1. Quel type de régime la Constitution de 1946 met-elle en place ?

Le gouvernement de Pierre Mendès France

Membre du parti radical, Pierre Mendès France (1907-1982) devient chef du gouvernement le 18 juin 1954, deux mois après la défaite militaire française de Dien Bien Phu en Indochine. Au cours des sept mois et dix-sept jours que dure son gouvernement, il aborde avec détermination des problèmes jusque-là en suspens, et marque profondément la vie politique par sa stature d'homme d'État. Toutefois, les logiques parlementaire et partisane du régime entravent rapidement son action et provoquent la chute prématurée de son gouvernement.

Comment Pierre Mendès France gouverne-t-il ?

Chronologie

1954 **18 juin** Pierre Mendès France est investi président du Conseil.

20 juillet Accords de Genève mettant fin à la guerre d'Indochine.

Août Rejet de la Communauté européenne de Défense (CED) et de la Communauté politique européenne (CPE).

Septembre Ouverture des négociations pour l'indépendance de la Tunisie.

Novembre Début de la guerre d'Algérie Création d'un ministère de la Jeunesse Distribution de lait aux enfants des écoles.

Décembre Loi autorisant le réarmement allemand et créant un Conseil de l'Europe occidentale.

1955 **5 février** Chute du gouvernement Mendès France.

1 Un ambitieux programme d'action

« Le plan d'action de mon gouvernement comportera trois étapes :

1°– Avant le 20 juillet, il s'efforcera d'obtenir un règlement du conflit d'Indochine ;

2°– À ce moment au plus tard, il vous soumettra un programme cohérent et détaillé de redressement économique et demandera des pouvoirs nécessaires pour le réaliser ;

3°– Enfin, et toujours avant les vacances parlementaires, il vous soumettra des propositions qui vous mettront en état de prendre vos décisions, sans nouveaux délais, sur notre politique européenne.

Il est entendu – encore une fois – que si, à l'une de ces étapes successives, je n'ai pas réussi à atteindre l'objectif fixé, mon gouvernement remettra sa démission [...].

Mesdames, messieurs, je vous offre un contrat. [...] Si vous croyez que mon programme est conforme à l'intérêt national, vous devrez m'accordez votre appui et, plus encore, m'aider dans l'accomplissement de ma tâche. [...] Le gouvernement sera ce que seront ses membres. Je ferai appel, si vous me chargez de le constituer, à des hommes capables de servir, à des hommes de caractère, de volonté et de foi. Je le ferai sans aucune préoccupation de dosage. [...]

Le choix des ministres, en vertu de la Constitution, appartient au président du Conseil investi, et à lui seul. Je ne suis pas disposé à transiger sur les droits que vous m'auriez donnés par votre rôle d'investiture. »

Pierre Mendès France, *Déclaration d'investiture devant l'Assemblée nationale*, 17 juin 1954, assemblee-nationale.fr.

2 De grands défis à relever

Pinatel, « Riz-Amer », *La 3ème en pire*, Éd. G. Burnier, 1957.

En 1954, commentant la fin de la guerre d'Indochine, le caricaturiste français Pinatel insiste sur le lourd bilan humain et financier du conflit. À gauche, en serveur, P. Mendès France, président du Conseil.

	18 juin 1954 (investiture)			5 février 1955 (chute)		
	Pour	Contre	Abst.	Pour	Contre	Abst.
Communistes et progressistes	99	–	–	–	99	–
Socialistes (SFIO)	104	–	–	105	–	–
Centristes	91	–	8	70	24	3
Élus d'Outre-Mer	15	–	–	16	–	–
Démocrates-chrétiens (MRP)	10	1	74	5	73	4
Gaulliste	64	13	28	50	44	8
Indépendants / Non-inscrits	36	33	33	27	79	4
Total	**419**	**47**	**143**	**273**	**319**	**23**

3 Un gouvernement fragile

Le gouvernement que forme Mendès France compte 7 radicaux, 3 indépendants et 4 gaullistes. La SFIO et le MRP ont refusé d'y participer. Le 5 février 1955, l'Assemblée lui refuse sa confiance au cours d'un débat sur la politique en Afrique du Nord.

4 Une stratégie de communication moderne

Pierre Mendès France devant les micros, décembre 1954.

À partir de juin 1954, celui que la presse surnomme PMF explique chaque semaine son action à l'opinion publique : ses « Causeries du samedi » sont diffusées à la radio par la RTF. En novembre 1954, dans le cadre d'une campagne contre l'alcoolisme, il encourage les Français à consommer du lait.

5 Le soutien de l'opinion

« Un premier pas qu'on n'osait plus guère espérer vient d'être franchi. Un homme, qui s'est singulièrement distingué en refusant d'être ministre dans des gouvernements dont il réprouvait la politique sur des points essentiels, vient d'être chargé, dans des conditions qui l'honorent, de lever d'écrasantes hypothèques, et notamment la plus lourde de toutes, celle de la guerre d'Indochine. Un proche avenir nous montrera si cet homme a les qualités nécessaires pour traduire en actes les principes qu'il a clairement exposés à la tribune, et si devant la menace précise d'un effondrement, peut-être définitif, de la grandeur et de la puissance françaises, les partis consentent enfin à rompre avec des jeux mortels[1]. M. Mendès France saura-t-il, pourra-t-il, assurer le redressement nécessaire de la politique française et sauver du même coup les institutions démocratiques ? Puisse l'espoir que tant de Français mettent aujourd'hui en lui n'être pas une fois de plus déçu. »

Sirius (Hubert Beuve-Méry), « Un premier pas qu'on n'osait plus guère espérer », *Le Monde*, 19 juin 1954.

1. Les partis peuvent, selon les alliances qu'ils nouent à l'Assemblée, soutenir un gouvernement ou lui refuser sa confiance, provoquant ainsi sa chute.

6 La marque profonde de son action

François Mitterrand, alors président de l'UDSR, fut le ministre de l'Intérieur de Mendès France. Il lui rend hommage après sa mort, survenue le 18 octobre 1982.

« Dans les orages et les affaissements de la IVe République, il avait apporté, et la jeunesse de France y avait applaudi, la lumière et le redressement. En moins de huit mois il avait arrêté l'effusion de sang de la guerre d'Indochine ; donné de façon spectaculaire et, à la lettre, révolutionnaire, un élan décisif à la décolonisation avec l'émancipation de la Tunisie ; pris les dispositions les plus novatrices pour notre défense nationale ; imprimé aux orientations de notre économie une rare impulsion ; inauguré enfin un style et une méthode dont l'empreinte marque encore ceux qui ont à décider, où qu'ils se trouvent, du destin de la France [...]. Les témoins se souviennent de la clameur qui couvrit ses propos en ce jour du 5 février 1955, alors qu'abattu par une coalition d'intérêts contraires, [...] il tentait, contre les usages, d'exposer les sentiments qui étaient les siens et l'ampleur de la tâche qui attendait son successeur. J'ai vécu avec lui ce moment et j'entends encore ce cri : "Le devoir interdit tout abandon". »

François Mitterrand, Président de la République, *Discours* lors de l'hommage solennel à la mémoire de P. Mendès France, 27 octobre 1982, assemblee-nationale.fr.

QUESTIONS

Un nouveau style de gouvernement

1. Comment Pierre Mendès France conçoit-il son rôle de chef de gouvernement ? (doc. 1, 4, 5, 6)

2. En quoi sa communication politique est-elle moderne ? (doc. 1, 4, 6)

Les limites de son action

3. Pourquoi peut-on dire que son gouvernement est fragile ? (doc. 3, 5, 6)

4. Quelles faiblesses de la IVe République cette expérience politique révèle-t-elle ? (doc. 2, 5, 6)

Bilan : Comment Pierre Mendès France gouverne-t-il ?

Étude critique de document → **MÉTHODE** p. 389

Identifiez et présentez le document 3, puis montrez ce qu'il apporte à la compréhension des difficultés que peut rencontrer un président du Conseil pour gouverner la France dans le cadre de la IVe République.

La République gaullienne et le renforcement de l'État

Comment se renforce et se diversifie le rôle de l'État de 1958 à 1981 ?

A. Un État fort et entrepreneur

• **Charles de Gaulle**, arrivé au pouvoir en juin 1958, **veut concilier la tradition républicaine avec un exécutif fort** [doc. 2]. Dans la Ve République qu'il établit, le président, élu au suffrage universel direct à partir de la réforme de 1962 [doc. 1], dispose de larges prérogatives et d'une légitimité nouvelle.

• **L'État gaullien veut réguler l'économie.** Il favorise la concentration des entreprises, ce qui permet de créer de grandes firmes, comme la compagnie pétrolière Elf (1964). Le service public est étroitement contrôlé par **l'État**, qui **lance de grands programmes industriels** dans les domaines nucléaire, aérospatial (SNIAS, 1969) et informatique (Plan Calcul, 1967). En 1967, l'État assure plus de la moitié du financement des investissements en France.

• Pour cela, **il s'appuie sur la haute fonction publique dont l'influence grandit**. À partir de 1958, les **technocrates**, désormais majoritaires dans les cabinets ministériels, accèdent à des postes importants et mettent en œuvre les décisions du Président, à l'image de Pierre Messmer, Maurice Couve de Murville, Paul Delouvrier* ou Jean-Marcel Jeanneney (voir p. 326).

B. La transformation de la société

• **Le général de Gaulle et ses successeurs**, Georges Pompidou et **Valéry Giscard d'Estaing, étendent les missions de l'État** dans le contexte de croissance économique des Trente Glorieuses, afin d'améliorer le niveau de développement du pays.

• **Les interventions de l'État se développent dans le domaine culturel**, avec la création du ministère des Affaires culturelles (1959) confié à André Malraux (voir p. 334), **la santé** (CHU, Centres hospitaliers universitaires, 1958), **l'enseignement supérieur** (loi Faure, 1969) **et les transports** [doc. 3]. Un début de **déconcentration** administrative a lieu au profit des régions (circonscriptions d'action régionale, 1960; préfets de région, 1964). **L'État encourage également la décongestion de la capitale** (villes nouvelles) et met en place la DATAR, chargée de l'aménagement du territoire (1963).

• **Après les événements de mai 1968** (voir p. 174), **l'État renforce les négociations avec les partenaires sociaux**, avec les accords de Grenelle ou l'octroi d'une quatrième semaine de congés payés en 1969. **Jacques Chaban-Delmas appelle même à repenser le rôle de l'État** [doc. 4].

C. Le repli de l'État du fait de la crise

• **L'interventionnisme public est dénoncé par les néolibéraux**, qui souhaitent redéfinir les missions de l'État, au moment où le premier choc pétrolier de 1973 réduit ses marges de manœuvre.

• À partir de 1976, les gouvernements successifs adoptent une politique d'austérité budgétaire et cherchent à réduire le poids et les missions de l'État. **La crise économique remet ainsi en cause l'État-providence** et la planification, au moment où la France doit de plus en plus composer avec les décisions prises à l'échelon européen.

• **Le septennat de Valéry Giscard d'Estaing** (1974-1981) **est marqué par** le rôle croissant du Conseil constitutionnel [doc. 5] et **des mesures économiques et sociales d'inspiration libérale**.

1 **Affiche pour le référendum de 1962**

Le «Oui» l'emporte par 61,7% des suffrages exprimés.

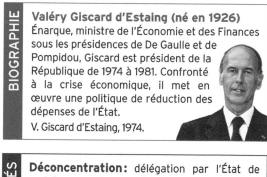

BIOGRAPHIE

Valéry Giscard d'Estaing (né en 1926)
Énarque, ministre de l'Économie et des Finances sous les présidences de De Gaulle et de Pompidou, Giscard est président de la République de 1974 à 1981. Confronté à la crise économique, il met en œuvre une politique de réduction des dépenses de l'État.
V. Giscard d'Estaing, 1974.

MOTS CLÉS

Déconcentration: délégation par l'État de certains pouvoirs de décision à des agents ou organismes locaux qui lui restent soumis.

Néolibéralisme: courant de pensée qui dénonce le développement jugé excessif de l'État-providence et l'accroissement des interventions publiques dans l'économie.

Technocrate: terme souvent péjoratif désignant un haut fonctionnaire faisant prévaloir des conceptions administratives et techniques sans prise en compte de leurs conséquences humaines ou sociales.

DATES

1958 Naissance de la Ve République
1965 Première élection du Président au suffrage universel direct
1974 Mort de Georges Pompidou

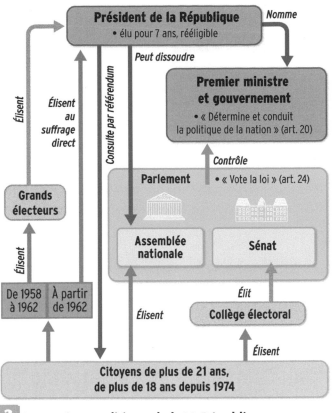

Président de la République
• élu pour 7 ans, rééligible

Nomme

Peut dissoudre

Consulte par référendum

Premier ministre et gouvernement
• « Détermine et conduit la politique de la nation » (art. 20)

Contrôle

Parlement
• « Vote la loi » (art. 24)

Grands électeurs

Élisent
Élisent au suffrage direct

Assemblée nationale

Sénat

De 1958 à 1962

À partir de 1962

Élisent

Élit

Collège électoral

Élisent

Élisent

Citoyens de plus de 21 ans, de plus de 18 ans depuis 1974

2 Le système politique de la Ve République

1. Quelles sont les principales caractéristiques de la Ve République ?

3 L'investissement de l'État dans les transports

G. Pompidou inaugure le vol expérimental du Concorde à Toulouse, le 7 mai 1971.

De Gaulle et ses successeurs développent les aéroports (Roissy, 1974), les autoroutes, l'aéronautique (Concorde) et le rail à grande vitesse (TGV, 1981).

1. Comment l'État met-il ici en avant son rôle dans le développement des transports ?

4 Un appel à refonder l'État

Le Premier ministre Jacques Chaban-Delmas présente son projet de « Nouvelle société ».

« Tentaculaire et en même temps inefficace : voilà, nous le savons tous, ce qu'est en passe de devenir l'État, et cela en dépit de l'existence d'un corps de fonctionnaires, très généralement compétents et parfois remarquables. Tentaculaire car, par l'extension indéfinie de ses responsabilités, il a peu à peu mis en tutelle la société française tout entière.

Cette évolution ne se serait point produite si, dans ses profondeurs, notre société ne l'avait réclamée. Or c'est bien ce qui s'est passé. Le renouveau de la France après la Libération, s'il a mobilisé les énergies, a aussi consolidé une vieille tradition colbertiste[1] et jacobine[2], faisant de l'État une nouvelle providence. Il n'est presque aucune profession, il n'est aucune catégorie sociale qui n'ait, depuis vingt-cinq ans, réclamé ou exigé de lui protection, subventions, détaxation ou réglementation.

Mais, si l'État ainsi sollicité a constamment étendu son emprise, son efficacité ne s'est pas accrue car souvent les modalités de ses interventions ne lui permettent pas d'atteindre ses buts. Est-il besoin de citer des exemples ? Nos collectivités locales étouffent sous le poids de la tutelle. Nos entreprises publiques, passées sous la coupe des bureaux des ministères, ont perdu la maîtrise de leurs décisions essentielles : investissements, prix, salaires. Les entreprises privées elles-mêmes sont accablées par une réglementation proliférante. »

Jacques Chaban-Delmas, « La nouvelle société », *discours* à l'Assemblée, 16 septembre 1969.

1. Colbertisme : doctrine justifiant l'interventionnisme et le dirigisme étatiques.

2. Jacobinisme : courant de pensée républicain favorable à un État centralisé.

1. Quels sont, selon Jacques Chaban-Delmas, les facteurs de blocage de la société française ?

5 La réforme du Conseil constitutionnel

Créé en 1958 pour garantir que les lois votées respectent la Constitution, le Conseil constitutionnel ne peut être saisi que par le président de la République, le Premier ministre ou les présidents des Chambres jusqu'à la réforme de 1974. Cette dernière permet à 60 députés ou à 60 sénateurs de saisir le Conseil.

« En donnant à l'opposition parlementaire la possibilité de saisir le Conseil constitutionnel, la grande réforme de 1974 [permet de] renforcer considérablement le rôle et l'autorité de la juridiction constitutionnelle dans le système politique de la Ve République. Le juridictionnel, grand absent de la séparation des pouvoirs à la française, est projeté tout à coup au niveau – et dans certaines occasions au-dessus – du Gouvernement et du Parlement, troisième modernisation essentielle de notre République après l'élection directe du Président et l'apparition consécutive de coalitions gouvernementales majoritaires à l'Assemblée nationale. »

Alain Lancelot, ancien membre du Conseil constitutionnel, *La Réforme de 1974*, Conférence, 2004.

1. Quelles sont les grandes nouveautés dans la nature et la pratique de l'État apportées par cette réforme ?

Une vie au service de l'État : Jean-Marcel Jeanneney

Sous la Vᵉ République, le pouvoir exécutif s'appuie sur certains hauts fonctionnaires, des «commis de l'État» qui sont dévoués au service de l'intérêt général et au bien public, aux intérêts supérieurs de la Nation plutôt qu'aux intérêts particuliers. Jean-Marcel Jeanneney (1910-2010) est l'un d'eux : fils de Jules Jeanneney, dernier président du Sénat de la IIIᵉ République, universitaire de formation, il appartient à une génération formée sous la IIIᵉ République avant la création de l'ÉNA. De 1958 à 1969, il sert l'État gaullien comme fonctionnaire et comme ministre.

Qu'est-ce qui caractérise l'action d'un grand «commis de l'État» de 1958 à 1969 ?

Chronologie

1936	Diplômé de l'École libre des Sciences Politiques, Docteur en droit public, agrégé de sciences économiques.
1958	Membre du comité Pinay-Rueff.
1959	Ministre de l'Industrie et du Commerce.
1962-1963	Ambassadeur de France en Algérie.
1966-1968	Ministre des Affaires sociales.
1968-1969	Ministre d'État, délégué à la régionalisation et à la réforme du Sénat.
1971	Démission du parti gaulliste (UDR).
1974	Soutien à François Mitterrand à l'élection présidentielle.
1981-1989	Président de l'Office français de conjoncture économique (OFCE).

1 «L'instrument de l'étatisme» selon Antoine Pinay

Après avoir participé en tant qu'économiste au comité Pinay-Rueff qui présente en décembre 1958 un rapport sur la réforme de l'économie française, Jean-Marcel Jeanneney est nommé ministre de l'Industrie et du Commerce. À la tête de son ministère, il s'oppose au ministre des Finances, le libéral Antoine Pinay*.

«Antoine Pinay va dire au général de Gaulle : "Entre Jeanneney et moi, choisissez !" [...] Ses différends [ceux de Jeanneney] avec Antoine Pinay remontent au mois d'octobre. À ce moment, on se préoccupait au ministère des Finances de stopper la hausse des prix [...] et il paraissait indispensable que l'État industriel donnât l'exemple. D'où le projet de réduction des tarifs industriels du gaz et de l'électricité [...]. M. Jeanneney fit ses comptes. Il dit : "Non ! Nous n'allons pas créer de déficit dans les entreprises nationales".

[...] Publiquement, à la tribune de l'Assemblée, le ministre de l'Industrie a annoncé la création d'un Bureau de développement industriel, véritable banque d'État prenant participation dans les entreprises à reconvertir ou à décentraliser. [...] L'étatisme, le dirigisme, le bureau de M. Jeanneney en sera, selon M. Pinay, l'instrument. C'est par ce bureau-banque que l'État poussera ses antennes un peu partout dans l'industrie pour orienter les productions, imposer les conversions. Capitalisme d'État, conception aux soubassements marxistes. M. Pinay la refuse : "Pas cela, ou pas moi !"»

«Conflit aigu de doctrine au sein du gouvernement», *L'Aurore*, 31 décembre 1959.

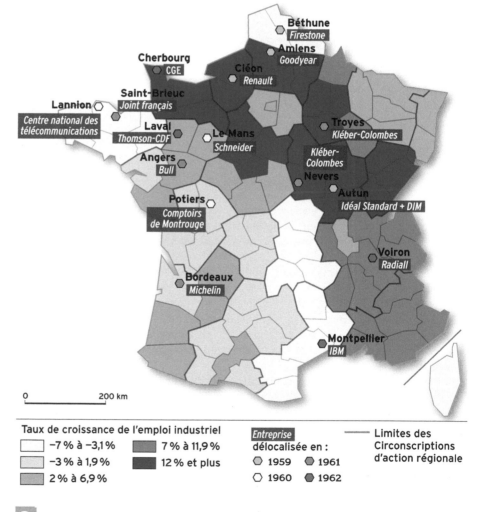

Taux de croissance de l'emploi industriel

☐ −7 % à −3,1 %	▨ 7 % à 11,9 %
☐ −3 % à 1,9 %	■ 12 % et plus
▨ 2 % à 6,9 %	

Entreprise délocalisée en :
- ○ 1959
- ○ 1960
- ⬡ 1961
- ⬣ 1962

Limites des Circonscriptions d'action régionale

2 Un acteur de la décentralisation industrielle

Ministre de l'Industrie en 1959, Jean-Marcel Jeanneney met en œuvre, à la demande du général de Gaulle, la décentralisation d'une partie des industries dans les Circonscriptions d'action régionale nouvellement créées.

3 Un serviteur de la nation

« Je m'apprêtais à reprendre en octobre mon enseignement à la faculté lorsqu'à la mi-juin [1962], Joxe[1] me téléphone : "Vous allez être convoqué à l'Élysée, le Général voulant vous proposer d'être ambassadeur en Algérie. On m'a demandé le secret, mais il faut tout de même que je vous prévienne pour que vous ayez le temps de réfléchir [...]"
Je fus reçu immédiatement par le Général.
"Jeanneney, vous avez été le premier à dire qu'il fallait que l'Algérie soit indépendante ; alors maintenant, il faut que vous alliez aider à le faire.
– J'ai sept enfants, or c'est une mission qui n'est pas sans risque.
– Quand il s'agit du service de l'État, cela ne doit pas entrer en ligne de compte.
– Mon Général, si je comprends bien, c'est un ordre que vous me donnez. Je ne vais pas déserter.
– Merci.

– Mais je tiens à vous dire mon appréhension. J'ai lu, vous l'avez sans doute lue aussi, la correspondance de Paul Cambon quand il était premier résident en Tunisie ; or, dans ses lettres à sa femme, il raconte combien il souffrait de ne pas savoir à qui obéir, au ministre des Affaires étrangères ou au président du Conseil. Maintenant, il y a un ministre des Affaires algériennes, un ministre des Affaires étrangères, un Premier ministre et il y a vous-même. Je ne veux pas me trouver dans la même situation que Cambon.
– C'était sous la IIIe République."
J'ai eu l'impression qu'il n'était pas content. Mon propos fut utile. Il me dit alors : "Bon, si c'est cela qui vous inquiète, je vous dis une chose : quand vous aurez la moindre difficulté, vous pourrez toujours me téléphoner." »

Jean-Marcel Jeanneney, *Une mémoire républicaine,*
Entretiens avec Jean Lacouture, Seuil, 1997.
1. Louis Joxe est alors ministre d'État, chargé des Affaires algériennes.

4 Un négociateur des accords de Grenelle

Accords de Grenelle, ministère du Travail, 25-27 mai 1968.
Ministre des affaires sociales de 1966 à 1968, J.-M. Jeanneney participe à la négociation des accords de Grenelle au côté du Premier ministre (Georges Pompidou, au centre) et du secrétaire d'État à l'emploi (Jacques Chirac, à la gauche de Pompidou). Au premier plan : Georges Séguy*, secrétaire général de la CGT. Aux élections législatives de juin 1968, Jeanneney est élu de justesse contre Mendès France à Grenoble.

5 L'austérité de la vie de ministre

« J'avais à me rendre à l'Assemblée nationale ou au Sénat, à des séances de chambres de commerce ou à des réunions d'associations professionnelles, et, chaque mercredi matin, à l'Élysée, pour le Conseil des ministres. Mais je passais le principal de mon temps dans mon bureau à étudier les dossiers, à m'entretenir avec les directeurs et les membres de mon cabinet, à recevoir des parlementaires et des dirigeants d'organismes professionnels. J'étais un ministre à temps plein, n'étant alors ni maire, ni conseiller général, et n'ayant pas de circonscription électorale à choyer au côté d'un député suppléant ! Ma femme et moi ne participions que fort peu à la vie mondaine, hormis les dîners à l'Élysée lors des visites de chefs d'État étrangers, qui furent nombreuses. J'évitais soigneusement les invitations à déjeuner ou dîner de personnalités du monde des affaires. On sait qui vous invite, mais on n'est jamais sûr de ne pas se trouver avec des convives plus ou moins compromettants. Et les petits potins des déjeuners en ville sont parfois ravageurs. »

Jean-Marcel Jeanneney, *Une mémoire républicaine,* op.cit.

QUESTIONS

Un acteur des politiques publiques

1. Quel rôle Jean-Marcel Jeanneney joue-t-il dans la politique industrielle du général de Gaulle ? (doc. 1, 2)

2. Quelle conception Jean-Marcel Jeanneney a-t-il du rôle de l'État dans la société ? (doc. 1, 2, 4)

Un serviteur de l'État

3. Comment Jean-Marcel Jeanneney définit-il son propre rôle et son dévouement au service public ? (doc. 1, 3, 5)

4. Quelle place sa compétence technique occupe-t-elle dans son action ? (doc. 1, 2, 3, 5)

Bilan : Qu'est-ce qui caractérise l'action d'un grand « commis de l'État » de 1958 à 1969 ?

Étude critique de document ➜ **MÉTHODE** p. 209

Analysez le document 1 et dégagez son intérêt pour la compréhension des conceptions qui s'opposent au sein du gouvernement à propos du rôle de l'État et des technocrates. Vous montrerez ensuite quel est le point de vue implicite de l'auteur de l'article.

Le rôle des énarques : l'exemple de la promotion Voltaire (1978)

Chronologie

1945 **9 octobre** Création de l'ÉNA.

1978 Admission à l'ÉNA des élèves de la promotion Voltaire.

1980 Fin de la scolarité des élèves de la promotion Voltaire.

1991 Transfert du siège de l'ÉNA à Strasbourg.

Créée en 1945 pour former les hauts fonctionnaires et démocratiser l'accès aux postes de la haute fonction publique, l'École Nationale d'Administration (ÉNA) devient rapidement le lieu de formation privilégié des élites administratives françaises. Le parcours des élèves de la promotion Voltaire (1978-1980) illustre l'importance prise par l'ÉNA dans la formation des responsables non seulement administratifs, mais aussi politiques et économiques de la France. De solides liens existent entre les membres d'une même promotion de l'ÉNA, dont la carrière est souvent faite de passerelles entre le secteur public et le secteur privé.

Quelle place les membres de la promotion Voltaire occupent-ils dans le gouvernement et l'administration ?

Promotion Voltaire : en vertu d'une tradition qui remonte à la création de l'ÉNA, les nouveaux élèves choisissent avant le début de leur scolarité, par un vote, le nom de leur promotion. Les élèves admis à l'ÉNA en 1978 choisissent celui de François Arouet, dit Voltaire (1694-1778), incarnation du philosophe engagé, au temps des Lumières.

1 Un esprit de service public

« "C'est simple, résume un socialiste, quand j'ai vu, en juin 1997, se mettre en place le gouvernement, je me suis dit : revoilà Voltaire." [...] Cette histoire, c'est l'histoire quasi mythique d'une bande de copains, née dans une promotion de l'ÉNA, la promotion Voltaire (1978-1980), qui, sur les ailes du mitterrandisme, a conduit nombre de ses membres des bancs de la rue de l'Université [siège de l'ÉNA] aux ors du pouvoir.

Aujourd'hui, la maturité venue, Voltaire, dans leurs mémoires, c'est comme [...] une alchimie heureuse qui [...] a cristallisé une rencontre et forgé une façon bien particulière de faire de la politique. Tous se revoient alors, débordant d'énergie vitale, d'interrogations et de propositions, à la charnière d'un monde qui se meurt, celui du giscardisme, et d'un espoir qui se lève, celui de la montée de la gauche vers le pouvoir. En phase avec l'air du temps. "Nous étions une génération de petits frères et de petites sœurs, pré-adolescents en mai 1968 ; nous voulions agir, réussir là où les autres avaient échoué", analyse maintenant Frédérique Bredin.

C'était avant que l'ÉNA devienne un symbole de la technocratie ou une simple *business school*. "Cette promotion était l'une des dernières marquées par l'idéologie du service public", affirme Sophie-Caroline de Margerie, conseillère d'État, ancienne collaboratrice de François Mitterrand. »

Sylvie O'Dy, « La promo des promus », *L'Express*, 15 juin 1998.

Profession du père des candidats à l'ÉNA de 1978 à 1982 (en %)

Catégorie socioprofessionnelle	Candidats	Reçus
Agriculteurs	2,4	2,2
Ouvriers	3,4	0,7
Artisans, commerçants	5,8	3,8
Fonctionnaires et employés	23,5	14,4
Industriels	9,4	8,1
Cadres et professions libérales	47,7	55
Hauts fonctionnaires	11,3	19,1

Répartition selon le lieu de naissance de 1974 à 1982 (en %)

Région parisienne	40	46
Province	47	41
DOM-TOM	13	13

D'après D. Chagnollaud, *Le premier des ordres : les hauts fonctionnaires, XVIIIe-XXe siècle*, Fayard, 1991.

2 Un recrutement parisien et bourgeois

L'École nationale d'administration recrute alors ses élèves par le biais de deux concours, le premier (externe) accessible aux étudiants de second cycle, et le second (interne) réservé aux agents de la fonction publique.

3 **La promotion Voltaire, 1978**

Secteur d'activité des anciens élèves de la promotion Voltaire, en mars 2012.

– Acteurs de la vie politique : Ségolène Royal ⓐ, qui a d'abord intégré le Tribunal administratif de Paris ; François Hollande ⓑ qui, en 1980, à sa sortie de l'école, devient auditeur à la Cour des Comptes ; Renaud Donnedieu de Vabres ⓒ, qui à sa sortie a choisi le corps des Administrateurs civils ; Dominique de Villepin ⓔ, qui est d'abord diplomate.

– Acteurs du monde économique : Jean-Pierre Jouyet ⓓ, inspecteur des finances et président de l'Autorité des marchés financiers ; Henri de Castries ⓕ, inspecteur des finances et PDG d'Axa (assurances).

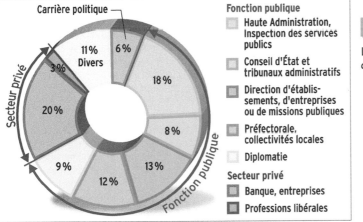

4 **Des débouchés diversifiés**

L'activité professionnelle des élèves de la promotion Voltaire en mars 2012.

5 **Le pouvoir des énarques vu par une énarque**

Ancienne élève de la promotion Voltaire, Françoise Miquel, contrôleur général et financier à Bercy, publie en 2007 un livre dans lequel elle livre son témoignage sur le fonctionnement de l'État.

« Si l'ÉNA et les énarques ont autant de pouvoir en France, ils le doivent aux Français. Quand on place l'État sur un piédestal, on met aussi son élite en position de tout commander. La puissance des énarques s'explique aussi par cette forme d'incohérence du citoyen. On ne peut pas à la fois tout attendre de l'État et s'étonner que ceux à qui on demande tout, quelques milliers d'individus dans un pays de 65 millions d'habitants, soient les plus puissants de la société. Une entreprise ferme ses portes et la première question qui surgit est "Que fait l'État ?" Quand on demande, donc, aux énarques de sauver des emplois, on les pousse à être à la fois fonctionnaires et omnipotents. La solution serait simple : attendons moins de l'État et les énarques pèseront moins lourd ».

Françoise Miquel, *Une femme dans les coulisses du pouvoir.*
« *Ce que l'ÉNA ne m'a pas appris* », Presses de la Renaissance, 2006.

QUESTIONS

L'origine et le devenir des élèves

1. Quel est le profil des élèves de la promotion Voltaire ? (doc. 1, 2, 3)

2. Que sont devenus les élèves de la promotion ? (doc. 3, 4, 5)

La place des énarques dans la société

3. Quelle place les élèves de la promotion Voltaire occupent-ils dans l'administration et la vie politique ? (doc. 3, 4)

4. Le rôle des énarques de la promotion Voltaire se limite-t-il au service public ? (doc. 1, 4)

Bilan : Quelle place les membres de la promotion Voltaire occupent-ils dans le gouvernement et l'administration ?

Étude critique de document

Présentez le document 5 puis identifiez les principaux reproches envers l'ÉNA relayés par l'auteur. Montrez ensuite les limites de ce document.

Les mutations de l'État et de la gouvernance

L'État est-il en déclin en France depuis 1981 ?

A. Une nouvelle organisation étatique

- **L'élection du socialiste François Mitterrand** à la présidence de la République **en mai 1981 marque la première alternance politique sous la Ve République** [doc. 1]. La gauche met en œuvre un **vaste programme de nationalisations** (1982), au terme duquel l'État contrôle 96 % du secteur financier, et entreprend une ambitieuse politique culturelle (voir p. 334).
- En vue de rapprocher le pouvoir des citoyens, la gauche adopte en 1982 **des lois de décentralisation** (voir p. 332), qui entraînent un transfert progressif des compétences et des financements vers les **collectivités territoriales** et **modifient en profondeur les rapports entre l'État et la société.**
- Cependant, dès mars 1983, sous la pression de ses partenaires européens, le gouvernement de Pierre Mauroy* doit adopter une politique de rigueur et réduire les **dépenses publiques**. Ce tournant est perçu comme le **constat de la faiblesse de l'État-nation dans un contexte de crise.**

B. La perte de légitimité de l'action de l'État

- La victoire de l'opposition de droite aux élections législatives en 1986 entraîne une **première période de cohabitation** [doc. 2], et marque la **fin du consensus politique sur la place de l'État dans la société.**
- En effet, s'inspirant du modèle anglo-saxon dans lequel Margaret Thatcher* et Ronald Reagan* réduisent l'action de l'État, le gouvernement de Jacques Chirac déréglemente l'économie, et lance en août 1986 un programme de 85 **privatisations** sur 5 ans, voulant **recentrer l'État sur ses fonctions régaliennes.** Le krach boursier en 1987 en interrompt la mise en œuvre, et François Mitterrand, réélu en 1988, instaure la règle du « ni-ni »: ni nationalisations, ni privatisations.
- Ainsi **l'État perd progressivement le contrôle de l'économie**, à mesure que s'affirme la théorie du *New Public Management* et qu'il voit ses compétences davantage encadrées par la construction européenne (voir p. 344) **dans un contexte de libéralisation croissante des échanges extérieurs.**

C. Un désengagement difficile

- Cependant, **le poids de l'État reste considérable en France**, comme l'atteste la part des prélèvements obligatoires [doc. 3]. **L'État étend même son action vers de nouveaux domaines**, comme l'environnement, la parité hommes-femmes ou l'aide à l'insertion (RMI, 1988; RSA, 2009), en même temps qu'il accroît son activité législative et réglementaire.
- Les actions gouvernementales sont désormais marquées par la **pression des médias et des sondages** [doc. 4]. Cette rupture par rapport au début de la Ve République oblige l'État à des interventions ponctuelles constantes mais rend difficile la mise en place de politiques à long terme.
- Sous la présidence de J. Chirac (1995-2007), **l'État poursuit sa mutation**: instauration du quinquennat (2000), loi de décentralisation (2003) et, après l'élection de Nicolas Sarkozy, loi de modernisation des institutions (2008) renforçant les prérogatives du Parlement. Parallèlement, la crise de la dette publique et celle du système de protection sociale conduisent à l'adoption de la **RGPP** en 2007: **le poids et le coût de l'État sont devenus des enjeux essentiels du débat politique** [doc. 5].

ÇA ALORS !?? LE PRÉSIDENT EST SOCIALISTE ET LA TOUR EIFFEL EST TOUJOURS à SA PLACE !??

INCROYABLE !

1 Le « séisme » du 10 mai 1981

L'élection de François Mitterrand suscite dans son camp d'immenses espoirs et à droite de vives inquiétudes, en particulier à propos de l'arrivée de communistes au gouvernement.

BIOGRAPHIE

François Mitterrand (1916-1996)

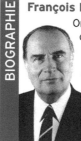

Onze fois ministre sous la IVe République, opposant au général de Gaulle puis chef du parti socialiste à partir de 1971, il est élu président de la République en 1981 et réélu en 1988. Au cours de ses deux mandats, il adapte l'État aux exigences de la construction européenne et entreprend une politique de grands travaux.

MOTS CLÉS

Collectivités territoriales: structures administratives locales (région, département, commune), distinctes de l'administration de l'État et disposant de compétences, d'un personnel et d'un budget qui leur sont propres.

Décentralisation: politique par laquelle l'État confie à des collectivités territoriales des compétences et des financements.

Dépenses publiques: ensemble des dépenses réalisées par les administrations publiques, financées par les recettes publiques (impôts, cotisations sociales) et le déficit public.

Fonctions régaliennes: pouvoirs de l'État qui correspondent aux marques de souveraineté, en particulier la police, la justice et l'armée.

***New Public management* (Nouvelle gestion publique):** concept élaboré par les néolibéraux, qui vise à rendre plus efficients les services publics en rapprochant leur gestion de celle des entreprises privées.

Privatisation: transfert total ou partiel de la propriété du capital d'une entreprise publique vers le secteur privé.

RGPP (Révision générale des politiques publiques): politique de rationalisation et d'économie des dépenses de l'État, qui se traduit notamment par une réduction des effectifs de la fonction publique.

2 L'expérience de la cohabitation

« Depuis 1958 et jusqu'à ce jour, le Président de la République a pu remplir sa mission en s'appuyant sur une majorité et un gouvernement qui se réclamaient des mêmes options que lui. Toute autre [...] est la situation issue des dernières élections législatives. [...]

Pour la première fois, la majorité parlementaire relève de tendances politiques différentes de celles qui s'étaient rassemblées lors de l'élection présidentielle, ce que la composition du gouvernement exprime, comme il se doit. [...] Beaucoup de nos concitoyens se posent la question de savoir comment fonctionneront les pouvoirs publics.

Je rappellerai seulement que la Constitution attribue au chef de l'État des pouvoirs que ne peut en rien affecter une consultation électorale où sa fonction n'est pas en cause.

Fonctionnement régulier des pouvoirs publics, continuité de l'État, intégrité du territoire, respect des traités, l'article 5 [de la Constitution] désigne de la sorte [...] les domaines où s'exercent son autorité ou bien l'arbitrage du Président. [...]

Le Gouvernement, de son côté, a pour charge, aux termes de l'article 20, de déterminer et de conduire la politique de la nation. [...] Cela étant clairement établi, Président et Gouvernement ont à rechercher, en toutes circonstances, les moyens qui leur permettront de servir aux mieux et d'un commun accord les intérêts du pays. »

François Mitterrand, *Message au Parlement*, 8 avril 1986.

1. Comment l'État est-il gouverné en période de cohabitation ?

4 Gouverner au rythme du « temps médiatique »

« Ce qu'on doit attendre d'un gouvernement, c'est de faire fonctionner l'État au mieux des intérêts des citoyens. En France, on lui demande le spectacle en plus. [...] Cela va à une vitesse telle que les dépêches d'agence tombent tout de suite ; dès qu'il se produit un événement grave, vous avez des dizaines de milliers de micros derrière des dizaines de milliers de museaux d'hommes et de femmes politiques sur toute la planète, immédiatement. Tout le monde parle maintenant sans réfléchir et sans avoir le temps d'accumuler l'historique, les considérants, la mise en situation, la projection d'un événement quelconque. [...] Il est impossible à l'image de s'adresser au raisonnement, elle ne s'adresse qu'à l'émotion. Avec l'image, cela va trop vite et c'est trop fort en densité. De ce fait, vous avez une déperdition sur le sens et la durée, sur la mise en perspective de tout événement. [...] notre système médiatique est en difficulté pour transporter du fond, la politique est inaudible dès qu'elle devient sérieuse. »

Michel Rocard, entretien dans *Les Inrockuptibles*, 1995.

1. Pourquoi la gestion de l'État devient-elle de plus en plus difficile ?

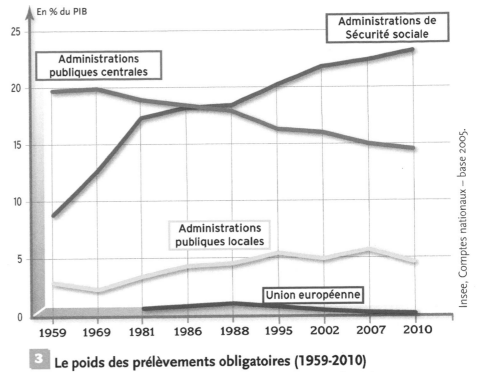

En % du PIB

Administrations de Sécurité sociale

Administrations publiques centrales

Administrations publiques locales

Union européenne

Insee, Comptes nationaux – base 2005.

3 Le poids des prélèvements obligatoires (1959-2010)

Évolution des prélèvements obligatoires (impôts et cotisations sociales) de l'État, des administration locales et de la Sécurité sociale.

5 La crise du modèle français

Une de l'hebdomadaire *Marianne*, 10 juillet 2009.

La décentralisation

Depuis l'Ancien Régime et la Révolution française jusqu'à nos jours, l'État français a presque toujours lié son sort à la capitale, Paris, lieu de commandement du pays, de formation et de travail pour les élites politiques, administratives, mais aussi économiques. C'est à partir de l'après-guerre qu'un courant favorable à une décentralisation de l'État prend de l'ampleur, s'appuyant d'abord sur le dynamisme des identités régionales, rétives à la domination parisienne, mais aussi sur une recherche d'efficacité de l'État, que l'hypercentralisation parisienne limiterait. Les lois Defferre de 1982 et 1983 amorcent un transfert de compétences de l'État central vers les collectivités locales, qui s'accélère dans les années 2000.

Comment la politique de décentralisation des services de l'État est-elle mise en place ?

Chronologie

1964 Création des préfets des 21 régions de programme et réorganisation de la région parisienne.

1969 Échec du référendum relatif à la régionalisation et à la réforme du Sénat.

1975 Paris devient une commune de plein exercice, dont le maire est désormais élu.

1982 Loi relative aux droits et libertés des communes, des départements et des régions.

1983 Loi relative à la répartition des compétences entre les communes, les départements, les régions et l'État.

2003 Loi inscrivant l'organisation décentralisée de la République dans la Constitution.

2004 Lois relatives aux libertés et responsabilités locales et à l'autonomie financière des collectivités territoriales (Acte II de la décentralisation).

2010 Loi réformant les collectivités territoriales.

---

1 Pour le désencombrement de Paris

Michel Rocard*, l'un des dirigeants du PSU (Parti socialise unifié), opposant au général de Gaulle, s'exprime à Saint-Brieuc lors d'un colloque qui a pour objectif de repenser la politique de la gauche.

« Il n'est en rien question ici de développer également les vingt et une régions de programme. [...] Il n'est pas davantage question d'affaiblir Paris en quoi que ce soit, mais simplement de le désencombrer, de prendre les mesures institutionnelles capables de favoriser l'éveil en province d'une conscience économique, et de donner aux représentants des milieux professionnels et sociaux des régions des moyens suffisants pour traduire cette prise de conscience par des mesures précises contribuant au développement. En d'autres termes, [...] on affirme que Paris est asphyxié par un appareil industriel et commercial qui n'apporte rien à ses capacités de commandement et d'innovations, que la province manque moins de capitaux que d'hommes désireux d'y rester, et que l'animation d'un développement autonome autour de quelques métropoles régionales est parfaitement possible sans rien soustraire à Paris pourvu qu'il soit provoqué par les intéressés, c'est-à-dire par des institutions régionales dotées de l'autonomie et des moyens nécessaires. Si le point de départ de la réflexion est économique, son point d'aboutissement est institutionnel, c'est-à-dire purement politique. »

Michel Rocard, *Discours de Saint-Brieuc*, décembre 1966.

2 Le projet de régionalisation de 1969

Affiche de l'Union des jeunes pour le progrès (UJP, gaulliste), 1969.
En mars 1969, le général de Gaulle soumet au référendum un projet de régionalisation et de réforme de la composition du Sénat. Le 27 avril, le « Non » l'emporte avec 52,41% des voix.

	Commune (Municipalités)	Département (Conseils généraux)	Région (Conseils régionaux)
ÉTAT			
Économie et développement	▸ Aides	▸ Aides ▸ Équipement	▸ Pôles de recherche et développement économique ▸ Aménagement du territoire et Contrat de Plan État-Région ▸ Parcs naturels régionaux
Urbanisme, voirie et transports	▸ Plans d'occupation des sols et permis de construire ▸ Routes communales	▸ Routes départementales ▸ Transports non urbains et scolaires	▸ Liaisons routières d'intérêt régional
Environnement	▸ Eau et assainissement ▸ Ordures ménagères		▸ Protection de l'environnement
Action sociale et logement	▸ Bureaux municipaux d'hygiène ▸ Programme local de l'habitat en faveur des mal-logés	▸ Aide à l'enfance, logement des défavorisés, hébergement des handicapés et des personnes âgées ▸ Service social, aide aux jeunes en difficulté et RSA	▸ Aides complémentaires ▸ Financement facultatif du RMI
Enseignement	▸ Enseignement primaire	▸ Collèges	▸ Lycées ▸ Formation professionnelle et apprentissage

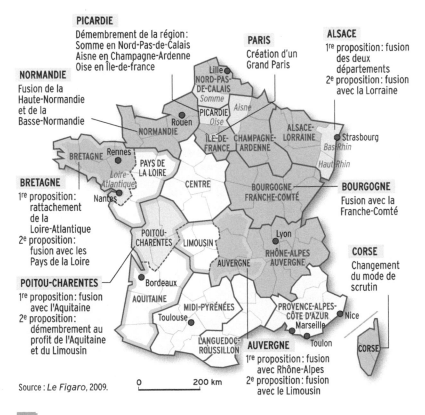

PICARDIE
Démembrement de la région:
Somme en Nord-Pas-de-Calais
Aisne en Champagne-Ardenne
Oise en Île-de-france

NORMANDIE
Fusion de la
Haute-Normandie
et de la
Basse-Normandie

PARIS
Création d'un
Grand Paris

ALSACE
1re proposition: fusion
des deux
départements
2e proposition: fusion
avec la Lorraine

BRETAGNE
1re proposition:
rattachement
de la
Loire-Atlantique
2e proposition:
fusion avec les
Pays de la Loire

BOURGOGNE
Fusion avec la
Franche-Comté

POITOU-CHARENTES
1re proposition: fusion
avec l'Aquitaine
2e proposition:
démembrement au
profit de l'Aquitaine
et du Limousin

CORSE
Changement
du mode de
scrutin

AUVERGNE
1re proposition: fusion
avec Rhône-Alpes
2e proposition: fusion
avec le Limousin

Source : *Le Figaro*, 2009.

3 De vastes transferts de compétences

Les lois de décentralisation de 1982 et 1983, préparées par le ministre de l'Intérieur Gaston Defferre, se traduisent par d'importants transferts de compétences de l'État vers les collectivités territoriales, qui se poursuivent et s'accentuent dans les années qui suivent.

4 L'approfondissement de la décentralisation

En 2003 et 2004, le gouvernement fait voter la modification de la Constitution et accélère la décentralisation.

« L'acte II de la décentralisation, auquel le Premier ministre Jean-Pierre Raffarin a attaché son nom, s'est achevé avec le vote [...] de la loi du 13 août 2004 relative aux libertés et responsabilités locales [...], qui ouvre véritablement le nouvel acte de la décentralisation, détaille notamment les nouveaux transferts de compétences décidés au profit des collectivités territoriales et de leurs groupements. Ces transferts interviennent en matière de développement économique, de transport, d'action sociale, de logement, de santé, d'éducation... Ils seront mis en œuvre, entre le 1er janvier 2005 et le 31 décembre 2008, à titre définitif, expérimental ou par voie de délégation, via le recours à de nombreuses conventions qui partageront diverses compétences entre l'État et les collectivités. Cette démarche souple et pragmatique fait toutefois craindre à certains élus l'avènement d'une décentralisation "à la carte", peu compatible avec le principe d'égalité. »

« Décentralisation, acte II: les dernières réformes»,
La Documentation française, 2005.

QUESTIONS

Les objectifs de la décentralisation

1. Quels sont les arguments en faveur de la décentralisation et ses objectifs ? (doc. 1, 2, 3)

2. Quels domaines sont concernés par la décentralisation jusqu'en 1983 ? (doc. 1, 3)

Les étapes de la décentralisation

3. Pourquoi les lois Defferre marquent-elles un tournant ? (doc. 2, 3)

4. Comment la décentralisation évolue-t-elle depuis les années 1980 ? (doc. 3, 4, 5)

Bilan: Comment la politique de décentralisation des services de l'État est-elle mise en place ?

Étude critique de document

Présentez le document 3 et montrez ce qu'il révèle de l'étendue des transferts de compétence intervenus en 1982 et 1983.

5 La France en 2014? Le projet du comité Balladur

En 2009, Édouard Balladur*, qui préside un comité de réflexion sur la modernisation des institutions, présente un projet visant à renforcer le rôle et le poids des régions. Il préconise de diminuer leur nombre de 22 à 15, de favoriser le regroupement des départements, de créer de grandes métropoles ainsi que le Grand Paris (fusion de la ville de Paris et des départements de la Petite couronne).

La culture, une nouvelle priorité de l'État

Le ministère de la Culture est une création de la Ve République, la IVe n'ayant connu qu'un ministère des Beaux-Arts. Le premier titulaire du poste, André Malraux (1959-1969), fait de l'État un acteur majeur dans le domaine culturel. Ses successeurs poursuivent cette politique qui aboutit à l'investissement massif dans la culture d'un État-mécène de plus en plus présent et parfois contesté.

Quelle est l'action de l'État dans le domaine culturel ?

1 Les ambitions culturelles de l'État sous de Gaulle

Le général de Gaulle prend la parole à l'occasion de sa visite à la maison de la culture de Bourges, récemment inaugurée. En dix ans, huit maisons de la culture sont édifiées en France.

« La culture domine tout, elle est la condition *sine qua non* de notre civilisation d'aujourd'hui comme elle le fut des civilisations qui ont précédé celle-là. [...]. J'en retirerai [...] quelques conclusions pratiques sur ce qu'il y a lieu que l'État continue de faire pour la culture française en général et pour ces maisons de la culture en particulier. Il faut en créer d'autres, un certain nombre était prévu par notre 4e plan, d'autres le seront par notre 5e. Il faut faire aussi, sans doute, un Centre national de diffusion culturelle, pour que tout ce dont nous disposons puisse se répandre et être vu, entendu, connu par le plus grand nombre possible d'hommes et de femmes [...]. Il faudra aussi un Centre de formation d'animateurs de plus en plus complets et de plus en plus efficaces. Je suis convaincu que le ministre d'État, chargé des Affaires culturelles, est l'homme le plus qualifié pour le faire. »

Charles de Gaulle, *Discours* à la maison de la culture de Bourges, 14 mai 1965, *Discours et messages*, Plon, 1970.

2 Malraux, premier ministre des Affaires culturelles

André Malraux à son bureau, vers 1965.
En février 1959 le général de Gaulle nomme André Malraux à la tête du nouveau ministère des Affaires culturelles, qui a pour missions de « rendre accessibles les œuvres capitales de l'humanité, et d'abord de la France, au plus grand nombre possible de Français ; d'assurer la plus vaste audience à notre patrimoine culturel, et de favoriser la création des œuvres d'art et de l'esprit ».

Chronologie

1959	Création du ministère des Affaires culturelles.
1961	Première maison de la culture au Havre.
1964	Maison de la culture de Bourges.
1972	Création des Centres dramatiques nationaux.
1977	Inauguration du Centre Georges-Pompidou, musée national d'art moderne.
1982	Première fête de la musique.
1986	Inauguration du musée d'Orsay.
1989	Inauguration de la pyramide du Louvre. Inauguration de l'opéra Bastille.
1995	Inauguration de la Bibliothèque François Mitterrand et de la Cité de la Musique.
2006	Inauguration du musée du quai Branly.

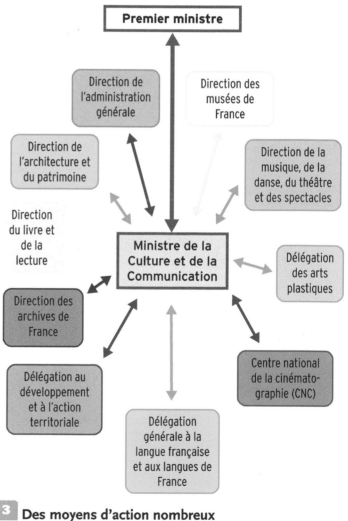

3 Des moyens d'action nombreux

L'administration du ministère de la Culture en 2001.

Limitées en 1960 à l'architecture, aux arts et lettres et au cinéma, les missions du ministère de la Culture croissent en même temps que l'effort budgétaire de l'État : le budget du ministère représente près de 1 % du budget national en 2001, contre 0,4 % en 1960.

4 La décentralisation culturelle

Le TNP de Villeurbanne en 2008.

Fondé en 1920 à Paris, le Théâtre national populaire (TNP) s'installe en 1972 à Villeurbanne (Rhône). Il devient un Centre dramatique national, c'est-à-dire un théâtre régi par un contrat de décentralisation et subventionné par l'État et les collectivités territoriales : la région au travers de la DRAC (Direction régionale des affaires culturelles), la ville et la communauté d'agglomérations.

6 La contestation de l'État culturel

Le rôle de l'État dans le domaine de la culture est régulièrement contesté par certains intellectuels.

« L'État n'a rien à voir avec les enjeux de l'art, ses tendances, ses valeurs. Il a à voir avec l'accès à l'art, sa diffusion, sa conservation. Il faut supprimer le ministère de la Culture qui, en tant que tel, n'a pas sa place dans une démocratie, et ne garder que les fonctions compatibles avec elle en les rattachant à celui de l'Éducation. Mais ceci n'aurait de sens que si la rue de Grenelle[1], profondément réformée et rénovée, se donnait les moyens, ou les décentralisait, d'une politique des enseignements artistiques. [...] Doit-il exister une politique de la Culture, au second sens de ce mot ? Non plus. L'État agit indirectement sur les mœurs à travers l'ensemble des politiques publiques : santé, logement, éducation, transports, communication, environnement, mais, si le mot *politique* a bien un sens, l'État ne saurait avoir de politique culturelle directe, soumise à des objectifs sociaux et historiques précis. »

Michel Schneider, *La Comédie de la culture*, Seuil, 1993.

1. « La rue de Grenelle » désigne ici le ministère de l'Éducation nationale.

5 Jack Lang et la culture populaire

Ministre de la Culture de François Mitterrand (1981-1986, 1988-1992), Jack Lang a étendu le champ de l'action culturelle. Il est notamment à l'origine de la fête de la Musique en 1982.

« Le ministre est chargé par le Gouvernement de soutenir, sans influencer, les créations de l'esprit, la vie du patrimoine et sa préservation, l'accès du plus grand nombre aux œuvres passées ou contemporaines. S'il se bornait à soutenir les arts consacrés par l'histoire, sa tâche serait relativement simple. Mais il risquerait de s'éloigner des préoccupations majeures de ses concitoyens et il ne conduirait pas l'État à ajouter une pierre contemporaine à l'édifice ancien. En matière d'arts plastiques, de musique, d'arts graphiques, il ne sait certes pas ce que retiendra la postérité, mais il lui incombe de donner leur chance à tous ceux dont la recherche exprime un idéal de beauté. Il lui incombe aussi de reconnaître un plein droit de cité à toutes les expressions artistiques, et c'est pourquoi, dans le strict respect de l'indépendance des créateurs, je me suis efforcé de soutenir des formes aussi populaires que le jazz, le rock, les variétés, le cirque ou la photographie, que les pouvoirs publics avaient jusqu'ici négligées.

Loin de m'inquiéter de l'inflation actuelle du mot culture, je m'en réjouis, et j'y vois, immodestement, le signe du succès des ministres de la Culture. Des citoyens de plus en plus nombreux reconnaissent désormais sous ce mot la part de leur vie où ils puisent leur joie d'exister, et parfois, obscurément, leurs raisons de vivre ».

Jack Lang, « La politique culturelle en France », *Commentaire* n°48, hiver 1989-1990.

QUESTIONS

Le rôle du ministère de la Culture

1. Quelle sont les missions et les ambitions du ministère des Affaires culturelles à sa création ? (doc. 1, 2)

2. Comment les missions du ministère évoluent-elles ? (doc. 3, 4, 5)

L'État et la culture

3. Peut-on parler de décentralisation culturelle ? (doc. 3, 4)

4. Quelles limites et quelles contestations l'État rencontre-t-il dans son action dans le domaine culturel ? (doc. 5, 6)

Bilan : Quelle est l'action de l'État dans le domaine culturel ?

Étude critique de documents

Présentez les documents 1 et 5 en les plaçant dans leur contexte respectif, puis mettez-les en relation pour montrer comment ils représentent deux visions très différentes de la culture.

1 Mettre en relation deux documents

Le rôle de l'État dans l'économie

a. « Il faut aider l'industrie » (Georges Pompidou)

« Nous avons énormément de progrès à accomplir même si nous en avons déjà fait. [...] Il faut surtout aider l'industrie, ce qui signifie lui donner les moyens matériels, financiers, de se développer, ce qui suppose une politique fiscale, une politique de crédit, une politique de l'épargne qui favorise l'investissement. Il faut ensuite lui donner les moyens humains, ce qui suppose [...] d'orienter le plus possible notre jeunesse vers l'industrie.

Enfin, il faut que notre appareil économique, industrie, commerce, agriculture, prenne une mentalité, si j'ose dire, agressive, qu'il se porte à l'attaque, qu'il ait le goût d'aller se battre sur le terrain des autres exactement comme les autres dès maintenant viennent se battre sur notre terrain. »

Georges Pompidou, président de la République, *Conférence de presse* du 22 septembre 1969.

b. Les nationalisations, « indispensables au développement » (Pierre Mauroy*)

« Les nationalisations donneront au Gouvernement des moyens déterminants pour conduire sa politique économique. [...] Les grands groupes doivent être compétitifs et préserver par leurs efforts conjoints la place de la France dans des secteurs où la concurrence mondiale est intense. Il revient aux hommes qui les dirigent, groupe par groupe, d'établir une stratégie industrielle et de la mettre en œuvre. C'est leur devoir en même temps que leur responsabilité, qui demeurera entière. Le Plan, instrument essentiel de notre croissance, assurera la compatibilité de ces choix, souvent décisifs pour l'intérêt national, avec les grandes options de développement retenues par le Gouvernement. [...] C'est dans cet esprit que nous procéderons à certaines nationalisations industrielles indispensables au développement que nous entendons promouvoir. »

Pierre Mauroy, Premier ministre, *Discours de politique générale*, 8 juillet 1981.

1. Présentez les documents et leurs auteurs et replacez-les dans leur contexte respectif.

2. Qu'est-ce qui distingue ces deux discours quant au rôle de l'État dans l'économie ?

3. Qu'est-ce qui rapproche néanmoins ces deux conceptions ?

---

2 Analyser une photographie

Techniciens et hommes politiques sous la Ve République.

Raymond Barre à l'émission *L'événement*, TF1, 28 octobre 1976.

La Ve République voit l'accession au pouvoir d'hommes et de femmes recrutés pour leurs compétences techniques, notamment de hauts fonctionnaires. En 1976, le Premier ministre et ministre des Finances, Raymond Barre, professeur d'économie, explique à la télévision la situation économique de la France et présente son plan d'austérité.

1. Présentez et situez ce document dans son contexte.

2. Que présente Raymond Barre à la télévision ?

3. Quels outils médiatiques et pédagogiques utilise-t-il ?

4. Qu'est-ce que cela révèle de l'action d'un chef de Gouvernement ?

L'essentiel

Gouverner la France depuis 1946

A. Gouverner la France, moderniser l'État

● La mise en place de la IVᵉ République s'accompagne de la mise en œuvre de l'**État-providence**. La **planification** et les **nationalisations** font de l'État un acteur majeur de l'économie. L'administration se modernise et la fonction publique renouvelle ses modes de recrutement avec la création de l'**ÉNA**. Toutefois, **la IVᵉ République n'est pas un régime stable**, et les gouvernements ne peuvent pas inscrire leur action dans le long terme.

B. La République gaullienne et le renforcement de l'État

● Arrivé au pouvoir en 1958, le général de Gaulle instaure un **nouveau régime**, **la Vᵉ République**. L'État favorise la **concentration des entreprises** et lance de **grands programmes industriels**. L'influence de la haute fonction publique progresse dans la vie politique. Dans le contexte des Trente Glorieuses, les missions de l'État se diversifient et le gouvernement met en œuvre une **déconcentration** administrative. Mais l'échec du projet de régionalisation entraîne la démission du général de Gaulle. Face à la crise, la France adopte en 1976 une **politique de rigueur** et remet en cause l'État-providence.

C. Les mutations de l'État et de la gouvernance

● L'arrivée de la gauche au pouvoir s'accompagne de **nationalisations,** d'une profonde **décentralisation** et d'une politique culturelle novatrice. Mais la place de l'État dans la société ne fait plus consensus dans la vie politique : la droite entreprend entre 1986 et 1988 un vaste programme de **privatisations**. L'État perd progressivement le contrôle de l'économie et connaît une profonde **mutation** depuis le début des années 2000.

Schéma de synthèse

État, gouvernement et administration en France

	ÉTAT-PROVIDENCE	AFFIRMATION DE L'ÉTAT	DÉCENTRALISATION DE L'ÉTAT
	1946 — IVᵉ République — 1958	1958 — Vᵉ République	1981 — Vᵉ République
ÉTAT	• Centralisation • Planification • Nationalisations	• Déconcentration • Élargissement des missions • Interventionnisme	• Nationalisations, privatisations • Décentralisation • Moindre rôle dans l'économie
GOUVERNEMENT	• Instabilité • Tentatives de réformes	• Stabilité • Président élu au suffrage universel	• Alternances • Cohabitations • Approfondissement de la construction européenne
ADMINISTRATION	• Démocratisation du recrutement • ÉNA	• Grands commis de l'État • Technocratie	• Autorités administratives indépendantes • Réforme générale des politiques publiques (RGPP)

Analyser un discours politique

Sujet Le tournant de la cohabitation

Doctrine politique et économique préconisant l'intervention de l'État dans la libre entreprise, notamment par le contrôle des prix et du crédit et par la nationalisation.

Les prix, soumis à un contrôle depuis 1945, sont libéralisés le 1er janvier 1987, à l'exception du prix du livre.

Le 8 juin 1986, une loi supprime la loi soumettant les licenciements à une autorisation administrative.

Discours de politique générale du Premier ministre

Le 16 mars 1986, au second tour des élections législatives, la droite remporte une majorité de deux sièges à l'Assemblée nationale. Le chef de la majorité RPR-UDF, Jaques Chirac, est alors nommé à la tête d'un gouvernement de cohabitation.

« Depuis des décennies, [...] la tentation française par excellence a été celle du dirigisme d'État. Qu'il s'agisse de l'économie ou de l'éducation, de la culture ou de la recherche, [...] c'est toujours vers l'État que s'est tourné le citoyen pour demander idées et subsides. Peu à peu s'est ainsi construite une société administrée, et même collectivisée, où le pouvoir s'est concentré dans les mains d'experts formés à la gestion des grandes organisations. Ce système de gouvernement [...] n'est pas dénué de qualités : [...] il se concilie parfaitement avec le besoin de sécurité qui s'incarne dans l'État-providence. Mais il présente deux défauts rédhibitoires : il se détruit lui-même, par obésité ; et surtout, il menace d'amoindrir les libertés individuelles.

Les Français ont compris les dangers du dirigisme étatique et n'en veulent plus. [...] Il faut aller vers les valeurs qui nous ouvrent l'avenir [...] : liberté, création, responsabilité. [...] D'une part, les grands équilibres doivent être établis [...] ; à cette fin, la politique monétaire fera preuve de rigueur, les dépenses et les déficits publics seront sévèrement comprimés [...]. D'autre part, l'économie française a besoin d'un supplément de liberté [...] ; trois libertés fondamentales pour le bon fonctionnement des entreprises leur seront rapidement garanties : liberté de fixer les prix, liberté de commercer avec l'étranger sans contrôle, plus grande liberté dans la gestion des effectifs en vue d'éliminer les entraves à l'emploi. [...] La liste des entreprises qui pourront être dénationalisées dans les cinq prochaines années sera clairement indiquée. »

Jacques Chirac, *Discours de politique générale* à l'Assemblée nationale, 9 avril 1986.

Le 6 août 1986, le gouvernement annonce un programme de 85 privatisations sur cinq ans.

Aux élections législatives du 16 mars 1986, le RPR remporte la majorité des sièges à l'Assemblée avec son allié de centre droit, l'UDF.

Né en 1932, plusieurs fois ministre de Georges Pompidou et de Valéry Giscard d'Estaing, maire de Paris depuis 1977, Jacques Chirac est le président du Rassemblement pour la République (RPR) qu'il a fondé en 1976, et le chef de file de l'opposition à François Mitterrand.

Tradition de la Ve République qui voit le nouveau Premier ministre exposer à l'Assemblée, peu de temps après sa prise de fonction, un discours présentant les grandes lignes de la politique de son gouvernement.

CONSIGNE

Montrez dans quelle mesure le programme présenté par Jacques Chirac reflète la théorie du *New Public management*, puis analysez le style que le Premier ministre veut donner à son gouvernement.

FICHE MÉTHODE
Analyser un discours politique

Étape 1 *Identifier et présenter le document*

▶ Identifier l'auteur et les destinataires du discours.

▶ Situer le discours dans son contexte et identifier la situation dans lequel il est prononcé.

① Montrez dans quel contexte politique s'inscrit ce discours.

Conseils

En vous aidant du cours p. 330, identifiez les évolutions intervenues depuis 1981.

Étape 2 *Analyser le document*

▶ Identifier le caractère idéologique du discours, les idées politiques dont il est porteur, et la façon dont l'orateur s'y prend pour emporter la conviction de son auditoire (style, formules, répétitions).

▶ Extraire de façon critique les informations qu'il contient, ses idées générales, les thèmes abordés, les revendications politiques et sociales, les allusions, mais aussi ses exagérations ou ses omissions.

② Relevez la façon dont sont présentés l'État et sa perception par les Français.

Conseils

Identifiez certaines exagérations contenues dans le discours.

Étape 3 *Dégager l'intérêt historique du document*

▶ Dégager l'intérêt du discours au regard du thème abordé.

▶ Analyser la portée du texte en étudiant ses conséquences directes et à plus long terme.

③ Montrez que ce discours annonce une rupture avec la politique menée auparavant.

Conseils

Appuyez-vous sur les réformes effectivement mises en œuvre et leurs limites.

EXERCICE D'APPLICATION

Sujet **La gouvernance face aux médias**

Le gouvernement de l'audimat

Le président de la République François Mitterrand s'exprime à Carmaux, dont Jean Jaurès fut le député, sur le bilan de la gauche, quelques semaines après la ratification par référendum, à une courte majorité, du traité européen de Maastricht.

« C'est vrai que l'on n'a pas connu beaucoup d'époques en France où le choix du peuple s'est porté vers les défenseurs que nous sommes du progrès. Il faut donc que nous sachions expliquer, dire, faire comprendre... Que d'événements au cours de ces dernières années et de ces derniers mois, ces derniers jours, que j'aimerais faire percevoir davantage aux Français. Et tout se perd dans une sorte de confusion due au fait que l'information est si riche et si multiple que l'on ne peut pas s'y reconnaître et que tout exposé didactique peut apparaître ennuyeux et la réflexion apparaît aussi comme proche de l'ennui à quiconque organise son travail sur ce monstre froid qui s'appelle l'audimat. C'est l'audimat, mesdames et messieurs, qui gouverne la France. Vous pensiez que c'était moi, eh bien, souvent je pense que mon rival, l'audimat est plus fort que moi, est plus fort que le gouvernement. C'est l'audimat, et il a beaucoup de fidèles, l'audimat. D'ailleurs cela rassemble aussi, au bout du compte, beaucoup d'argent qui rentre, donc de la puissance. »

François Mitterrand, *Discours* prononcé à Carmaux, le 19 novembre 1992.

CONSIGNE

Présentez le document et son auteur puis analysez son apport et ses limites pour la compréhension des évolutions du mode de gouvernement en France.

Organiser et rédiger le développement

Désigne à la fois la personne morale à l'autorité de laquelle est soumis un groupe humain sur un territoire donné, et l'appareil administratif chargé d'élaborer et d'appliquer les lois.

Désigne à la fois le fait de gouverner et d'administrer et l'organe exécutif chargé de déterminer et conduire la politique de l'État, soit l'ensemble des personnes qui gouvernent un État.

Désigne à la fois le fait d'administrer et l'ensemble des organismes et des personnes chargées de gérer une organisation publique. On distingue, depuis les lois de décentralisation, l'administration centrale et l'administration territoriale.

Sujet **État, gouvernement et administration de la France de 1946 aux lois de décentralisation de 1982-1983 incluses.**

La France désigne ici le territoire métropolitain et les territoires et collectivités d'Outre-mer. Il faut distinguer les différentes échelles de gouvernement (centrale, régionale, départementale, municipale).

La IVe République est établie par la constitution du 27 octobre 1946.

Appelées aussi « lois Defferre », il s'agit de la loi du 2 mars 1982 sur les droits et libertés des communes, départements et régions, et de la loi du 7 janvier 1983 sur la répartition des compétences entre les communes, les départements, les régions et l'État.

Aide-mémoire

- **1946** Fondation de la IVe République.
- **1955** Chute du gouvernement Mendès France.
- **1958** Naissance de la Ve République.
- **1963** Création de la DATAR.
- **1969** Départ du Général de Gaulle.
- **1974** Mort de Georges Pompidou et élection de Valéry Giscard d'Estaing.
- **1981** Élection de François Mitterrand.
- **1982-1983** Lois Defferre de décentralisation.
- **1986** Première cohabitation.
- **1995** Élection de Jacques Chirac.

FICHE MÉTHODE
Organiser et rédiger le développement

Rappel: Bien comprendre le sujet (méthode générale p. 12 et fiche méthode p. 76).	Indiquez le sens de l'énumération au début du sujet. **Conseils** *Demandez-vous s'il s'agit de comparer ou plutôt de distinguer les différentes notions.*
Rappel: Définir et délimiter les termes du sujet (fiche méthode p. 124).	Définissez et délimitez l'État, le gouvernement et l'administration. **Conseils** *Montrez ce qui rapproche ces trois notions.*
Rappel: Élaborer un plan (fiche méthode p. 210).	Distinguez les grandes étapes qui constituent des césures dans le sujet. **Conseils** *Appuyez-vous sur les cours p. 320, 324 et 330.*

Étape 1 *Organiser et structurer le développement*

▶ À l'intérieur du plan, enchaîner de façon logique, dans des paragraphes structurés, les différentes idées.

▶ Pour éviter de les juxtaposer, les lier à l'aide de connecteurs logiques.

① Organisez et structurez la première partie relative au gouvernement de la France et à la modernisation de l'État et de l'administration sous la IVᵉ République.

Conseils
Montrez que l'État et l'administration se modernisent, mais que la IVᵉ République est difficile à gouverner.

Étape 2 *Veiller à la rigueur et la précision l'argumentation*

▶ Associer à chaque idée directrice au moins un exemple précis, daté et localisé.

▶ Éviter de se contenter de généralités.

② Associez à chaque idée un ou deux exemples.

Conseils
Ne retenez que les connaissances qui permettent de répondre au sujet.

Étape 3 *Rédiger l'annonce du plan*

▶ Formuler une annonce explicite.

▶ Faire en sorte qu'elle réponde directement et clairement à la problématique.

③ Reprenez et liez logiquement les phrases qui correspondent chacune au titre d'une partie.

Conseils
Vous pouvez par exemple utiliser «tout d'abord», «ensuite», «enfin».

EXERCICE D'APPLICATION

Sujet
Les mutations de l'État-nation en France depuis 1946.

Conseils
Le sujet porte aussi bien sur les mutations internes de l'État (son organisation, sa modernisation) qu'externes (son poids dans la société, son champ de compétence). N'oubliez pas de mentionner les facteurs de ces mutations.

PROLONGEMENTS

Rédiger un paragraphe (voir p. 366)

→ Rédigez un paragraphe sur les conséquences, pour l'État, l'administration et le gouvernement, des lois de décentralisation en 1982 et 1983.

Rédiger la conclusion (voir p. 390)

→ Montrez à la fin de la conclusion quelles évolutions sont intervenues depuis 1983.

Composition

Sujet L'État républicain en France depuis 1946

Conseils

Définit et délimiter les termes du sujet: «Etat républicain» n'est pas synonyme de «République»; il insiste moins sur la constitution et la vie politique (étudiés en Première) que sur les structures stables (administrations, «grands corps», etc.).

Choisir un plan: un plan chronologique séparant les deux Républiques créera un devoir déséquilibré et ira en partie à l'encontre de l'esprit du sujet, qui insiste justement sur la continuité.

Sujet Les voies de la décentralisation en France depuis 1958

Conseils

Bien comprendre le sujet: attachez-vous à déterminer pourquoi la date de 1958 a été retenue comme point de départ de ce sujet sur la décentralisation.

Formuler la problématique: la formule «voies de la décentralisation» est plus complexe que la «décentralisation»; examinez ses formes avant les lois des années 1980.

Étude critique de document(s)

Sujet Le rôle de l'État selon Pierre Mendès France

« Gouverner c'est choisir »

Le 3 juin 1953, Pierre Mendès France, désigné président du Conseil, se présente devant l'Assemblée nationale, qui lui refuse l'investiture.

«La cause fondamentale des maux qui accablent le pays, c'est la multiplicité et le poids des tâches qu'il entend assumer à la fois: reconstruction, modernisation et équipement, développement des pays d'outre-mer, amélioration du niveau de vie et réformes sociales, exportations, guerre en Indochine, grande et puissante armée en Europe, etc. Or, l'événement a confirmé ce que la réflexion permettait de prévoir: on ne peut pas tout faire à la fois. Gouverner, c'est choisir, si difficiles que soient les choix.

Choisir, cela ne veut pas dire forcément éliminer ceci ou cela, mais réduire ici et parfois augmenter; en d'autres termes, fixer des rangs de priorité.

Certes, il faut accroître dans la mesure du possible la masse des biens produits, de manière à pouvoir accomplir davantage, faire face effectivement à plus de demandes que celles que nous parvenons à satisfaire actuellement. Ce sera un objectif primordial de mon programme, et j'y reviendrai longuement.

Mais, en attendant, ne disposant que de moyens limités, nous devons soigneusement veiller à les affecter aux objets essentiels, à éliminer ce qui est moins important au profit de ce qui l'est davantage. Dans tous les domaines, nous aurons à transférer l'effort de l'improductif au productif, du moins utile au plus utile. Ce sera la règle d'or de notre redressement, règle universelle valable pour les activités privées comme pour le secteur public.»

Pierre Mendès France, *Discours d'investiture* à l'Assemblée nationale, 3 juin 1953.

Conseils

Présentez Pierre Mendès France en vous aidant de l'étude p. 322 et situez son discours dans son contexte.

Caractérisez l'attitude de l'auteur par l'analyse stylistique de son discours (vocabulaire, ton).

Montrez que l'action envisagée s'adresse à toutes les composantes de l'économie.

Expliquez pourquoi l'auteur n'a été investi qu'un an plus tard.

CONSIGNE

Après avoir situé le document dans son contexte politique, en vous aidant des informations qu'il contient, analysez la conception qu'a son auteur du rôle de l'État et de la façon de gouverner. Montrez dans quelle mesure elle correspond au mode de gouvernance alors en usage en France.

Sujet La planification, une caractéristique de la gouvernance française de l'après-guerre

1. Une volonté affichée au sommet de l'État

«Il faut que le plan de développement national qui, déjà depuis seize ans, oriente vers le progrès l'activité de la France, il faut que ce plan devienne une institution essentielle, plus puissante dans ses moyens d'action, plus ouverte à la collaboration des organismes qualifiés de la science, de l'économie, de la technique et du travail. Qu'elle soit plus populaire quant à l'intérêt que son œuvre doit susciter dans le peuple tout entier. Il faut que les objectifs à déterminer par le plan pour l'ensemble du pays et pour chacune de ses régions ; [...] que les investissements publics et privés à décider pour que le rythme aille en s'accélérant; il faut que tout cela soit, pour tous les Français, une ardente obligation. Bref, il faut que cet immense et gigantesque renouvellement devienne la grande affaire et l'ambition capitale de la France. En vérité, qu'il s'agisse de nos institutions, de notre vie nationale, de notre action internationale, l'évolution rapide et profonde que nous avons commencée est liée aux grands mouvements qui emportent tout l'univers. À ceux qui veulent survivre et grandir, notre siècle commande le rendement, la cohésion, le renouveau. Or, la France veut survivre et grandir. Elle l'a prouvé en prenant sa part, après de grands malheurs, à la victoire qui termina la Guerre mondiale. Elle l'a prouvé récemment en se donnant des pouvoirs capables d'agir et en mettant en œuvre sa propre transformation.»

Charles de Gaulle, *Allocution* télédiffusée du 8 mai 1961.

Conseils

Situez l'auteur et le contexte du document 1.

Rappelez dans quelles circonstances ou dans quels pays les économies peuvent être «planifiées»; expliquez ce qui distingue la planification française de l'après-guerre.

Montrez que l'auteur du document 1 attache une grande importance au Plan.

Déterminez à partir de l'analyse du document 2, si la planification en France jusqu'aux années 1960 est un succès ou un échec.

2. Les 5 premiers plans

Plan	Objectifs	Résultats
Ier Plan (1947-1952 puis 1953) pour aller avec l'aide Marshall **Commissaire:** Jean Monnet	• 8 secteurs prioritaires (dont énergies, transports, agriculture) • Production industrielle à 125 % de 1929 dès 1950	• Objectifs sectoriels atteints entre 87 et 115 % • Production industrielle à 112 % de 1929 en 1952 seulement
IIe Plan (1954-1957) **Commissaire:** Étienne Hirsch	• Production agricole et industrielle: + 4,4 % par an • Priorités : productivité, recherche	• Croissance annuelle moyenne de la production de 5,4 % • Déficit public et commercial
IIIe Plan (1958-1961) **Commissaire:** Étienne Hirsch puis (1959) Pierre Massé	• Croissance annuelle du PIB: + 4,7 % en moyenne • Effort d'équipement collectif (santé, éducation)	• Taux de croissance moyen de 3,8 % • Plan intérimaire de 1960-1961
IVe Plan (1962-1965) **Commissaire:** Pierre Massé	• Croissance du PIB: + 5,5 % en moyenne annuelle • Le priorité aux investissements collectifs (urbanisme) • Aménagement du territoire	• Croissance moyenne: + 5,8 % • Poussée de l'inflation imposant un plan de stabilisation (1963-1965)
Ve Plan (1966-1970) **Commissaire:** François-Xavier Ortoli puis René Montjoie	• Croissance du PIB: + 5 % en moyenne annuelle • Priorité aux secteurs de pointe • Surveillance des prix et des revenus	• Objectif général atteint • Crise sociale et dérapage inflationniste en 1968-1969 • Dévaluation du franc en 1969

CONSIGNE

Confrontez les deux documents et montrez en quoi la planification traduit une nouvelle conception du rôle économique de l'État dans la France de l'après-guerre.

Le projet d'une Europe politique depuis 1948

Au lendemain de la Seconde Guerre mondiale, le projet de constituer un ensemble politique régional à même de garantir la paix s'affirme dans une Europe bouleversée par le conflit. Le projet d'intégration politique européenne illustre néanmoins les difficultés d'une construction à l'échelle régionale.

Quels sont les enjeux du projet politique européen ?

1 **Le projet d'unifier le continent européen**

Couverture de la partition musicale « L'Europe unie », interprétée le 9 mai 1948 par 40 000 personnes à Amsterdam, lors du Congrès de La Haye pour l'unification européenne.

Au lendemain de la Seconde Guerre mondiale, dans le contexte de la Guerre froide, le projet d'unifier l'Europe est soutenu par de nombreux Européens.

PROJETS EUROPÉENS | **COMMUNAUTÉ ÉCONOMIQUE EUROPÉENNE** | **UNION EUROPÉENNE**

1948
Congrès
de
La Haye

1951
Création
de la
CECA

1957
Création
de la CEE
(Europe des 6)

1973
Europe
des 9

1981
Europe
des 10

1986
Europe
des 12

1993
Entrée en
vigueur
du traité
de
Maastricht

1995
Europe
des 15

2004
Europe
des 25

2007
Europe
des 27
Traité
de Lisbonne

1949
Création
du Conseil
de l'Europe

1954
Échec
de la CED
et de la CPE

1962
PAC

1968
Union
douanière

1979
Élection
du Parlement
européen
au suffrage
universel

1986
Acte
unique
européen

1990
Réunification
allemande
Accords
de Schengen

1999
Naissance
de l'euro

2005
Échec
du traité
constitutionnel

2008
Début
de la crise
financière

2 **Une Europe politique qui reste en partie à l'état de projet**

Affiches de la campagne pour le référendum sur la Constitution européenne,
Rennes, mai 2005.

Au début du XXIe siècle, le projet d'une Europe supranationale
rencontre l'hostilité d'une partie des opinions publiques européennes.
En 2005, les Français et les Néerlandais rejettent par référendum
le traité de Rome instituant une Constitution pour l'Europe.

QUESTIONS

1. Sur quoi le projet politique européen repose-t-il ?

2. Comment est-il présenté aux citoyens européens ?

La construction d'une Europe unie

À partir de 1948, les nations d'Europe occidentale entreprennent de s'unifier économiquement. La naissance de la Communauté européenne du charbon et de l'acier (CECA) d'abord, puis celle de la Communauté économique européenne (CEE) ensuite, permettent la formation progressive d'un ensemble économique régional indépendant des États-Unis. Avec la fin de la Guerre froide, la construction européenne s'accélère et s'approfondit : les contours de l'Union européenne (UE) tendent à se confondre avec ceux du continent européen.

L'Europe d'après-guerre

1. L'Europe occidentale

- Membres fondateurs de l'OECE (1948)
- ITALIE — Membres fondateurs de l'OTAN (1949)
- △ Membres fondateurs de l'UEO (1948)
- ○ Nouveaux membres de l'UEO (1954)

2. Le bloc soviétique

- — Rideau de fer
- Membres fondateurs du pacte de Varsovie (1955)
- Régime communiste en rupture avec l'URSS

1 **Une Europe divisée par la Guerre froide**

L'OECE est chargée de la répartition des crédits du plan Marshall en Europe. L'UEO est l'Union de l'Europe occidentale.

2 **Les traités de Rome**

Palais du Capitole, Rome, 29 octobre 2004.
Les traités donnant naissance à la Communauté économique européenne et à l'Euratom (Communauté européenne de l'énergie atomique) sont signés à Rome le 25 mars 1957. Près de 50 ans plus tard, la capitale de l'Italie accueille les chefs d'État et de gouvernement des pays membres de l'Union européenne pour la signature du traité instituant une Constitution pour l'Europe.

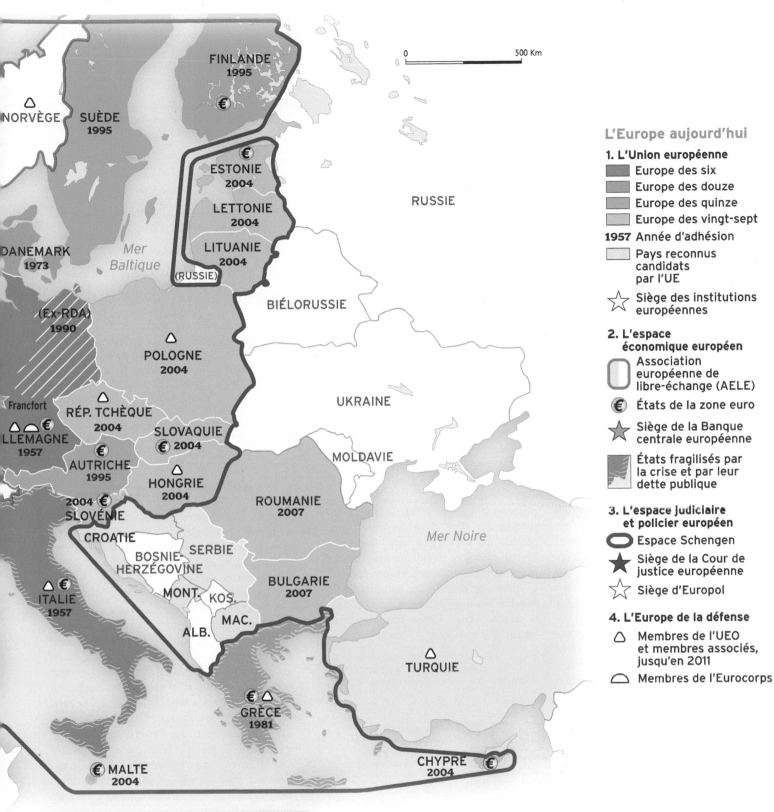

NORVÈGE

SUÈDE
1995

FINLANDE
1995
€

DANEMARK
1973

Mer
Baltique

ESTONIE
2004
€

LETTONIE
2004

LITUANIE
2004

(RUSSIE)

RUSSIE

(Ex-RDA)
1990

BIÉLORUSSIE

POLOGNE
2004

Francfort

RÉP. TCHÈQUE
2004

LLEMAGNE
1957
€

SLOVAQUIE
€ 2004

AUTRICHE
1995
€

HONGRIE
2004

UKRAINE

MOLDAVIE

2004 €
SLOVÉNIE

CROATIE

BOSNIE
HERZÉGOVINE

SERBIE

ROUMANIE
2007

Mer Noire

ITALIE
1957
€

MONT.

ALB.

KOS.

MAC.

BULGARIE
2007

TURQUIE

€
GRÈCE
1981

MALTE
2004
€

CHYPRE
2004
€

L'Europe aujourd'hui

1. L'Union européenne

- Europe des six
- Europe des douze
- Europe des quinze
- Europe des vingt-sept
- **1957** Année d'adhésion
- Pays reconnus candidats par l'UE
- ☆ Siège des institutions européennes

2. L'espace économique européen

- Association européenne de libre-échange (AELE)
- € États de la zone euro
- ★ Siège de la Banque centrale européenne
- États fragilisés par la crise et par leur dette publique

3. L'espace judiciaire et policier européen

- ⬭ Espace Schengen
- ★ Siège de la Cour de justice européenne
- ☆ Siège d'Europol

4. L'Europe de la défense

- △ Membres de l'UEO et membres associés, jusqu'en 2011
- ⌂ Membres de l'Eurocorps

3 **Bruxelles, capitale des institutions européennes**

Vue des bâtiments du quartier européen (Commission européenne ①, Conseil des ministres de l'UE ②), Bruxelles. La capitale de la Belgique est, depuis 1957, le siège de la Commission européenne. Elle accueille également certaines sessions du Parlement européen de Strasbourg.

QUESTIONS

1. Comment l'Europe se dessine-t-elle après la guerre ?

2. Quelles sont les principales étapes de la construction européenne ?

347

Le congrès de La Haye (1948)

Du 7 au 10 mai 1948, près de 800 représentants des courants favorables à une construction européenne se réunissent en congrès à La Haye (Pays-Bas), à l'initiative du Comité international de coordination des mouvements pour l'unification de l'Europe. Au lendemain de la Seconde Guerre mondiale, ce congrès de l'Europe vient consacrer la renaissance de l'idée européenne née dans les années 1920. En son sein, les partisans d'une Europe supranationale, les fédéralistes, s'opposent à ceux d'une Europe intergouvernementale, les unionistes.

Comment le projet d'une Europe politique s'affirme-t-il au lendemain de la guerre ?

Chronologie

1941 Manifeste pour une Europe libre et unie (Manifeste de Ventotène), d'Altiero Spinelli et Ernesto Rossi.

1943 Création du Mouvement fédéraliste européen.

1944 Déclaration des résistances européennes.

1946 Création de l'Union des fédéralistes européens (UFE).

1948 **7-10 mai** Congrès européen de La Haye.

1949 Première réunion du Conseil de l'Europe à Strasbourg.

MOTS CLÉS

Fédéralistes : partisans d'une fédération où les États renoncent à une large part de leur souveraineté au profit d'une autorité politique supra-nationale.

Unionistes : partisans d'une confédération (union d'États indépendants), voire d'une simple coopération intergouvernementale, au sein de laquelle la souveraineté de chaque État est conservée.

1 Le projet européen des résistants

Le 20 mai 1944, des chefs résistants, dont les Italiens Altiero Spinelli* et Ernesto Rossi, fondateurs du Mouvement fédéraliste européen*, et le Français Henri Frenay rédigent un projet de Fédération européenne.

« La résistance à l'oppression nazie qui unit les peuples d'Europe dans un même combat a créé entre eux une solidarité et une communauté de buts et d'intérêts qui prennent toute leur portée dans le fait que les délégués des mouvements de résistance européens se sont réunis pour rédiger la présente déclaration. [...] Ils affirment que la vie des peuples qu'ils représentent doit être fondée sur le respect de la personne, la sécurité, la justice sociale, l'utilisation intégrale des ressources économiques en faveur de la collectivité toute entière [...]. Ces buts ne peuvent être atteints que si les divers pays [...] acceptent de dépasser le dogme de la souveraineté absolue des États en s'intégrant dans une unique organisation fédérale. [...] La paix européenne est la clé de voûte de la paix du monde. En effet, dans l'espace d'une génération, l'Europe a été l'épicentre de deux conflits mondiaux qui ont eu avant tout pour origine l'existence sur ce continent de trente États souverains. Il importe de remédier à cette anarchie par la création d'une Union fédérale entre les peuples européens. »

Déclaration des résistances européennes, 20 mai 1944, dans Centre d'actions pour la fédération européenne, L'Europe de demain, 1945.

2 Churchill ouvre le congrès

L'ancien Premier ministre britannique Winston Churchill* prononce le discours d'ouverture du congrès de La Haye. Depuis 1946, il est partisan de la création des « États-Unis d'Europe » pour faire face aux enjeux de la Guerre froide.

« Nous ne nous sauverons des périls qui approchent qu'en oubliant les haines du passé, en laissant mourir les rancœurs nationales et les idées de revanche, en effaçant progressivement les frontières et les barrières qui aggravent et congèlent nos divisions. [...] Il est juste de dire que cela implique un certain sacrifice ou une fusion des souverainetés nationales. Mais on peut aussi considérer que les nations intéressées sont devenues conscientes d'une souveraineté plus large qui peut seule protéger leurs coutumes diverses et distinctives, leurs caractéristiques et leurs traditions nationales, lesquelles disparaîtraient certainement sous un régime totalitaire, qu'il soit nazi, fasciste ou communiste. »

Winston Churchill, Discours, 7 mai 1948, paru dans Le Monde, 8 mai 1948.

3 « Il faut faire l'Europe »

Une du journal *L'Aurore*, 8 mai 1948.

Le 7 mai 1948, le congrès s'ouvre sous la présidence d'honneur de Winston Churchill, en présence notamment de Konrad Adenauer*, futur chancelier ouest-allemand, des Français Paul Ramadier*, ministre de la Défense, et Paul Reynaud*, ministre des Finances, ainsi que de Salvador de Madariaga, diplomate républicain espagnol en exil.

4 Le rassemblement des européistes

Ouverture du congrès de l'Europe à La Haye, 7 mai 1948.

Le congrès adopte trois résolutions : une politique, une économique et une culturelle. La résolution politique prévoit la création d'une « union économique et politique », le transfert de certains droits souverains des États et demande la convocation d'une Assemblée européenne élue par les Parlements des nations participantes.

" HMM... MIGHTY LIKE BOTH OF YOU "

YOUNG HOPEFUL

6 La naissance de l'Europe unie ?

Evening Standard, 12 mai 1948. Caricature intitulée « Jeune espoir ».
Le vieillard, figure de l'histoire, s'adresse aux deux parents de l'« Europe unie », « Gauche » et « Droite », et dit : « Mmm... il tient de vous deux ».
Malgré le grand retentissement du congrès, sa seule réalisation concrète est le Conseil de l'Europe en 1949.

5 Les limites du projet de La Haye

Denis de Rougemont*, délégué général de l'Union européenne des fédéralistes (UEF), publie, à l'automne 1948, ses impressions sur le congrès.

« La presse continentale dans son ensemble a parlé du congrès de l'Europe comme d'un congrès "fédéraliste". En réalité, les groupes fédéralistes s'y trouvaient en minorité à tous égards. Tant par le nombre que par le prestige des hommes d'État qui la représentaient, la tendance "unioniste" dominait largement. [...] On vit le congrès rallier progressivement quelque chose dont il refusait le nom ou l'étiquette avec obstination, mais qui n'en est pas moins le programme fédéraliste. [...]

Un désir évident d'aboutir, né du sentiment général de la gravité de l'enjeu, eut sans nul doute mené le congrès beaucoup plus loin – s'il n'y avait eu les Britanniques. [...] Pour nous, continentaux, c'est l'Europe qui est en jeu. Pour les Anglais, c'est tout d'abord l'Empire [...].

Paul Reynaud [...] provoqua [...] une "sensation", en proposant que soit élue dans les six mois, par le suffrage universel, et à raison d'un député par million d'habitants, une Assemblée constituante de l'Europe. La motion recueillit neuf voix. [...] Or rien n'est plus urgent qu'un Parlement de l'Europe. Et la grande masse ne se lèvera pour l'Europe qu'au jour des élections européennes. [...] Le projet Reynaud triomphera, si l'Europe doit se faire demain. »

Denis de Rougemont, *L'Europe en jeu*, La Baconnière, 1948.

QUESTIONS

Les objectifs du congrès de La Haye

1. Qu'est-ce qui motive la tenue du congrès ? (doc. 1, 2, 3)

2. Qui participe au congrès ? Dans quel but ? (doc. 2, 3, 5)

Le déroulement et les résultats du congrès

3. Comment se manifeste l'opposition entre les unionistes et les fédéralistes ? (doc. 1, 2, 5)

4. Sur quoi débouche le congrès ? (doc. 4, 5, 6)

Bilan : Comment le projet d'une Europe politique s'affirme-t-il au lendemain de la guerre ?

Étude critique de documents

Analysez les documents 5 et 6 et montrez ce qu'ils apportent à la compréhension des enjeux du congrès de La Haye pour le projet politique européen.

La naissance d'un projet d'Europe politique (1948-1957)

Quelles formes le projet d'une Europe politique prend-il au lendemain de la Seconde Guerre mondiale ?

A. L'essor de l'idée européenne

- Aspiration ancienne, **l'idée d'unifier politiquement l'Europe prend corps entre 1940 et 1945 dans les mouvements de résistance** européens non communistes. Les européistes* veulent une Europe démocratique et pacifique, et promeuvent la démocratie libérale*, la paix et l'État-providence*. Ce sont principalement des **démocrates chrétiens**, comme Konrad Adenauer, Alcide De Gasperi*, ou Robert Schuman*, et des **sociaux-démocrates**, comme Paul Henri Spaak* et Guy Mollet*.

- **Les cercles et associations européistes**, divisés entre unionistes et fédéralistes, **se réunissent en mai 1948 au congrès de La Haye** (voir p. 348). Ce dernier débouche sur une première réalisation concrète, le **Conseil de l'Europe**, créé le 5 mai 1949, qui élabore la Convention européenne des droits de l'Homme (CEDH).

- Dans le contexte des débuts de la Guerre froide, **l'idée européenne est soutenue par les États-Unis**, qui souhaitent unifier l'Europe occidentale face au bloc communiste. Le plan Marshall [doc. 1] conduit les États européens à se rassembler dans le cadre de l'**OECE** en avril 1948, tandis que le traité de Bruxelles crée la même année l'Union de l'Europe occidentale (France, Royaume-Uni, Benelux), qui rejoint l'OTAN à sa création en 1949.

B. L'échec de l'Europe fédérale

- **Le projet d'une Europe politique s'inscrit dans le contexte de l'atlantisme*** et des craintes françaises de voir l'Allemagne redevenir belliqueuse. **Jean Monnet** et Robert Schuman proposent d'organiser la coopération européenne dans les secteurs économiques clés. Ils sont à l'origine de la **CECA**, fondée le 18 avril 1951 [doc. 2]. Limitée à un secteur économique, illustrant ainsi la **« stratégie des petits pas »** de Jean Monnet, la CECA dispose néanmoins de compétences supranationales et aspire à devenir une fédération européenne.

- **Le fédéralisme européen est toutefois rejeté par les communistes, les nationalistes et les conservateurs**. Ainsi, le projet d'une Communauté européenne de défense (la CED*), qui vise à intégrer l'armée ouest-allemande dans une armée européenne, est-il rejeté par le Parlement français le 30 août 1954 (voir p. 352). La RFA est finalement intégrée dans l'**UEO** et dans l'OTAN, mais le rejet de la CED consacre l'échec d'une Europe fédérale.

C. La création des communautés européennes

- Afin de relancer le projet européen, les dirigeants des six États de la CECA optent, lors de la conférence de Messine, en 1955, pour un **marché commun. Les Six** (France, RFA, Italie, Belgique, Luxembourg, Pays-Bas), **signent les traités de Rome le 25 mars 1957** [doc. 3].

- **Le premier traité de Rome fonde la Communauté économique européenne (CEE)**, qui a pour ambition la mise en œuvre d'un marché commun des biens, des capitaux et des hommes. Ses institutions, complexes, sont un compromis entre les aspirations fédéralistes et unionistes [doc. 4].

- **Le second traité de Rome** institue la Communauté européenne de l'énergie atomique ou **Euratom**, qui met en place une coopération dans le domaine de l'énergie nucléaire. Les deux traités sont adoptés dans une relative indifférence de la part des opinions publiques [doc. 5].

1 **Une Europe atlantique**

« Levons fièrement nos couleurs », affiche de Reyn Dirksen pour le plan Marshall, 1947.
En juin 1947, le secrétaire d'État George Marshall lance un plan d'aide financière de 13 milliards de dollars pour la reconstruction de l'Europe.

BIOGRAPHIE

Jean Monnet (1888-1979)
Commissaire général au Plan en France de 1945 à 1952, il crée avec Robert Schuman la CECA, dont il devient le premier président en 1952.
J. Monnet, 1952.

MOTS CLÉS

CECA (Communauté européenne du charbon et de l'acier) : marché commun du charbon et de l'acier, sous le contrôle d'une assemblée de parlementaires et d'une Haute Autorité.

Conseil de l'Europe : conseil fondé en 1949 pour défendre la démocratie et les droits de l'homme. Son siège est à Strasbourg.

Marché commun : espace économique à l'intérieur duquel est organisée la libre circulation des biens et des personnes en vue d'une plus grande intégration.

OECE (Organisation européenne de coopération économique) : créée en 1948 pour répartir les crédits du plan Marshall, elle devient l'OCDE (Organisation de coopération et de développement économique) en 1960.

UEO (Union de l'Europe occidentale) : organisation de défense regroupant les signataires du pacte de Bruxelles (1948) auxquels se joignent la RFA et l'Italie en 1954.

2 La CECA, une «réalisation concrète»

Robert Schuman présente devant 200 journalistes le projet de CECA qu'il a préparé avec Jean Monnet.

«L'Europe ne se fera pas d'un coup, ni dans une construction d'ensemble : elle se fera par des réalisations concrètes créant d'abord une solidarité de fait. Le rassemblement des nations européennes exige que l'opposition séculaire de la France et de l'Allemagne soit éliminée : l'action entreprise doit toucher au premier chef la France et l'Allemagne.

Dans ce but, le gouvernement français propose de porter immédiatement l'action sur un point limité mais décisif : [il] propose de placer l'ensemble de la production franco-allemande de charbon et d'acier sous une Haute Autorité commune, dans une organisation ouverte à la participation des autres pays d'Europe. [...].

Par la mise en commun de productions de base et l'institution d'une Haute Autorité nouvelle, dont les décisions lieront la France, l'Allemagne et les pays qui y adhéreront, cette proposition réalisera les premières assises concrètes d'une Fédération européenne indispensable à la préservation de la paix.»

Robert Schuman, *Déclaration* faite à Paris le 9 mai 1950.
© Fondation Robert Schuman

1. Quel est l'objectif de la future CECA ?

2. En quoi ce projet est-il fédéraliste ?

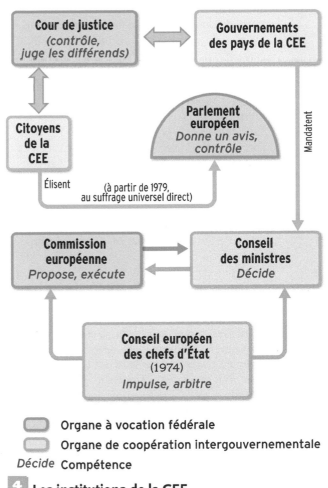

Organe à vocation fédérale

Organe de coopération intergouvernementale

Décide Compétence

4 Les institutions de la CEE

Les institutions de la CEE créées par le traité de Rome (25 mars 1957).

1. Quelle place les États occupent-ils dans le fonctionnement de la CEE ?

EUROPA UNITA PER IL PROGRESSO E PER LA PACE

"Finalmente le frontiere in Europa vengano abbassate e si abbia una Comunità sola e una libera circolazione sia per le persone sia per le cose e soprattutto per il lavoro". DE GASPERI

LUSSEMBURGO · BELGIO · FRANCIA · ITALIA · GERMANIA · OLANDA

Roma, 25 marzo 1957

FIRMA DEI TRATTATI
PER IL MERCATO COMUNE E PER L'EURATOM

3 Le projet européen des traités de Rome

Affiche italienne pour le traité de Rome, 1957. «Une Europe unie pour le progrès et pour la paix. Que les frontières tombent enfin et que l'on ait une seule communauté et une libre circulation des personnes, des biens et surtout du travail. Signature des traités pour le marché commun et l'Euratom.»

1. Quelle image de la communauté cette affiche donne-t-elle ?

5 Un lent processus

«Une grande aventure : "Les deux moteurs à plein régime !"», caricature de Herbert Kolfhaus sur l'Euratom et la CEE (EWG en allemand), *Deutsche Zeitung*, 1958.

1. Que critique cette caricature ?

L'échec de la Communauté européenne de défense (CED)

Dans le contexte de la Guerre froide, le souhait des États-Unis de reconstituer une armée ouest-allemande divise les Français. Le président du Conseil français René Pleven* avance l'idée d'une « armée européenne ». Approuvé le 26 octobre 1950 à l'Assemblée nationale par 343 voix contre 225, le plan Pleven débouche, après la création de la CECA, sur le projet d'une Communauté européenne de défense (CED) et d'une Communauté politique européenne (CPE). Ces projets, d'inspiration fédéraliste, provoquent de vifs débats.

Pourquoi la France s'oppose-t-elle au projet d'une Europe supranationale en 1954 ?

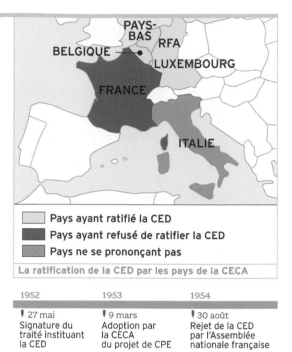

	Pays ayant ratifié la CED
	Pays ayant refusé de ratifier la CED
	Pays ne se prononçant pas

La ratification de la CED par les pays de la CECA

1952	1953	1954
▼ 27 mai Signature du traité instituant la CED	▼ 9 mars Adoption par la CECA du projet de CPE	▼ 30 août Rejet de la CED par l'Assemblée nationale française

1 Une communauté européenne d'inspiration fédéraliste

Séance de signature du traité de Paris instituant la CED, 27 mai 1952.
Le ministre des Affaires étrangères français Robert Schuman (debout au centre) prononce un discours en présence des représentants de la RFA (Konrad Adenauer, 2ᵉ à sa droite), de la Belgique, de l'Italie, du Luxembourg et des Pays-Bas. Le 27 mai 1952, le lendemain de la signature des accords de Bonn qui mettent un terme à l'occupation de la RFA, les représentants des Six signent le traité de Paris qui prévoit l'établissement de la CED.

2 Le projet de Communauté politique européenne (CPE)

Afin de contrôler la politique étrangère et militaire de la future CED, l'assemblée de la CECA adopte le projet de Communauté politique européenne (CPE).

« Le Parlement comprendra deux organes : 1. une *Chambre des peuples* élue au suffrage universel par les populations de la communauté [...] 2. une *Chambre haute*. [...] L'Exécutif [...] comprendra : 1. un élément supra-national : *Conseil exécutif* [...] 2. un élément national : *Conseil des ministres* des Affaires étrangères ou des chefs du gouvernement des pays membres. [...]

Si un accord paraît relativement aisé sur les institutions, un compromis sera plus difficile à élaborer sur le problème capital de la compétence de la future Communauté. Les Six sont d'accord sur le but final : création d'un marché commun fondé sur la libre circulation des marchandises, des services, des capitaux et des personnes [...]. La France considère cependant que, dans l'état actuel des choses, la compétence de la nouvelle Communauté devra se limiter à celle du charbon et de l'acier et de la défense, que l'établissement immédiat d'un marché commun généralisé entraînerait des difficultés considérables [...]. Certains de nos partenaires, en revanche, désirent que le traité sur la Communauté politique contienne un engagement immédiat de suppression progressive des restrictions quantitatives et des droits de douane. [...] Le désaccord est profond. »

Antoine Chastenet, « Que sera la Communauté politique européenne ? », *Le Figaro*, 25 novembre 1953.

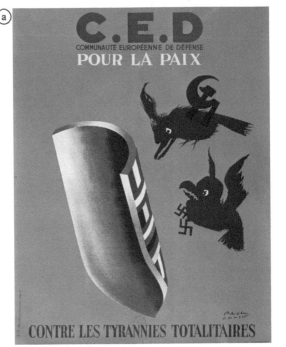

3 La querelle de la CED

a. Affiche de Paul Colin commandée par le gouvernement français, 1954.
b. Affiche du Parti communiste français, 1954.

Le projet de CED, soutenu par le président américain Dwight Eisenhower en avril 1954, donne lieu, en France, à de très vifs débats entre les différents partis politiques et au sein même de certains partis.

4 L'opposition du général de Gaulle* à la CED et à la CPE

À la tête du Rassemblement du peuple français (RPF, fondé en 1947), qui constitue, avec le PCF, la principale force parlementaire d'opposition aux gouvernements de la IVe République, le général de Gaulle rejette avec ironie le projet de Communauté européenne.

« L'Allemagne est, sans relâche, en proie à l'instinct de la domination, hier encore il s'en fallut de peu qu'elle ne tuât la France ! Rien n'est plus simple que d'arranger cela. Mélangeons cette France et cette Allemagne ! En particulier, puisque la France victorieuse a une armée, que l'Allemagne vaincue n'en a pas, supprimons l'armée française ! Créons ensuite une armée apatride faite de Français et d'Allemands. Il est vrai qu'au-dessus d'une armée, il faut un gouvernement. Qu'à cela ne tienne ! Fabriquons en un,

apatride lui aussi, une technocratie commode que nous appellerons "communauté de défense". En dehors des apparences, la chose, d'ailleurs, importe peu, car nous remettrons cette armée, qualifiée d'"européenne", au commandement américain.

Monsieur Adenauer veut être européen. Il souhaite qu'on fasse l'Europe. Fort bien ! Mais croit-il que ce soit faire l'Europe, n'est-ce pas plutôt la tuer, que de fabriquer, à grand renfort d'interventions américaines, ce monstre artificiel, ce robot, ce Frankenstein, que, pour tromper le monde, on appelle la Communauté ? Monsieur Adenauer ne croit-il pas qu'il y aurait beaucoup mieux à faire ? »

Charles de Gaulle, *Conférence de presse* à l'hôtel Continental de Paris, 12 novembre 1953, *Discours et messages, tome II*, Plon, 1970.

Répartition des votes à la question préalable	
Contre le débat pour la CED	319
dont • PCF	99
• SFIO (socialistes)	53
• RGR (radicaux)	44
• MRP (chrétiens-démocrates)	0
• modérés	44
• RPF	67
• divers	12
En faveur du débat	264
Abstention	12
Ne prennent pas part au vote	31

5 Le rejet de la CED par le Parlement français

Le 30 août 1954, l'Assemblée nationale rejette la CED sans débat, par la procédure de la question préalable, c'est-à-dire par un vote qui décide qu'il n'y a pas lieu de délibérer sur un sujet. Les partisans de la CED qualifient ce vote, qui met également fin au projet de CPE, de « crime du 30 août ».

QUESTIONS

Les projets de communautés européennes

1. Quels sont les buts de la CED ? (doc. 1, 2, 3a)

2. En quoi le projet de la CED et de la CPE sont-ils fédéralistes ? (doc. 1, 2, 3a)

Le rejet de la CED et de la CPE

3. Qui sont les principaux partisans et adversaires politiques de la CED ? (doc. 3, 4, 5)

4. Que reproche-t-on à la CED ? (doc. 3b, 4).

5. Comment la division des partis politiques se manifeste-t-elle ? (doc. 3, 4, 5)

Bilan : Pourquoi la France s'oppose-t-elle au projet d'une Europe supranationale en 1954 ?

Étude critique de documents

Mettez en relation les documents 3a et 3b et montrez quels aspects de la CED ils mettent en avant, puis expliquez comment ils permettent de comprendre les enjeux des projets de Communauté européenne.

353

Le projet européen en chantier (1957-1989)

Quelle place la CEE accorde-t-elle au projet d'Europe politique?

A. L'Europe des Six face à de Gaulle (1957-1968)

- **Le général de Gaulle**, qui redoute que l'Europe unie ne favorise l'hégémonie américaine, **privilégie l'axe franco-allemand** [doc. **1**] et s'oppose à toute Europe supranationale [doc. **2**]. En 1965, devant le projet d'extension du vote à la majorité, **il bloque le fonctionnement de la CEE** par la «politique de la chaise vide» **pendant plusieurs mois**.
- **La CEE est alors confrontée à la concurrence de l'AELE,** une zone de libre-échange sans structure politique, fondée à l'initiative du Royaume-Uni dont la France a rejeté à deux reprises l'entrée dans la CEE (en 1963 et 1967).
- La CEE n'en connaît pas moins ses premières réalisations: **Politique agricole commune (PAC)** en 1962, fusion des exécutifs des trois communautés **(CECA, CEE, Euratom) en 1965**, et achèvement de l'**union douanière en 1968**.

B. Élargissement et approfondissement de l'Europe (1969-1981)

- **Le projet d'une Europe politique est relancé en 1969** au congrès de La Haye, puis soutenu par les couples franco-allemands formés par Georges Pompidou* et Willy Brandt* puis Valéry Giscard d'Estaing* et Helmut Schmidt*.
- **En 1972, la CEE connaît un élargissement au Royaume-Uni, au Danemark et à l'Irlande, puis un approfondissement**. Elle est, en effet, dotée d'un budget autonome, puis d'un Conseil européen (1974) **qui réunit chaque semestre les chefs d'États et de gouvernement. En 1979, le Parlement européen est élu au suffrage universel** [doc. **3**]; sa première présidente est Simone Veil*.
- Dans le contexte de la crise économique et de la fin du système de Bretton-Woods, **la CEE se dote également, en mars 1979, du Système monétaire européen** (SME) fondé sur une monnaie de compte, l'**ECU** (European Currency Unit), et sur un mécanisme de change assurant la stabilité des monnaies européennes.

C. Vers l'intégration économique de l'Europe (1981-1989)

- **Dans les années 1980, la construction européenne est ralentie par la situation économique,** par la volonté de **Margaret Thatcher** de limiter la contribution financière britannique, et par une vague d'**euroscepticisme** (voir p. 360). L'élargissement à des pays économiquement moins développés qui connaissent une transition vers la démocratie – la Grèce en 1981 [doc. **4**], l'Espagne et le Portugal en 1986 – pose de nouveaux défis à l'Europe.
- **Jacques Delors, alors qu'il préside la Commission européenne** (voir p. 356), **est à l'origine d'une relance de la construction européenne.** Encouragée par le tandem franco-allemand formé par François Mitterrand* et Helmut Kohl, celle-ci aboutit **en février 1986** à la **signature de l'Acte unique européen** [doc. **5**].
- La libre circulation des personnes est également encouragée par la signature en 1985 de l'**accord de Schengen qui supprime les contrôles aux frontières des pays signataires,** et par la mise en place en 1987 du programme Erasmus qui permet aux étudiants de séjourner dans les universités d'autres pays de la CEE.

1 **Le couple franco-allemand**

De Gaulle accueille Adenauer à l'Élysée.
De Gaulle et Adenauer se rencontrent douze fois entre 1958 et janvier 1963, date à laquelle il signe le traité de l'Élysée, traité d'amitié franco-allemande.

Margaret Thatcher (née en 1925)

Premier ministre conservateur du Royaume-Uni de 1979 à 1990, Margareth Thatcher défend à la fois les intérêts de la Grande-Bretagne et la conception d'une Europe réduite à sa fonction de zone de libre-échange.
Margaret Thatcher, 1986.

MOTS CLÉS

AELE (Association européenne de libre-échange): fondée en 1960 par le Royaume-Uni pour concurrencer la CEE, l'AELE ne regroupe plus aujourd'hui que l'Islande, le Liechtenstein, la Norvège et la Suisse.

Approfondissement: renforcement des institutions ou des politiques communautaires, généralement entendu dans un sens fédéraliste.

Élargissement: adhésion de nouveaux États membres à la Communauté européenne.

PAC (Politique agricole commune): politique mise en œuvre à partir de 1962 visant à moderniser l'agriculture. Elle s'appuie sur des subventions européennes et un contrôle des prix des denrées agricoles.

2 De Gaulle contre le projet d'une Europe supranationale

« Je voudrais parler plus spécialement de l'objection de l'intégration. On nous l'oppose en nous disant : "Fondons ensemble les six États dans une entité supranationale ; ainsi ce sera très simple et très pratique." Mais cette entité là est impossible à découvrir, faute d'un fédérateur qui ait aujourd'hui en Europe la force, l'adresse et le crédit suffisants. Alors on se rabat sur une espèce d'hybride dans lequel les six États acceptent de s'engager à se soumettre à ce qui sera décidé par une certaine majorité. [...] Bien qu'il y ait déjà six Parlements nationaux plus l'Assemblée parlementaire européenne, plus l'Assemblée parlementaire du Conseil de l'Europe [...], il faudrait de surcroît élire un Parlement de plus, qualifié d'européen, et qui ferait la loi aux six États. [...] Ce sont des idées qui peuvent peut-être charmer quelques esprits, mais je ne vois pas du tout comment on pourrait les réaliser pratiquement. [...] Est-ce que le peuple français, le peuple allemand, le peuple italien, le peuple belge, le peuple luxembourgeois, songeraient à se soumettre à des lois que voteraient des députés étrangers, dès lors que ces lois iraient à l'encontre de leur volonté profonde ? Ce n'est pas vrai ! [...] Il est vrai que, dans cette Europe "intégrée" comme on dit, il n'y aurait peut-être pas de politique du tout. Cela simplifierait beaucoup les choses. [...] Mais alors, peut-être, ce monde se mettrait-il à la suite de quelqu'un du dehors qui, lui en aurait une. Il y aurait peut-être un fédérateur, mais il ne serait pas européen. »

Charles de Gaulle, *Conférence de presse* du 5 mai 1962, *Discours et messages, tome III*, Plon, 1970.

1. Quels arguments de Gaulle avance-t-il contre l'Europe supranationale ?

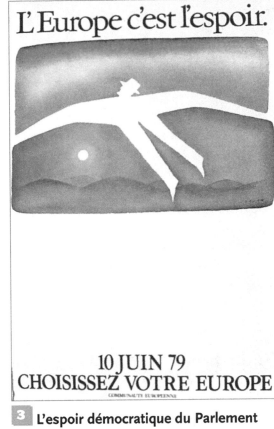

3 L'espoir démocratique du Parlement européen

Affiche de l'artiste belge Jean-Michel Folon pour la campagne électorale des élections du Parlement européen de 1979.

Le 10 juin 1979, ont lieu les premières élections du Parlement européen au suffrage universel. Le parti populaire européen (PPE), qui rassemble des partis démocrates-chrétiens, remporte la majorité des sièges.

1. Quelle image cette affiche donne-t-elle de l'Europe ?

Der neue Pfeiler

4 L'entrée de la Grèce dans la CEE

« Le nouveau pilier de la Communauté européenne. »
Caricature de Walter Hanel, 1980.

Le 28 mai 1979, la Grèce, sortie depuis peu d'une dictature militaire, signe son acte d'adhésion à la CEE qui prend effet le 1er janvier 1981.

1. Quelles fragilités le caricaturiste allemand dénonce-t-il ?

5 « L'Acte unique européen : un moment de vérité »

L'Acte unique prévoit d'achever la réalisation du marché unique le 1er janvier 1993, étend les compétences du Parlement et de la Commission, et réduit la souveraineté des États par un nouveau processus de décision.

« Trop souvent le débat d'idées autour de la construction européenne oscille entre l'incantation politique et le pragmatisme sans perspectives. [...] Nous voyons ainsi aux deux extrémités de l'éventail conceptuel, d'une part, certains États privilégier les projets institutionnels, sinon politiques, ce saut qualitatif qui tient au cœur de tous les militants européens et, je dois vous l'avouer, à moi-même aussi. Et d'un autre côté, ceux qui ne retiennent de l'Europe, par réalisme, par conception, qu'une version utilitariste, ce qu'on a convenu d'appeler "l'intégration économique" avec, bien entendu, soyons objectifs, un certain prolongement politique. Cet affrontement latent nous devons le dépasser,

le transcender, c'est la tâche qui nous incombe aujourd'hui. [...] L'Acte unique [...] prévoit un certain nombre de dispositions destinées à améliorer le processus des décisions et à les démocratiser, en associant davantage le Parlement européen. Cette réforme, la première de cette importance, du traité de Rome pose en effet la base économique et sociale de la relance de l'Europe, après des années de stagnation. Tous ces objectifs sont indissolublement liés, le grand marché, la coopération technologique, le renforcement du système monétaire européen, la cohésion économique et sociale, et la dimension sociale de l'action collective. »

Jacques Delors, président de la Commission européenne,
Discours devant l'Institut universitaire européen de Florence, 21 novembre 1986,
cvce.eu et Communautés européennes.

1. Qu'apporte l'Acte unique à la construction de l'Europe selon l'auteur ?

Jacques Delors, un acteur du projet politique européen

Économiste, démocrate-chrétien et socialiste, le Français Jacques Delors est un Européen convaincu, d'inspiration fédéraliste. Après avoir été ministre des Finances, il est nommé président de la Commission européenne de 1985 à 1995.
Il est chargé par le couple franco-allemand de mener à bien la relance de l'intégration européenne et de lever les réticences britanniques. Suivant la méthode pragmatique et progressive de Jean Monnet, il choisit de commencer par les aspects économiques avant d'aborder les questions politiques. Il cherche à fédérer les Européens autour d'un projet d'approfondissement, tout en tenant compte des États-nations. Il est ainsi à l'origine de l'Acte unique et du traité de Maastricht.

Comment le président de la Commission européenne a-t-il fait avancer l'intégration européenne ?

Chronologie

1925	Naissance à Paris.
1945	Économiste à la Banque de France et membre de la CFTC puis de la CFDT (1964).
1961-1962	Membre du Commissariat général au Plan.
1969-1972	Conseiller des Premiers ministres Jacques Chaban-Delmas et Pierre Messmer.
1974	Adhésion au Parti socialiste.
1979	Élu au Parlement européen, président de la commission économique et monétaire.
1981	Ministre français de l'Économie et des Finances.
1985-1995	Président de la Commission européenne.
1986	Signature de l'Acte unique européen.
1987	Propose une Union économique et monétaire en trois étapes vers une monnaie unique.
1992	Présente le traité de Maastricht.

1 Delors relance la construction européenne

Six mois après sa prise de fonctions, Jacques Delors publie un Livre blanc dans lequel il dresse le calendrier des actions à mener pour réaliser le marché unique au plus tard le 31 décembre 1992.

« Faire l'unité de ce grand marché (de 320 millions de consommateurs) suppose que les États membres de la Communauté s'accordent sur l'abolition des barrières de toute nature, l'harmonisation des règles, le rapprochement des législations et des structures fiscales, le renforcement de leur coopération monétaire. [...]
L'Europe est arrivée à la croisée des chemins. Soit elle va de l'avant, avec fermeté et détermination, soit elle retourne à la médiocrité. Ou bien nous nous résolvons à parfaire l'intégration économique de l'Europe, ou bien nous abdiquons par manque de volonté politique devant l'immensité de la tâche, et nous laissons l'Europe devenir une simple zone de libre-échange. [...]
De même que l'union douanière devait précéder l'intégration économique, l'intégration économique doit précéder l'unité européenne. »

Jacques Delors, *L'Achèvement du marché intérieur. Livre blanc de la Commission européenne*, 14 juin 1985, cvce.eu et Communautés européennes.

EURO CLASH THAT WILL DECIDE BRITAIN'S FATE

2 Un duel constant avec Margaret Thatcher

Caricature de Cummings, *Daily Express*, 29 juillet 1988, « Clash européen qui déterminera l'avenir du Royaume-Uni ». « Ma patiente [M. Thatcher] se prend pour de Gaulle ! » « ... le mien pour Napoléon ! »
Jusqu'en 1990, Jacques Delors est confronté aux réticences du Royaume-Uni vis-à-vis de l'intégration européenne. Il est en conflit avec Margaret Thatcher, Premier ministre britannique de 1979 à 1990, alors célèbre pour sa formule « *I want my money back* » (« Je veux être remboursée [de l'excédent de ma contribution à la CEE] ») prononcée en 1979.

3 Le renforcement de l'exécutif européen

Commission Delors III (1993-1995), le 12 janvier 1993. Jacques Delors est placé devant le drapeau européen.

Renouvelé à deux reprises dans ses fonctions de président de la Commission, Jacques Delors impose un renforcement de l'exécutif européen. Il bénéficie d'une grande notoriété et d'un statut diplomatique équivalent à celui d'un chef d'État.

4 Pour une nouvelle souveraineté en Europe

En octobre 1989, devant des étudiants qui se destinent à des carrières au sein de l'administration européenne, Jacques Delors évoque les défis que l'Europe a encore à relever.

« En premier lieu, les nations doivent s'unir lorsqu'elles se sentent proches les unes des autres, par la géographie, l'histoire, les finalités essentielles... et aussi la nécessité.

En second lieu, ou mieux parallèlement, la coopération doit se développer de plus en plus au niveau mondial [...].

Les deux voies ne sont pas concurrentes, mais complémentaires. Car pour exister au niveau mondial, pour peser sur les évolutions, encore faut-il avoir les atouts – et pas seulement les atours – de la puissance, c'est-à-dire les moyens de la générosité, sans laquelle il n'est pas de grande politique.

Or, l'Europe ne pèse pas encore beaucoup [...]. L'origine de nos carences est claire. Elle réside dans la fiction – délibérément entretenue – de la pleine souveraineté, et par conséquent de l'efficacité absolue des politiques nationales.

On connaît la réponse rassemblée dans une formule lapidaire : parler d'une seule voix. C'est en réalité plus qu'une formule, c'est une manière d'être que confortent nos institutions et que justifient les résultats obtenus, là où nous avons accepté l'exercice en commun de la souveraineté. »

Jacques Delors, *Discours* à l'occasion de l'ouverture de la 40ᵉ année académique du Collège d'Europe à Bruges, 17 octobre 1989.

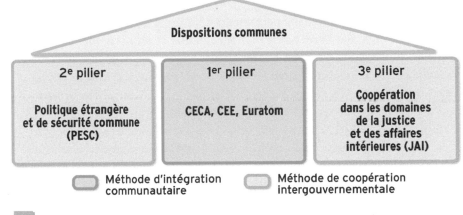

Dispositions communes

2ᵉ pilier	1ᵉʳ pilier	3ᵉ pilier
Politique étrangère et de sécurité commune (PESC)	CECA, CEE, Euratom	Coopération dans les domaines de la justice et des affaires intérieures (JAI)

Méthode d'intégration communautaire   Méthode de coopération intergouvernementale

5 Le traité de Maastricht : une nouvelle architecture européenne

QUESTIONS

Les conceptions de Jacques Delors

1. Quelle conception Jacques Delors a-t-il de l'intégration européenne et de son propre rôle ? (doc. 1, 3, 4)

2. Quels ont été les principaux obstacles à son action ? (doc. 1, 2, 4)

L'action du président de la Commission européenne

3. Par quelles initiatives Jacques Delors a-t-il fait progresser la construction européenne ? (doc. 1, 2)

4. En quoi le traité de Maastricht est-il l'aboutissement de ses projets ? (doc. 4, 5)

Bilan : Comment le président de la Commission européenne a-t-il fait avancer l'intégration européenne ?

Étude critique de document → **MÉTHODE** p. 339

Présentez le document 4 ainsi que son contexte, puis montrez ce qu'il révèle de la modification apportée par la construction européenne à la notion de souveraineté.

Les défis européens dans la mondialisation

Quelles sont les avancées et les limites du projet politique européen ?

A. Vers une fédération d'États-nations

- La fin de la Guerre froide et la réunification de l'Allemagne confrontent l'Europe à de nouveaux défis [doc. 2] : **le projet politique européen** n'est plus limité à l'Europe occidentale et **s'ouvre à l'Est**.
- **En 1993, le traité de Maastricht instaure l'Union européenne** (UE), qui succède à la CEE et étend les compétences de l'Union, tout en renforçant la logique intergouvernementale. La libre circulation des personnes est facilitée par la mise en place de **l'espace Schengen** [doc. 1].
- **Le projet européen rencontre toutefois des oppositions de plus en plus fortes dans les opinions publiques.** En 1992, le traité de Maastricht est adopté de justesse au Danemark et en France, après de vifs débats au cours desquels les eurosceptiques critiquent le caractère technocratique du traité européen et dénoncent les pertes de **souveraineté** [doc. 3].

B. Le projet d'une « Europe-puissance »

- **Les élargissements successifs permettent à l'Europe de** trouver une unité géographique et, grâce à son poids démographique et économique, de **s'affirmer dans le contexte de la mondialisation**.
- Le traité de Maastricht met ainsi en place une **ébauche de politique étrangère commune, la PESC**, et un embryon d'armée européenne, l'**Eurocorps**. Toutefois, alors que le territoire européen connaît à nouveau des guerres (ex-Yougoslavie, 1991-1995 ; Kosovo, 1997-1999), les États de l'UE peinent à définir une politique étrangère commune ou à adopter une position unifiée face aux États-Unis et aux puissances émergentes.
- L'ambition de construire une «Europe-puissance» se traduit également sur le plan économique. **L'Union économique et monétaire aboutit à la création de la Banque centrale européenne** (BCE, 1998) à Francfort puis à celle de l'euro (mis en circulation en 2002), monnaie qui, jusqu'à la crise financière de 2008, paraît à même de concurrencer le dollar.

C. La crise du projet européen

- **L'Union européenne recherche un équilibre institutionnel conciliant l'élargissement et l'approfondissement.** En vue de surmonter les blocages liés à l'absence de consensus entre les pays membres de l'UE, les traités d'Amsterdam (1997) et de Nice (2000) étendent le vote à la **majorité qualifiée**. Le traité de Rome de 2004 va plus loin en prévoyant une Constitution pour l'Europe. Adopté par 16 parlements en 2005, il est rejeté par référendum en France et aux Pays-Bas.
- **Le traité de Lisbonne de décembre 2007**, qui reprend l'essentiel du projet précédent, est ratifié par les Parlements de 26 États, et par l'Irlande à l'issue de deux référendums successifs. Il **réorganise le fonctionnement de l'UE** [doc. 4] et dote le Conseil européen d'un président, **Herman Van Rompuy**.
- Cependant, **le projet d'Europe politique se heurte aux dissensions entre les 27 États membres et à l'essor de l'euroscepticisme** (voir p. 360). Dans les opinions publiques, les clivages se cristallisent notamment sur la question de l'élargissement à la Turquie, ou sur celle de la solidarité financière au moment où la crise économique menace la stabilité de l'UE [doc. 5].

1 Une Europe sans frontières internes

Dessin de Plantu, *Le Monde*, juin 1991.

Ratifié à l'origine par six pays européens dont la France, l'accord de Schengen, qui entre en vigueur en 1995, crée un espace de libre circulation des personnes à l'intérieur des frontières des pays signataires. L'espace Schengen rassemble aujourd'hui 25 pays.

1. Comment l'Europe est-elle caricaturée ?

BIOGRAPHIE

Herman Van Rompuy (né en 1947)

Homme politique chrétien-démocrate, Premier ministre belge de 2008 à 2009, il est choisi par les 27 chefs d'État et de gouvernement de l'Union pour devenir le premier président du Conseil européen, le 1er janvier 2010.

H. Van Rompuy, 2012.

MOTS CLÉS

Eurocorps: corps d'armée européenne créé en 1992 sur une initiative franco-allemande et déclaré opérationnel en 1995. Il compte cinq pays membres (Allemagne, Belgique, Espagne, France, Luxembourg) et peut fournir jusqu'à 60 000 soldats.

Majorité qualifiée: procédure de vote attribuant à chaque État membre un nombre de voix proportionnel à sa population, et requérant un nombre de voix supérieur à 50 % pour l'adoption d'une décision.

PESC (Politique étrangère et de sécurité commune): politique commune de défense mise en œuvre pour permettre à l'UE de jouer un rôle politique sur la scène internationale. Elle devient Politique européenne de sécurité et de défense (PESD) en 2000.

Souveraineté: pouvoir suprême et exclusif détenu et exercé par un État sur son territoire, et indépendance d'un État vis-à-vis des puissances étrangères.

Union européenne : nom que prend la CEE en vertu du traité de Maastricht (1993) et qui fait d'elle une union politique.

2 Un horizon démocratique

En novembre 1990, les chefs d'États ou de gouvernement des pays membres de la CSCE (Conférence sur la sécurité et la coopération en Europe, rassemblant depuis 1973 les pays de l'OTAN et ceux du Pacte de Varsovie), se réunissent à Paris.

« L'ère de la confrontation et de la division en Europe est révolue. Nous déclarons que nos relations seront fondées désormais sur le respect et la coopération. L'Europe se libère de l'héritage du passé. [...]

Il nous appartient aujourd'hui de réaliser les espérances et les attentes que nos peuples ont nourries pendant des décennies : un engagement indéfectible en faveur de la démocratie fondée sur les droits de l'homme et les libertés fondamentales ; la prospérité par la liberté économique et par la justice sociale ; et une sécurité égale pour tous nos pays. [...]

Nous nous engageons à édifier, consolider et raffermir la démocratie comme seul système de gouvernement de nos nations. [...]

Nous sommes résolus à intensifier les consultations politiques et à élargir la coopération pour résoudre les problèmes économiques, sociaux, environnementaux, culturels et humanitaires. Cette résolution commune et notre interdépendance croissante contribueront à vaincre la méfiance de plusieurs décennies, à accroître la stabilité et à bâtir une Europe unie. »

Charte de Paris pour une nouvelle Europe, 21 novembre 1990.

1. Sur quelles bases les pays membres de la CSCE entendent-ils bâtir l'Europe ?

3 L'opposition française à Maastricht

Ancien ministre, gaulliste, Philippe Séguin* est l'un des partisans emblématiques du « Non » au référendum français du 20 septembre 1992 sur la ratification du traité de Maastricht. Le « Oui » l'emporte néanmoins avec 51,04 % des voix.

« Voilà trente-cinq ans que toute une oligarchie d'experts, de juges, de fonctionnaires, de gouvernants prend, au nom des peuples, sans en avoir reçu mandat, des décisions dont une formidable conspiration du silence dissimule les enjeux [...].

La logique du processus de l'engrenage économique et politique mis au point à Maastricht est celle d'un fédéralisme au rabais, fondamentalement antidémocratique, faussement libéral et résolument technocratique. L'Europe qu'on nous propose n'est ni libre, ni juste, ni efficace. Elle enterre la conception de la souveraineté nationale et les grands principes issus de la Révolution. [...]

On ferait beaucoup d'honneur au traité en affirmant sans autre précaution qu'il est d'essence fédérale. Car le pouvoir qu'on enlève au peuple, aucun autre peuple ni aucune réunion de peuples n'en hérite. Ce sont des technocrates désignés et contrôlés encore moins démocratiquement qu'auparavant qui en bénéficient et le déficit démocratique, tare originelle de la construction européenne, s'en trouve aggravé. »

Philippe Séguin, *Discours* à l'Assemblée nationale, 5 mai 1992.

1. Que reproche Philippe Séguin aux évolutions prévues par le traité de Maastricht ?

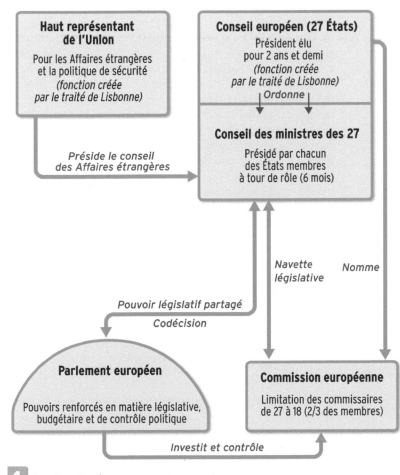

4 Les institutions européennes issues du traité de Lisbonne (2007)

1. Quelles nouveautés institutionnelles le traité de Lisbonne apporte-t-il ?

5 La zone euro en crise

« Estonie ! Bienvenue à bord du Titanic », affiche des opposants à l'entrée de l'Estonie dans la zone euro, à Tallinn en 2010.

Le 1er janvier 2011, l'Estonie, qui a rejoint l'Union européenne et l'Otan en 2004, est la première ex-République soviétique à rejoindre la zone euro, avec quatre ans de retard sur la date initialement prévue.

Les eurosceptiques

Le terme « euroscepticisme », apparu à la fin des années 1980, désigne à la fois un courant de pensée qui repose sur le refus de la supranationalité et du fédéralisme, et le rejet de décisions de l'Union européenne au nom d'un idéal progressiste. Les eurosceptiques s'opposent généralement aux évolutions de la construction européenne, voire à cette construction elle-même. Au Parlement européen, les eurosceptiques défendent des choix idéologiques et culturels nationaux et mettent en avant la primauté de l'État-nation.

Que dénoncent les eurosceptiques ?

Chronologie

1965 Début de la crise de la « chaise vide » (de Gaulle).

1979 Naissance des premiers mouvements eurosceptiques (France, Royaume-Uni).

1994 Création au Parlement européen du groupe parlementaire (droite extrême) Europe des Nations (France, Pays-Bas, Italie, Irlande).

1999 Création au Parlement européen du groupe (eurosceptique modéré) Union pour l'Europe des Nations (France, Irlande, Italie).

Abstention pour la première fois supérieure à 50 % aux élections européennes.

2005 Le « Non » l'emporte au référendum de ratification du traité constitutionnel en France (mai) et aux Pays-Bas (juin).

2009 Progression de l'abstention et des partis eurosceptiques aux élections européennes.

1 Confession d'un eurosceptique

Le sociologue Edgar Morin évoque, à travers son parcours personnel, l'évolution de toute une génération d'intellectuels qui s'engage tardivement en faveur de la construction européenne.

« Longtemps je fus "anti-européen". À la fin de la guerre, quand surgissaient de l'antifascisme même, les mouvements européens fédéralistes, j'écrivis un article, paru en 1946 dans les *Lettres françaises*, au titre sans appel : "Il n'y a plus d'Europe". J'avais été résistant et j'étais communiste. Pour moi, pour nous, l'Europe était un mot qui ment. J'avais combattu ce que Hitler avait appelé "l'Europe nouvelle". Je voyais dans la vieille Europe le foyer de l'impérialisme plutôt que celui de la démocratie et de la liberté. [...] Inutile de dire que, dans ces conditions, je fus indifférent à la formation du Conseil de l'Europe (1949) et de la CECA (1951), comme à la plupart des événements qui marquèrent l'institution et l'essor du Marché commun. Mon problème, au contraire, après que j'eus été salubrement rejeté du Parti communiste en 1951, était de veiller à ne pas perdre l'universel : le sens de l'humanité. C'est pourquoi mes amis et moi avions mis la revue *Arguments* sous le signe de la "pensée planétaire", et je consacrai mes premiers articles, en 1957, au tiers-monde. »

Edgar Morin, *Penser l'Europe*, Gallimard, 1987.

2 Le souverainisme français de gauche

Plusieurs fois ministre de François Mitterrand, Jean-Pierre Chevènement fait campagne en 1992 contre la ratification du traité de Maastricht.

« Il faut faire l'Europe avec les peuples et non pas sans eux, encore moins contre eux. [...] Il est de bon ton de moquer, comme des archaïsmes, les souverainetés et les monnaies nationales, et bien sûr les frontières [...]. La dérive accélérée des institutions européennes vers une démocratie purement juridique ou jurisprudentielle n'est pas acceptable. La démocratie citoyenne, celle de la volonté générale, est trop ancrée dans notre tradition pour que le peuple français mais aussi beaucoup d'autres peuples européens acceptent sans réagir de se voir dépossédés de leurs droits civiques, et leurs élus réduits au rôle de potiches. Sinon l'arrogance des technocrates ne connaîtrait plus de bornes. [...] C'est parce que je crois en la France que je ne me résigne pas à l'Europe de Maastricht. »

Jean-Pierre Chevènement, « Inventer une autre Europe », *Le Monde*, 8 juillet 1992.

3 L'euroscepticisme au Parlement européen

Le courant eurosceptique est représenté au Parlement par trois courants : les souverainistes, qui prônent la primauté de la souveraineté nationale sur l'intégration européenne, regroupés dans le groupe parlementaire Europe des Nations ; les extrêmes de droite et de gauche ; certains partis régionalistes.

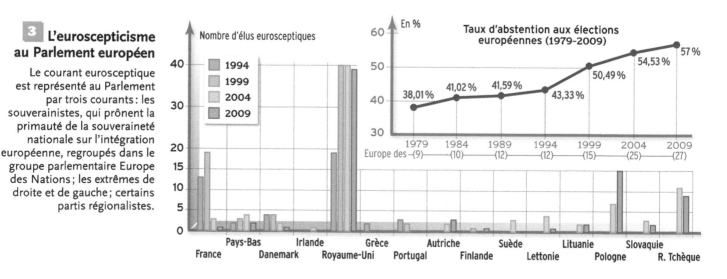

4 Le rejet du traité instituant une Constitution pour l'Europe

Le militant britannique anti-européen Ray Egan habillé en John Bull (la Marianne britannique), Londres, juin 2006.
La victoire du « Non » aux référendums français et néerlandais en 2005 suscite l'enthousiasme des opposants dans toute l'Europe.

5 L'Europe vue par le Premier ministre britannique

Tony Blair choisit la Pologne, entrée dans l'UE en 1999, pour y prononcer un discours dans lequel il s'oppose au fédéralisme.

« Le défi majeur que doit relever l'Europe est celui de s'adapter à une nouvelle réalité : celle de son élargissement et de son approfondissement simultanés. [...]

Je n'exclus pas qu'un jour, l'Europe parvienne à se doter d'une administration démocratique forte mais, aujourd'hui, elle en est encore loin. Ne nous leurrons pas : des nations, comme la Pologne, qui se sont tant battues pour devenir des États, dont les citoyens ont versé leur sang pour cette cause, ne vont pas renoncer si facilement à cette conquête. Nous devons respecter notre diversité culturelle et identitaire. C'est elle qui nous distingue en tant que nations.

L'Europe est une Europe de nations libres, indépendantes et souveraines, qui choisissent de mettre leur souveraineté en commun pour défendre leurs propres intérêts et l'intérêt général, sachant qu'elles peuvent aller plus loin ensemble qu'elles ne pourraient le faire seules. L'Union européenne restera cette combinaison unique entre intergouvernementalisme et supranationalité.

De par sa force économique et politique, cette Europe peut être une superpuissance, mais pas un super-État. »

Tony Blair, Premier ministre britannique (travailliste), *Discours* à la Bourse, Varsovie, 6 octobre 2000, europa.eu et Communautés européennes.

6 Le souverainisme français de droite

En France, le souverainisme est majoritairement le fait d'hommes politiques de droite comme Philippe de Villiers, président fondateur du Mouvement pour la France (MPF).

« C'est aux démocraties nationales de faire la loi, et c'est à l'Union européenne, avec la préférence communautaire, de protéger nos emplois. Or aujourd'hui, l'Europe ne fait pas ce qu'on attend d'elle, c'est-à-dire un protectionnisme européen. Elle interdit dans le traité de Lisbonne toute forme de préférence communautaire, et elle fait au contraire ce qu'on n'attend pas d'elle ; elle s'immisce dans la vie quotidienne des Français : vin rosé, camembert, OGM, etc. Je suis pour une Europe de la coopération intergouvernementale et de la préférence communautaire. Une Europe qui accorde une souveraineté et qui tire le meilleur d'elle-même. C'était l'Europe du traité de Rome. »

Entretien avec Philippe de Villiers, pendant la campagne pour les élections européennes, *Le Monde*, 27 mai 2009.

QUESTIONS

Le poids de l'euroscepticisme

1. Comment l'euroscepticisme se manifeste-t-il dans la vie politique ? (doc. 2, 5, 6)

2. Quelle est l'image de l'Europe dans l'opinion publique et aux élections ? (doc. 3, 4)

Une grande diversité de points de vue

3. Quelles sont les différences entre ces divers courants eurosceptiques ? (doc. 1, 2, 5, 6)

4. Quels pays sont les plus concernés par l'euroscepticisme ? (doc. 2, 3, 4, 5, 6)

Bilan : Que dénoncent les eurosceptiques ?

Étude critique de documents

En analysant et en confrontant les documents 3 et 5, vous montrerez quel impact l'euroscepticisme a sur l'intégration européenne.

❶ Étudier un discours politique

En septembre 1988, le Premier ministre britannique prononce un discours au Collège d'Europe, fondé en 1949 à Bruges et spécialisé dans les études européennes.

« Vous m'avez invitée à parler de la Grande-Bretagne et de l'Europe. Je devrais peut-être vous féliciter de votre courage. Si vous croyez certaines choses qu'on raconte ou qu'on écrit au sujet de mon opinion sur l'Europe, c'est presque inviter Gengis Khan[1] à parler des vertus de la coexistence pacifique ! [...]

L'Europe n'est pas l'œuvre du traité de Rome. Et l'idée européenne n'est pas non plus la propriété d'un groupe ou d'une institution. Nous, Britanniques, sommes tout autant porteurs de l'héritage culturel européen que toute autre nation. Nos liens avec le reste de l'Europe, avec le continent, ont été le facteur dominant de notre histoire. [...] Il s'agit de près de deux mille ans de participation et de contribution de la Grande-Bretagne, une contribution qui est aujourd'hui plus forte que jamais. Oui, nous sommes également tournés vers de plus vastes horizons, comme d'autres, et heureusement car grâce à cela, l'Europe n'est jamais devenue, ne deviendra jamais, un club étroit d'esprit, replié sur lui-même. [...] La Grande-Bretagne ne songe nullement à une autre formule que la Communauté européenne, à une existence douillette et isolée en marge. Notre destin est en Europe, car nous sommes membres de la Communauté. [...] Une coopération volontaire et active entre États souverains indépendants est le meilleur moyen de construire une Communauté européenne réussie. »

Discours de Margaret Thatcher, ouverture de la 39e année universitaire du Collège de Bruges, 20 septembre 1988.

1. Conquérant mongol (vers 1160-1227) connu pour sa violence guerrière.

La Grande-Bretagne et l'Europe

1. Dans quel contexte ce discours est-t-il prononcé ?

2. Quelle conception de l'Europe Margaret Thatcher expose-t-elle ?

3. Quelles sont les apports et les limites de ce document pour l'étude de la construction européenne ?

---

❷ Étudier un document statistique

Catégorie	oui / non
Ensemble	
Hommes	
Femmes	
18-24 ans	
25-34 ans	
35-49 ans	
50-64 ans	
Plus de 65 ans	
Cadres supérieurs	
Professions intermédiaires	
Inactifs, retraités	
Agriculteurs	
Ouvriers	
Employés	
Commerçants, artisans	
Diplômés de l'enseignement sup.	
Bacheliers	
BEPC, CAP, BEP	
Certificat d'études	
Sans diplômes	

(Échelle : 0 % – 30 % – 40 % – 50 % – 60 % – 70 %)

Le vote des Français au référendum sur le traité de Maastricht (1992)

1. Présentez le document.

2. Quels clivages divisent l'opinion française en 1992 ?

3. Quel est le profil type des partisans de la construction européenne ? Quel est celui de ses opposants ?

D'après Anne Dulphy et Christine Manigand, *Les Opinions publiques face à l'Europe communautaire : entre cultures nationales et horizon européen*, Peter Lang, 2007.

---

❸ Recherches sur internet

Les symboles de l'Union européenne

1. Rendez-vous sur le site internet du Centre de recherche et de documentation sur la construction européenne : http://www.cvce.eu. Recherchez des documents de toute nature relatifs aux symboles de l'Union européenne. Rédigez ensuite une synthèse d'une page sur l'histoire et la signification de chacun de ces symboles.

L'essentiel

Le projet d'une Europe politique depuis 1948

1. La naissance d'un projet d'Europe politique (1948-1957)

- Au lendemain de la Seconde Guerre mondiale, **l'idée européenne est portée par de nombreux européistes**, qui se réunissent **en mai 1948 au congrès de La Haye.**
- **Le Conseil de l'Europe est la première réalisation concrète** d'une Europe dont les États-Unis encouragent l'unification dans le contexte de la Guerre froide. Après la création de la **CECA**, le rejet de la **CED** consacre cependant l'échec du projet politique d'Europe fédérale. Les **communautés européennes**, créées le 25 mars 1957 par les traités de Rome, constituent une synthèse entre logique supranationale et fonctionnement intergouvernemental.

2. Le projet européen en chantier (1957-1989)

- **La CEE est confrontée dans les années 1960 à l'hostilité de la France** gaullienne envers toute forme de supranationalité, mais parvient à achever l'union douanière en 1968.
- **Relancée par le Congrès de La Haye en 1969**, la construction européenne se traduit dans les années 1970 par un **élargissement** et un **approfondissement**. La construction européenne s'accélère ensuite avec **l'Acte unique** européen qui débouche sur le marché unique.

3. Les défis européens dans la mondialisation

- Dans le contexte de la fin de la Guerre froide et en dépit de l'essor de l'euroscepticisme, **le traité de Maastricht instaure l'Union européenne et** encourage la politique étrangère commune, tandis que l'Union économique et monétaire débouche en 1999 sur la **naissance de l'euro.**
- **À partir de 2004, la construction européenne entre en crise.** Elle doit faire face en 2005 au rejet du projet de traité constitutionnel et, depuis 2008, à la crise économique et financière.

LES ACTEURS

Jean Monnet (1888-1979)
Commissaire français au Plan de 1945 à 1952, il est à l'origine de la CECA, dont il devient le premier président en 1952. Il a donné son nom à une méthode communautaire conciliant logique supranationale et intergouvernementale.

Simone Veil (née en 1927)
Plusieurs fois ministre en France, elle conduit en 1979 la liste de l'UDF (chrétienne-démocrate) lors de la première élection au suffrage universel du Parlement européen, dont elle devient la première présidente.

Jacques Delors (né en 1925)
Économiste démocrate-chrétien, président de la Commission européenne de 1985 à 1995. Il relance la construction européenne. Il est à l'origine de l'Acte unique et du traité de Maastricht.

LES ÉVÉNEMENTS

Le congrès de La Haye (1948)
Du 7 au 10 mai 1948, 800 représentants des mouvements européistes posent les bases de la construction européenne. Ce «congrès de l'Europe» voit s'opposer les fédéralistes et les unionistes.

Les traités de Rome (1957)
Signés le 25 mars 1957, ils instituent la Communauté économique européenne (CEE) et la Communauté européenne de l'énergie atomique (Euratom). Ils marquent le point de départ de l'intégration économique de l'Europe.

L'échec du traité constitutionnel européen (2005)
Le projet de Constitution pour l'Europe est rejeté par référendum en France et aux Pays-Bas. En 2007, le traité de Lisbonne en reprend les principales dispositions.

NE PAS CONFONDRE

Fédéralistes: partisans d'une Europe supranationale, où les États renoncent à une large part de leur souveraineté au profit d'un État fédéral européen.
Unionistes: partisans d'une Europe confédérale, intergouvernementale, préservant la souveraineté des États.

Approfondissement: renforcement des institutions ou des politiques communautaires.
Élargissement: adhésion de nouveaux États membres à la Communauté européenne.

Schéma de synthèse

L'Europe politique: entre logiques intergouvernementale et supranationale

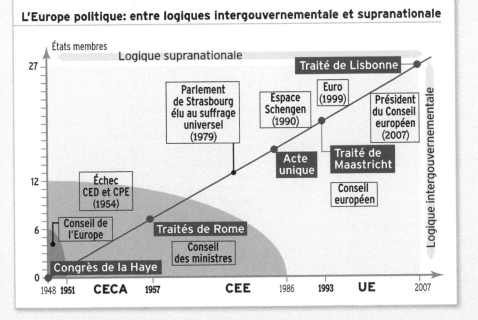

Analyser une caricature

Sujet   **Le projet de Constitution européenne (2005)**

Signataires du traité de Rome à titre d'observateurs, la Roumanie et la Bulgarie deviennent membres de l'Union européenne en janvier 2007.

La Turquie fait partie des signataires du traité de Rome de 2004, à titre d'observateur. Les négociations sur sa candidature à l'adhésion, déposée en 1987, débutent en octobre 2005, dans un climat de controverses.

La carte de la Corse est une allusion à l'échelle régionale de gouvernement aussi bien qu'aux mouvements régionalistes.

Le texte du traité établissant une Constitution pour l'Europe comporte 4 parties et 448 articles, précédés d'un préambule.

Valéry Giscard d'Estaing, né en 1926, est un ancien président de la République français (1974-1981). Partisan convaincu de l'Europe fédérale, il est nommé en 2002 président de la Convention pour l'avenir de l'Europe, qui présente en 2003 un projet de Constitution pour l'Europe.

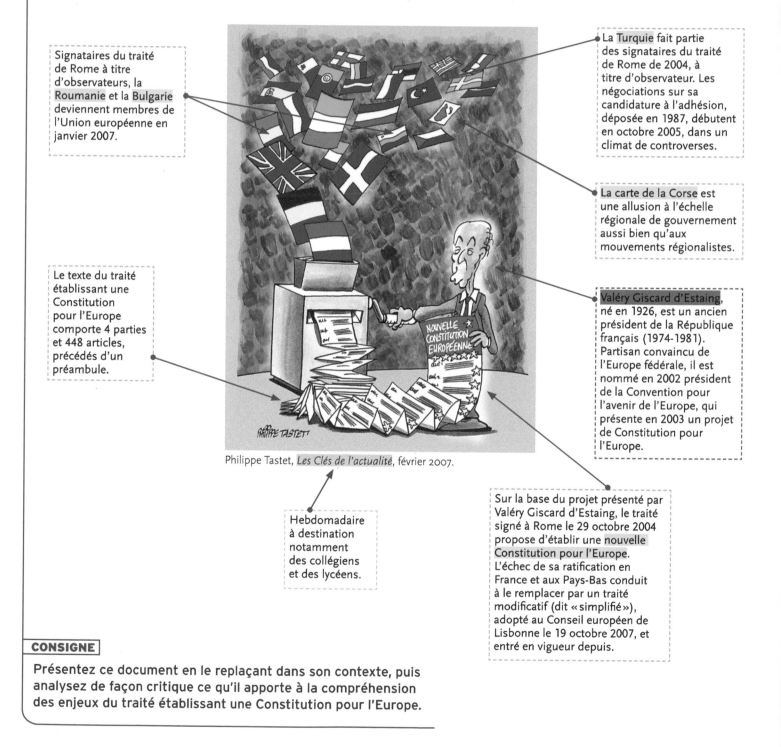

Philippe Tastet, *Les Clés de l'actualité*, février 2007.

Hebdomadaire à destination notamment des collégiens et des lycéens.

Sur la base du projet présenté par Valéry Giscard d'Estaing, le traité signé à Rome le 29 octobre 2004 propose d'établir une nouvelle Constitution pour l'Europe. L'échec de sa ratification en France et aux Pays-Bas conduit à le remplacer par un traité modificatif (dit « simplifié »), adopté au Conseil européen de Lisbonne le 19 octobre 2007, et entré en vigueur depuis.

CONSIGNE

Présentez ce document en le replaçant dans son contexte, puis analysez de façon critique ce qu'il apporte à la compréhension des enjeux du traité établissant une Constitution pour l'Europe.

FICHE MÉTHODE
Analyser une caricature

Étape 1 *Identifier et présenter le document*

▶ Identifier la nature, l'auteur de la caricature, ainsi que son support (presse, affiche de propagande, affiche publicitaire).

▶ Identifiez son thème et le public auquel l'auteur de la caricature s'adresse.

① Montrez à quel public s'adresse ce document et dans quel but.

Conseils

Tenez compte du décalage entre la date de la caricature et les événements évoqués.

Étape 2 *Analyser le document*

▶ Identifier les éléments du dessin (composition, contrastes).

▶ Prélever les informations : les personnages, les références aux événements, les symboles, le texte, les codes de représentation.

▶ Interpréter l'intention du caricaturiste et la façon dont il simplifie ou déforme la réalité.

② Montrez comment le dessinateur met en évidence la complexité du projet de constitution.

Conseils

Expliquez le sens de la machine que manie Valéry Giscard d'Estaing.

Étape 3 *Dégager l'intérêt historique du document*

▶ Replacer le document dans le contexte de sa parution.

▶ Dégager sa portée, à partir de son sens général et de son impact.

③ Analysez la façon dont l'élargissement de l'Europe est traité.

Conseils

Aidez-vous de la page pour répondre.

EXERCICE D'APPLICATION

Sujet **L'Europe élargie (1957-2010)**

CONSIGNE

Présentez le document et analysez la façon dont il présente l'élargissement de l'Europe. Montrez ensuite les limites du document.

Pierre Kroll, « L'Europe en 1957 et en 2010 », *Télémoustique* (hebdomadaire belge), 2007.

Rédiger un paragraphe de composition

Il s'agit du projet, porté par des États et des mouvements européistes, de construire une nouvelle échelle de gouvernement en édifiant en Europe un ensemble supranational ou intergouvernemental.

Le projet d'une Europe politique repose sur l'idée d'intégration européenne par la constitution d'un ensemble politique commun.

Sujet **Le projet européen, entre dimension politique et dimension économique, de 1948 à 2005.**

Échec du projet de traité établissant une Constitution pour l'Europe.

Congrès de La Haye (voir p. 348).

La construction d'un marché commun unifié et d'une monnaie unique sont deux des principales réalisations du projet d'intégration économique porté par la CEE puis l'UE.

Aide-mémoire

- **1949** Création du Conseil de l'Europe.
- **1951** Création de la CECA.
- **1954** Échec de la CED et de la CPE.
- **1957** Création de la CEE.
- **1968** Union douanière.
- **1973** Europe des neuf.
- **1979** Élection du Parlement européen au suffrage universel.

- **1986** Europe des 12 et Acte unique européen.
- **1993** Entrée en vigueur du traité de Maastricht.
- **1999** Naissance de l'euro.
- **2004** Europe des 25.
- **2007** Europe des 27 et traité de Lisbonne.
- **2008** Début de la crise financière.

FICHE MÉTHODE
Rédiger un paragraphe

Rappel: Bien comprendre le sujet (méthode générale p. 12 et fiche méthode p. 76).	Montrez que le sujet invite à étudier les réalisations et les limites du projet européen. **Conseils** *Faites attention à l'ordre des termes et aux mots de liaisons.*
Rappel: Définir et délimiter les termes du sujet (fiche méthode p. 124).	Identifiez les réalisations concrètes qui relèvent respectivement de la dimension économique et de la dimension politique du projet européen. **Conseils** *Appuyez-vous sur les cours p. 350, 354 et 358.*
Rappel: Formuler la problématique (fiche méthode p. 182).	Analysez le décalage entre le projet européen et ses réalisations concrètes. **Conseils** *Comparez l'Europe actuelle aux ambitions formulées au congrès de La Haye.*
Rappel: Élaborer un plan (fiche méthode p. 210).	Identifiez le type de plan adapté à ce sujet. **Conseils** *Ne choisissez pas un plan qui distinguerait dans deux parties la dimension politique et la dimension économique, qui sont le plus souvent liées.*

Étape 1 *Identifier et formuler l'idée principale du paragraphe*

▶ Veiller à ce que l'idée principale réponde directement au sujet (au besoin en en reprenant des mot-clés) et à la problématique.

▶ Formuler cette idée sous la forme affirmative et la compléter d'une démonstration.

① Rédigez un paragraphe dans lequel vous montrerez que l'échec de la CED et de la CPE est aussi celui d'une Europe fédérale.

Conseils
Aidez-vous de l'étude p. 352 pour identifier la dimension politique de la CED et de la CPE.

Étape 2 *Choisir des exemples venant étayer cette idée principale*

▶ Sélectionner les exemples les plus pertinents.

▶ Appuyer chaque idée par un ou plusieurs exemples.

② Trouvez des exemples venant à l'appui de l'idée que l'échec de la CED et de la CPE tient à des facteurs internes à la France.

Conseils
Efforcez-vous de montrer comment l'exemple choisi justifie l'argument.

EXERCICE D'APPLICATION

Sujet 1 Les obstacles au projet politique européen.

Conseils
N'abordez pas uniquement la question des eurosceptiques (voir p. 360), mais aussi les obstacles diplomatiques et politiques qui entravent ou ralentissent la construction européenne à certaines périodes.

Sujet 2 Élargissement et approfondissement de l'Europe depuis 1957.

Conseils
Analysez l'ordre des termes, qui détermine en partie le sens du sujet. Demandez-vous si l'élargissement et l'approfondissement sont compatibles et quelles évolutions majeures se produisent sur la période.

PROLONGEMENTS

Rédiger la conclusion (voir p. 390)

→ Évoquez en conclusion les enjeux que pose la crise des dettes souveraines en Europe depuis 2008.

Composition

Sujet ## Le projet d'Europe politique depuis 1948 : de l'idée à la réalisation ?

Conseils

Bien comprendre le sujet : réfléchissez à la signification du point d'interrogation. Il y a dans ce sujet une dimension descriptive et chronologique (les étapes) et une dimension de bilan, de comparaison entre les projets initiaux et l'état actuel.

Définir et délimiter les termes du sujet : définissez ce que représente la date de 1948 pour la construction européenne et analysez le contexte plus général des relations Est-Ouest.

Sujet ## L'Union européenne : un impossible fédéralisme ?

Conseils

Bien comprendre le sujet : le point d'interrogation oblige à questionner le caractère «impossible» d'un système fédéral en Europe ; demandez-vous ce qui pourrait le rendre impossible, qui (ou ce qui) s'y oppose et, inversement, qui (ou ce qui) le favorise.

Définir et délimiter les termes du sujet : partez d'une définition du fédéralisme et d'une analyse des institutions européennes pour voir en quoi elles ne sont pas «fédérales» (puisque le sujet sous-entend que le fédéralisme est «impossible»).

Étude critique de document(s)

Sujet ## Le scepticisme de l'opinion face à la construction européenne

Karl Schneider, Karikatour, Luxembourg 2005.

En mai et juin 2005, les Français et les Néerlandais se prononcent par référendum sur le projet de Constitution européenne. La participation est assez forte (69 % et 63 %) et le «non» l'emporte avec 55 % en France et 61,5 % aux Pays-Bas. Le dessin présente le président français et la premier ministre néerlandais.

Conseils

Décrivez le dessin et montrez comment le dessinateur utilise des stéréotypes pour livrer une explication politique des deux référendums.

Montrez en quoi cette explication de l'échec du référendum correspond à une critique déjà ancienne adressée à la construction européenne.

Analysez l'ensemble des raisons qui ont conduit à ce résultat, y compris en rappelant les principales dispositions contestées du traité constitutionnel.

CONSIGNE

Analysez la façon dont l'auteur du document interprète le résultat du référendum de 2005. Confrontez dans un esprit critique cette interprétation avec ce que vous savez du rôle des peuples dans le projet européen.

Sujet # Le couple franco-allemand, moteur de la construction européenne

1. La commémoration conjointe des guerres mondiales

Le 22 septembre 1984, le président François Mitterrand et le chancelier Helmut Kohl rendent hommage aux morts de la Grande Guerre à Verdun

Conseils

Montrez que le document 1 témoigne de l'évolution des relations franco-allemandes depuis 1945 et mettez-le en rapport avec les étapes évoquées dans le document 2.

Expliquez la conception de l'Europe que présente le document 2 et en quoi la relation franco-allemande est essentielle dans cette perspective.

Montrez que ces deux documents illustrent deux niveaux de la coopération franco-allemande et trouvez d'autres exemples de rapprochement entre ces deux pays ayant joué un rôle d'exemple et de moteur pour l'Europe.

2. L'entente franco-allemande, une « ardente obligation »

« Mon père, comme plus d'un million de Français, a passé plus de cinq ans comme prisonnier de guerre en Allemagne. Il en est revenu vivant, fort heureusement, mais avec une conviction très forte : il faut faire l'Europe et l'Europe se fera grâce à un accord entre la France et l'Allemagne. Cette conviction, partagée par de nombreux femmes et hommes des deux bords du Rhin, s'est peu à peu transformée en réalité. Le général de Gaulle lui-même a montré l'exemple avec Konrad Adenauer. Parlant allemand, il m'est arrivé plusieurs fois de prononcer en allemand des discours à Berlin devant un parterre d'officiels civils ou militaires allemands. Je leur parlais de l'avenir de l'industrie aérospatiale européenne civile et militaire. Je me suis souvent surpris à frissonner en pensant à mes grands-oncles tous morts pendant la guerre de 14 et dont ma mère ou mes tantes portent les noms féminisés – Georgette, Germaine, Marcelle – et à tous ceux Allemands et Français qui sont morts dans ces affrontements absurdes. Je me disais qu'ils devaient être surpris mais finalement fiers que leurs descendants aient pu surmonter les difficultés, aient bâti l'Europe, et petit exemple mais puissant symbole, aient créé un groupe mondial intégré, d'aéronautique, d'espace et de défense.

Oui, il faut reprendre la marche en avant de l'intégration européenne. Non, l'Europe ne se résume pas à une zone économique et monétaire plus ou moins commune. Il s'agit d'un dessein politique d'importance universelle à l'échelle de l'humanité. [...]

Pour faire repartir l'intégration européenne, il y a une ardente obligation. C'est le cœur franco-allemand qui doit refonctionner parfaitement. C'est une condition nécessaire mais non suffisante. Les autres pays doivent le comprendre. Le couple franco-allemand ne prétend pas diriger l'Europe mais sans couple franco-allemand uni, il n'y a pas d'Europe. »

Philippe Camus, directeur général délégué du groupe Lagardère, cofondateur d'EADS « L'importance du moteur franco-allemand »,
Le Monde, 23 juillet 2010.

1. Groupe aérospatial européen (franco-allemand à l'origine) fabricant notamment les avions Airbus.

CONSIGNE

Par la confrontation de ces deux documents et l'utilisation de vos connaissances, expliquez en quoi le couple franco-allemand peut être considéré comme le moteur de l'Europe.

La gouvernance économique mondiale depuis 1944

Au lendemain de la Seconde Guerre mondiale, des organismes de concertation et de régulation économique internationaux sont créés pour répondre aux aspirations de prospérité des Alliés. Avec la mondialisation, les États, concurrencés par des acteurs économiques privés, tentent de mettre en place une gouvernance économique mondiale.

Comment la gestion de l'économie mondiale évolue-t-elle depuis la fin de la guerre ?

1 Une nouvelle coopération économique internationale

Réunion à Washington des dirigeants de l'OECE afin d'étudier la situation économique de l'Europe, 10 avril 1953. Parmi eux, le Britannique Hugh Ellis-Rees (président du Conseil de l'OECE) et le Français Robert Marjolin (à droite), secrétaire général de l'OECE.

La nécessité de reconstruire l'Europe après la Seconde Guerre mondiale se traduit par la mise en place de nouvelles institutions économiques à l'échelle internationale, dont l'Organisation européenne de coopération économique (OECE), chargée de répartir l'aide américaine à destination des pays européens.

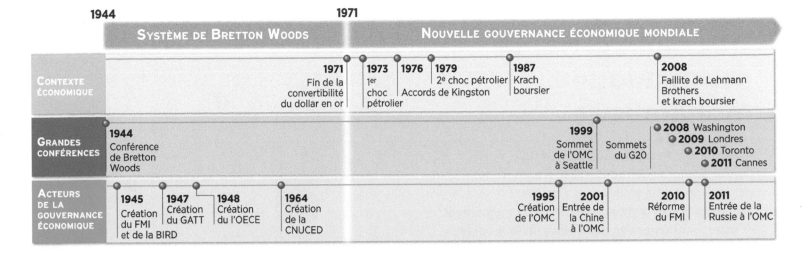

	1944		1971								
	SYSTÈME DE BRETTON WOODS		**NOUVELLE GOUVERNANCE ÉCONOMIQUE MONDIALE**								
CONTEXTE ÉCONOMIQUE			**1971** Fin de la convertibilité du dollar en or	**1973** 1er choc pétrolier	**1976** Accords de Kingston	**1979** 2e choc pétrolier	**1987** Krach boursier		**2008** Faillite de Lehmann Brothers et krach boursier		
GRANDES CONFÉRENCES	**1944** Conférence de Bretton Woods							**1999** Sommet de l'OMC à Seattle	Sommets du G20	**2008** Washington / **2009** Londres / **2010** Toronto / **2011** Cannes	
ACTEURS DE LA GOUVERNANCE ÉCONOMIQUE	**1945** Création du FMI et de la BIRD	**1947** Création du GATT	**1948** Création de l'OECE	**1964** Création de la CNUCED				**1995** Création de l'OMC	**2001** Entrée de la Chine à l'OMC	**2010** Réforme du FMI	**2011** Entrée de la Russie à l'OMC

2 L'affirmation d'une nouvelle gouvernance mondiale

Sommet du G20 , Washington, 15 novembre 2008.

Depuis les années 1970, les chefs d'États et de gouvernement des grandes puissances économiques se réunissent régulièrement. À partir de 2008, le G20* se réunit chaque année pour faire face à la crise économique et financière mondiale.

QUESTIONS

1. Quels types d'acteurs de la gouvernance économique sont représentés sur ces documents ?

2. Quelle évolution ces deux documents illustrent-ils ?

Une gouvernance économique mondialisée

À partir de la Seconde Guerre mondiale, l'ordre économique mondial est structuré par la suprématie américaine. Pendant la Guerre froide, le monde est divisé politiquement et économiquement en deux blocs, et le modèle économique libéral s'oppose au modèle communiste. Depuis l'effondrement de l'URSS, la volonté des États-Unis de contrôler les institutions économiques et de dominer la finance et le commerce mondial est mise à mal par les crises économiques et par l'affirmation de nouveaux acteurs.

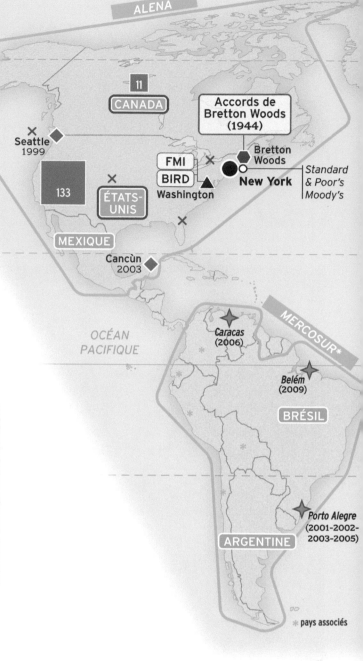

1 Wall Street, capitale financière mondiale

Façade extérieure de la bourse de New York (États-Unis), 2011.
Située dans le quartier d'affaires de New York, cette rue accueille le siège de la plus importante bourse du monde, le New York Stock Exchange (NYSE). Dans le monde entier, Wall Street désigne par extension le monde de la finance new-yorkaise.

2 Davos, rendez-vous des dirigeants économiques et politiques

Les responsables du FMI (Christine Lagarde au centre) au forum de Davos (Suisse), janvier 2012.
Fondé en 1971 par un professeur d'économie suisse, le forum annuel de Davos est, depuis 1987, un forum économique mondial qui réunit des dirigeants d'entreprises et des responsables politiques du monde entier pour débattre des enjeux contemporains.

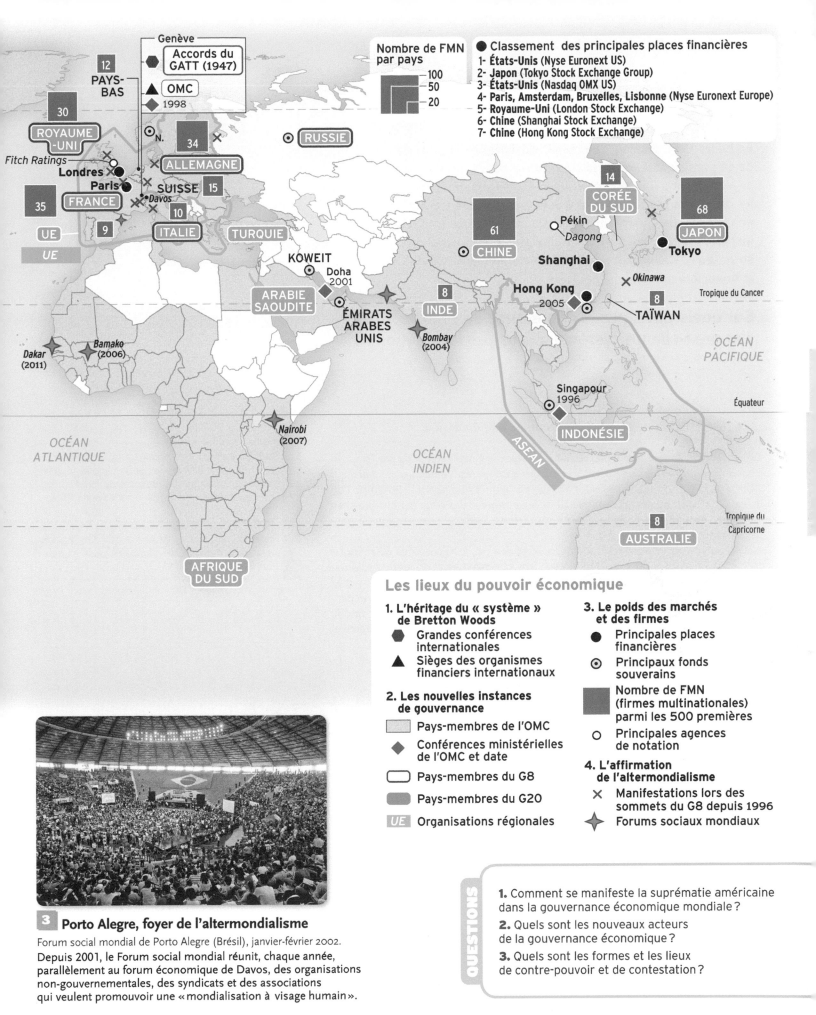

Nombre de FMN par pays
- 100
- 50
- 20

● Classement des principales places financières
- 1- États-Unis (Nyse Euronext US)
- 2- Japon (Tokyo Stock Exchange Group)
- 3- États-Unis (Nasdaq OMX US)
- 4- Paris, Amsterdam, Bruxelles, Lisbonne (Nyse Euronext Europe)
- 5- Royaume-Uni (London Stock Exchange)
- 6- Chine (Shanghai Stock Exchange)
- 7- Chine (Hong Kong Stock Exchange)

Genève
- ⬡ Accords du GATT (1947)
- ▲ OMC
- ◆ 1998

12 PAYS-BAS

30 ROYAUME-UNI

Fitch Ratings

⊙ N.

34 ALLEMAGNE

⊙ RUSSIE

Londres

Paris

35 UE

UE

9

FRANCE

SUISSE *Davos*

15

10 ITALIE

TURQUIE

14 CORÉE DU SUD

⊙ CHINE 61

Pékin
Dagong

Shanghai

68 JAPON

Tokyo

× Okinawa

KOWEIT

Doha 2001 ◆

ARABIE SAOUDITE

ÉMIRATS ARABES UNIS

8 INDE

Hong Kong 2005 ◆

8 TAÏWAN

Tropique du Cancer

Dakar (2011)

Bamako (2006)

Bombay (2004)

OCÉAN PACIFIQUE

Nairobi (2007)

OCÉAN ATLANTIQUE

OCÉAN INDIEN

Singapour 1996

ASEAN

INDONÉSIE ◆

Équateur

AFRIQUE DU SUD

8 AUSTRALIE

Tropique du Capricorne

Les lieux du pouvoir économique

1. L'héritage du « système » de Bretton Woods
- ⬡ Grandes conférences internationales
- ▲ Sièges des organismes financiers internationaux

2. Les nouvelles instances de gouvernance
- ▢ Pays-membres de l'OMC
- ◆ Conférences ministérielles de l'OMC et date
- ▭ Pays-membres du G8
- ▬ Pays-membres du G20
- *UE* Organisations régionales

3. Le poids des marchés et des firmes
- ● Principales places financières
- ⊙ Principaux fonds souverains
- ▪ Nombre de FMN (firmes multinationales) parmi les 500 premières
- ○ Principales agences de notation

4. L'affirmation de l'altermondialisme
- × Manifestations lors des sommets du G8 depuis 1996
- ✦ Forums sociaux mondiaux

3 Porto Alegre, foyer de l'altermondialisme

Forum social mondial de Porto Alegre (Brésil), janvier-février 2002.
Depuis 2001, le Forum social mondial réunit, chaque année, parallèlement au forum économique de Davos, des organisations non-gouvernementales, des syndicats et des associations qui veulent promouvoir une « mondialisation à visage humain ».

QUESTIONS

1. Comment se manifeste la suprématie américaine dans la gouvernance économique mondiale ?

2. Quels sont les nouveaux acteurs de la gouvernance économique ?

3. Quels sont les formes et les lieux de contre-pouvoir et de contestation ?

La conférence de Bretton Woods

En juillet 1944, plusieurs centaines de délégués originaires de 44 pays signataires de la *Déclaration des Nations unies* se réunissent à Bretton Woods, aux États-Unis, pour corriger les désordres monétaires liés à la dépression des années 1930 et à la Seconde Guerre mondiale. L'accord auquel ils parviennent instaure un nouveau système monétaire international qui structure et stabilise durablement l'évolution économique et financière mondiale.

Sur quels principes la conférence de Bretton Woods élabore-t-elle un système monétaire international ?

☐ États signataires de Bretton Woods
☐ États signataires du GATT

Le système de Bretton Woods

28 février 1942 — 20 Juillet 1944 — 27 décembre 1945

Accords d'aide mutuelle entre les États-Unis et le Royaume-Uni | Conférence de Bretton Woods | Création de la BIRD et du FMI

---

1 La nécessité d'une régulation mondiale née du conflit

Les accords d'aide mutuelle signés pendant la Seconde Guerre mondiale par les États-Unis et le Royaume-Uni définissent les principes d'un système économique mondial.

« Les termes et conditions générales de l'accord [auquel s'engagent le Royaume Uni et les États-Unis] ne devront pas pénaliser le commerce des deux nations mais, au contraire, promouvoir leurs avantages mutuels et améliorer les relations économiques mondiales.

À cette fin, ils agréeront les dispositions acceptées par les États-Unis d'Amérique et le Royaume-Uni et ouvertes à tous les autres pays partageant les mêmes valeurs ; ils accroîtront, par des mesures internationales ou mesures internes/domestiques appropriées, la production, l'emploi, l'échange et la consommation de marchandises qui sont la source du bien-être et de la liberté des peuples ; ils assureront la suppression de toute disposition discriminatoire dans le commerce international et ils réduiront les droits de douane et autres barrières commerciales. »

Accords d'aide mutuelle entre les États-Unis et le Royaume-Uni, Article 7, 28 février 1942.

MOTS CLÉS

BIRD (Banque internationale pour la reconstruction et le développement) : banque fondée en 1945 pour aider à la reconstruction d'après-guerre et venir en aide aux pays les moins développés.

FMI (Fonds monétaire international) : organisme créé en 1945 pour assurer la stabilité économique et financière du monde et venir en aide aux États en difficulté.

2 Le rôle de l'économiste John Maynard Keynes

Économiste renommé, John Maynard Keynes* (1883-1946) représente le gouvernement britannique à Bretton Woods. Il propose la création d'une banque supranationale émettant une monnaie fictive, le bancor, mais les États-Unis, dont la délégation est conduite (à sa gauche) par Henry Morgenthau, secrétaire d'État au Trésor, imposent le retour au Gold Exchange Standard. Pierre Mendès France (à droite) est membre de la délégation française.

3 Le rôle des Américains vu par un Français

Robert Mossé (1906-1973), juriste et économiste qui fait partie, aux côtés de Pierre Mendès France, de la délégation française à la conférence de Bretton Woods, témoigne du climat de la conférence.

«Avec cet extraordinaire optimisme bâtisseur qui les caractérise, les Américains s'étaient préoccupés avant même d'entrer en guerre, d'élaborer des plans monétaires et internationaux pour l'après-guerre. [...] Malgré la réunion de plusieurs centaines d'experts et de journalistes, la conférence de Bretton Woods ne fut guère propice à un travail d'élaboration scientifique [...]. Presque synchronisée avec les opérations de débarquement, la conférence avait un rôle à jouer dans la guerre psychologique; elle devait démontrer que les nations démocratiques sont capables de s'entendre pour établir la prospérité économique [...]. Alors que la bataille de la Libération venait à peine de s'engager, la plupart des gouvernements avaient des soucis plus urgents que la constitution d'un ordre monétaire futur. [...] La vigueur avec laquelle la délégation américaine défendait son texte, y compris les virgules, eut d'ailleurs rendu difficile une discussion véritable.»

Robert Mossé, *Le Système monétaire de Bretton Woods et les grands problèmes de l'après-guerre*, Recueil Sirey-Dalloz, 1948.

4 La réunion de 44 nations à Brettons Woods, aux États-Unis

Discours du secrétaire d'État au Trésor américain, Henry Morgenthau, lors de l'ouverture de la conférence de Bretton Woods, 8 juillet 1944.

Pendant près de 3 semaines, 730 délégués des nations alliées participantes se réunissent à Bretton Woods. L'URSS est représentée par un observateur.

5 L'acte final de Bretton Woods : le rôle central du dollar

Les accords de Bretton Woods, signés le 22 juillet 1944, rétablissent la stabilité des changes, garantie par le Fonds monétaire international (FMI*) nouvellement créé, et font du dollar, seule monnaie convertible en or (étalon de change or ou Gold Exchange Standard), le pivot du système monétaire.

«Article 4 : Parité des monnaies

Section 1 :

a. La parité de la monnaie de chaque État sera exprimée en or pris comme commun dénominateur, ou en dollar des États-Unis, du poids et du titre en vigueur au 1er juillet 1944.

b. Tous calculs relatifs aux monnaies des États membres en vue de l'application des dispositions du présent accord seront opérés sur la base de la parité. [...]

Section 5 :

b. une modification de la parité de la monnaie d'un membre ne pourra être faite que sur la proposition de l'État membre intéressé et seulement après consultation du Fonds [FMI]. [...]

Article 8 : Obligations générales des membres

Section 3 :

Éviter les pratiques discriminatoires monétaires. Aucun membre ne pourra être partie à des arrangements monétaires discriminatoires, ou recourir à des pratiques monétaires multiples, sauf autorisation prévue dans le présent Accord ou autorisation avec le Fonds.»

Acte final de Bretton Woods, Imprimerie nationale, 1945.

QUESTIONS

Un contexte de guerre

1. Qui sont les acteurs de la conférence ? (doc. 1, 2, 3, 4)

2. Quels sont les objectifs de la conférence de Bretton Woods ? (doc. 1, 2, 3)

Un système dominé par les États-Unis

3. En quoi consiste le système mis en place à l'issue de la Conférence ? (doc. 1, 5)

4. Dans quelle mesure la conférence de Bretton Woods consacre-t-elle l'hégémonie américaine ? (doc. 3, 4, 5)

Bilan : Sur quels principes la conférence de Bretton Woods élabore-t-elle un système monétaire international ?

Étude critique de document

Identifiez et présentez le document 3 puis analysez son apport et ses limites pour la compréhension du rôle des États-Unis à Bretton Woods.

Vers une échelle mondiale de gouvernement

Comment les États-Unis orientent-ils la gouvernance mondiale après 1945 ?

A. La réorganisation de l'économie mondiale

● Tirant les leçons de la crise des années 1930 et de la guerre, **les Alliés mettent en place une coopération intergouvernementale*** tant économique que politique dès 1944, afin de garantir la liberté du commerce et la paix mondiale dans le cadre du **multilatéralisme**.

● **En 1944 et 1945, l'ONU* (Organisation des Nations unies), le FMI* et la BIRD*** sont créés. Ces deux derniers assurent la régulation des changes et le financement des États dans le cadre du nouveau système monétaire international (SMI) [doc. 3] élaboré à Bretton Woods (voir p. 374).

● En 1947, la Conférence des Nations unies de La Havane prévoit la création d'une Organisation internationale du commerce (OIC). Les États-Unis refusent cette organisation qui serait contrôlée par l'ONU, mais acceptent **la création du GATT** [doc. 2]. **L'URSS crée une organisation** économique pour son camp, le **CAEM** (Conseil d'Assistance économique mutuel), en 1949.

B. Un nouvel ordre économique international

● **À partir de 1945, les États-Unis affirment leur hégémonie économique et financière.** Le système de Bretton Woods confère au dollar le rôle de pivot du système monétaire international.

● **Les pays en reconstruction ont un déficit commercial avec les États-Unis qui crée un *dollar gap*** (« manque de dollars ») qui menace l'économie mondiale et la prospérité américaine. Le plan Marshall [doc. 1] le compense en partie, en provoquant un flux continu de liquidités vers l'Europe qui se traduit par le développement des **eurodollars***.

● **Dans les pays développés, la croissance des « Trente Glorieuses » est soutenue par l'intervention de l'État**, qui s'efforce de réguler les cycles économiques dans la logique des idées de **J. M. Keynes**. Ce libéralisme tempéré est mené par une nouvelle génération de dirigeants, managers et technocrates, au sein des entreprises et des administrations.

C. Succès et limites du « système » de Bretton Woods

● Pendant toute cette période, **le libre-échange s'étend à la faveur des cycles de négociations du GATT** [doc. 4] qui impliquent un nombre croissant de pays : le Kennedy Round, de 1964 à 1967, concerne 66 pays représentant 80 % du commerce mondial. Toutefois le SMI se révèle déséquilibré dès le retour à la convertibilité des monnaies européennes en 1958, qui provoque un afflux d'eurodollars.

● Toutefois, **l'émission de monnaie** pour financer les dépenses militaires liées à la Guerre froide ainsi que le déficit de la balance des paiements américaine, **affaiblit la parité or-dollar**, au moment où l'hégémonie américaine est fragilisée par le redressement économique de l'Europe et du Japon.

● Enfin, **les pays issus de la décolonisation s'assemblent au sein de la CNUCED** [doc. 5] et créent le groupe des 77 (G77). Ils obtiennent partiellement satisfaction en 1968 avec l'adoption par le GATT du principe de préférence généralisée, qui protège leur marché tout en favorisant l'exportation de leurs produits.

1 Le plan Marshall, aide américaine à l'Europe

« Prospérité. Le fruit de la coopération », affiche de Brian Dear, 1947.

John Maynard Keynes (1883-1946)

Économiste britannique, théoricien influent, Keynes est l'un des acteurs principaux des accords de Bretton Woods. Sa pensée repose sur l'idée que les marchés ne s'équilibrent pas automatiquement et qu'il est donc nécessaire de recourir à des politiques conjoncturelles.

J. M. Keynes en 1940.

MOTS CLÉS

CNUCED (Conférence des Nations unies sur le commerce et le développement) : mécanisme intergouvernemental permanent créé en 1964 par l'ONU pour aider les pays en développement à s'intégrer de façon équitable dans l'économie mondiale.

Cycle de négociations (*Round*) : série de conférences entre membres du GATT afin de réduire les obstacles au commerce.

Eurodollars : dépôts bancaires libellés en dollar auprès d'une banque établie hors des États-Unis. À partir de 1961, le montant des dollars détenus par des non Américains excède le stock d'or de la FED.

GATT (General Agreement on tariffs and trade) : accord multilatéral sur le commerce et les droits de douane (1948) qui inaugure des cycles de négociations (*Rounds*) entre les pays signataires.

Multilatéralisme : mode de gouvernance des relations internationales fondé sur un fonctionnement interétatique et des engagements réciproques pris par au moins trois nations.

2 Les principes du GATT

Deux ans après la fin de la guerre, un Accord multilatéral sur le commerce et les droits de douanes est signé par 23 pays, au premier rang desquels les États-Unis. Cet accord entre en vigueur en 1948 et inaugure des cycles de négociations (Rounds) entre les pays signataires.

« Les gouvernements [des 23 pays signataires] reconnaissant que leurs rapports dans le domaine commercial et économique doivent être orientés vers le relèvement des niveaux de vie [...], la pleine utilisation des ressources mondiales et l'accroissement de la production et des échanges de produits, désireux de contribuer à la réalisation de ces objets par la conclusion d'accords visant, sur une base de réciprocité et d'avantages mutuels, à la réduction substantielle des tarifs douaniers et des autres obstacles au commerce et à l'élimination des discriminations en matière de commerce international, sont [...] convenus de ce qui suit :

1. Tous avantages, faveurs, privilèges ou immunités accordés par une partie contractante à un produit originaire ou à destination de tout autre pays seront, immédiatement et sans condition, étendus à tout produit similaire originaire ou à destination du territoire de toutes les autres parties contractantes. [...]

3. Les parties contractantes reconnaissent que les taxes et autres impositions intérieures, ainsi que les lois, règlements et prescriptions affectant la vente, la mise en vente, l'achat, le transport, la distribution ou l'utilisation de produits sur le marché intérieur [...] ne devront pas être appliqués aux produits importés ou nationaux. »

Accord général sur les tarifs douaniers et le commerce, 30 octobre 1947.

1. Quels sont les objectifs du GATT ?

2. Quels sont les principes commerciaux imposés aux membres du GATT ?

4 Les cycles de négociation du GATT

Ouverture du « Kennedy Round » à Genève le 4 mai 1964.

Les cycles de négociation du GATT sont désignés tantôt par le nom de la ville ou du pays dans lequel ils sont ouverts, tantôt par le nom d'un responsable politique. Le Kennedy Round, qui se déroule de mai 1964 à juin 1967, vise à réduire les droits de douane dans les 42 pays signataires.

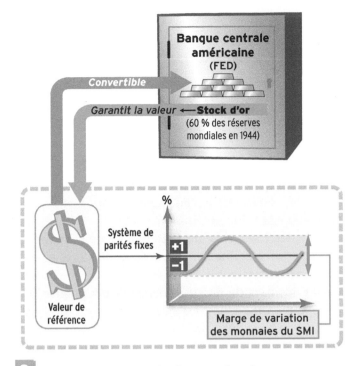

3 Le système monétaire international

Le système monétaire international (SMI) instauré à Bretton Woods, repose la parité fixe des monnaies par rapport au dollar, qui est convertible en or.

1. En quoi le dollar est-il central dans ce système ?

5 L'appel à un « nouvel ordre économique mondial »

À l'issue de la première session de la CNUCED, à Genève, 75 pays en développement rédigent une déclaration conjointe. En 1967, au nombre de 77, ils se dotent d'une structure institutionnelle permanente et de représentants auprès des organisations internationales.

« Les pays en développement [...] reconnaissent l'avancée conséquente que représente la CNUCED pour la création d'un nouvel ordre économique mondial. Ils considèrent cette conférence comme le fruit d'efforts soutenus [...], qui ont aidé à renforcer l'unité des 75, et comme un événement de portée historique.

Les prémisses fondamentales de ce nouvel ordre mondial [...] impliquent une nouvelle organisation du travail orientée vers l'accélération de l'industrialisation des pays en développement. Les efforts fournis par les pays développés pour élever le niveau de vie de leurs peuples, qui sont réalisés dans un contexte difficile, devraient être doublés et renforcés par une action internationale constructive. Une telle action devrait établir un nouveau cadre pour le commerce international, plus en rapport avec les besoins d'un développement accéléré.

Les pays en développement ont l'espoir que les délibérations de cette conférence aideront les gouvernements des pays développés comme des pays non développés à mener des politiques davantage conscientes des besoins des pays développés. »

Déclaration conjointe des 75 pays en développement, Genève, 15 juin 1964.

1. Quelles contributions les pays en développement attendent-ils des pays développés ?

Gouverner la mondialisation

Comment évolue la gouvernance économique mondiale depuis 1971 ?

A. Un nouveau contexte économique et monétaire

• Le «système» de Bretton Woods est remis en question dans les années 1970 par les difficultés de l'économie américaine, les chocs pétroliers, et l'accélération de la mondialisation.

• En 1971, les États-Unis annoncent la fin de la convertibilité du dollar en or [doc. **1**], ce qui entraîne des désordres monétaires et, en 1976, les accords de Kingston consacrent la fin de la parité fixe. En réponse à l'endettement croissant des pays du tiers-monde causé par la crise économique, le FMI développe des programmes d'**ajustement structurel** (voir p. 380).

• Dans les années 1980, les nouveaux dirigeants des États-Unis et de la Grande-Bretagne, Ronald Reagan et Margaret Thatcher, optent pour une «**révolution conservatrice**». Théorisée par Milton Friedman*, Arthur Laffer* ou Jacques Rueff*, cette **doctrine néolibérale dénonce le rôle de l'État-Providence et prône l'autorégulation des marchés** [doc. **2**]. Elle gagne de plus en plus de pays et se traduit par des privatisations, la libéralisation des capitaux et la déréglementation du secteur financier.

B. De nouveaux acteurs économiques et financiers

• **Le déclin du rôle des grandes institutions onusiennes se traduit alors par l'essor des organisations régionales** (voir p. 372) et de rencontres multilatérales au sommet réunissant les chefs d'État des grandes puissances industrielles, le G8 [doc. **3**].

• La confiance accordée par les États aux capacités d'autorégulation du marché se traduit par **l'apparition de nouveaux acteurs, indépendants des États**, notamment les **banques centrales***, les **agences de notation**, et certains clubs de réflexion et d'influence, comme le Forum économique mondial de Davos à partir de 1987.

• Les acteurs non étatiques prennent une importance de premier plan après 1989, en particulier les firmes multinationales* [doc. **4**].

C. L'aspiration à une gouvernance mondiale

• À partir du krach boursier de 1987, lié à l'instabilité du dollar, la multiplication des crises financières régionales et la fin de la Guerre froide suscitent **une aspiration très large en faveur d'une nouvelle gouvernance mondiale**.

• Le retour des États-Unis, dont la balance des paiements devient structurellement bénéficiaire, au multilatéralisme permet la création de l'OMC en 1995 (voir p. 382) et l'extension des négociations à l'agriculture et aux services. **Le néolibéralisme est contesté** par des économistes, comme **Joseph Stiglitz**, et par le mouvement **altermondialiste**.

• Toutefois, **le bouleversement le plus profond provient de l'essor des pays émergents**, de l'apparition des **fonds souverains** et de la crise économique qui débute en 2008 par la faillite de la banque Lehman Brothers (voir p. 384). Les interrogations sur les difficultés de la gouvernance grandissent [doc. **5**], et la création du G20 en 2008 constitue une première réponse, suivie de l'élargissement des sujets abordés.

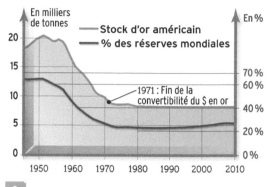

1 **1971 : la fin du «dollar étalon»**

Stock d'or aux États-Unis entre 1950 et 2010.

Le 15 août 1971, en pleine pause estivale, le président américain Richard Nixon met fin à la convertibilité du dollar en or.

1. Qu'est-ce qui a poussé les États-Unis à prendre cette décision ?

MOTS CLÉS

Agences de notation : institutions privées et indépendantes qui proposent contre rémunération une notation financière des États, des collectivités ou des entreprises.

Ajustement structurel : programme de réformes économiques mis en place par le FMI ou la Banque mondiale dans un pays en difficultés, qui obtient des crédits en contrepartie de réformes de ses structures économiques.

Altermondialisme : mouvement qui rejette la logique néolibérale et prône une mondialisation plus solidaire et maîtrisée ainsi qu'une gouvernance économique plus démocratique.

Fonds souverains : fonds de placements financiers détenus par un État et comportant des avoirs en monnaies étrangères.

Gouvernance mondiale : concept récent, qui se distingue de celui de gouvernement et désigne un système de régulation internationale dépassant l'action des seuls États, par le biais des entreprises et de la société civile, pour peser collectivement sur l'avenir du monde.

DATES

1971 Fin de la convertibilité du dollar en or
1987 Krach boursier
1995 Création de l'OMC
2008 Faillite de Lehman Brothers

2 La critique des politiques keynésiennes

L'économiste libéral Jacques Rueff, qui dénonce depuis 1947 les risques de dérive inflationniste induits par le système monétaire international, évoque, en 1976, les conséquences des transformations du système monétaire.

« La politique de plein-emploi a d'abord été pratiquée systématiquement par l'organisation de grands travaux, puis par l'acceptation et la création volontaire de déficits budgétaires. [...] Le dérèglement du système monétaire international, dû à la pratique généralisée de l'étalon de change or, a engendré, dans tout l'Occident, des balances dollar génératrices d'inflation. Cette inflation est restée modérée jusqu'au 17 mars 1968 parce qu'elle s'étanchait par l'absorption des réserves d'or et de devises du pool de l'or — essentiellement celles des États-Unis — mais lorsque, à cette date, le dollar est devenu en fait inconvertible, avant de le devenir en droit temporairement le 15 août 1971, le processus inflationniste s'est spontanément accéléré pour devenir, le 15 mars 1973, galopant. [...] Le chômage est apparu et s'est généralisé dans tout l'Occident. [...] À pareille crise, les gouvernements ont réagi en appliquant partout des politiques keynésiennes, dites de « relance ». [...] Elles avaient presque toujours pour effet, sous prétexte de sauvegarder le pouvoir d'achat et de défendre les niveaux de vie, de créer du chômage. C'est ainsi que l'on est entré dans une ère où l'effet keynésien, bien loin de jouer, s'est trouvé inversé. »

Jacques Rueff, « Les voies du retour au plein-emploi »,
Le Monde, 21 février 1976.

1. Quel est le mécanisme décrit par l'auteur ?

3 Une « diplomatie de club »

Le G8 : Ronald Reagan, Yashuro Nakasone, Jacques Delors, Margaret Thatcher, Helmut Kohl, François Mitterrand, Brian Mulroney, Bettino Craxi, Bonn, mai 1985.

À partir du sommet de Rambouillet, en 1975, les chefs d'État des grandes puissances économiques de la planète se réunissent régulièrement dans ce qui s'apparente à un directoire des pays riches : on parle de « diplomatie de club ».

1. Quelle image cette photographie donne-t-elle du rôle des grandes puissances ?

5 Comment remédier au déficit de gouvernance ?

« Pour rétablir l'équilibre du marché et de la démocratie, condition d'un développement harmonieux à l'échelle de la planète, il faudrait en toute logique créer les instruments nécessaires à l'exercice d'une souveraineté globale : un parlement (un homme, une voix), un gouvernement, une application planétaire de la Déclaration universelle des droits de l'Homme et de ses protocoles ultérieurs, une mise en œuvre des décisions de l'Organisation internationale du Travail (OIT)[1] en matière de droit du travail, une banque centrale, une monnaie commune, une fiscalité planétaire, une police et une justice planétaires, un revenu minimum planétaire, des notateurs planétaires, un contrôle global des marchés financiers. À l'évidence, tout cela est, pour très longtemps, hors de portée. [...] Dans tous les pays, la crise exige de mettre de l'ordre dans les finances publiques. Il n'est pas encore possible d'utiliser le Fonds monétaire international (FMI) pour mettre en place une monnaie mondiale unique. Il n'est pas non plus indispensable d'imaginer de le remplacer ou de le compléter par d'autres instances. Il faut au contraire y regrouper tous les pouvoirs de surveillance aujourd'hui épars, et les renforcer considérablement. En conséquence le FMI devra devenir le lieu où toutes les autorités nationales se mettent d'accord sur les réformes qu'elles vont accomplir chez elles ; disposer des moyens d'être vraiment le prêteur en dernier ressort [...] ; devenir le lieu d'une mise en place d'une réglementation véritablement supranationale ».

Jacques Attali, économiste, ancien conseiller de François Mitterrand et
ancien directeur de la BERD, La crise et après ?, Fayard, 2008.

1. Agence de l'ONU qui contrôle les conditions de travail dans le monde.

1. Quel type de gouvernance mondiale Jacques Attali imagine-t-il ? Pourquoi ?

Capitalisation boursière	Entreprise (nationalité)	Secteur d'activité	Déficits -4,5	Bénéfices 14,3	Chiffre d'affaires
209,0	**Wal-Mart** (É-U)	Distribution		14,3	405,0
316,2	**Exxon Mobil** (É-U)	Énergie		19,3	301,5
177,0	**Royal Dutch Shell** (R-U)	Énergie		12,7	278,2
177,6	**BP** (R-U)	Énergie		17,2	247,8
138,2	**Toyota** (Japon)	Automobile	-4,5		210,8
133,9	**Sinopec** (Chine)	Énergie		9,0	192,8
136,6	**Total** (France)	Énergie		12,1	160,7
152,3	**Chevron** (É-U)	Énergie		10,5	159,4
194,2	**General Electric** (É-U)	Ind. générale		11,0	155,8
44,2	**Volkswagen** (All.)	Automobile		1,4	150,7
329,3	**PetroChina** (Chine)	Énergie		15,1	149,3
76,1	**ConocoPhillips** (É-U)	Énergie		4,9	136,0
34,0	**Carrefour** (France)	Distribution		0,5	123,2
152,5	**AT&T** (É-U)	Télécoms		12,5	123,0
94,1	**Eni** (Italie)	Énergie		6,3	119,7

4 Le poids des firmes transnationales

Situation au 31 mars 2010 (classement des 15 premières firmes cotées en bourse selon le chiffre d'affaires, hors secteurs bancaire et financier) en milliards de dollars.

1. Dans quels pays se situent les sièges des principales firmes transnationales ?

Le Fonds monétaire international (FMI)

Créé à la suite des accords de Bretton Woods, le FMI est chargé de garantir la stabilité du système monétaire international avec l'aide de la Banque mondiale. D'abord chargé d'encourager la coopération monétaire internationale et de promouvoir la stabilité des changes, il est conduit progressivement à venir en aide aux pays endettés en contrepartie de plans d'ajustement structurels. Il intervient ainsi dans les pays du tiers-monde, puis dans les pays sortis du communisme, et enfin en Europe pour faire face à la crise de la dette souveraine. Toutefois, son action est de plus en plus critiquée.

Quel rôle le FMI joue-t-il dans la gouvernance économique mondiale ?

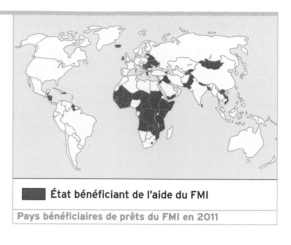

■ État bénéficiaire de l'aide du FMI

Pays bénéficiaires de prêts du FMI en 2011

1945	1969	1982	2010
Signature des accords du FMI	Création des DTS	Intervention du FMI en faveur du tiers-monde	Réforme du FMI

1 Les buts du FMI

« Les buts du Fonds monétaire international sont les suivants :

1. Promouvoir la coopération monétaire internationale au moyen d'une institution permanente [...].
2. Faciliter l'expansion et l'accroissement harmonieux du commerce international et contribuer ainsi à l'instauration et au maintien de niveaux élevés d'emploi et de revenu réel et au développement des ressources productives de tous les États membres [...].
3. Promouvoir la stabilité des changes.
4. Aider à établir un système multilatéral de règlement des transactions courantes entre les États membres et à éliminer les restrictions de change qui entravent le développement du commerce mondial.
5. Donner confiance aux États membres en mettant les ressources générales du Fonds temporairement à leur disposition [pour] corriger les déséquilibres de leurs balances des paiements sans recourir à des mesures préjudiciables à la prospérité nationale ou internationale. »

Statuts adoptés à la Conférence monétaire et financière des Nations Unies à Bretton Woods et entrés en vigueur le 27 décembre 1945.

2 Des dirigeants exclusivement européens

Le directeur général du FMI est élu par les 24 administrateurs. Le président de la Banque mondiale, désigné par les États-Unis, principal actionnaire, est systématiquement américain.

Nom	Mandat	Pays
Camille Gutt	1946-1951	Belgique
Ivar Rooth	1951-1956	Suède
Per Jacobsson	1956-1963	Suède
Pierre-Paul Schweitzer	1963-1973	France
Johan Witteven	1973-1978	Pays-Bas
Jacques de Larosière	1978-2000	France
Michel Camdessus	1987-2000	France
Horst Köhler	2000-2004	Allemagne
Rodrigo Gato	2004-2007	Espagne
Dominique Strauss-Kahn	2007-2011	France
Christine Lagarde	2011-	France

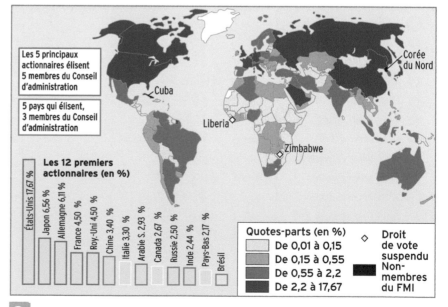

Les 5 principaux actionnaires élisent 5 membres du Conseil d'administration

5 pays qui élisent, 3 membres du Conseil d'administration

Les 12 premiers actionnaires (en %)

États-Unis 17,67 % — Japon 6,56 % — Allemagne 6,11 % — France 4,50 % — Roy.-Uni 4,50 % — Chine 3,40 % — Italie 3,30 % — Arabie S. 2,93 % — Canada 2,67 % — Russie 2,50 % — Inde 2,44 % — Pays-Bas 2,17 % — Brésil

Quotes-parts (en %)
- De 0,01 à 0,15
- De 0,15 à 0,55
- De 0,55 à 2,2
- De 2,2 à 17,67

◇ Droit de vote suspendu
■ Non-membres du FMI

3 Un poids inégal des membres du FMI

Le nombre de voix et le montant des prêts (Droits de tirages spéciaux, DTS) qu'un État peut obtenir dépend de sa contribution (quote-part), elle-même fonction de son poids économique. La réforme de 2010 accorde aux pays émergents 6 % de quotas et 2 places supplémentaires au Conseil d'administration qui en compte 24.

4 **La crise asiatique : un exemple d'intervention**

Suharto, président indonésien, et Michel Camdessus, directeur général du FMI, 15 janvier 1998, à Jakarta.

En 1997, l'Asie est touchée par une crise financière qui conduit l'Indonésie, très endettée, à faire appel au FMI et à la Banque mondiale et à accepter un plan d'ajustement structurel drastique.

6 **Une action contestée**

Manifestation contre le FMI, Lisbonne, 1ᵉʳ mai 2011.
On lit notamment : « FMI, hors d'ici », « Précaires rebelles ».

Au printemps 2011, plusieurs dizaines de milliers de Portugais manifestent à Lisbonne contre la rigueur et contre le FMI. Ces manifestations servent d'exemple au mouvement des « indignés » qui se développe au même moment en Espagne.

5 **L'ajustement structurel, enjeu de débats**

Les critiques adressées au FMI à propos des conséquences des plans d'ajustement se multiplient dans les années 2000, conduisant à la réforme de 2010.

« Les politiques d'ajustement structurel ont provoqué dans de nombreux cas des famines et des émeutes ; et même quand leurs effets n'ont pas été aussi terribles, même quand elles ont réussi à susciter une maigre croissance pour un temps, une part démesurée de ces bénéfices est souvent allée aux milieux les plus riches de ces pays en développement, tandis qu'au bas de l'échelle la pauvreté s'était parfois aggravée. [...] Chez beaucoup de hauts dirigeants du FMI et de la Banque mondiale, ceux qui prenaient les décisions cruciales, il n'y avait pas le moindre doute sur le bien-fondé de ces politiques. [...] [Le FMI] prétend qu'il ne dicte jamais un accord de prêt, qu'il en négocie toujours les termes avec le pays emprunteur. Mais ce sont toujours des négociations unilatérales : il a toutes les cartes en main, pour la raison essentielle que beaucoup de pays qui sollicitent son aide ont désespérément besoin d'argent. [...] Une image peut valoir mille mots, et une photo saisie au vol en 1998 et montrée dans le monde entier s'est gravée dans l'esprit de millions de personnes, en particulier dans les ex-colonies. On y voit le directeur général du FMI, Michel Camdessus, un ex-bureaucrate du Trésor français, de petite taille et bien vêtu, qui se disait autrefois socialiste – il se définit lui-même, avec malice, comme un "socialiste de l'espèce néolibérale" – debout, regard sévère et bras croisés, dominant le président indonésien assis et humilié. Celui-ci, impuissant, se voit contraint d'abandonner la souveraineté économique de son pays au FMI en échange de l'aide dont il a besoin. [...] Cette photo a posé aux habitants des pays en développement une question troublante. Les choses avaient-elles changé depuis la fin "officielle" du colonialisme ? »

Joseph Stiglitz, *La Grande Désillusion*, Fayard, 2002.

QUESTIONS

Une institution de gouvernance financière

1. Quels sont les principes qui fondent l'action du FMI ? **(doc. 1, 5)**

2. Quels pays exercent leur contrôle sur l'institution jusqu'en 2010 et comment ? **(doc. 1, 2, 4)**

Une organisation remise en cause

3. Quelles critiques sont adressées à l'ajustement structurel ? **(doc. 4, 5, 6)**

4. Comment la gouvernance du FMI évolue-t-elle ? **(doc. 3, 5)**

Bilan : Quel rôle le FMI joue-t-il dans la gouvernance économique mondiale ?

Étude critique de documents

Mettez en relation les documents 5 et 6, et montrez sur quels arguments s'appuie la contestation de la politique menée par le FMI.

L'OMC et la régulation du commerce mondial

À l'issue de l'Uruguay Round (1986-1994), les 125 pays membres du GATT créent l'Organisation mondiale du commerce (OMC), une organisation permanente chargée de favoriser les négociations multilatérales. Son but est d'accroître les échanges de marchandises et de services et de résoudre les conflits commerciaux entre États. L'OMC s'impose rapidement comme un acteur majeur des relations économiques internationales. Elle compte plus de 150 membres (dont l'Union européenne). Son rôle dans la gouvernance économique mondiale est contesté par les mouvements altermondialistes.

Comment la création de l'OMC renouvelle-t-elle la gouvernance économique mondiale ?

Pays membres   ◆ Sommets (date)

Une organisation mondialisée

1995	1999	2001	2011
Création de l'OMC	Échec du sommet de Seattle	Entrée de la Chine	Entrée de la Russie

1 Du GATT à l'OMC : la création d'un système commercial multilatéral

En 1994, au congrès de Marrakech, le GATT adopte un nouvel accord qui reprend une partie du texte fondateur de 1947 (en italique).

« Les Parties au présent accord, *reconnaissant que leurs rapports dans le domaine commercial et économique devraient être orientés vers le relèvement des niveaux de vie [...], tout en permettant l'utilisation optimale des ressources mondiales, conformément à l'objectif de développement durable, en vue à la fois de protéger et réserver l'environnement et de renforcer les moyens d'y parvenir d'une manière qui soit compatible avec leurs besoins et soucis respectifs à différents niveaux de développement économique.*

Reconnaissant en outre qu'il est nécessaire de faire des efforts positifs pour que les pays en développement, et en particulier les moins avancés d'entre eux, s'assurent une part de la croissance du commerce international qui corresponde aux nécessités de leur développement économique. [...] Déterminés à préserver les principes fondamentaux et à favoriser la réalisation des objectifs qui sous-tendent ce système commercial multilatéral, conviennent de ce qui suit : [...] L'Organisation mondiale du commerce est instituée par le présent accord ».

Extraits du préambule du traité de Marrakech, 1994.

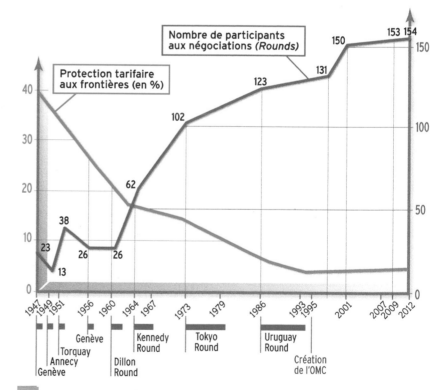

2 Les progrès du libre-échange

L'évolution du commerce mondial du GATT à l'OMC.
D'après l'atelier de cartographie de Sciences Po

Depuis la fin du bloc soviétique et l'ouverture de la Chine, peu de pays refusent la liberté de commerce que l'OMC veut développer. Les droits de douane ont fortement reculé et les échanges continuent d'augmenter plus rapidement que la production, sauf en période de crise.

3 Sommet de Seattle et manifestations contre l'OMC

La police essaie d'écarter des manifestants bloquant l'entrée de l'hôtel Sheraton où se tiennent des négocations de l'OMC, Seattle, 30 novembre 1999.

Organisé pour ouvrir un nouveau cycle de négociations, le « Millenium Round », ce sommet est marqué par les manifestations pacifiques de dizaines de milliers de militants qui organisent un contre-sommet, et les manifestations violentes de quelques centaines de militants radicaux. Fortement médiatisées, ces manifestations aboutissent à l'interruption des négociations.

4 L'OMC intervient entre l'UE et les États-Unis

Boeing (entreprise américaine) et Airbus (compagnie européenne) sont des concurrents directs sur le marché international des avions civils et militaires. Boeing et Airbus font intervenir l'OMC qui tranche une première fois en 2010.

« La longue bataille entre les avionneurs Boeing et Airbus a tourné, mercredi 30 juin, à l'avantage des Américains. Ces derniers avaient déposé plainte, en 2004, auprès de l'Organisation mondiale du commerce (OMC) contre l'Union européenne, accusée d'avoir versé des subventions à Airbus.

L'OMC a jugé illégales certaines de ces aides. Dans un communiqué d'un millier de pages rendu public, le gendarme du commerce mondial estime que certaines aides européennes "constituent des subventions à l'exportation", interdites par l'OMC et appelle Bruxelles à y mettre un terme "sans attendre". "Ces subventions ont fortement porté préjudice aux États-Unis et ont fait perdre du chiffre d'affaires et des parts de marché à Boeing", a déclaré le représentant au commerce américain, Ron Kirk, dans un communiqué.

L'OMC estime notamment que les aides britanniques, allemandes et espagnoles à Airbus pour l'A380, son très gros porteur de 525 places, équivalent à des subventions illégales à l'exportation et doivent être corrigées d'ici à 90 jours. [...] La lutte que se livrent depuis 40 ans Washington et Bruxelles au nom de leurs champions est loin d'être terminée. Chacun a les yeux rivés sur le jugement préliminaire que l'OMC doit rendre le 16 juillet concernant le deuxième volet de cette guerre, les aides américaines à son constructeur aéronautique. »

« L'OMC juge illégales certaines aides de l'UE à Airbus »,
Le Monde.fr, AFP, AP et Reuters, 30 juin 2010.

5 Une organisation mondiale en mutation

Depuis le report du Millenium Round en 1999 et l'impasse du cycle de Doha en 2008, l'OMC semble bloquée : les objectifs des pays varient en fonction de leur niveau de développement.

« Cinquante ans après la fondation du GATT, les données ont profondément changé. D'une part l'OMC n'est plus ce club de pays riches qui se marchandaient des baisses de tarifs douaniers sur les différents secteurs. En 1999, quelques 135 pays y ont déjà adhéré, dont une bonne centaine de pays du tiers-monde, [lesquels] ne veulent plus faire de la figuration intelligente mais participer pleinement aux décisions qui sont prises.

Les préoccupations politiques des États-Unis et des Européens notamment sont une autre explication. Le contexte était peu propice à l'élaboration d'un texte de consensus. Les dissensions étaient nombreuses dans le domaine agricole. [...]

Enfin des divergences existent entre pays du Nord et pays du Sud : pour la première fois, dans le cadre d'enceintes commerciales internationales, les pays du Sud se révoltent non seulement contre le mode de décision asymétrique traditionnel en matière commerciale mais aussi par crainte d'un nouveau protectionnisme du Nord autour de la question des normes sociales. [...]

Ainsi contrairement à une croyance assez largement partagée, les manifestations protestataires n'ont pas eu réellement d'incidences sur le résultat des négociations. Elles ont cependant créé un mythe. »

Emmanuel Allait, *L'altermondialisme, mouvance ou mouvement ?*, coll. CQFD, Ellipses, 2007.

QUESTIONS

Les objectifs de l'OMC

1. Quelles sont les principales missions de l'OMC et leur évolution ? (doc. 1, 2, 4)

2. Quel rôle l'OMC joue -t-elle dans le développement du libre-échange ? (doc. 1, 2, 4)

Les interrogations sur son action

3. Comment se manifeste l'opposition à l'OMC ? (doc. 3, 5)

4. Pourquoi le sommet de Seattle marque-t-il un tournant ? (doc. 3, 5)

Bilan : Comment la création de l'OMC renouvelle-t-elle la gouvernance économique mondiale ?

Étude critique de document

Présentez et analysez le document 5 puis montrez son apport et ses limites pour la compréhension des évolutions récentes de l'OMC.

La crise financière de 2008

En 2008, la faillite de la banque *Lehmann Brothers* et le « vendredi noir » du 10 octobre 2008 marquent le déclenchement de la plus grave crise économique et financière que le monde a connue depuis les accords de Bretton Woods. Crise globale, elle reflète les enjeux liés à la globalisation des économies et expose la réalité et les limites de la gouvernance économique mondiale. L'idée d'une gouvernance mondiale indépendante est en effet au cœur des questions que pose la crise.

Que révèle cette crise financière et systémique globale de la gouvernance économique mondiale ?

Chronologie

2008 **15 septembre :** Faillite de *Lehmann Brothers*.

10 octobre : Effondrement de la Bourse de Wall Street (*Black Friday*).

12 décembre : Arrestation de Bernard Madoff.

2009 **2 avril :** Sommet du G20 à Londres.

2010 **6 mars :** Refus des Islandais de rembourser la dette de la banque *Icesave*.

10 mai : Premier programme du FMI et de la BCE pour aider la Grèce. Création du Fonds européen de stabilité financière (FESF).

27 juin : Sommet du G20 à Toronto.

2011 **29 mars :** Dégradation de la note du Portugal et de la Grèce par les agences de notation.

2012 **24 janvier :** Dégradation de la note de la France par *Standard & Poor's*.

Février : Nouveau plan d'austérité en Grèce, suivi d'un nouveau plan de sauvetage.

---

1 De la crise américaine à la crise économique globale

« Première étape. En 2007 les ménages américains [...] se trouvent dans l'incapacité de rembourser des prêts immobiliers attribués sans souci de garantie par les banques saisies d'ivresse. [...]
Deuxième étape. En septembre 2008, la crise des subprime[1] dégénère en crise bancaire, les bilans des établissements financiers se révélant farcis de crédits immobiliers insolvables [...]. Lehman Brothers chute [...].
Troisième étape. [...] Les États s'endettent hors de proportion pour sauver les banques et relancer l'économie. [...] Entre la fin de l'année 2008 et le milieu de l'année 2009, la crise de la finance privée se convertit en gonflement de la dette publique et en crise sociale. [...]
Quatrième étape. [...] Les dettes publiques enflent dangereusement et ne servent qu'un faible taux d'intérêt. Le faire monter : telle est la conséquence de "l'attaque" spéculative sur la dette souveraine des pays "périphériques" de l'Europe [...].
Cinquième étape. [...] Un cercle vicieux s'enclenche : il faut emprunter pour payer la dette ; réduire ses déficits pour emprunter ; tailler dans les dépenses publiques pour réduire les déficits ; abaisser les salaires, les prestations sociales et "réformer" les retraites pour réduire les dépenses publiques. [...]
Sixième étape. L'effondrement des dominos européens. Nous y sommes. »

Pierre Rimbert (économiste), « Des subprime à l'effondrement des dominos européens », *Le Monde diplomatique*, 30 avril 2010.

2 La crise américaine des crédits « subprime »

Maison en vente à prix réduit dans le Massachusetts (États-Unis), 2007.

En 2007, plusieurs fonds d'investissement américains font faillite à la suite de l'effondrement du système des prêts immobiliers à risque. Ce système reposait en effet sur la surestimation des capacités de remboursement d'acheteurs de biens immobiliers surévalués (« subprime »).

3 Vers une « déglobalisation » ?

« Au plus profond de la crise, le respecté quotidien britannique des affaires *The Financial Times* s'inquiétait même d'une "déglobalisation" susceptible de devenir permanente. [...] Qu'a donc à offrir la gouvernance de la mondialisation ? Les organisations qui se trouvent au cœur de l'architecture multilatérale créée à l'issue de la Seconde Guerre mondiale ont porté à bout de bras la mondialisation de l'économie capitaliste et les dérives de la globalisation financière. [...] Le déclin de leur légitimité est loin d'être enrayé. [...] Mais [...] la redéfinition de l'autorité internationale fait la part encore belle aux logiques de privatisation, aux procédures informelles, à l'extension des domaines réservés de l'expertise [...]. L'écart entre les montants consentis pour sauver les banques et les efforts demandés par les programmes d'austérité et les compromis passés dans le nouvel encadrement de la finance nourrissent un sentiment de désaffection croissante des populations vis-à-vis des pouvoirs constitués. [...] L'idée selon laquelle rien ne sera plus comme avant la crise reste à être confirmée. »

Jean-Christophe Graz (politiste suisse),
La Gouvernance de la mondialisation,
2004, La Découverte.

4 De la crise bancaire au krach boursier

Stephff, dessin paru dans *The Nation Opinion* (Bangkok), 30 septembre 2008.

Fragilisé par la crise des « subprime », le système bancaire américain entre en crise à l'été 2008. Le 15 septembre, la 4e banque d'affaires américaines, Lehman Brothers, se déclare en faillite, et la 3e, Merryl Linch, est rachetée par Bank of America. La crise bancaire s'étend ensuite à l'Europe et entraîne un krach boursier.

5 La crise grecque

« Troïka, Merkel, dehors », manifestation contre l'adoption par le parlement grec d'un plan d'austérité, 12 février 2012.

À partir de 2009, certains États européens se trouvent confrontés à l'accroissement de leur dette publique souveraine. À la différence de l'Islande, la Grèce accepte le plan de redressement drastique qui lui est présenté par la « troïka » (FMI, UE, BCE).

QUESTIONS

Le déroulement de la crise

1. Quelles sont les principales étapes de la crise ? (doc. 1, 2, 3)

2. Comment la crise s'étend-elle progressivement au monde entier ? (doc. 1, 2, 3, 4, 5)

Les enseignements de la crise

3. Quelles sont les réponses apportées à la crise ? (doc. 1, 3, 5)

4. Quels sont les aspects de la gouvernance remis en cause ? (doc. 1, 3, 5)

Bilan : Que révèle cette crise financière et systémique globale de la gouvernance économique mondiale ?

Étude critique de document

Analysez le document 3 et montrez quelle critique des institutions internationales il contient.

1 Mettre en relation deux documents

a. La gouvernance en question

Couverture du magazine *L'Express*, 2 février 2012

Dans le livre *Circus politicus*, publié en février 2012, deux journalistes dénoncent le «putsch démocratique» d'une «superclasse» de banquiers et de membres de clubs d'influence qui orientent la décision publique.

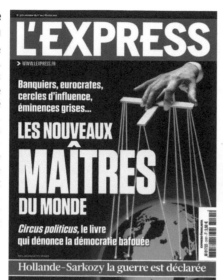

b. Le mouvement «Occupons Wall Street»

Membres du syndicat américain de l'automobile (United Auto Workers, UAW) rejoignant la manifestation d'«Occupy Wall Street», 5 octobre 2011.

Créé le 17 septembre 2011, le mouvement de contestation «Occupy Wall Street», dénonce l'influence de la finance sur le pouvoir politique, et proteste contre le sauvetage des banques avec des fonds publics. Son slogan «Nous sommes les 99%» dénonce l'accroissement des inégalités.

La gouvernance économique mondiale dans l'opinion publique

1. Identifiez et présentez les documents.

2. Quels types de reproches suscite l'évolution de la gouvernance mondiale ?

3. Quelles sont les limites de ces documents ?

---

2 Étudier un texte polémique

Les nations dans la mondialisation

« Nous sommes en train de vivre une transformation qui va recomposer le politique et l'économique du siècle à venir. Il n'y aura plus de produits nationaux et de technologies nationales, plus de grandes firmes nationales, plus d'industries nationales. Il n'y aura plus d'économies nationales, au sens où nous comprenons ce concept. Un seul élément restera enraciné à l'intérieur des frontières du pays : les individus qui constituent la nation. Les actifs principaux de chaque nation seront les compétences et la perspicacité de ses citoyens. La tâche primordiale de chaque nation sera de faire face aux forces centrifuges de l'économie mondiale qui déchirent les liens entre les citoyens – augmentant sans cesse la richesse des plus compétents, et réduisant le niveau de vie des moins qualifiés. Au fur et à mesure que les frontières perdent leur sens en termes économiques, les citoyens les mieux placés pour réussir sur le marché mondial sont tentés de relâcher leurs liens d'allégeance envers leur pays. En agissant ainsi, ils se détachent de leurs compatriotes moins favorisés. »

Robert Reich (professeur d'économie à Harvard, puis conseiller et secrétaire d'État de Bill Clinton), *L'Économie mondialisée*, Dunod, 1993.

1. Dans quel contexte ce document a-t-il été rédigé ?

2. Quels exemples concrets viennent étayer le point de vue de l'auteur ?

3. Quels événements postérieurs viennent le nuancer ?

3 Traiter des données statistiques B2i

L'évolution de la dette publique en Europe

Consultez sur le site de l'OCDE http://www.oecd.org/document/0,3746, fr_2649_201185_46462787_1_1_1_1,00.html .

Trouvez et téléchargez les données statistiques relatives aux dettes des administrations centrales des pays de l'OCDE.

Isolez les données relatives au Portugal, à l'Irlande, à l'Italie, à la Grèce, à l'Espagne et à la France, puis calculez le taux de croissance de la dette de chaque pays sur dix ans. Rédigez un paragraphe de synthèse dans lequel vous analyserez le niveau général d'endettement public des pays concernés et son évolution.

L'essentiel

La gouvernance économique mondiale depuis 1944

A. Vers une échelle mondiale de gouvernement (1944-1971)

- **En 1944, la conférence de Bretton Woods débouche sur une réorganisation en profondeur de l'économie mondiale**, en vue de garantir la stabilité économique et financière mondiale.
- Le **«système de Bretton Woods» repose sur des institutions économiques internationales** – le FMI, la BIRD, le GATT – et est le fruit d'une coopération internationale dans un monde unilatéral. Il repose aussi sur l'hégémonie des États-Unis au travers notamment de leur monnaie, le dollar, dans le cadre du Gold Exchange Standard.
- **L'hégémonie américaine est contestée par le tiers-monde.** Les pays en développement fondent la CNUCED et récusent un ordre économique mondial inégalitaire. Parallèlement, le déficit de la balance des paiements américaine fragilise le système international.

B. Gouverner la mondialisation (depuis 1971)

- **La fin de la convertibilité du dollar en or et les chocs pétroliers remettent en cause le système de gouvernance économique mondiale.** Face aux effets de la crise économique, le FMI développe des programmes d'ajustement structurel, et les grandes puissances déréglementent le secteur financier.
- **De nouvelles instances de régulation se mettent en place**, comme le G8, et de nouveaux acteurs, indépendants des États, font leur apparition. La globalisation des économies donne un poids nouveau aux firmes transnationales.
- **L'aspiration à une nouvelle gouvernance mondiale s'amplifie à partir des années 1990** et conduit à la création de l'OMC puis du G20. Les crises financières et l'attitude du FMI favorisent l'essor d'un mouvement alter-mondialiste.

LES ACTEURS

John Maynard Keynes (1883-1946)
Économiste britannique, Keynes est l'un des acteurs principaux des accords de Bretton Woods. Il théorise l'idée d'un capitalisme régulé, laissant librement agir les marchés mais avec des règles conjoncturelles décidées par les États.

Milton Friedman (1912-2006)
Économiste américain, défenseur du néolibéralisme et fondateur du courant monétariste. Il prône la réduction du rôle de l'État et la totale liberté des marchés. Il inspire la «révolution conservatrice» des années 1980.

LES ÉVÉNEMENTS

1944 : La conférence de Bretton Woods
Les délégués de 44 pays alliés parviennent en juillet 1944 à un accord qui établit et organise durablement le système monétaire mondial, débouche sur la création du FMI et de la BIRD, et établit l'hégémonie des États-Unis et de leur monnaie, le dollar.

1999 : Le sommet de Seattle
Le sommet de l'OMC à Seattle en 1999 est marqué par les manifestations hostiles à la libéralisation du commerce international. Les négociations sur l'ouverture d'un nouveau cycle de négociations, le «Millenium Round», sont interrompues.

NE PAS CONFONDRE

Gouvernance mondiale : concept récent, dinstinct de celui de gouvernement et désignant un système de régulation internationale dépassant l'action des seuls États, par le biais des entreprises et de la société civile, pour peser collectivement sur l'avenir du monde.
Mondialisation : processus de mise en relation de territoires éloignés, caractérisé par la croissance rapide des échanges et des marchés à l'échelle mondiale.

Altermondialisme : mouvement qui rejette la logique néolibérale et prône une mondialisation plus solidaire et maîtrisée ainsi qu'une gouvernance économique plus démocratique.
Multilatéralisme : mode de gouvernance des relations internationales fondé sur un fonctionnement interétatique et des engagements réciproques pris par au moins trois nations.

Schéma de synthèse

Les évolutions de la gouvernance économique depuis 1944

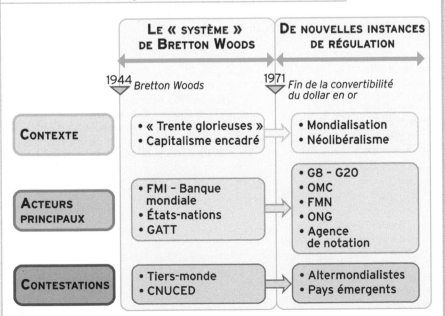

Analyser des données statistiques

Sujet ## Le commerce mondial de marchandises (1948-2010)

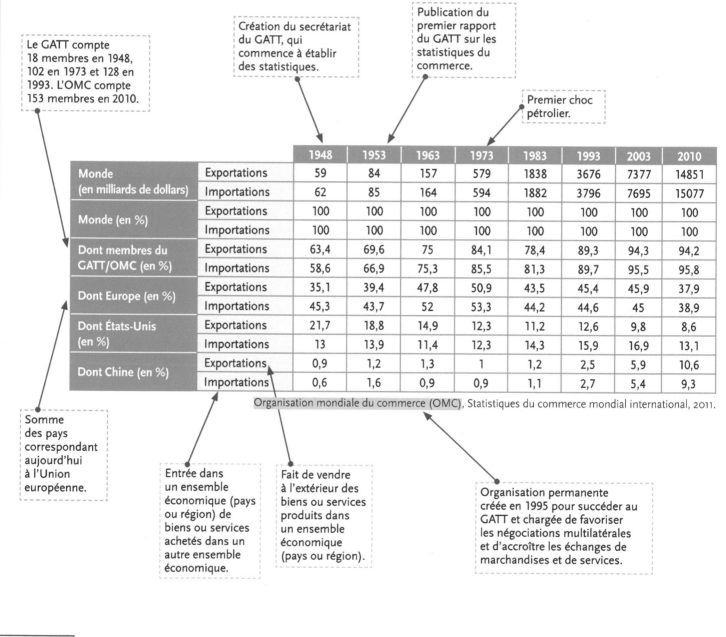

Le GATT compte 18 membres en 1948, 102 en 1973 et 128 en 1993. L'OMC compte 153 membres en 2010.

Création du secrétariat du GATT, qui commence à établir des statistiques.

Publication du premier rapport du GATT sur les statistiques du commerce.

Premier choc pétrolier.

		1948	1953	1963	1973	1983	1993	2003	2010
Monde (en milliards de dollars)	Exportations	59	84	157	579	1838	3676	7377	14851
	Importations	62	85	164	594	1882	3796	7695	15077
Monde (en %)	Exportations	100	100	100	100	100	100	100	100
	Importations	100	100	100	100	100	100	100	100
Dont membres du GATT/OMC (en %)	Exportations	63,4	69,6	75	84,1	78,4	89,3	94,3	94,2
	Importations	58,6	66,9	75,3	85,5	81,3	89,7	95,5	95,8
Dont Europe (en %)	Exportations	35,1	39,4	47,8	50,9	43,5	45,4	45,9	37,9
	Importations	45,3	43,7	52	53,3	44,2	44,6	45	38,9
Dont États-Unis (en %)	Exportations	21,7	18,8	14,9	12,3	11,2	12,6	9,8	8,6
	Importations	13	13,9	11,4	12,3	14,3	15,9	16,9	13,1
Dont Chine (en %)	Exportations	0,9	1,2	1,3	1	1,2	2,5	5,9	10,6
	Importations	0,6	1,6	0,9	0,9	1,1	2,7	5,4	9,3

Organisation mondiale du commerce (OMC), *Statistiques du commerce mondial international*, 2011.

Somme des pays correspondant aujourd'hui à l'Union européenne.

Entrée dans un ensemble économique (pays ou région) de biens ou services achetés dans un autre ensemble économique.

Fait de vendre à l'extérieur des biens ou services produits dans un ensemble économique (pays ou région).

Organisation permanente créée en 1995 pour succéder au GATT et chargée de favoriser les négociations multilatérales et d'accroître les échanges de marchandises et de services.

CONSIGNE

Présentez le document et montrez dans quelle mesure il illustre le rôle du GATT et de l'OMC dans la croissance des échanges. Identifiez ensuite les pays ou régions dont la place dans le commerce mondial croît le plus fortement.

FICHE MÉTHODE
Analyser des données statistiques

Étape 1 *Identifier et présenter le document*

▶ Identifier son type, son thème, son cadre géographique et chronologique.

▶ Présenter ses indicateurs et préciser s'il s'agit de valeurs relatives ou absolues.

① Montrez quels aspects du commerce mondial ce document présente.

Conseils

Distinguez les valeurs absolues des valeurs relatives.

Étape 2 *Analyser le document*

▶ Prélever les informations en caractérisant la tendance générale de l'évolution (croissance, diminution, stabilité, stagnation, accélération, etc...), puis en repérant les irrégularités dans l'évolution.

▶ Interpréter les données en les regroupant par catégories et en émettant des hypothèses.

② Analysez la façon dont évoluent les importations et les exportations des différentes régions du monde.

Conseils

Traduisez les données brutes par des données relatives : une proportion, un taux de variation (T = valeur d'arrivée — valeur de départ / Valeur de départ x 100), un écart entre deux dates (valeur d'arrivée/valeur de départ) ou un indice (valeur à un moment de référence et à un autre moment).

Étape 3 *Dégager l'intérêt historique du document*

▶ Replacer le document dans son contexte de production.

▶ Identifier son intérêt pour la compréhension du phénomène étudié.

③ Montrez comment le GATT et l'OMC ont contribué à l'extension du commerce mondial.

Conseils

Liez les échanges et le nombre de pays.

EXERCICE D'APPLICATION

Sujet La France, l'Allemagne et le Royaume-Uni dans le commerce mondial

Part du commerce mondial		1948	1953	1963	1973	1983	1993	2003	2010
Europe (en %)	Exportations	35,1	39,4	47,8	50,9	43,5	45,4	45,9	37,9
	Importations	45,3	43,7	52	53,3	44,2	44,6	45	38,9
France (en %)	Exportations	3,4	4,8	5,2	6,3	5,2	6,0	5,3	3,5
	Importations	5,5	4,9	5,3	6,4	5,6	5,7	5,2	4,0
Allemagne (en %)	Exportations	1,4	5,3	9,3	11,7	9,2	10,3	10,2	8,5
	Importations	2,2	4,5	8,0	9,2	8,1	9	7,9	7,1
Royaume-Uni (en %)	Exportations	11,3	9	7,8	5,1	5,0	4,9	4,1	2,7
	Importations	13,4	11	8,5	6,5	5,3	5,5	5,2	3,7

Source : Statistiques du commerce international 2011.

CONSIGNE

Présentez le document puis analysez l'évolution de la part des trois pays dans le commerce mondial. Montrez ensuite l'intérêt et les limites de ce document pour étudier les évolutions de la gouvernance économique mondiale.

Rédiger la conclusion

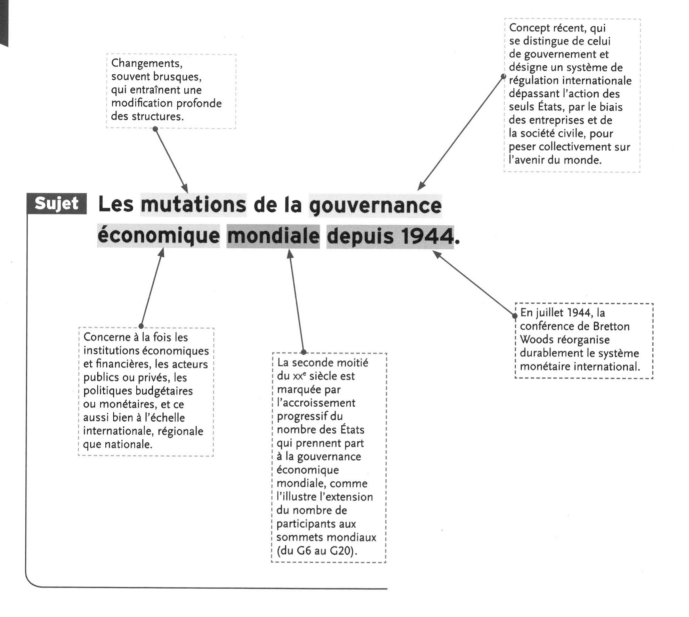

Changements, souvent brusques, qui entraînent une modification profonde des structures.

Concept récent, qui se distingue de celui de gouvernement et désigne un système de régulation internationale dépassant l'action des seuls États, par le biais des entreprises et de la société civile, pour peser collectivement sur l'avenir du monde.

Sujet **Les mutations de la gouvernance économique mondiale depuis 1944.**

Concerne à la fois les institutions économiques et financières, les acteurs publics ou privés, les politiques budgétaires ou monétaires, et ce aussi bien à l'échelle internationale, régionale que nationale.

La seconde moitié du XXe siècle est marquée par l'accroissement progressif du nombre des États qui prennent part à la gouvernance économique mondiale, comme l'illustre l'extension du nombre de participants aux sommets mondiaux (du G6 au G20).

En juillet 1944, la conférence de Bretton Woods réorganise durablement le système monétaire international.

Aide-mémoire

- **1944** Conférence de Bretton Woods.
- **1945** Création du FMI et de la BIRD.
- **1947** Création du GATT.
- **1964** Création de la CNUCED.
- **1971** Fin de la convertibilité du dollar en or.
- **1973** Premier choc pétrolier.
- **1979** Deuxième choc pétrolier.

- **1987** Krach boursier.
- **1995** Création de l'OMC.
- **1999** Sommet de l'OMC à Seattle.
- **2008** Faillite de Lehmann Brothers et krach boursier, premier sommet du G20.
- **2010** Réforme du FMI.

FICHE MÉTHODE
Rédiger la conclusion

Rappel: Bien comprendre le sujet (méthode générale p. 12 et fiche méthode p. 76).	Identifiez le sens et la portée des mots clés du sujet. **Conseils** *Prêtez une attention particulière au mot «mutations».*
Rappel: Définir et délimiter les termes du sujet (fiche méthode p. 124).	Identifiez et situez dans le temps les principaux facteurs structurels des mutations économiques. **Conseils** *Distinguez les crises économiques des crises financières.*
Rappel: Formuler la problématique (fiche méthode p. 182).	Interrogez-vous sur le sens général des mutations. **Conseils** *Comparez la situation au début et à la fin de la période.*
Rappel: Élaborer un plan (fiche méthode p. 210).	Déduisez le type de plan du type de sujet. **Conseils** *Choisissez une ou deux césures chronologiques majeures pour organiser le plan.*

Étape 1 *Rédiger le bilan du devoir*

▶ Faire en sorte qu'il reformule en quelques phrases les acquis du devoir.

▶ Montrer en même temps comment la démonstration a répondu à la problématique.

① Montrez comment la gouvernance économique prend progressivement une dimension mondiale.

Conseils
Rappelez les grandes étapes abordées dans le devoir.

Étape 2 *Rédiger une ouverture*

▶ Formuler une mise en perspective du sujet.

▶ Choisir entre un élargissement du cadre chronologique (conséquences du phénomène étudié) ou du cadre géographique.

② Montrez les limites de la gouvernance économique mondiale et les contestations dont elle est l'objet.

Conseils
Évoquez la situation économique mondiale depuis la crise de 2008.

EXERCICE D'APPLICATION

Sujet 1 La gouvernance de la mondialisation depuis 1944.

Conseils
Questionnez dans l'introduction les modalités, les acteurs et la possibilité même de gouverner la mondialisation.

Sujet 2 L'impact des crises sur la gouvernance économique depuis 1973.

Conseils
Montrez quels bouleversements interviennent à la suite des chocs pétroliers puis des crises boursières et financières.

Composition

Sujet ## Acteurs et enjeux de la gouvernance de l'économie mondiale depuis 1945

Conseils

Définir et délimiter les termes du sujet: réfléchissez bien aux mots-clés «acteurs» et «enjeux». Reportez-vous au chapitre pour cerner tout ce que recouvre le concept de gouvernance.

Choisir le plan: dans ce sujet, le mot «et» est additif; évitez cependant un plan acteurs / enjeux car il vous empêcherait de traiter un des aspects du sujet, qui est que les différents acteurs ne partagent pas les mêmes enjeux.

Sujet ## Quelle est la légitimité des institutions économiques internationales?

Conseils

Définir et délimiter les termes du sujet: délimitez bien toutes les institutions pouvant entrer dans le sujet; pensez aux différentes échelles auxquelles renvoie le terme.

Comprendre les enjeux du sujet: interrogez-vous sur les différentes sources de légitimité, qui en démocratie ne se limitent pas à la source élective.

Étude critique de document(s)

Sujet ## Le G20, nouveau directoire mondial

Pays ou ensemble	2011			1992		
	Rang	PIB global*	% du PIB mondial	Rang	PIB global*	% du PIB mondial
Monde	-	70 000	100	-	24 000	100
Union européenne (27)	-	18 000	25,7	-	8 120	33,4
États-Unis	1	15 000	21,4	1	6 200	25,8
Chine	2	7 000	10	10	422	1,7
Japon	3	6 000	8,5	2	3 800	15,8
Allemagne	4	3 600	5,1	3	2 060	8,6
France	5	2 800	4	4	1 370	5,7
Brésil	6	2 500	3,6	11	390	1,6
Royaume-Uni	7	2 480	3,5	6	1 090	4,5
Italie	8	2 200	3,1	5	1 260	5,2
Russie	9	1 900	2,7	9	460	2
Inde	10	1 800	2,6	18	245	1
Canada	11	1 700	2,4	8	579	2,4
Australie	13	1 500	2,1	15	329	1,4
Mexique	14	1 200	1,7	12	360	1,5
Corée du Sud	15	1 100	1,6	14	330	1,4
Indonésie	17	800	1,1	24	139	0,6
Turquie	18	760	1,1	22	159	0,6
Arabie saoudite	21	560	0,8	25	136	0,6
Argentine	27	435	0,6	20	228	0,9
Afrique du Sud	29	422	0,6	26	130	0,5

Conseils

Analysez le tableau «verticalement» en regardant le classement des pays et les écarts entre les PIB ou le % pour chaque année.

Faites aussi une lecture «horizontale» en comparant la situation des pays en 1992 et 2011.

Comparez aussi le cumul des pourcentages pour mesurer l'évolution de l'ensemble des pays.

Regroupez les pays par continents.

Classement des PIB 1992-2011

Source: FMI, populationdata.net, «Perspective Monde», Université de Sherbroooke.

*En milliards de dollars courants.

CONSIGNE

Analysez le tableau ci-dessus en expliquant pourquoi l'instauration du G20 est représentative des évolutions de l'économie depuis vingt ans et en quoi cette institution présente une plus grande légitimité que les institutions antérieures.

Sujet Le dollar, monnaie de référence de l'économie mondiale

1. La contestation du système de Bretton Woods

«La charte de Bretton Woods de 1944 reposait en fin de compte sur une seule monnaie, le dollar. C'était une variante ou un raffinement du Gold Exchange Standard, puisque le dollar conservait sa valeur-or et était convertible. Sa suprématie faisait l'affaire de tout le monde.

D'abord, des États-Unis ; ils étaient disposés à venir en aide à d'autres pays pour les empêcher de sombrer dans le chaos économique, c'est-à-dire, à leurs yeux, dans le communisme, ce qui les hantait. De leur côté, l'Europe et le Japon étaient très avides de dollars, afin d'acheter aux États-Unis les marchandises qui leur manquaient, denrées alimentaires, matières premières, pièces de rechange, etc., puis, par la suite, afin de constituer des réserves monétaires et de consolider leurs propres monnaies. L'étalon-dollar donna donc satisfaction à tout le monde pendant quinze ou vingt ans. [...]

De toute manière, qu'une monnaie nationale, gérée pour des fins nationales, pour assurer la prospérité nationale, par des autorités nationales, se voie érigée en étalon international, que ses fluctuations, ses oscillations, ses avatars retentissent sur l'ensemble du monde, ce n'est ni logique ni admissible.»

Pierre Mendès France[1], *Choisir*, Stock, 1974.

1. P. Mendès France était ministre de l'Économie du GPRF. Il représentait la France à la conférence de Bretton Woods où il a échoué, avec Keynes, à infléchir la position américaine.

2. L'enjeu du taux de change

Dessin de Plantu, 1987.
En 1985, les pays du «G5» (États-Unis, Japon, RFA, France, Royaume-Uni) se mettent d'accord pour organiser la baisse de la monnaie américaine, qui atteint alors des sommets historiques; en 1987, ils ne parviennent pas à enrayer sa chute, et le dollar atteint son plus bas niveau depuis 1979. Le krach de 1987 et la bulle spéculative japonaise sont des conséquences indirectes de cet échec.

CONSIGNE

Analysez les deux documents en les replaçant dans leur contexte, puis confrontez-les pour montrer en quoi ils illustrent le rôle essentiel du dollar dans l'économie mondiale depuis 1945 et les limites de la gouvernance mondiale telle qu'elle a été pratiquée jusqu'à présent.

A

Adenauer, Konrad (1876-1967)
Homme politique allemand, membre fondateur du Parti chrétien-démocrate (CDU) après la Seconde Guerre mondiale, puis premier chancelier de la RFA de 1949 à 1963, il est partisan de la réconciliation avec la France.

Alleg, Henri (né en 1921)
Français d'Algérie, militant communiste, il se range aux côtés du Front de libération nationale (FLN) pendant la guerre. Arrêté par l'armée française, il est soumis à la torture. Son ouvrage, *La Question*, publié en 1958, est immédiatement interdit. Il est publié de nouveau en France en 1992.

Arafat, Yasser (1929-2004)
Militant palestinien, président de l'OLP à partir de 1969, il est longtemps considéré par Israël comme un terroriste jusqu'à ce qu'il conduise l'OLP à renoncer à la lutte armée. Après les accords d'Oslo de 1993, il reçoit le prix Nobel de la paix et devient président de l'Autorité palestinienne. Il se retrouve isolé et contesté par les militants du Hamas après la Seconde Intifada.

Aron, Robert (1898-1975)
Intellectuel et historien français. Inquiété pendant la guerre en raison de ses origines juives, il prend part à la résistance extérieure à Alger où il s'est réfugié. Il est le premier à proposer un travail historique sur le régime de Vichy (1954), largement remis en cause depuis les années 1970.

Attila (vers 395-453)
Roi des Huns, régnant sur un empire s'étendant de l'Asie à l'Europe centrale, il envahit la Gaule en 451 mais doit se retirer au-delà du Rhin après sa défaite à la bataille des Champs catalauniques.

Atatürk, Mustafa Kemal dit (1881-1938)
Militaire de carrière, il prend le pouvoir en Turquie après la défaite de 1918 et fonde une République à l'occidentale (laïcité, droit de vote aux femmes, alphabet latin) mais en refusant les droits des minorités et toute ingérence étrangère.

Audin, Maurice (1932-1957)
Militant du Parti communiste algérien et partisan de l'indépendance algérienne, torturé et vraisemblablement tué par les services de renseignement français. L'« affaire Audin » est révélée par l'historien Pierre Vidal-Naquet, qui contredit la version de l'armée selon laquelle il se serait évadé.

Auguste (63 av., 14 apr. J.-C.)
Fils adoptif de César, il devient en 27 av. J.-C. le premier empereur romain. Le long règne de cet empereur bâtisseur représente un tournant dans l'histoire de Rome, notamment dans les domaines politique, économique et social.

Aussaresses, Paul (né en 1918)
Général parachutiste pendant la Guerre d'Algérie, il a reconnu en l'an 2000 l'existence de la torture pendant la bataille d'Alger et a été ensuite condamné pour apologie de crimes de guerre.

Authouart, Daniel (né en 1943)
Il entre à 16 ans à l'École des beaux-arts de Rouen. Après avoir pratiqué la publicité et l'enseignement, il se consacre entièrement à la peinture et au dessin à partir de 1974. Aux marges des tendances dominantes de l'art contemporain, il a séduit peu de musées mais nombre de collectionneurs européens et américains.

B

Baader, Andreas (1943-1977)
Terroriste allemand, fondateur et dirigeant, avec Ulrike Meinhof, du mouvement Fraction Armée rouge. Condamné à perpétuité à l'issue d'une série d'attentats, il meurt dans sa cellule.

Balfour, Arthur (1848-1930)
Premier ministre britannique de 1902 à 1905, il propose en 1917, en tant que ministre des Affaires étrangères, la création d'un foyer national juif.

Balladur, Édouard (né en 1929)
Ministre de l'Économie, des Finances et des Privatisations de Jacques Chirac pendant la première cohabitation (1986-1988), il devient Premier ministre de la deuxième (1993-1995), puis échoue à l'élection présidentielle de 1995.

Barbie, Klaus (1913-1991)
Ancien chef de la Gestapo de Lyon, arrêté après son expulsion de Bolivie en 1983, il est condamné pour crime contre l'humanité lors d'un procès qui s'est tenu à Lyon en 1987.

Barre, Raymond (1924-2007)
Économiste, il est Premier ministre de Valéry Giscard d'Estaing de 1976 à 1981 et mène une politique de rigueur et de libéralisation dans un contexte de crise économique.

Baumgartner, Wilfrid (1902-1978)
Inspecteur des finances, il est gouverneur de la Banque de France de 1949 à 1960 puis ministre des Finances et des Affaires économiques de 1960 à 1962.

Bebel, August (1840-1913)
Fondateur avec Wilhelm Liebknecht du SPD (Parti social-démocrate allemand) en 1875, il en devient le principal dirigeant. Pour lui, le parti doit attendre la révolution et se renforcer sans agir violemment.

Begin, Menahem (1913-1992)

Militant sioniste, chef du parti de droite Likoud, Premier ministre d'Israël de 1977 à 1983, il négocie la paix avec l'Égypte et reçoit le prix Nobel de la paix avec Sadate. En 1982, il fait intervenir l'armée israélienne au Liban.

Ben Bella, Ahmed (1916-2012)
Chef historique du FLN, premier président de la République algérienne en 1962, destitué par le coup d'État de Boumediene. Son souvenir est longtemps évacué de l'histoire officielle de la guerre.

Ben Gourion, David (1886-1973)
Porte-parole du sionisme, il favorise l'immigration juive en Palestine à partir de 1936 puis proclame en 1948 l'établissement de l'État d'Israël, dont il est Premier ministre à deux reprises entre 1948 et 1963.

Ben Laden, Oussama (1957-2011)
Issu d'une famille fortunée d'Arabie Saoudite, il se rallie à l'islamisme lors de l'invasion soviétique en Afghanistan. Il fonde le réseau terroriste Al-Qaïda, responsable des attentats du 11 septembre 2001.

Bernstein, Eduard (1850-1932)
Dirigeant du Parti social-démocrate allemand, il y impose progressivement sa conception d'un socialisme réformiste, prévoyant un passage sans heurt de la société allemande au socialisme.

Beuve-Méry, Hubert (1902-1989)
Choisi par de Gaulle en 1944 pour créer le journal *Le Monde*, qu'il dirige jusqu'en 1969, il en fait le quotidien de référence, symbole d'un journalisme indépendant visant l'objectivité et défendant les libertés.

Birkle, Albert (1900-1986)
Peintre du courant de la Nouvelle Objectivité, il peint dans les années 1930 le monde ouvrier et le paysage industriel. Le nazisme le classe comme « peintre dégénéré » et confisque ses toiles.

Bismarck, Otto von (1815-1898)
Homme d'État prussien, artisan de l'unification allemande, il adopte en 1878 une législation antisocialiste suivie de lois favorables aux ouvriers, sans parvenir à enrayer les progrès du Parti social-démocrate.

Blair, Tony (né en 1953)
Membre du Parti travailliste, il est Premier ministre du Royaume-Uni de 1997 à 2007.

Bloch, Marc (1886-1944)
Historien spécialiste du Moyen Âge, il est le fondateur avec Lucien Febvre de la revue *Les Annales*, à l'origine d'un courant historique majeur du xxᵉ siècle. Résistant, il est exécuté par les Allemands en 1944.

Blum, Léon (1872-1950)
Homme politique socialiste français, il dirige la SFIO (Section française de l'Internationale ouvrière) après le congrès de Tours (1920). Il est président du Conseil sous le Front populaire (1936-1938) et met en place d'importantes réformes sociales. Déporté pendant la guerre, il est à nouveau président du Conseil en 1946-1947.

Brandt, Willy (1913-1992)

Engagé dans le SPD après la Seconde Guerre mondiale. Maire de Berlin de 1957 à 1966, vice-chancelier en 1966 dans la coalition avec les chrétiens-démocrates, puis premier chancelier social-démocrate de la RFA de 1969 à 1974.

Brosses, Charles de (1709-1777)

Magistrat, passionné d'histoire romaine et d'archéologie, il rapporte d'un voyage en Italie en 1739-1740 des observations précises sur les monuments qu'il a visités.

Bryan, William Jennings (1860-1925)

Candidat démocrate à trois élections présidentielles (1896, 1900 et 1908), il devient le champion des créationnistes durant les années 1920.

Bush, George Herbert Walker (né en 1924)

Vice-président républicain de Ronald Reagan entre 1981 et 1989, il est président des États-Unis de 1989 à 1993. Plaidant un nouvel ordre mondial après l'effondrement de l'URSS, il soutient la réunification allemande et déclenche sous l'égide de l'ONU l'opération *Tempête du désert* contre l'Irak de Saddam Hussein qui a envahi le Koweït.

Bush, George W. (né en 1946)

Homme politique républicain, gouverneur du Texas (1994-2000), puis président des États-Unis (2001-2009). Sa politique extérieure devient très interventionniste, après les attentats du 11 septembre 2001, avec les opérations en Afghanistan et en Irak. Cette dernière, sans l'accord de l'ONU, suscite des contestations aux États-Unis et dans le monde.

C

Carter, Jimmy (né en 1924)

Président démocrate des États-Unis de 1976 à 1980, il mène une politique étrangère fondée sur les droits de l'Homme qui lui vaut les critiques d'une partie de l'opinion publique qui considère qu'il manque de fermeté face à l'URSS.

César, Jules (v. 100-44 av. J.-C.)

Homme politique, général et écrivain romain. Après avoir conquis les Gaules, il prend le pouvoir à Rome, avant de mourir assassiné.

Chavez, Hugo (né en 1954)

Chef du Parti socialiste unifié du Venezuela, président de la République du Venezuela depuis 1999, il mène une politique étrangère hostile aux États-Unis.

Chirac, Jacques (né en 1932)

Leader du mouvement gaulliste, Premier ministre de Valéry Giscard d'Estaing (1974) puis de François Mitterrand lors de la première cohabitation (1986-1988), maire de Paris de 1977 à 1995, il est président de la République de 1995 à 2007.

Churchill, Winston S. (1874-1965)

Homme politique britannique, il est plusieurs fois ministre à partir de 1905. Après la Première Guerre mondiale, il rejoint le Parti conservateur puis dirige avec énergie le Royaume-Uni pen-

dant la Seconde Guerre mondiale. Battu aux élections en 1945, il revient au pouvoir de 1951 à 1955 et reçoit le prix Nobel de Littérature en 1953 pour ses *Mémoires de guerre*.

Clemenceau, Georges (1841-1929)

Président du conseil à deux reprises sous la Troisième République, il est surnommé à la fin de la Première Guerre mondiale "le Tigre" et "le Père la victoire".

Clinton, Bill (né en 1946)

Président démocrate des États-Unis de 1993 à 2001, il est notamment à l'origine de la ratification de l'ALENA et a joué un rôle dans la négociation des accords d'Oslo.

Confucius (VIe-Ve siècle avant J.-C.)

Éducateur et philosophe chinois, considéré comme le père de la culture traditionnelle chinoise.

D

Daladier, Édouard (1884-1970)

Homme politique français, ce radical-socialiste est président du Conseil en 1933 et 1934, puis ministre dans le gouvernement de Front populaire. Il est à nouveau président du Conseil de 1938 à 1940, lors des accords de Munich puis de l'entrée en guerre de la France contre l'Allemagne.

Debord, Guy (1931-1994)

Écrivain et révolutionnaire français, il est l'un des fondateurs de l'internationale situationniste (1957-1967). Dans son ouvrage *La Société du spectacle*, publié en 1967, il dénonce la communication comme un outil d'aliénation de la population.

Defferre, Gaston (1910-1986)

Résistant, maire socialiste de Marseille de 1944 à 1945 puis de 1953 à 1986, plusieurs fois ministre, il donne son nom à la loi-cadre de 1956 sur la décolonisation et aux lois de décentralisation de 1982 et 1983.

Delors, Jacques (né en 1925)

Économiste, ministre des Finances sous la présidence Mitterrand, Jacques Delors est président de la Commission européenne de 1985 à 1994. Il relance la construction européenne en étant à l'origine de l'Acte unique et du traité de Maastricht.

Delouvrier, Paul (1914-1995)

Haut fonctionnaire français sous la IVe et la Ve République, il est l'un des artisans de la planification et de la création des «villes nouvelles» autour de Paris.

Deng Xiaoping (1904-1997)

Membre ancien du Parti communiste chinois (PCC), il prend la tête du pays en 1978 et lance la politique de réformes. Il quitte le pouvoir en 1989 mais continue de dominer la politique chinoise pendant plusieurs années.

Drœmmer, Friedrich Peter (1889-1968)

Peintre expressionniste allemand, membre du courant de la Nouvelle Objectivité, il consacre une partie de son œuvre à représentation du monde ouvrier.

Dreyfus, Alfred (1859-1935)

Capitaine français d'origine juive, condamné en 1894 au bagne pour espionnage au profit de l'Allemagne. En 1898, la publication par Émile Zola de «J'accuse» fait éclater «l'Affaire», aboutit en 1906 à la réhabilitation de Dreyfus, qui n'a cessé de clamer son innocence.

E

Ebert, Friedrich (1871-1925)

Issu d'un milieu ouvrier, dirigeant du SPD en 1913, il soutient l'effort de guerre en 1914. Chancelier du gouvernement provisoire en novembre 1918, il tente de rétablir l'ordre contre les spartakistes et est élu président de la République en février 1919.

Eichmann, Adolf (1906-1962)

Officier nazi ayant participé à la déportation et à l'extermination des juifs pendant la Seconde Guerre mondiale, il est jugé en 1961 à Jérusalem pour crime contre l'humanité et exécuté.

Eiffel, Gustave (1832-1923)

Ingénieur et industriel français, il participe notamment à la construction de la statue de la Liberté et de la tour qui porte son nom à Paris, inaugurée en 1889.

Eisenhower, Dwight D. (1890-1969)

Commandant en chef des armées américaines pendant la Seconde Guerre mondiale, il est président des États-Unis d'Amérique de 1952 à 1960.

Engels, Friedrich (1820-1895)

Théoricien socialiste, il assure après la mort de son ami Karl Marx la rédaction définitive d'une partie de son œuvre.

F

Febvre, Lucien (1878-1956)

Historien spécialiste de l'époque moderne, il est le fondateur avec Marc Bloch de la revue et de l'école historique des Annales.

Felixmüller, Conrad (1897-1977)

Peintre formé à Dresde, militant du KPD (Parti communiste allemand) à partir de 1919, il a participé à la révolte spartakiste. Ses œuvres peintes pendant la République de Weimar sont condamnées et parfois détruites par le régime nazi.

Flavius Josèphe (vers 37-vers 100)

Historien romain d'origine juive, il a fourni un témoignage essentiel sur les rapports entre Rome et Jérusalem à son époque.

Friedman, Milton (1912-2006)

Économiste américain, prix Nobel d'économie en 1976, il est un ardent défenseur du libéralisme et le fondateur du courant monétariste. Opposé à Keynes, hostile aux politiques interventionnistes, il a inspiré les politiques de libéralisation et de déréglementation des années 1980 et 1990.

Fromanger, Gérard (né en 1939)

Pionnier dans les années 1960 de la figuration narrative. Artiste engagé, il fait partie en mai 1968 des fondateurs de l'atelier populaire des Beaux-Arts, qui produit certaines des plus célèbres affiches contestataires de la période. Sa peinture explore l'univers urbain de son époque tel que le montrent la photographie, la presse et le cinéma.

Furet, François (1927-1997)

Historien de la Révolution française, François Furet est proche du courant historiographique de la Nouvelle histoire, qui élargit le champ de l'histoire à partir des années 1970.

G

Gasperi, Alcide de (1881-1954)

Homme politique italien démocrate-chrétien, président du conseil italien de 1945 à 1953, il est considéré comme l'un des «Pères de l'Europe».

Gaulle, Charles de (1890-1970)

Général et homme d'État français. Officier supérieur et théoricien avant la Seconde Guerre mondiale, il refuse l'armistice en juin 1940 et mène la France libre et la Résistance depuis Londres. En 1944, il assume le pouvoir dans le gouvernement provisoire de la France libérée avant d'en démissionner en 1946, puis de se mettre à l'écart de la vie politique en 1953. En 1958, il est appelé à former un nouveau gouvernement et à rédiger une nouvelle constitution, celle de la Vᵉ République, dont il est le premier président, de 1958 à 1969.

Giroud, Françoise (1916-2003)

Journaliste à *Elle*, un des premiers journaux féminins, elle fonde en 1953 *L'Express* avec Jean-Jacques Servan-Schreiber. En 1974, elle devient la première secrétaire d'État à la Condition féminine et poursuit une carrière influente de journaliste jusqu'à sa disparition.

Giscard d'Estaing, Valéry (né en 1926)

Chef de file des libéraux, ministre de l'Économie et des Finances de Charles de Gaulle puis de Georges Pompidou, il est président de la République de 1974 à 1981. Au cours de son mandat, il lance le système monétaire européen (SME). Européen convaincu, il préside la Convention sur l'avenir de l'Europe, qui aboutit au projet de traité établissant une Constitution pour l'Europe (TCE) rejeté par référendum en 2005.

Gorbatchev, Mikhaïl (né en 1931)

Homme d'État soviétique, il dirige l'URSS de 1985 à 1991. Il entreprend en URSS de profondes réformes et établit une paix durable avec l'Occident mais doit démissionner en 1991, à la veille de la dissolution de l'URSS.

Griebel, Otto (1895-1972)

Peintre de la Nouvelle Objectivité, membre du KPD et de l'Association des artistes peintres révolutionnaires, auteur de *Die Internationale*, l'une des œuvres les plus emblématiques de l'art prolétaire révolutionnaire.

Guillaume II (1859-1941)

Troisième et dernier empereur d'Allemagne à partir de 1888, il abdique en 1918.

H

Halicarnasse, Denys d'
(vers 60 av. J.-C.-8 a p. J.-C.)

Historien grec contemporain de César et d'Auguste, qui a consacré la plupart de ses ouvrages à l'histoire de Rome.

Harbi, Mohammed (né en 1933)

Combattant nationaliste algérien, il est responsable des relations diplomatiques du FLN pendant la guerre d'Algérie. Proche de Ben Bella, il est arrêté après 1965, emprisonné puis s'évade en France. Il est l'un des premiers historiens du mouvement nationaliste algérien et de la guerre d'Algérie.

Hariri, Rafiq (1944-2005)

Homme politique libanais, musulman sunnite, il est à la tête de cinq gouvernements au Liban entre 1992 et 2004 avant d'être assassiné en 2005 à Beyrouth.

Haussmann, Georges Eugène (1809-1891), dit le «baron Haussmann»

Préfet de la Seine de 1853 à 1870, il bouleverse Paris par ses grands travaux de modernisation et est la cible de nombreuses critiques. Il joue un rôle dans la vie politique durant et après le Second Empire (1852-1870).

Hélène (IIIᵉ-IVᵉ siècles)

Mère de l'empereur Constantin, honorée comme sainte par les catholiques et les orthodoxes, elle aurait découvert la Vraie Croix à Jérusalem en 326. Sur ce site, elle entreprend la construction de la première église du Saint-Sépulcre.

Hérode Iᵉʳ le Grand (73-4 av. J.-C.)

Roi des juifs, il réalise de grands travaux à Jérusalem, dont la reconstruction du Temple de Salomon dans un style hellénistique.

Hérodote (v. 484-v. 425 av. J.-C.)

Historien grec considéré comme le «père de l'histoire». Dans ses *Histoires*, en neuf volumes, il raconte les guerres médiques et accumule des informations sur les institutions grecques.

Hitler, Adolf (1889-1945)

Né en Autriche et soldat pendant la Première Guerre mondiale, il devient le chef du NSDAP (Parti national-socialiste des travailleurs allemands). Après un putsch manqué (1923), il expose la doctrine nazie dans *Mein Kampf* et la met en application après son arrivée au pouvoir en 1933. Il transforme l'Allemagne en État totalitaire dont il se proclame le «Guide» (*Führer*), et sa politique extérieure mène à la Seconde Guerre mondiale, guerre totale marquée par la domination allemande sur l'Europe et le génocide des juifs. Il se suicide en avril 1945.

Hugo, Victor (1802-1885)

Écrivain romantique, engagé en politique, exilé sous le Second Empire, il devient un symbole républicain. À sa mort, des funérailles nationales accompagnent le transfert de sa dépouille au Panthéon.

Hussein de Jordanie (1935-1999)

Roi de Jordanie de 1952 à 1999, il perd le contrôle de Jérusalem et de la Cisjordanie à l'issue de la guerre des Six-Jours (1967). En 1970, il expulse par la force les Palestiniens de Jordanie (Septembre Noir). Après avoir soutenu Saddam Hussein en 1990-1991, il signe un traité de paix avec Israël sous l'égide des États-Unis (1994).

Hussein, Saddam (1937-2006)

Président de la République d'Irak de 1979 au renversement de sa dictature en 2003, il est condamné à mort pour crimes contre l'humanité et exécuté en 2006.

J

Jaurès, Jean (1859-1914)

Homme politique, écrivain et orateur, il est l'un des chefs du socialisme français. Député et dreyfusard, il fonde le journal *L'Humanité* en 1904 et dirige la SFIO créée en 1905. Hostile à la guerre, il est assassiné par un nationaliste à la veille de la Première Guerre mondiale.

Jeanneney, Jean-Marcel (1910-2010)

Grand «commis de l'État», il met en œuvre la décentralisation industrielle en tant que ministre de l'Industrie du général de Gaulle, puis est nommé ambassadeur de France en Algérie indépendante. En 1968, il est chargé de la réforme du Sénat, qui échoue à l'issue du référendum de 1969.

Johnson, Lyndon B. (1908-1973)

Vice-président démocrate des États-Unis en 1960, il devient président à la mort de John Fitzgerald Kennedy, puis est élu en 1965. Il soutient les droits civiques et engage les États-Unis dans la guerre du Vietnam.

K

Khamenei, Ali (né en 1939)

Président de la République d'Iran de 1981 à 1989, il succède à l'Imam Khomeiny, à la mort de ce dernier en 1989, en tant que guide suprême de la Révolution islamique.

Kennan, George (1904-2005)

Historien et diplomate américain, il est l'un des acteurs de la Guerre froide, partisan du *containment*, c'est-à-dire des mesures pour endiguer l'expansionnisme soviétique.

Kennedy, John Fitzgerald (1917-1963)

Homme d'État américain, catholique, membre du parti démocrate, il est élu président en 1960 et meurt assassiné en 1963.

Keynes, John Maynard (1883-1946)

Économiste britannique, théoricien influent, Keynes est l'un des acteurs principaux des accords de Bretton Woods. Sa pensée, qui repose sur l'idée que les marchés ne s'équilibrent pas automatiquement et qu'il est donc nécessaire de recourir à des politiques conjoncturelles et à l'intervention de l'État, a influencé de nombreux courants de pensée économique.

Khomeyni, Ruhollah (1902-1989)

Chef religieux (*ayatollah*) et homme politique iranien, il inspire la Révolution islamique de 1979, instaure la République islamique d'Iran puis la dirige politiquement et spirituellement jusqu'à sa mort.

King, Martin Luther (1929-1968)

Pasteur baptiste, il se fait connaître par son refus de toute forme de ségrégation raciale et son action non violente en faveur des droits civiques. Prix Nobel de la paix en 1964, il est assassiné en 1968.

Kissinger, Henry (né en 1923)

Diplomate, conseiller à la sécurité nationale puis Secrétaire d'État (ministre des Affaires étrangères) des États-Unis de 1968 à 1977, sous les présidences Nixon et Ford, il incarne la *Realpolitik*, une diplomatie fondée sur l'analyse des rapports de force entre les nations. Il reçoit le prix Nobel de la paix en 1973.

Klarsfeld, Serge (né en 1935)

Avocat et historien français. Fils de déporté, Serge Klarsfeld a consacré sa vie à la poursuite des responsables allemands et français de la déportation des juifs de France, à l'écriture de l'histoire du génocide des juifs et à sa commémoration.

L

Laborie, Pierre (né en 1936)

Historien français, spécialiste de l'opinion française sous le Régime de Vichy.

Laffer, Arthur (né en 1940)

Économiste libéral américain, il a été rendu célèbre par la courbe qui porte son nom, selon laquelle le rendement d'un impôt décroît au-delà d'un certain seuil («Trop d'impôt tue l'impôt»).

Lafontaine, Oskar (né en 1943)

Longtemps membre du Parti social-démocrate allemand (SPD), il le quitte en 2005 en désaccord avec la politique du chancelier Gerhard Schröder et fonde une coalition électorale, qui devient *Die Linke* (La Gauche).

Lanzmann, Claude (né en 1925)

Ancien résistant, journaliste et cinéaste, il réalise *Shoah* (1985), un film documentaire de neuf heures et demi, consacré à l'extermination des juifs d'Europe.

Lattre de Tassigny, Jean de (1899-1952)

Général, il rejoint la France libre après l'occupation de la zone Sud puis libère Marseille et Lyon en 1944, avant de recevoir la capitulation allemande en 1945. Il est élevé à la dignité de maréchal de France, à titre posthume, le 15 janvier 1952.

Le Bernin (1598-1680)

Sculpteur et architecte italien, Gian Lorenzo Bernini est l'un des grands artistes italiens baroques. Très apprécié par les papes, il réalise le baldaquin de la basilique Saint-Pierre ainsi que la colonnade qui entoure la place devant la basilique.

Le Goff, Jacques (né en 1924)

Historien médiéviste français, spécialiste de l'histoire des mentalités.

Lecanuet, Jean (1920-1993)

Démocrate-chrétien, président du Mouvement républicain populaire (MRP) entre 1963 et 1965,

il obtient 15 % des voix aux élections présidentielles de 1965. En 1974, il soutient la candidature de Valéry Giscard d'Estaing puis préside l'Union pour la démocratie française (UDF), de 1978 à 1988.

Liebknecht, Karl (1871-1919)

Représentant de l'extrême gauche du SPD allemand, il est le fondateur avec Rosa Luxemburg de la Ligue spartakiste (1916), puis du Parti communiste allemand (1916). Il est assassiné avec elle à l'issue de la répression de l'insurrection spartakiste de 1919.

Lindbergh, Charles (1902-1974)

Aviateur américain, auteur de la première traversée sans escale de l'Atlantique Nord, il se distingue ensuite par ses prises de position en faveur de l'Allemagne nazie.

Luxemburg, Rosa (1871-1919)

Née en Pologne, elle milite dans le SPD à partir de 1898 et s'oppose aux tentatives révisionnistes d'Eduard Bernstein. Elle est favorable à une révolution populaire violente et spontanée pour abattre le capitalisme. Elle fonde avec Karl Liebknecht la Ligue spartakiste, avant d'être assassinée avec lui en janvier 1919.

M

Malcolm X (1925-1965)

Enfant des ghettos noirs du Nord, converti puis prêcheur religieux à *Nation of Islam*, mouvement noir séparatiste en marge de l'islam traditionnel, il devient un leader charismatique radical du mouvement des Droits civiques. Il adopte en 1964 l'islam sunnite et est assassiné en 1965 par un membre de son ancienne Église.

Malraux, André (1901-1976)

Écrivain, homme politique et résistant, il devient le ministre des Affaires culturelles du général de Gaulle entre 1959 et 1969. Il mène une politique culturelle de prestige et étend le champ de compétence de son ministère.

Mao Zedong (1893-1976)

D'origine paysanne, il règne en despote sur le PCC (Parti communiste chinois) à partir de 1942, et sur le pays à partir de 1949. Il promeut un communisme «chinois» comme voie de redressement national.

Marshall, George (1880-1959)

Général, secrétaire d'État des États-Unis en 1947, il est à l'origine du plan d'assistance pour la reconstruction et le redressement financier de l'Europe.

Marx, Karl (1818-1883)

Philosophe, écrivain et économiste politique, il théorise le communisme et a une activité révolutionnaire en Europe. En 1864, il devient le chef de la Ire Internationale.

Mauroy, Pierre (né en 1928)

Premier ministre socialiste de François Mitterrand de 1981 à 1984, il met notamment en œuvre la politique de décentralisation.

Mehenni, Ferhat (né en 1951)

Chanteur algérien, fondateur du Mouvement pour l'autonomie de la Kabylie.

Mendès France, Pierre (1907-1982)

Député radical-socialiste sous la IIIe République, résistant, il est président du Conseil de juin 1954 à février 1955. Ministre en 1956 dans le gouvernement Guy Mollet, il démissionne en raison d'un désaccord sur la politique algérienne. Il vote contre l'investiture du général de Gaulle en 1958 et incarne jusqu'à sa mort, à gauche, une conception exigeante de la politique.

Meinhof, Ulrike (1934-1976)

Membre très active du groupe terroriste d'extrême gauche «Fraction armée rouge», aux côtés d'Andreas Baader, elle meurt en prison.

Mérimée, Prosper (1803-1870)

Écrivain, il est nommé inspecteur des monuments historiques par Louis-Philippe et parcourt la France pour en recenser les richesses archéologiques.

Messmer, Pierre (1916-2007)

Résistant, haut-commissaire en Afrique (1952-1959) puis ministre des Armées de Charles de Gaulle (1960-1969), il est Premier ministre de Georges Pompidou de 1972 à 1974.

Michel Ange, Michel-Ange Buonarotti, dit (1475-1564)

Sculpteur, peintre et architecte italien, auteur notamment des fresques de la chapelle Sixtine, il supervise les travaux de la basilique Saint-Pierre.

Michelet, Jules (1798-1874)

Historien romantique, est considéré comme l'un des «Pères» de l'histoire contemporaine. Définissant sa démarche comme une «résurrection» du passé, il s'appuie sur une masse considérable d'archives.

Mitterrand, François (1916-1996)

Plusieurs fois ministre sous la IVe République, opposant au général de Gaulle, il devient premier secrétaire du Parti socialiste en 1971 et est élu président de la République en 1981. Au cours de ses deux mandats, marqués par deux périodes de cohabitation, il adapte l'État aux évolutions de la construction européenne et de la mondialisation et entreprend une politique de grands travaux culturels.

Mollet, Guy (1905-1975)

Secrétaire général de la SFIO de 1946 à 1969, il joue souvent un rôle d'arbitre sous la IVe République en accordant ou non la participation des socialistes aux gouvernements. Président du Conseil en janvier 1956, il durcit la politique française en Algérie et mène en métropole une politique contractuelle associant les syndicats et le patronat à la décision.

Monnet, Jean (1888-1979)

Homme d'État français, commissaire au Plan de 1945 à 1952, il est à l'origine avec Robert Schuman de la CECA, dont il devient le premier président en 1952. Il a donné son nom à une méthode communautaire conciliant les logiques supranationale et intergouvernementale.

Monroe, James (1758-1831)

Président des États-Unis de 1817 à 1825, il a donné son nom en 1823 à des principes de politique étrangère qui s'opposent à toute intervention européenne dans les affaires du continent américain (« doctrine Monroe »).

Mossadegh, Mohammed (1882-1967)

Premier ministre d'Iran en 1951, il nationalise l'industrie pétrolière. Confronté à l'opposition du chah d'Iran et des puissances étrangères, son gouvernement est renversé avec l'appui de la CIA en 1953.

Moulin, Jean (1899-1943)

Préfet, résistant, nommé à la tête du Conseil national de la Résistance en 1943, il est arrêté et torturé la même année, et meurt pendant son transfert en Allemagne.

Mussolini, Benito (1883-1945)

D'abord militant socialiste, il se prononce pour l'entrée en guerre de l'Italie dans la Première Guerre mondiale puis fonde en 1919 les faisceaux de combat nationalistes. Parvenu au pouvoir en 1922, le *Duce* (chef) transforme le régime en dictature et s'allie à Hitler en 1936. En 1943, à la suite de plusieurs échecs, il est arrêté par les chefs fascistes, puis délivré par les nazis. Il est exécuté en 1945.

N

Nasrallah, Hassan (né en 1960)

Homme politique libanais, musulman chiite, secrétaire général du mouvement Hezbollah depuis 1992.

Nasser, Gamal Abdel (1918-1970)

Officier nationaliste, il arrive au pouvoir en 1954 en Égypte après le renversement de la monarchie. Leader arabiste et non-aligné, il dispose d'un immense prestige après la nationalisation du Canal de Suez en 1956.

Nixon, Richard (1913-1994)

Homme politique américain, républicain, il est président de 1968 à 1974. Ses mandats sont marqués par la guerre du Vietnam et la détente avec l'URSS. Il démissionne à la suite du scandale du Watergate.

Nora, Pierre (né en 1931)

Historien proche de la Nouvelle histoire*, académicien, initiateur des *Lieux de mémoire*, Pierre Nora a consacré l'essentiel de ses travaux aux rapports entre la mémoire et l'histoire.

Nye, Joseph (né en 1937)

Professeur à la *Kennedy School of Government* de Harvard, le géopoliticien Joseph S. Nye a inventé en 1990 le concept de « puissance douce » (*soft power*). Dans son dernier livre, *The Future of Power* (2011), il analyse les mutations de la puissance sur la scène internationale.

O

Obama, Barack (né en 1961)
Homme politique américain démocrate, il est élu président en 2008, succédant au républicain George W. Bush. Fils d'un Kenyan et d'une Américaine, il est le premier président africain-américain des États-Unis.

P

Papon, Maurice (1910-2007)

Haut fonctionnaire et ministre du Budget sous Valéry Giscard d'Estaing, il est condamné en 1998 pour complicité de crimes contre l'humanité pour sa responsabilité dans la déportation de juifs alors qu'il était secrétaire général de la préfecture de Gironde entre 1942 et 1944. Préfet de police de Paris entre 1958 et 1967, il est impliqué dans la répression sanglante de la manifestation organisée par le FLN le 17 octobre 1961.

Paxton, Robert (né en 1932)

Historien américain dont les travaux sur la France de Vichy, en montrant le rôle actif joué par le régime du maréchal Pétain dans la collaboration et la déportation des juifs, ont marqué une rupture décisive dans l'histoire de la Seconde Guerre mondiale en France.

Pershing, John Joseph (1860-1948)

Général américain, commandant du corps expéditionnaire américain en France en 1917.

Pétain, Philippe (1856-1951)

Militaire et homme d'État français. Son action pendant la Première Guerre mondiale lui vaut le surnom de « vainqueur de Verdun ». Devenu maréchal de France, il est rappelé au gouvernement lors de la débâcle de juin 1940. Nommé président du Conseil, il signe l'armistice et devient chef du régime de Vichy (l'État français). Il engage alors la Révolution nationale et la collaboration avec l'occupant nazi. Jugé en 1945, il meurt en détention.

Pflimlin, Pierre (1907-2000)

Homme politique français, ce chrétien-démocrate (MRP) est plusieurs fois ministre de la IVe République, et son avant-dernier président du Conseil. Il préside le Parlement européen dans les années 1980.

Philippe Auguste (1165-1223)

Roi de France de 1180 à 1223, il renforce le contrôle de son royaume depuis Paris. Il y effectue de grands travaux et prend de nombreuses mesures concernant la ville.

Pinay, Antoine (1891-1994)

Homme politique français, il est l'un des fondateurs du CNI (Centre national des Indépendants, droite) après la guerre et est nommé plusieurs fois ministre de la IVe et de la Ve République.

Pleven, René (1901-1993)

Résistant, plusieurs fois ministre et deux fois président du Conseil sous la IVe République, il présente à l'Assemblée le projet de Communauté européenne de défense.

Pompidou, Georges (1911-1974)

Premier ministre de Charles de Gaulle de 1962 à 1968, il est élu président de la République en 1969. Inscrivant son action dans la continuité de son prédécesseur, il poursuit la politique de participation, la décongestion de Paris, et lance de grands travaux, parfois achevés après son décès en cours de mandat.

Pontecorvo, Gillo (1919-2006)

Travaille comme journaliste avant de réaliser ses premiers films après la Seconde Guerre mondiale. *La Bataille d'Alger* est considérée comme son œuvre la plus importante, c'est grâce à elle qu'il est mondialement connu. Il meurt en 2006.

R

Rabin, Yitzhak (1922-1995)

Premier ministre israélien signataire des accords d'Oslo en 1993, il est assassiné par un extrémiste religieux juif israélien en 1995.

Ramadier, Paul (1888-1961)

Homme politique socialiste, président du Conseil en janvier 1947, il écarte du gouvernement les ministres communistes et adhère au plan Marshall.

Rauschenbush, Walter (1861-1918)

Théologien américain protestant, il est la figure de l'Évangile social, un mouvement chrétien engagé contre la pauvreté et les inégalités engendrées par l'industrialisation.

Reagan, Ronald (1911-2004)

Président républicain conservateur de 1981 à 1989. Sa politique extérieure très antisoviétique correspond à un retour à l'interventionnisme américain, au moment où l'URSS entre en crise profonde.

Reinach, Joseph (1856-1921)
Avocat et député proche de Gambetta, défenseur d'Alfred Dreyfus, il participe à la création de la Ligue des droits de l'homme et du citoyen.

Rémy, Gilbert Renault, dit le colonel (1904-1984)

Résistant, fondateur d'un réseau de renseignements, il publie après la guerre des ouvrages sur la Résistance dans lesquels il cherche à réhabiliter l'action du maréchal Pétain. Il est désavoué par le général de Gaulle.

Renan, Ernest (1823-1892)

Écrivain français, philologue, rationaliste, il formule l'idée qu'une nation repose à la fois sur un passé commun et une volonté de vivre en commun dans une conférence, intitulée « Qu'est-ce qu'une nation ? » tenue en mars 1882 à la Sorbonne.

Resnais, Alain (né en 1922)

Né à Vannes, Alain Resnais a débuté sa carrière comme documentariste avant de se tourner vers la fiction dans les années 1950. Le succès de ses premiers documentaires, salués par la critique, a conduit les commanditaires du film à lui confier la réalisation de *Nuit et Brouillard*.

Reynaud, Paul (1878-1966)

Homme politique français de droite modérée, plusieurs fois ministre de la IIIe République, président du Conseil de mars à juin 1940. Partisan alors de la poursuite du combat contre les Allemands, il doit démissionner.

Robertson, Marion Gordon dit Pat
(né en 1930)
Télévangéliste baptiste américain et militant de la droite chrétienne conservatrice aux États-Unis.

Rocard, Michel (né en 1930)
Inspecteur des finances, il dirige de 1967 à 1974 le Parti socialiste unifié (PSU). Il entre ensuite au Parti socialiste, où il incarne la «Deuxième gauche» et s'oppose à François Mitterrand, dont il est cependant le Premier ministre de 1988 à 1991.

Rochefort, Henri (1831-1913)
Journaliste hostile à Napoléon III, il soutient la Commune en 1871 puis s'exile jusqu'en 1880. Élu député en 1885, il devient nationaliste et partisan du général Boulanger.

Romulus (selon la légende, 753-715 av. J.-C.)
Fondateur et premier roi légendaire de Rome, descendant d'Énée, recueilli enfant par une louve avec son frère jumeau Rémus.

Roosevelt, Franklin Delano (1882-1945)
Homme politique américain démocrate, il est élu président en 1932 en pleine crise économique, à laquelle il s'attaque avec son *New Deal*. Réélu en 1936, 1940 et 1944, il rompt avec l'isolationnisme américain et contribue fortement à la victoire des Alliés après l'entrée en guerre des États-Unis en 1941.

Roosevelt, Theodore (1858-1919)
Président des États-Unis de 1901 à 1909, il mène une politique étrangère offensive, dite du *Big Stick* (gros bâton), qui se traduit notamment par la prise de contrôle du canal de Panama.

Rougemont, Denis de (1906-1985)
Écrivain suisse de langue française, partisan d'une Europe fédérale, il fonde à Genève le Centre européen de la culture (1950).

Rousso, Henry (né en 1954)
Historien de la Seconde Guerre mondiale, directeur de l'Institut d'histoire du temps présent (IHTP) de 1994 à 2005, il est à l'origine, dans son ouvrage *Le Syndrome de Vichy* (1980), de la notion de «résistancialisme». Spécialiste des liens entre l'histoire et la mémoire, il pointe le risque d'une confusion entre le rôle de l'historien et celui du juge, refusant pour cela de comparaître au procès de Maurice Papon.

Rueff, Jacques (1896-1978)
Économiste et haut fonctionnaire néolibéral, opposé aux idées de Keynes, il affirme dans l'entre-deux-guerres la nécessité de rétablir l'étalon-or pour remédier aux difficultés monétaires mondiales. Il préside en 1958 un comité d'experts chargé d'étudier la façon d'assainir les finances publiques, dont les recommandations sont mises en œuvre par le ministre des Finances Antoine Pinay.

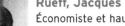
S

Sacconi, Giuseppe (1854-1905)
Architecte italien, connu pour ses travaux de restauration à Rome, il remporte en 1884 le concours qui doit sélectionner un projet de monument à Victor-Emmanuel. Il en dirige ensuite la construction, mais meurt avant qu'elle ne soit achevée. Il fut également député de 1884 à 1902.

Sadate, Anouar el-
(1918-1981)
Successeur de Nasser à la présidence de la République égyptienne en 1970, il se rapproche des États-Unis et effectue en 1977 une visite spectaculaire à Jérusalem, prélude à des négociations directes avec l'État hébreu. Signataire des accords de Camp David (paix entre l'Égypte et Israël), prix Nobel de la paix, il est assassiné en 1981.

Salan, Raoul (1899-1984)
Général français, commandant en chef en Indochine puis en Algérie. Il joue un rôle important dans le retour du général de Gaulle. Il participe au putsch manqué des généraux en 1961 puis fonde l'OAS.

Salengro, Roger (1890-1936)
Député socialiste, maire de Lille, ministre de l'Intérieur du Front populaire, il est victime d'une campagne de presse calomnieuse dans la presse d'extrême droite, qui l'accuse d'avoir déserté en 1916. Bien que reconnu non coupable, il se suicide en 1936.

Salomon (xe siècle av. J.-C.)
Dans la Bible, troisième roi d'Israël et fils de David. Présenté comme sage et juste, il aurait aussi écrit plusieurs livres de la Bible. Grand roi bâtisseur, il aurait notamment fait édifier le Temple dit «de Salomon», premier Temple de Jérusalem.

Schmidt, Helmut (né en 1918)
Président du SPD en 1967, il succède en 1974 à Willy Brandt comme chancelier de RFA et le reste jusqu'en 1982. Il resserre les liens avec la France, sous la présidence de Valéry Giscard d'Estaing (1974-1981).

Schröder, Gerhard (né en 1944)
Militant social-démocrate dès sa jeunesse, il dirige le land de Basse-Saxe en 1990 et est élu chancelier en 1998 après 16 ans de pouvoir chrétien-démocrate. Chancelier de 1998 à 2005, il fait, devant la crise économique, des réformes mal acceptées par les syndicats et l'aile gauche de son parti, qui fait sécession.

Schuman, Robert (1886-1963)
Député démocrate-populaire de 1919 à 1940, déporté puis évadé, il devient ministre MRP des finances en 1946 puis succède à Paul Ramadier comme président du Conseil (1947-1948). Chargé ensuite du portefeuille des Affaires étrangères (1948-1953), il est avec Jean Monnet le principal promoteur de la construction européenne, posant les bases de la CECA et de la CED. Il donne sa démission après le rejet de cette dernière.

Séguin, Philippe (1943-2010)
Haut fonctionnaire, gaulliste social, il est ministre des Affaires sociales et de l'Emploi dans le gouvernement Chirac de la première cohabitation (1986-1988). Partisan du «non» au référendum de 1992 sur le traité de Maastricht, il est président de l'Assemblée nationale de 1993 à 1997 puis premier président de la Cour des comptes à partir de 2004.

Séguy, Georges (né en 1927)
Syndicaliste français, communiste et résistant, il est membre du comité central du PCF de 1954 à 1994 et secrétaire général de la CGT de 1967 à 1982.

Sharon, Ariel (né en 1928)
Général israélien, il participe à toutes les guerres israélo-arabes de 1948 à 1973. Ministre de la Défense en 1982, il organise l'invasion du Liban. Il devient Premier ministre après le déclenchement de la seconde Intifada en 2001.

Sixte IV (1414-1484)
Pape de 1471 à 1484, ce Romain embellit la ville par de nombreuses rénovations et constructions, notamment la chapelle Sixtine, le pont Sixte et de nombreuses églises et basiliques.

Smith, Joseph (1805-1844)
Fondateur de la secte des mormons aux États-Unis, il fonde une première communauté dans l'État de New York en 1830.

Soliman (1494-1566)
Surnommé le «Magnifique» en raison de la prospérité que connaît l'Empire Ottoman sous son règne, il est un grand bâtisseur qui a notamment reconstruit les murailles millénaires de Jérusalem. Son nom est la forme arabo-turque de «Salomon».

Soufflot, Jacques-Germain (1713-1780)
Architecte français à qui Louis XV confie le soin d'édifier l'église Sainte-Geneviève de Paris (futur Panthéon), inachevée à sa mort.

Spaak, Paul-Henri (1899-1972)
Ministre des Affaires étrangères de Belgique de 1946 à 1949, il est un ardent partisan de la construction européenne. Il préside l'Assemblée consultative du Conseil de l'Europe de 1949 à 1951, puis celle de la CECA de 1952 à 1954.

Spinelli, Altiero (1907-1986)
Journaliste italien, résistant au fascisme, il rédige sur l'île de Ventotene, où il est déporté, un manifeste pour l'Europe unie. Il fonde en 1943 le Mouvement fédéraliste européen, puis l'Union des fédéralistes européens. Il est élu au Parlement européen en 1979 et défend le projet d'un traité sur l'Union européenne.

Staline, Joseph (1879-1953)
Homme politique soviétique, successeur de Lénine après avoir écarté ses adversaires potentiels, il est d'abord partisan d'une révolution limitée à l'URSS. Il évince ses opposants par l'élimination et la terreur. La victoire face au nazisme en 1945 renforce sa dictature personnelle. Il garde le pouvoir jusqu'à sa mort en 1953. Sa politique, le stalinisme, est condamnée dès 1956.

Stavisky, Alexandre (1896-1934)
Homme d'affaires français impliqué dans de nombreuses affaires d'escroquerie, fonda-

teur en 1931 du Crédit municipal de Bayonne, il détourne plusieurs dizaines de millions de francs. Son suicide aux circonstances mal élucidées, alors qu'il est traqué par la police, est à l'origine de la manifestation du 6 février 1934.

Stiglitz, Joseph (né en 1943)
Professeur d'économie, théoricien des inégalités, du chômage et des crises financières, conseiller de Bill Clinton, il devient économiste en chef de la Banque mondiale, puis obtient le prix Nobel d'économie en 2001.

Stora, Benjamin (né en 1950)
Historien du Maghreb contemporain et de l'Algérie coloniale, il a consacré plusieurs de ses travaux à la mémoire de la guerre d'Algérie, dont il a fait avancer la recherche en faisant appel à des sources orales et visuelles.

Sun Yat-sen (1866-1925)
Révolutionnaire républicain et chrétien, il est l'éphémère président de la République de Chine en 1912. Il a notamment vécu à Hawaï, au Japon et aux États-Unis. Il dirige le Guomindang jusqu'à sa mort et préside au rapprochement avec les communistes et l'URSS, par calcul politique plus que par conviction.

T

Tchang Kaï-chek (1887-1975)
Militaire issu de l'aile conservatrice du Guomindang, il succède à Sun Yat-sen et rompt violemment avec les communistes. Il est le dictateur faible d'une Chine partiellement réunifiée. À partir de 1937, il résiste à l'invasion japonaise. Défait dans la guerre civile contre les communistes de Mao, il se replie à Taïwan, qu'il dirige jusqu'à sa mort.

Thatcher, Margaret (née en 1925)
Premier ministre conservateur de Grande-Bretagne de 1979 à 1990, Margaret Thatcher, promoteur de réformes libérales radicales, défend à la fois les intérêts de la Grande-Bretagne et la conception d'une Europe réduite à sa fonction de zone de libre-échange.

Tocqueville, Alexis de (1805-1859)
Historien et penseur politique français, libéral, il a consacré ses travaux à l'analyse de la Révolution française et de la démocratie, notamment aux États-Unis.

Touvier, Paul (1915-1996)
Ancien fonctionnaire de police, chef de la milice à Lyon pendant la Seconde Guerre mondiale, il est en 1994 le premier Français condamné pour crimes contre l'Humanité.

Trajan (54-117)
Empereur romain de 98 à 117, il étend l'Empire romain et renforce la romanisation des provinces de l'Empire.

U

Ulbricht, Walter (1893-1973)
Ouvrier, membre du SPD, il est l'un des fondateurs du Parti communiste allemand en 1918. Exilé après l'arrivée au pouvoir de Hitler en 1933, il rentre à Berlin en 1945 avec les armées soviétiques. De 1950 à 1971, il est secrétaire général du comité central du Parti socialiste unifié d'Allemagne (SED), dont il renforce le caractère soviétique.

V

Vandenberg, Arthur (1884-1951)
Sénateur républicain du Michigan, il a longtemps été isolationniste avant de se rallier en 1945 à l'internationalisme. À partir de 1947, il préside la commission des affaires internationales du Sénat des États-Unis.

Van Rompuy, Herman (né en 1947)
Homme politique chrétien-démocrate, Premier ministre de Belgique de 2008 à 2009, il est choisi par les 27 chefs d'État et de gouvernement de l'Union pour devenir le premier président du Conseil européen le 1er janvier 2010.

Veil, Simone (née en 1927)
Magistrate de formation, plusieurs fois ministre, Simone Veil fait adopter la loi sur l'interruption volontaire de grossesse (IVG) en 1975. De 1979 à 1982, elle est la première présidente du Parlement européen. Elle est membre du Conseil constitutionnel (1998-2007) et de l'Académie française (2010).

Victor-Emmanuel II (1820-1878)
Roi de Piémont-Sardaigne (1849-1861) puis d'Italie (1861-1878), il soutient la politique de son premier ministre Cavour qui aboutit à l'union territoriale de l'Italie.

Vidal-Naquet, Pierre (1930-2006)
Historien, intellectuel engagé, il milite contre la torture pendant la Guerre d'Algérie et contre le négationnisme.

W

Wang Jingwei, (1883-1944)
Homme politique chinois, membre du Guomindang, collaborateur de Sun Yat-sen et rival de Tchang Kaï-chek, qui l'évince du pouvoir, il forme à Nankin un gouvernement de collaboration avec l'Empire du Japon.

Warhol, Andy (1928-1987)
Artiste plasticien et cinéaste américain, il est le plus célèbre représentant du pop-art. Provocateur, génie de l'auto-publicité, il se crée une image d'artiste «industriel» produisant en masse, loin de l'idéal de la création individuelle.

Wieviorka, Annette (née en 1948)
Historienne, spécialiste de la Shoah et de l'histoire du judaïsme à l'époque contemporaine. Elle a été membre de la Mission d'étude sur la spoliation des juifs de France conduite par Jean Mattéoli.

Wilson, Charles W. (1836-1905)
Officier britannique et géographe, il est chargé de cartographier Jérusalem en 1864 et reste plusieurs années dans la région, où il effectue de nombreuses fouilles et découvertes fondatrices. L'arche qu'il découvre à côté du mur des Lamentations porte son nom.

Wilson, Thomas Woodrow (1856-1924)
Président démocrate de 1913 à 1921, sa politique étrangère est caractérisée par la confiance dans la diffusion du modèle démocratique américain. Il impose la création de la SDN et reçoit le prix Nobel de la paix en 1919. À la fin de sa présidence, il se heurte à l'opposition des républicains.

Wood, Grant (1891-1942)
Élevé dans la religion stricte des Quakers*, il étudie les Beaux-Arts aux États-Unis puis en Europe. Il revient dans son État, l'Iowa, et devient un des chefs de file du mouvement régionaliste américain. Son pamphlet, *Révolte contre la Ville*, 1935, veut montrer la voie d'un art authentiquement américain, proche du peuple et de sa vie réelle.

Y

Yassef, Saadi (né en 1928)
Combattant du FLN pendant la guerre d'Algérie, il dirige la zone autonome d'Alger lors de la bataille d'Alger en 1957.

Z

Zabana, Ahmed (1926-1956)
Combattant indépendantiste algérien, il participe à l'insurrection du 1er novembre 1954 dans la région d'Oran et assassine un garde forestier, ce qui lui vaut d'être condamné et guillotiné en 1956. Il est considéré en Algérie comme un héros.

Zeller, Magnus (1888-1972),
Magnus Zeller entame sa carrière d'artiste avant 1914 avec les groupes d'avant-garde, qui le familiarisent avec l'expressionnisme. Mobilisé en 1915, il participe à la révolution berlinoise de 1918 et reste proche des communistes. En 1933, son œuvre est considérée comme «anti-aryenne». Après 1945, il s'installe à Berlin-Est où il meurt en 1972.

Zola, Émile (1840-1902)
En publiant «J'Accuse», en janvier 1898, cet écrivain marque une nouvelle étape dans la prise de parole des «intellectuels» pendant l'Affaire Dreyfus et démontre le pouvoir exercé par la presse sur l'opinion publique.

Zhou Enlai (1898-1976)
Premier ministre sous Mao, ayant une bonne connaissance de l'étranger, il est l'architecte discret de la diplomatie chinoise. Il représente la ligne pragmatique au sein du PCC (Parti communiste chinois). Il est le véritable artisan du rapprochement avec les États-Unis.

A

Accords Sykes-Picot: accords secrets signés en mai 1916 entre la France et le Royaume-Uni, qui prévoient le partage du Moyen-Orient après la Première Guerre mondiale, au détriment de l'Empire ottoman.

Acte unique: signé par les 12 États-membres de la CEE en février 1986, entré en vigueur en juillet 1987, l'Acte unique européen modifie le traité de Rome de 1957 et ouvre la voie à la réalisation du marché unique en associant des dispositions supranationales et intergouvernementales.

Administration: à la fois, fait d'administrer et ensemble des organismes et des personnes chargées de gérer une organisation publique. On distingue notamment l'administration centrale (État central) et l'administration territoriale (collectivités locales).

AELE (Association européenne de libre-échange): formée en 1960 par le Royaume-Uni pour concurrencer la CEE, elle regroupe l'Islande, le Liechtenstein, la Norvège et la Suisse.

Agences de notation: institutions privées et indépendantes qui proposent contre rémunération une notation financière des États, des collectivités ou des entreprises.

Ajustement structurel: programme de réformes économiques mis en place par le FMI ou la Banque mondiale dans un pays en difficulté. Des crédits sont accordés en contrepartie de réformes touchant les structures économiques du pays concerné.

AKP (Parti pour la justice et le développement): parti politique de centre-droit au pouvoir en Turquie depuis 2002.

Al-Qaïda: mouvance islamiste et terroriste internationale fondée en 1987, responsable notamment des attentats du 11 septembre 2001.

ALENA (Accord de libre-échange nord-américain): accord de libre-échange entre les États-Unis, le Canada et le Mexique entré en vigueur en 1994.

«Algérie française»: opinion politique défendant la présence française en Algérie coûte que coûte.

ALN (Armée de libération nationale): bras armé du FLN qui mène la guerre à l'armée française de 1954 à 1962. Se transforme en Armée nationale populaire (ANP) à l'indépendance.

Altermondialisme: mouvement qui rejette la logique néolibérale et prône une mondialisation plus solidaire et maîtrisée ainsi qu'une gouvernance économique plus démocratique.

«Années noires»: expression employée par les historiens pour qualifier la période 1940-1944, marquée par l'occupation allemande et le régime de Vichy.

Anti-impérialisme: idéologie qui s'oppose à la domination politique et économique des pays riches sur les pays pauvres.

Antiaméricanisme: rejet de la politique des États-Unis ou des valeurs américaines diffusées à l'extérieur.

ANZUS: pacte militaire et de sécurité conclu en septembre 1951 entre l'Australie, la Nouvelle-Zélande et les États-Unis.

Appelés du contingent: population civile appelée à rejoindre l'armée dans le cadre du service militaire obligatoire.

Approfondissement: dans le cadre du projet politique européen, renforcement des institutions ou des politiques communautaires, généralement entendu dans un sens fédéraliste.

Arabes: population majoritaire au Proche-Orient et dans la péninsule arabique, caractérisée par la pratique de la langue arabe et composée de différentes communautés religieuses et nationales (ex.: Arabe chrétien du Liban).

Arabisme: sentiment d'appartenance à la culture arabe définie comme ethnie, langue et histoire commune, débouchant sur un nationalisme. Ceux qui souhaitent un État arabe unique sont dits panarabistes.

Archéologie: science qui a pour objet l'étude des civilisations humaines passées à partir des monuments, des objets et des traces qui en subsistent.

Archives: ensemble de documents publics ou privés rassemblés, répertoriés, classés et conservés afin de servir à l'histoire d'une collectivité ou d'un individu.

Armée du Salut: fondée en 1878, cette Église protestante indépendante consacre ses activités à la moralisation de la société et à l'aide aux pauvres.

Atlantisme: doctrine politique plaçant l'Europe de l'Ouest sous la protection et la direction des États-Unis.

B

Banque centrale: banque publique garantissant l'émission de la monnaie et le financement de l'économie dans un pays ou dans une zone monétaire.

Baptistes: confession chrétienne protestante, dont les membres sont attachés au baptême adulte et à un esprit missionnaire. Il s'agit de la principale dénomination protestante aux États-Unis.

Baroque (art): mouvement artistique né en Italie au xvie siècle, qui touche tous les domaines artistiques et se caractérise par l'exubérance, la grandeur et le dramatique. Rome en est la capitale au xviie siècle.

Basilique: édifice de forme rectangulaire doté de trois nefs et d'une abside, doté d'une fonction judiciaire ou commerciale dans les villes romaines, le terme désigne ensuite une église chrétienne ayant une importance particulière.

Bible Belt: la «ceinture de la Bible», située au Sud des États-Unis, regroupe les États très pratiquants où le fondamentalisme protestant domine.

BIRD (Banque internationale pour la reconstruction et le développement): banque fondée en 1945, appelée aussi Banque mondiale, pour aider à la reconstruction d'après-guerre et venir en aide aux pays les moins développés.

Blog (journal de bord): site personnel alimenté régulièrement par les billets de son auteur et les commentaires de ses lecteurs.

Born again Christian: littéralement «chrétien né de nouveau». Désigne un converti aux mouvements évangéliques ayant vécu une renaissance religieuse personnelle.

C

Cabinet ministériel: ensemble des collaborateurs d'un ministre, chargés de l'aider dans l'accomplissement de ses missions.

Caput mundi («tête du monde» en latin): expression signifiant que Rome, capitale d'un gigantesque empire, est le cœur du monde connu et civilisé et la plus grande ville antique.

CECA (Communauté européenne du charbon et de l'acier): marché commun de l'acier et du charbon sous le contrôle d'une assemblée de 78 parlementaires et d'une haute autorité présidée par Jean Monnet.

CED (Communauté européenne de défense): Projet de création d'une armée européenne, signé par les six États de la CECA le 27 mai 1952, abandonné après son rejet par l'Assemblée nationale française le 30 août 1954.

CEE (Communauté économique européenne): organisation créée en 1957 pour intégrer économiquement et politiquement ses pays membres, qui sont 12 lorsque la CEE est transformée en un pilier de l'Union européenne.

Centralisation: désigne en France la concentration des moyens d'action et de contrôle de l'État en un centre unique (Paris).

Chiisme: branche de l'islam constituée par les partisans de l'imam Ali et de ses descendants.

Christianisation: processus par lequel un individu ou un espace devient chrétien.

CIA (Central Intelligence Agency): agence civile de renseignement extérieur fondée en 1947 par le président Truman, chargée de collecter des informations et d'organiser des opérations, clandestines ou non.

Cité (Île de la): île considérée comme le berceau de la ville de Paris, dont elle reste longtemps le centre administratif et religieux («cité»).

Classe ouvrière: ouvriers qui ont conscience d'appartenir au même groupe et de défendre les mêmes intérêts.

CNR (Conseil national de la Résistance): organisation créée en France en 1943 dans la clandestinité et présidée jusqu'à son arrestation par Jean Moulin. Le CNR réunit les différents mouvements de la Résistance française, les syndicats et des partis politiques et contribue par sa charte à la refondation de la République.

CNUCED (Conférence des Nations unies sur le commerce et le développement): mécanisme intergouvernemental permanent créé en 1964 par l'ONU pour aider les pays en développement à s'intégrer de façon équitable dans l'économie mondiale.

Cogestion: participation active des employés dans la gestion de l'entreprise. Ses mécanismes sont définis par la loi.

Collectivisation: abolition de la propriété privée, transférée à l'État ou à des organismes collectifs (coopératives, syndicats, etc.).

Collectivités territoriales: structures administratives locales (région, département, commune), distinctes de l'administration de l'État, qui détiennent des compétences propres déterminées par la loi et disposent de leur propre personnel et de leur propre budget.

Colonialisme: conquête, administration et contrôle politique direct de territoires étrangers.

Commune: dans l'Italie médiévale, collectivité urbaine qui a acquis une certaine autonomie.

Communisme: branche du socialisme issue des idées de Karl Marx (1818-1883) en vue d'établir par la révolution une société sans classes ni propriété privée.

Compagnon de la Libération: membres de l'Ordre de la Libération créé par Charles de Gaulle le 17 novembre 1940 pour récompenser les personnes et les collectivités qui se seront signalées dans la Libération de la France, soit 1038 personnes et cinq communes lorsque la liste est close en 1946.

Compromis de Luxembourg: accord européen de janvier 1966 sur la nécessité de tenir compte des intérêts nationaux lors des votes: le vote à l'unanimité est maintenu pour les problèmes majeurs.

Conflit: au sens propre, un choc, un heurt qui se produit lorsque des forces antagonistes entrent en contact. Il oppose plusieurs acteurs sur des espaces plus ou moins vastes. Le conflit peut prendre la forme d'une opposition violente, mais aussi d'un rapport de force, une rivalité.

Confucianisme: philosophie inspirée de Confucius, éducateur et philosophe chinois ayant vécu aux vie-ve siècles av. J.-C., il est considéré comme le père de la culture traditionnelle chinoise.

Conseil constitutionnel: institution créée en 1958 pour veiller à la régularité des élections nationales et des référendums et se prononcer sur la conformité des lois à la Constitution. Il peut être saisi par le président de la République, le Premier ministre, le président du Sénat ou de l'Assemblée nationale, par 60 députés ou 60 sénateurs (depuis 1974) ou directement par un justiciable (depuis 2010).

Conseil d'État: juge ultime des activités des administrations (État central, collectivités territoriales, établissements publics), le Conseil d'État, fondé en 1800, est aussi le conseiller du gouvernement pour la préparation des projets de lois.

Conseil de l'Europe: fondé en 1949, il se consacre à la défense de la démocratie et des droits de l'Homme. Il a son siège à Strasbourg.

Conseil de sécurité: organe exécutif de l'ONU, responsable du maintien de la paix. Il comprend 5 membres permanents, chacun disposant du droit de veto, et 10 membres non permanents élus par l'Assemblée générale.

Coptes: chrétiens originaires d'Égypte, majoritairement orthodoxes.

CPE (Communauté politique européenne): projet élaboré en marge de celui de la CED par les gouvernements de la CECA à la demande du Conseil de l'Europe, en vue de contrôler démocratiquement la future armée européenne. Le projet échoue en même temps que celui de la CED.

Créationnisme: théorie de la création et de la fixité des espèces, qui s'oppose à celle de l'évolution.

Crime contre l'humanité: chef d'accusation créé pour le procès de Nuremberg et désignant l'assassinat, l'extermination, la réduction en esclavage, la déportation et tout acte inhumain commis contre les populations civiles ainsi que les persécutions pour des motifs politiques, raciaux ou religieux.

Crime de guerre: en temps de guerre, atteinte volontaire à des objectifs non militaires (civils, prisonniers, blessés), tant humains que matériels.

Croisés: soldats chrétiens qui, du xie au xiiie siècles, participent aux croisades, pèlerinages armés ayant notamment pour objectif l'accès à Jérusalem.

Cycle de négociations: aussi appelé *round*; série de conférences entre membres du GATT afin de réduire les droits de douane et des obstacles au commerce.

D

«Décennie noire»: années 1992-2002 au cours desquelles des groupes islamistes (GIA, FIS) multiplient les actes terroristes sur le sol algérien, après l'annulation par le gouvernement algérien de la victoire du Front islamique du salut (FIS) aux élections législatives de décembre 1991. Des estimations officielles parlent de 150000 morts de part et d'autre entre 1991 et 2001.

Décentralisation: politique par laquelle l'État confie à des collectivités locales des compétences et des financements.

Déconcentration: délégation par l'État de certains pouvoirs de décision à des agents ou organismes locaux qui lui restent soumis.

Démocratie: doctrine politique selon laquelle la souveraineté doit être entre les mains de l'ensemble des citoyens, qui l'exercent de manière directe ou indirecte.

Démocratie chrétienne: mouvement politique qui fonde son projet sur les principes du christianisme.

Démocratie libérale: régime politique démocratique garantissant le pluralisme et l'exercice des libertés. Pendant la Guerre froide, les démocraties libérales s'opposent aux démocraties populaires.

Dépense publique: ensemble des dépenses réalisées par les administrations publiques, financé par les recettes publiques (impôts, cotisations sociales).

Désindustrialisation: à partir du milieu du xxe siècle, disparition des activités et des lieux liés à l'industrie dans un espace donné.

Devoir de mémoire: devoir civique de commémorer les crimes commis pendant la guerre afin d'éviter qu'ils se reproduisent.

DGB (confédération allemande des syndicats): principale confédération syndicale d'Allemagne, fondée en 1949 et proche du SPD.

Die Linke **(La Gauche):** parti issu de la fusion entre le parti du socialisme démocratique (PDS), héritier du SED après 1990, et les sociaux-démocrates opposés à la politique de Gerhard Schröder.

Doctrine Monroe: doctrine diplomatique énoncée en 1823 par le président James Monroe, qui refuse toute ingérence européenne sur le continent américain et exclut toute intervention américaine en Europe.

E

École archéologique et biblique française: fondée en 1890 par des religieux dominicains, elle accueille des historiens et des archéologues du monde entier à Jérusalem, où elle encourage des recherches.

École des Annales: courant historiographique fondé par Marc Bloch et Lucien Febvre et qui se consacre notamment à l'histoire économique et sociale et à l'histoire des mentalités dans une perspective de longue durée.

Économie sociale de marché: modèle économique incarné en RFA par Konrad Adenauer et ses successeurs, et qui consiste à concilier certains aspects du libéralisme (la limitation du contrôle de l'économie par l'État) avec une forte politique sociale, garantie par l'action des syndicats.

Élargissement: adhésion de nouveaux États à l'Union européenne.

Épuration: action spontanée puis légale (procès) visant à écarter de la vie politique ou sociale les individus accusés d'avoir collaboré avec les Allemands.

Esplanade des Mosquées: dénomination musulmane qui correspond au sommet de l'espace que les juifs nomment «Mont du Temple». Elle fait notamment référence à la mosquée d'Al-Aqsa qui s'y trouve.

État: désigne à la fois la personne morale à l'autorité de laquelle est soumis un groupe humain sur un territoire donné, et l'appareil administratif chargé d'élaborer et d'appliquer les lois.

État pontifical: État placé sous l'autorité du pape, depuis le viiie siècle, et correspondant selon les périodes à la région de Rome, à toute l'Italie centrale ou au seul territoire du Vatican.

État-nation: autorité politique souveraine, à laquelle est soumis un groupement humain qui se caractérise par la conscience de son unité et sa volonté de vivre en commun.

État-providence: employée à l'origine péjorativement pour critiquer la prétention de l'État à se substituer à la «providence divine», l'expression désigne une forme d'organisation sociale dans laquelle l'État entend, par une politique de redistribution, protéger sa population contre les risques de maladie, de chômage et de précarité.

Eurocorps: corps d'armée européenne créé en 1992 sur une initiative franco-allemande et déclaré opérationnel en 1995. Il compte cinq pays membres (Allemagne, Belgique, Espagne, France, Luxembourg) et peut mobiliser jusqu'à 60000 soldats.

Eurodollars: dépôts bancaires libellés en dollar auprès d'une banque établie hors des États-Unis. À partir de 1961, le montant des dollars détenus par des non-Américains excède le stock d'or de la FED.

Européistes: partisans d'une Europe supranationale, dans laquelle les États-membres transféreraient leur souveraineté à une fédération européenne.

Euroscepticisme: attitude ou parti pris hostile, méfiant ou pessimiste envers la construction européenne.

Évangélisme: courant conservateur du protestantisme, qui insiste sur la conversion personnelle, la relation individuelle avec Dieu, et l'engagement militant.

Évangile social: mouvement intellectuel chrétien engagé dans la lutte contre les inégalités, notamment sociales. Aux États-Unis, ce mouvement s'engage dans les années 1950 et 1960 dans le combat en faveur des droits civiques.

Évolutionnisme: théorie explicative de l'évolution des espèces, inspirée des travaux de Charles Darwin, doctrine considérant que toute culture est le résultat d'un processus d'évolution.

Expressionnisme: mouvement artistique né en Allemagne au début du xxe siècle qui se caractérise par la déformation de la réalité (couleurs violentes, lignes acérées) en vue d'inspirer au spectateur une réaction émotionnelle par une plus grande intensité expressive.

F

Fédéralistes: partisans d'une Europe supranationale, où les États renoncent à une large part de leur souveraineté au profit d'un État fédéral européen.

Figuration narrative: nom donné à un groupe de peintres qui détournent les photographies diffusées par la presse et la publicité dans un but contestataire. S'opposant à la peinture abstraite comme à l'idée de «l'art pour l'art», ils voient dans l'art un outil de transformation sociale, voire politique.

Firmes multinationales: entreprises implantées dans plusieurs pays par l'intermédiaire de leurs filiales.

FLN (Front de libération nationale): organisation nationaliste née en 1954 qui engage la guerre contre la présence française en Algérie.

FMI (Fonds monétaire international): organisme créé en 1945 pour assurer la stabilité économique et financière du monde et venir en aide aux États en difficulté.

Fonctions régaliennes: pouvoirs de l'État qui correspondent aux marques de souveraineté, en particulier la police, la justice, et l'armée.

Fondamentalisme: retour aux «fondements», attachement strict au texte religieux révélé, pris comme source de toute vérité historique et scientifique.

Fonds souverains: fonds de placements financiers internationaux détenus par un État et comportant des avoirs en monnaies étrangères.

FPLP (Front populaire de libération de la Palestine): organisation terroriste palestinienne militante, qui fait partie de l'OLP depuis 1968.

Français d'Algérie: terme juridique employé pour qualifier les citoyens français en Algérie sous l'administration coloniale. La notion rassemble les populations d'origine européenne arrivées avec la colonisation ainsi que les juifs algériens, et les distingue des «Français musulmans» ou «indigènes».

Frères musulmans: organisation islamique fondée en 1928 par l'instituteur égyptien Hassan ab-Banna avec comme objectif de lutter pacifiquement contre l'influence occidentale.

G

G20: groupe de 19 pays plus l'Union européenne, qui représente 85% du commerce mondial et 90% du PIB mondial, et tend à s'imposer depuis 2008 comme l'instance privilégiée de dialogue et de partenariat économique.

G8: groupe de discussion et de partenariat économique des pays économiquement les plus puissants. Créé en 1975 par les États-Unis, le Japon, l'Allemagne, la France, le Royaume-Uni et l'Italie, il s'est élargi au Canada en 1976 et à la Russie en 1998. L'Union européenne y est représentée par le président de la Commission.

GATT (*General Agreement on tariffs and trade*): accord multilatéral sur le commerce et les droits de douane (1948), qui inaugure des cycles de négociation (*rounds*) entre les pays signataires.

Génocide: définie en 1948 par l'ONU, cette forme de crime contre l'Humanité suppose la mise en œuvre planifiée de l'extermination, totale ou partielle, d'une population.

Géopolitique: étude des rapports qui existent entre les données géographiques et la politique des États et, plus largement, de l'espace comme enjeu de rivalités et de conflits entre des acteurs dont le mode d'action est l'usage direct ou indirect de la violence organisée.

Géostratégie: science qui étudie l'influence de la géographie sur la conduite des guerres et s'intéresse aux théâtres d'opération des conflits aussi bien qu'aux alliances entre les acteurs.

Gold Exchange Standard (GES): étalon de change or. Créé en 1922, il permet à chaque pays membre de garantir et d'émettre de la monnaie en fonction de son stock d'or et de ses monnaies convertibles en or, comme le dollar. Après 1944, la seule monnaie convertible en or est le dollar.

Gouvernance mondiale: concept récent, qui se distingue de celui de gouvernement et désigne un système de régulation internationale dépassant l'action des seuls États, par le biais des entreprises et de la société civile, pour peser collectivement sur l'avenir du monde.

Gouvernement: désigne le fait de gouverner, c'est-à-dire d'exercer le pouvoir politique, en même temps que l'organe qui est chargé d'administrer l'État.

Guomindang (GMD) ou «Parti nationaliste»: nom du parti créé par Sun Yat-sen, au pouvoir en Chine continentale de 1927 à 1949. Le GMD est nationaliste, mais les autres forces politiques chinoises le sont également.

H

Hamas: mouvement politico-militaire islamiste palestinien qui utilise le terrorisme contre Israël, dont il refuse de reconnaître l'existence. Majoritaire aux élections palestiniennes de 2006, il est principalement implanté dans la bande de Gaza.

Hard power: puissance d'un État venant de ses ressources militaires et économiques.

Harkis: combattants algériens engagés aux côtés de l'armée française durant la guerre d'Algérie.

Haussmannisation: transformation d'une ville ou d'un quartier selon la méthode d'urbanisme mise en œuvre à Paris par le baron Haussmann.

Haute fonction publique: désigne les membres des corps les plus élevés de la fonction publique, et en particulier des grands corps, dont les ingénieurs des Ponts et Chaussées (1707), les ingénieurs des Mines (1747), le Conseil d'État (1800), la Cour des comptes (1807), l'Inspection générale des Finances (1816), les administrateurs de l'INSEE (1946).

Hezbollah: mouvement chiite créé en 1982. Basé au Liban, il est reconnu comme une organisation terroriste par de nombreux pays. En 2006, sa branche armée affronte l'armée d'Israël.

Historien: celui ou celle qui se consacre à l'histoire, qui établit, analyse ou raconte des faits ou des aspects du passé. Depuis la fin du xixe siècle, le métier d'historien s'est professionnalisé.

Historiographie: désigne à la fois les œuvres historiques propres à une époque, l'histoire de l'histoire, ou la réflexion des historiens sur l'écriture de l'histoire.

«Hyperpuissance»: le terme, forgé par Hubert Védrine, désigne la puissance complète et sans rival des États-Unis après la fin de la Guerre froide.

Hyperréalisme: courant artistique né dans les années 1960 en réaction à l'art abstrait. Il représente des images de la société de consommation d'une manière très proche de la photographie.

I

Idéologie: ensemble plus ou moins cohérent d'idées, de croyances ou de doctrines, qu'elles soient politiques, philosophiques, religieuses, économiques ou sociales, propre à une époque, une société ou à un groupe social, et dont il oriente l'action.

Impérialisme: politique d'un État visant à placer d'autres États sous sa dépendance militaire, politique, économique ou culturelle.

Industrialisation: processus de longue durée au cours duquel l'industrie devient la principale activité économique et le moteur de la croissance. L'industrialisation s'accompagne de transformations des marchés, des techniques, des communications et des sociétés.

Ingérence: fait d'intervenir dans les affaires intérieures d'un État souverain.

Intellectuel: terme généralisé pendant l'affaire Dreyfus pour désigner les écrivains, artistes, savants ou universitaires qui expriment leur opinion en public et cherchent, grâce à leur notoriété, à jouer un rôle politique.

Intergouvernemental: mode d'organisation reposant sur la coopération de plusieurs États qui restent souverains et indépendants.

Internationales ouvrières: organisations internationales d'ouvriers. Il s'agit de l'Association internationale des travailleurs (28 septembre 1864), dite Ire Internationale, de l'Internationale ouvrière (juillet 1889), dite IIe Internationale, et de l'Internationale communiste ou Komintern (1919), dite IIIe Internationale.

Interventionnisme: politique par laquelle un État s'engage dans les affaires d'autres États, seul ou dans le cadre d'une organisation internationale, notamment en cas de conflit.

Intifada: «révolte des pierres» des Palestiniens de Cisjordanie et Gaza contre Israël. La première Intifada se déroule de 1987 à 1991, la seconde de 2000 à 2004.

Intra-muros: expression signifiant «à l'intérieur des murs» en latin. À Paris, elle est opposée à la banlieue et comprend tout l'espace à l'intérieur du boulevard périphérique, qui correspond globalement au tracé de la dernière enceinte de la ville.

Islamisme: idéologie politique et religieuse affirmant la primauté de l'islam et le rejet de l'Occident et revendiquant l'application de la loi coranique (*charia*) dans les États musulmans.

Isolationnisme: politique d'isolement d'une nation, particulièrement le refus de s'engager dans des traités pouvant entraîner une intervention militaire.

Israélien: de nationalité israélienne, indépendamment de l'ethnie ou la religion.

J

Jacobinisme: courant de pensée républicain favorable à un État centralisé, par référence aux membres du Club des Jacobins.

«Juste parmi les nations»: titre décerné par l'État d'Israël aux personnes, vivantes ou mortes, ayant contribué à sauver des juifs durant la Seconde Guerre mondiale. Sur 23 000 Justes reconnus, plus de 3 000 sont français.

K

Komintern: IIIe Internationale communiste, contrôlée par l'URSS et active de 1919 à 1943; elle est destinée à coordonner les actions des partis communistes dans le monde.

KPD (Kommunistische Partei Deutschlands): parti communiste d'Allemagne, fondé en 1918. Pendant la Guerre froide, il fusionne avec le SPD au sein du SED dans la zone soviétique, et il est dissous en 1956 en RFA.

Ku Klux Klan: organisation raciste créée en 1865 puis refondée en 1915 prônant par la violence la suprématie des Blancs protestants.

L

Laïcisation: renforcement de la séparation des Églises et de l'État, par voie législative ou judiciaire.

Les Verts: parti allemand fondé en 1980, affirmant des revendications écologistes. Il est allié au SPD dans le gouvernement Schröder.

Libéralisme: doctrine préconisant la libre concurrence et la non-intervention de l'État dans le domaine économique, et prônant l'extension des libertés individuelles dans le domaine politique.

Liberté de la presse: droit d'écrire et de publier librement. Selon la loi du 29 juillet 1881, les fausses nouvelles peuvent être poursuivies seulement si on prouve leur caractère intentionnel.

«Lieu de mémoire»: selon l'expression popularisée par l'historien Pierre Nora, lieu, objet ou symbole important pour la construction de la mémoire nationale. Il s'agit aussi bien de lieux topographiques (archives, bibliothèques, musées), monumentaux, que symboliques (commémorations), ou fonctionnels (manuels scolaires, associations).

Ligue arabe: organisation fondée en 1945 comprenant tous les États arabes existants, puis ceux issus de la décolonisation.

Ligue spartakiste: mouvement marxiste révolutionnaire à l'origine du Parti communiste d'Allemagne (KPD) en 1918 et d'un soulèvement contre la République de Weimar.

Loi *Cash and carry*: loi américaine de novembre 1939 autorisant le prêt, la location ou la vente de matériel militaire aux alliés des États-Unis.

Loi du prêt-bail: loi américaine de mars 1941 autorisant le prêt, la location ou la vente de matériel militaire aux alliés des États-Unis.

Lois mémorielles: lois affirmant le point de vue officiel de l'État sur les événements historiques.

M

Majorité qualifiée: procédure de vote attribuant à chaque État-membre un nombre de voix proportionnel à sa population, et requérant un certain nombre de voix pour l'adoption d'une décision.

Mandat: territoire confié après 1919 par la Société des Nations à une puissance chargée de le mener à l'indépendance.

Maoïsme: communisme interprété par Mao, selon lequel la mobilisation politique de la population, majoritairement paysanne, peut suppléer au retard technique et économique des pays du Tiers Monde.

Marché commun: espace économique doté de frontières douanières communes et à l'intérieur duquel est organisé le libre-échange des marchandises, des services, des capitaux et des personnes en vue d'une plus grande intégration économique.

Marxisme: courant d'idées né en Allemagne, reposant sur les travaux de Karl Marx (1818-1883), et insistant sur la nécessité de la lutte de classe et de l'organisation du prolétariat en vue d'établir le socialisme.

Médias: tout moyen de diffusion permettant la diffusion ou l'échange d'informations.

Megachurch: lieu de culte où plusieurs milliers de fidèles sont assemblés chaque semaine pour assister à une prédication.

Mémoire: patrimoine constitué par la faculté individuelle ou collective de conserver et de se rappeler des faits. La mémoire est un patrimoine vivant, commun à un groupe ou à une société, dont elle assure la cohésion.

Méthodisme: branche du protestantisme évangélique née en 1729 en Angleterre au sein de l'Église anglicane.

Mondialisation: processus de mise en relation des territoires éloignés qui se traduit par la croissance rapide des échanges et des marchés à l'échelle globale.

Mont du Temple: colline de Jérusalem recouverte dans l'Antiquité par le Temple de Salomon et son esplanade, et qui constitue le lieu le plus sacré de Jérusalem pour les juifs.

Monuments: ouvrages d'architecture ou de sculpture destinés à perpétuer la mémoire d'une personne ou d'un événement.

Mormons: adeptes de l'«Église de Jésus-Christ des saints des derniers jours», un mouvement religieux américain dont la doctrine interprète les principes fondamentaux du christianisme.

Moudjahid: littéralement «combattant au nom de sa religion», au pluriel *moudjahidin*. En Algérie, le mot désigne l'ancien combattant du FLN.

Mouvement fédéraliste européen: mouvement européiste et fédéraliste fondé en août 1943 par le résistant italien Altiero Spinelli.

Moyen-Orient: désigne le Proche-Orient plus la péninsule arabique, l'Iran et l'Afghanistan.

Multilatéralisme: mode de gouvernance des relations internationales fondé sur un fonctionnement interétatique et des engagements réciproques pris par au moins trois nations.

Mur des Lamentations: mur occidental de l'esplanade du Temple à Jérusalem, lieu de prière et de pèlerinage pour les juifs.

Muséification: terme souvent négatif, décrivant un processus par lequel un espace se fige et se transforme en une zone sauvegardée et visitée, à l'image d'un musée.

Musulman: personne ayant l'islam pour religion, quelle que soit son origine.

N

Nation: groupe humain constituant une communauté politique sur un territoire défini, et se caractérisant par la conscience de son unité et la volonté de vivre en commun.

Nationalisation: fait pour l'État de prendre le contrôle et la propriété totale ou partielle des moyens de production d'une entreprise privée.

Nationalisme: exaltation de sa nation par rapport aux autres et mouvement politique qui cherche à développer la puissance nationale.

Négationnisme: position idéologique qui remet en cause l'existence du génocide des juifs et nie l'existence des chambres à gaz.

Néo-libéralisme: courant de pensée économique qui dénonce le développement jugé excessif de l'État-providence et l'accroissement des interventions publiques dans l'économie.

Néoclassicisme: courant artistique des XVIIIe et XIXe siècles qui se développe au lendemain des fouilles entreprises à Pompéi. En réaction aux excès du baroque, il célèbre la simplicité et la pureté de la symétrie des monuments antiques, considérés comme «classiques».

Néoconservateurs: groupe d'intellectuels et d'hommes politiques qui, au nom des valeurs américaines et de la «promotion de la démocratie», préconisent les interventions extérieures après 2001, même sans l'accord de l'ONU, comme en Irak.

Neutralité: dans les relations internationales, attitude ou situation d'un État qui se tient volontairement en dehors d'un conflit.

New Age: ensemble des mouvements religieux sans dogmes ni Église nés à partir des années 1960 de la fusion de croyances orientales et occidentales.

New public management (Nouvelle gestion publique): concept élaboré par les néo-libéraux, qui vise à rendre plus efficients les services publics en rapprochant leur gestion de celle des entreprises privées.

Newsmagazine: magazine hebdomadaire illustré traitant l'actualité sous forme de dossiers, de reportages, d'entretiens et d'analyses. Les plus célèbres sont *L'Express*, *Le Nouvel Observateur* et *Le Point*.

Non-alignés: pays qui refusent d'appartenir à l'un des deux «blocs» de la Guerre froide.

«Nouvelle histoire»: courant historiographique

apparu dans les années 1970 dans la continuité de l'École des Annales et qui élargit le champ de l'histoire à de nouveaux objets.

O

OEA (Organisation des États américains): fondée en 1948 à Bogota pour promouvoir la démocratie et les droits de l'homme et pour aider aux échanges entre les différents pays du continent américain.

OECE (Organisation européenne de coopération économique): organisme créé en 1948 pour répartir l'aide du plan Marshall, qui devient en 1960 l'OCDE (Organisation de coopération et de développement économique).

OLP (Organisation de libération de la Palestine): organisation palestinienne fondée en mai 1964 et composée de plusieurs organisations dont le Fatah et le Front populaire de libération de la Palestine. Se présentant comme un mouvement de résistance armée défendant les Palestiniens, l'OLP est considérée jusqu'aux accords d'Oslo comme une organisation terroriste par Israël.

OMC (Organisation mondiale du commerce): créée en 1995, libéralise et régule le commerce international et arbitre les différends commerciaux.

ONU (Organisation des Nations unies): organisation fondée en 1945 et chargée de garantir la paix et le dialogue entre les États.

Opinion publique: ensemble des attitudes et des jugements, tant individuels que collectifs, que suscite un événement ou un problème d'ordre général dans l'espace public.

Oppidum: terme issu du latin et désignant un lieu fortifié. En Gaule, les oppidums ont pu avoir des caractéristiques urbaines, et restent en général de petites agglomérations défensives.

ORTF (Office de la radio-télévision française): fondé en 1964, il regroupe les chaînes audiovisuelles publiques. Il est dissous en 1974, mais l'État conserve son monopole jusqu'en 1981.

OTAN (Organisation du Traité de l'Atlantique Nord): issue du traité de défense mutuelle signé entre les États-Unis, le Canada et les pays d'Europe occidentale, elle comporte une organisation commune et intégrée des forces armées.

OTASE (Organisation du Traité de l'Asie du Sud-Est): pacte militaire fondé en 1954 à Manille et regroupant des pays non-communistes d'Asie du Sud-Est, l'OTASE participe de la politique américaine de *containment* face au développement du communisme.

Ottomans: de 1299 à 1922, dynastie turque à la tête d'un Empire qui s'étend, à son apogée, sur des parties de l'Europe, de l'Asie et de l'Afrique. Jérusalem est le chef-lieu d'une province de leur empire.

Ouvriers: travailleurs manuels de l'industrie.

P

PAC (Politique agricole commune): politique mise en œuvre à partir de 1962 par la CEE, visant à moderniser l'agriculture. Elle s'appuie sur des subventions européennes et un contrôle des prix.

Pacifisme: refus de la guerre et engagement politique actif en faveur de la paix.

Pacte germano-soviétique: pacte de non-agression conclu le 23 août 1939 entre l'URSS et l'Allemagne nazie. Il s'accompagne d'un protocole secret qui définit les sphères d'influence des deux pays signataires en Europe orientale.

Patrimoine: ensemble des «biens hérités des pères» et conservés pour être transmis, concernant autant des objets matériels (monuments, œuvres d'arts, archives, paysages) qu'immatériels (traditions populaires, dialectes).

Patriotisme: amour de sa patrie et volonté de défendre son pays contre les agressions extérieures.

PCF (Parti communiste français): parti créé en 1920 et placé jusqu'en 1991 sous l'influence du Parti communiste d'Union soviétique.

Pentecôtisme: branche de l'évangélisme mettant l'accent sur une foi émotionnelle et l'intervention divine directe, telle la guérison.

PESC (Politique étrangère et de sécurité commune): politique commune de défense mise en œuvre à partir du traité de Maastricht pour permettre à l'UE de jouer un rôle politique sur la scène internationale. Elle devient Politique européenne de sécurité et de défense (PESD) après le traité de Nice.

Pétromonarchies: régimes monarchiques du Golfe persique dont l'économie est principalement fondée sur les exportations de pétrole.

Pieds-noirs: terme familier devenu d'usage courant pour désigner les Français d'Algérie rapatriés après l'indépendance en 1962, auxquels on joint parfois ceux de Tunisie et du Maroc.

Planification: organisation de l'économie selon un plan fixé par l'État. En France, le premier plan, dit «plan Monnet», organise l'économie française de 1946 à 1953.

Pop art: courant artistique britannique et américain qui apparaît au milieu des années 1950. Il s'inspire de la culture populaire et de l'imagerie commerciale (films hollywoodiens, publicités, bandes dessinées, etc.), sujets considérés à l'époque comme vulgaires.

«Porte ouverte»: doctrine économique qui exige le droit de tous les pays à commercer librement avec les colonies ou pays dépendants des pays colonisateurs.

Presbytériens: protestants adeptes de l'Église réformée issue de la doctrine calviniste, et qui a pour base l'église locale gouvernée par un conseil presbytéral.

Presse: désignant à l'origine ce qui est imprimé par une machine destinée à l'impression, la presse regroupe l'ensemble des publications périodiques et des organismes qui s'y rattachent.

Presse d'opinion: presse qui diffuse des idées partisanes et cherche à influencer le débat politique.

«Printemps arabe»: expression qui désigne, par référence au Printemps des peuples de 1848, un ensemble de contestations populaires qui se produisent dans de nombreux pays du monde arabe à partir de décembre 2010.

Privatisation: transfert total ou partiel de la propriété du capital d'une entreprise publique vers le secteur privé.

Proche-Orient: pays à l'Est de la Méditerranée, comprenant Égypte, Turquie, Syrie, Liban, Israël/Palestine, Irak et Jordanie.

Provinciaux: terme souvent péjoratif employé en France pour désigner les habitants en dehors de Paris, en référence aux «provinces» de la monarchie.

Puissance: faculté ou capacité d'un acteur de produire un effet, ou d'empêcher un effet de se produire. La puissance dépend des rapports de force et de leur perception. Pour les États, la puissance se confond d'abord avec le pouvoir militaire et économique et la capacité d'intervenir militairement (*Hard Power*), mais elle provient de plus en plus de leur culture, de leurs valeurs politiques et de leur politique étrangère (*Soft Power*).

Puissances émergentes: pays en développement économique (Chine, Inde, Brésil en particulier) devenus, à partir des années 1990, des puissances régionales voire mondiales.

Puritanisme: doctrine chrétienne rigoriste issue du presbytérianisme, qui affiche une pureté morale scrupuleuse.

R

Radio libre: jusqu'en 1981, station émettant de manière clandestine sans autorisation.

Radio périphérique: radio émettant en France depuis un émetteur étranger, afin de contourner le monopole d'État. Les plus célèbres sont Radio-Luxembourg (1931) et Europe n° 1 (1955).

Rapatriés: ensemble des personnes réfugiées en France en 1962, qu'il s'agisse de «Français d'Algérie» ou de «Français musulmans». Les pieds-noirs parlent aussi de «repliés».

Rationalisme: croyance et confiance dans la raison, par opposition au mysticisme, et doctrine selon laquelle on ne doit admettre en matière religieuse que ce qui est conforme à la raison.

Réformisme: branche du socialisme favorable à des transformations sociales par l'intégration du mouvement ouvrier à la vie politique légale et par des accords avec le patronat.

Régionalisation: consiste à l'échelle infra-étatique en un processus de décentralisation, c'est-à-dire le transfert aux régions des pouvoirs administratifs, économiques et politiques jusqu'alors exercés par un État centralisé

Régionalisme (art): mouvement pictural américain, actif des années 1930 aux années 1950, qui se caractérise par le rejet de la civilisation urbaine et industrielle. Ce courant privilégie les paysages de l'intérieur du pays et de leurs habitants anonymes, dans un style réaliste.

Régionalisme (géopolitique): désigne depuis la Seconde Guerre mondiale l'association d'États-nations dans un ensemble régional supra-étatique, à l'instar de la Ligue arabe (1945), de l'Organisation des États américains (1948) ou de la Communauté économique européenne (1957). Ce phénomène, aussi appelé intégration régionale, se traduit par des degrés variables de transferts de souveraineté, depuis la simple zone de libre-échange, jusqu'à la constitution d'un ensemble fédéral.

Religion civile américaine: croyances institutionnalisées en la protection divine de la nation américaine qui unit une population religieusement très diverse autour d'un culte des documents fondateurs (Constitution) et des valeurs protestantes sécularisées.

Religion officielle: reconnaissance par l'État d'une religion dotée du monopole légal ou de privilèges divers. Ceci est interdit aux États-Unis dès 1791 au niveau fédéral, ce qui est progressivement élargi aux États et interprété de manière plus stricte.

Reliques: restes du corps d'un saint ou d'un objet qui a été à son contact et qui fait l'objet d'un culte.

Renaissance (art de la): mouvement artistique né en Italie au xive siècle et qui se diffuse dans tout l'occident aux deux siècles suivants. Il se caractérise par son inspiration antique.

Résistancialisme: terme employé par l'historien Henry Rousso pour désigner le mythe politique selon lequel la nation française dans son ensemble est entrée en résistance sous l'Occupation.

Révolution culturelle: campagne politique lancée par Mao en 1966 contre ses rivaux au sein du PCC; elle est marquée par une surenchère idéologique qui plonge le pays au bord du chaos.

RGPP (Révision générale des politiques publiques): politique de rationalisation et d'économie des dépenses de l'État, qui se traduit notamment par une réduction des effectifs de la fonction publique.

Risorgimento: le terme («résurgence», en italien) désigne à la fois un mouvement favorable à l'unification de l'Italie et la résurrection de sa grandeur passée, et le processus d'unification de l'Italie, dans la seconde moitié du xixe siècle.

S

Scientologie: mouvement fondé en 1954 à Washington par L. Ron Hubbard. Reconnue comme une religion aux États-Unis, la scientologie est considérée comme une secte dans plusieurs pays.

Sécularisation: éloignement de tout ou partie de la société des croyances ou pratiques religieuses.

SED (Sozialistische Einheitspartei Deutschlands): parti unique communiste de la RDA, sur le modèle soviétique.

Service public: ensemble des missions d'intérêt général gérées par l'État ou déléguées à des collectivités publiques à destination des citoyens.

Shoah: terme hébreu employé pour désigner spécifiquement le génocide des juifs pendant la Seconde Guerre mondiale.

Sionisme: mouvement fondé à Vienne en 1896 par Theodor Herzl en réaction à l'antisémitisme européen, visant à créer par l'immigration un État juif en Palestine. Son nom fait référence à Sion, nom biblique qui désigne Jérusalem et son peuple.

Social-démocratie: forme de socialisme où un parti de masse, soutenu par les syndicats, est à l'origine de réformes sociales.

Socialisme: courant politique, idéologique et social qui naît avec la Révolution française, et dont le but est d'atteindre une société plus juste, avec une économie régulée.

«Socialisme aux couleurs de la Chine»: terme inventé par le PCC pour qualifier la politique d'ouverture au marché et au monde menée depuis 1979.

Soft power: «puissance douce» d'un État, provenant de ses ressources culturelles et idéologiques.

Sources historiques: ensemble des textes originaux, documents, ouvrages et traces du passé auxquels un historien se réfère pour établir les faits du passé.

Souveraineté: pouvoir suprême et exclusif détenu et exercé par l'État sur son territoire, et indépendance de l'État vis-à-vis des puissances étrangères.

SPD (Sozialdemokratische Partei Deutschlands): parti social-démocrate allemand, fondé en 1875 sous le nom de parti ouvrier socialiste. Il est le plus vieux parti politique d'Allemagne.

Sunnites: musulmans fidèles aux préceptes de la *sunna*, le recueil des préceptes tirés des pratiques du prophète Mahomet.

Superpuissance: pays qui, par ses ressources économiques, militaires, politiques et culturelles, domine le monde. Le terme désigne les États-Unis et l'URSS durant la Guerre froide.

Syndicalisme: organisation des ouvriers en associations professionnelles, dont l'objectif est d'améliorer les conditions de travail des ouvriers.

Syndicat: organisation chargée de la défense des intérêts professionnels des travailleurs.

«Syndrome de Vichy»: expression de l'historien Henry Rousso, désignant les difficultés de la société française à assumer le traumatisme de l'Occupation et de la collaboration. Les symptômes s'organisent en quatre phases: deuil, refoulement, «retour du refoulé» et obsession.

Syriaques: chrétiens orthodoxes orientaux, dont le chef est le patriarche d'Antioche.

T

Technocrate: terme souvent péjoratif désignant des hauts fonctionnaires faisant prévaloir des conceptions administratives et techniques au détriment des conséquences humaines ou sociales.

Témoins de Jéhovah: mouvement religieux millénariste, fondé en marge du christianisme aux États-Unis dans les années 1870, qui se caractérise notamment par la prédication de porte en porte, le refus des transfusions sanguines et de l'armée.

Temple de Jérusalem: cœur unique et bâtiment le plus sacré de la religion juive, détruit une première fois en 587 puis reconstruit. Sa destruction définitive a lieu en 70 a p. J.-C. Aujourd'hui, seul son soubassement subsiste; l'actuel mur des Lamentations en est une partie.

Terre sainte: pour les chrétiens, désigne l'ensemble des lieux où Jésus a vécu. Cette expression est également utilisée par les juifs et les musulmans.

«Territoires occupés»: territoires peuplés de Palestiniens occupés et administrés par Israël après la guerre de 1967 (Gaza et la Cisjordanie, Jérusalem-Est).

Théocratie: système de gouvernement dans lequel le pouvoir est exercé directement ou indirectement par l'Église dominante qui impose ses dogmes par la loi.

Totalitarisme: régime politique à parti unique qui ambitionne de transformer et de contrôler intégralement la société.

Traités inégaux: imposés depuis le xixe siècle par les pays européens puis par le Japon, ils obligent à ouvrir des ports chinois au commerce international et garantissent les intérêts économiques des étrangers en Chine.

Travail de mémoire: démarche de recherche et de conservation de la mémoire des faits historiques, qui peut être le fait des historiens ou bien d'associations défendant une mémoire particulière.

Twitter: réseau social permettant d'envoyer des messages instantanés de 140 caractères maximum appelés *tweets* (gazouillis).

U

UEO (Union de l'Europe occidentale): organisation créée de défense regroupant les signataires du pacte de Bruxelles auxquels se joignent la RFA et l'Italie après l'échec de la CED.

UNESCO (Organisation des Nations unies pour l'éducation, la science et la culture): institution spécialisée des Nations unies créée en 1945, dont le siège est à Paris. Depuis 1972, elle établit la liste du patrimoine mondial de l'Humanité, et, depuis 2001, une même liste pour le patrimoine immatériel.

Union européenne: association, créée en 1992 à partir des Communautés européennes créées par le traité de Rome de 1957, d'États européens qui délèguent l'exercice de certaines de leurs compétences souveraines à des organes communs.

Unionistes: partisans d'une Europe confédérale, intergouvernementale, au sein de laquelle la souveraineté de chaque État est conservée.

Université: au Moyen Âge, regroupement des maîtres et des élèves d'une ville dans une même organisation, indépendante des évêques. L'une des premières est celle de Paris, à laquelle le roi Philippe Auguste donne un statut en 1200.

Urbanisation: concentration croissante de la population dans les agglomérations urbaines.

Urbanisme: manière d'organiser la ville à partir de principes, comme l'ordre et la régularité, et généralement avec un objectif esthétique.

V

Vatican: État créé en 1929 comme représentation temporelle de l'ensemble des institutions de la papauté (Saint-Siège). Le chef de cet État est le pape.

Ventennio: période («durée de vingt ans», en italien), entre 1922 et 1943, durant laquelle les fascistes sont au pouvoir en Italie.

Vichy, régime de: régime politique dirigé par le maréchal Pétain de 1940 à 1944 durant l'occupation de la France par l'Allemagne nazie.

Vieille ville: dénomination courante à partir du xixe siècle pour désigner les quartiers anciens d'une ville, où se trouve le patrimoine historique, par rapport aux quartiers plus récents.

Ville mondiale: ville disposant d'une attractivité et assurant des fonctions de commandement au niveau mondial.

Ville ouverte: durant une guerre, ville qui n'est pas défendue afin d'être épargnée par les combats.

Wahhabisme: doctrine puritaine islamique des wahhabites, une communauté musulmane fondamentaliste créée au xviiie siècle.

Z

Zone économique spéciale: en Chine, zone dans laquelle la loi facilite l'implantation d'entreprises étrangères, notamment dans le Sud du pays.

Crédits photographiques

Crédits textes

Chapitre 1 – p. 28 doc. 1: extraits de la Bible de Jérusalem, traduction de l'École biblique et archéologique française de Jérusalem, Les Éditions du Cerf, 2000.

p. 33 doc. 5: Steven Erlander, «Une archéologue dit avoir découvert le palais du roi David», *New York Times*, 5 août 2005. © 2005 The New York Times. All right reserved.

p. 43 doc. 5: extrait du *Codice diplomatico del Senato romano*, Éd. F. Bartoloni, Rome, 1948, traduit du latin par Étienne Hubert dans Jean-Louis Gaullin, Armand Jamme, Véronique Rouchon Mouilleron (dir.), *Villes d'Italie. Textes et documents des XIIᵉ, XIIIᵉ et XIVᵉ siècles*, Lyon, PUL, 2005.

Chapitre 5 – p. 109 doc. 3: Ferhat Mehenni, «Le rôle de la Kabylie toujours occulté», *Tiziri*, janvier-février 2005 (revue trimestrielle de l'Association culturelle n'Imazighen asbl de Belgique).

Chapitre 7 – p. 175 doc. 3: extraits des interventions publiques tenues au Théâtre de l'Odéon, 25 et 29 mai 1968 dans Christian Bouyer, *Odéon est ouvert*, «Tribune libre», Les nouvelles éditions Debresse, coll. «Révolte», 1968.

Chapitre 8 – p. 202 doc. 1: Q. Schultzen, professeur d'université, cité par Alain Sayre, *The Associated Press*, 10 novembre 1993. Used with permission of The Associated Press Copyright © 2012 All right reserved.

Chapitre 9 – p. 235 doc. 4: Barack Obama, *Discours à l'université du Caire*, 4 juin 2009, traduction Gérard Eizenberg pour La Paix Maintenant www.lapaixmaintenant.org/article1952

Chapitre 10 – p. 254 doc. 1: Alain Roux, *La Chine au XXᵉ siècle*, Armand Colin, 2005.

p. 254-255 doc. 2 et 4: Tse-tung Chow, *The May Fourth Movement: Intellectual Revolution in Modern China*, p. 93 et p. 96, Cambridge, Mass.: Harvard University Press, Copyright © 1960 by the President and Fellows of Harvard College, Copyright © renewed 1989 by Tse-tung Chow.

p. 258 doc. 2 et p. 261 doc. 2: Jonathan Spence, Pei-Kai Cheng et Michael Lestz, *The Search for Modern China: A Documentary Collection*, Norton: London & New-York, 1999.

p. 267 doc. 5: Michael Wines, «Sudanese Leader Is Welcomed in Visit to China», *New York Times*, 29 juin 2011. © 2011 The New York Times. All right reserved.

p. 269 doc. 3: Zhou Erfu, *Le Matin de Shanghai*, 1958, trad. inédite d'Isabelle Guillot-Belin, *Shanghai: histoire, anthologie, promenades et dictionnaire*, Robert Laffont, coll. Bouquins, 2010.

Chapitre 11 – p. 285 doc. 2, p. 287 doc. 5, p. 289 doc. 4, p. 292 doc. 1, p. 296 doc. 3 (Charte de l'OLP 1968), p. 304 exercice 1: Anne-Laure Dupont, Catherine Mayeur Jaouen, Chantal Verdeil, *Le Moyen-Orient par les textes*, Armand Colin, 2011.

p. 296 doc. 3 (*Charte de l'OLP*, 1964), p. 301 doc. 5: Henry Laurens, *Le Grand jeu, Orient arabe et relations internationales*, Armand Colin, 1991.

p. 299 doc. 6: David Strahan, «Des causes de l'intervention», *The Guardian*, 26 Juin 2007 © Copyright Guardian News & Media Ltd 2007.

p. 300 doc. 2 (R. Khomeiny, *Discours*, avr. 1980): Henry Laurens, *Paix et Guerre au Moyen-Orient*, Armand Colin, 2011.

p. 300 doc. 2 (S. Hussein, *Discours*, 16 sept. 1980): Paul Balta, *Iran-Irak, une guerre de cinq mille ans*, Economica, 1987.

p. 303 doc. 5: Kinda Chaib, «Les identités chiites au Liban-Sud, entre mobilisation communautaire, contrôle partisan et ancrage local», in *Vingtième siècle*, revue d'histoire, n° 103, juillet-septembre 2009, © Presses de Sciences Po.

Chapitre 12 – p. 322 doc. 1: «Investiture de M. le président du Conseil, désigné Assemblée nationale - séance du jeudi 17 juin 1954», Assemblée Nationale, http://www.assemblee-nationale.fr/histoire/pierre-mendes_france/mendes_france-7.asp

p. 323 doc. 6: François Mitterrand, Président de la République, Discours lors de l'hommage solennel à la mémoire de P. Mendès France, 27 octobre 1982, cité par François Stasse, *La Morale de l'Histoire*, Le Seuil, 1994.

Chapitre 14 – p. 385 doc. 3: Jean-Christophe Graz, *La Gouvernance et la Mondialisation*, 2004, La Découverte. www.editionsladecouverte.fr

Les Éditions Belin remercient Pierre Royer, professeur au lycée Georges-Brassens (Paris) et Christian Birebent, professeur au lycée François-Couperin (Fontainebleau).

Conception graphique:
Marie-Astrid Bailly-Maître et Sterenn Bourgeois

Mise en pages de l'intérieur:
Anne Aubert, Marie-Astrid Bailly-Maître et Sterenn Bourgeois

Cartographie et infographie: Jean-Pierre Crivellari

Illustrations: Pierre-Emmanuel Dequest

Iconographie: Véronique Cardineau

Le monde en 1914

Groenland

Islande

NORVÈGE

DANEMAR

ROYAUME-
UNI

PAYS-
BAS

ALLEN

BELGIQUE

FRANCE

SUISSE

IT.

Canada

Açores (P.)

PORTUGAL

ESPAGNE

ÉTATS-UNIS

Madère (P.)

Maroc

Algérie

Tunis

Canaries (E.)

Tropique du Cancer

MEXIQUE

Bahamas

Sahara
espagnol

Afrique
Occidentale
Française

CUBA

HAÏTI

Honduras
britannique

Jamaïque

Guadeloupe (F.)

Cap Vert (P.)

GUATEMALA

HONDURAS

Martinique (F.)

SALVADOR

NICARAGUA

Nigeria

COSTA RICA

VENEZUELA

OCÉAN
ATLANTIQUE

Côte-
de-l'Or

Ca

PANAMA

COLOMBIE

Guyane (F.)

Équateur

OCÉAN
PACIFIQUE

ÉQUATEUR

PÉROU

BRÉSIL

Polynésie
française (F.)

BOLIVIE

Tropique du Capricorne

CHILI

PARAGUAY

OC

AT

URUGUAY

ARGENTINE

CHE-
RIE
ROUMANIE
BULGARIE
GRÈCE
EMPIRE
OTTOMAN

Égypte

Afrique
équatoriale
française
Soudan

ÉTHIOPIE

Somalie
Afrique
orientale
britannique

Congo
belge

Afrique
orientale
allemande

Angola
Rhodésie

Madagascar

Union
sud-africaine

EMPIRE RUSSE

MONGOLIE

PERSE
AFGHANISTAN

CHINE

JAPON

Empire
des Indes

Yémen

Maldives

Indochine

Philippines

Malaisie

Indes néerlandaises

Nouvelle-
Guinée

OCÉAN
PACIFIQUE

OCÉAN
INDIEN

Réunion (F.)

Australie

Nouvelle-
Calédonie (F.)

Nouvelle-
Zélande

0   2 000 km   4 000 km

à l'équateur

Le monde aujourd'hui

ISLANDE

CANADA

ÉTATS-UNIS
D'AMÉRIQUE

ROY

IRLANDE

ES
PORTUGAL

MAROC

Tropique du Cancer

MEXIQUE

BAHAMAS

CUBA
RÉPUBLIQUE
DOMINICAINE
HAÏTI

SAINT-KITTS ET NEVIS
ANTIGUA ET BARBUDA
Guadeloupe (F.)
DOMINIQUE
Martinique (F.)
—BARBADE

Sahara
occidental

MAURITANIE

BELIZE
GUATEMALA
SALVADOR

JAMAÏQUE
HONDURAS
NICARAGUA

SAINTE-LUCIE
ST.-VINCENT
GRENADE

TRINITÉ ET TOBAGO

CAP-
VERT

SÉNÉGAL

BU

GAMBIE
GUINÉE-BISSAU
SIERRA LEONE

GUINÉE
CÔTE
D'IVOIR

COSTA RICA
PANAMA

VENEZUELA

GUYANA

SURINAM

LIBERIA

C

Équateur

ÉQUATEUR

COLOMBIE

Guyane (F.)

GUINÉ

OCÉAN
PACIFIQUE

KIRIBATI

PÉROU

BRÉSIL

OCÉAN
ATLANTIQUE

SAMOA

BOLIVIE

*Polynésie
française (F.)*

TONGA

Tropique du Capricorne

CHILI

PARAGUAY

URUGUAY

ARGENTINE

NORVÈGE

FINLANDE

SUÈDE

ESTONIE

RUSSIE

DANEMARK

LETTONIE

LITUANIE

IRLANDE

ROYAUME-
UNI

PAYS-
BAS

BIÉLORUSSIE

BELGIQUE

ALLEMAGNE

POLOGNE

LUXEMBOURG

RÉP. TCHÈQUE

LIECHTENSTEIN

SLOVAQUIE

UKRAINE

MOLDAVIE

FRANCE

SUISSE

AUTRICHE

HONGRIE

SLOVÉNIE

SAINT-MARIN

CROATIE

ROUMANIE

BOSNIE-SERBIE
HERZÉGOVINE

ANDORRE

MONACO

MONTÉNÉGRO

KOSOVO

BULGARIE

ESPAGNE

CITÉ DU VATICAN

ITALIE

MACÉDOINE

ALBANIE

PORTUGAL

GRÈCE

TURQUIE

0   1 000 km

MALTE

CHYPRE

FÉDÉRATION DE RUSSIE

SUÈDE FINLANDE
NORVÈGE
DANEMARK
POLOGNE BIÉLORUSSIE
ALLEMAGNE
UKRAINE
SUISSE
CE
ITALIE
ROUMANIE
BULGARIE
GRÈCE
TUNISIE
RIE
LIBYE
ÉGYPTE

KAZAKHSTAN

MONGOLIE

GÉORGIE
ARMÉNIE AZERBAÏDJAN
TURQUIE
SYRIE
LIBAN
ISRAËL JORDANIE
IRAK
ARABIE
SAOUDITE
BAHREÏN
QATAR
ÉMIRATS
ARABES
UNIS
OMAN

OUZBÉKISTAN KIRGHIZISTAN
TURKMÉNISTAN TADJIKISTAN
IRAN
AFGHANISTAN
KOWEÏT
PAKISTAN

CORÉE
DU NORD
CORÉE
DU SUD
JAPON

CHINE

TAÏWAN

NÉPAL BHOUTAN
BANGLADESH
INDE
MYANMAR
(BIRMANIE) LAOS
THAÏLANDE
VIETNAM
CAMBODGE

PHILIPPINES

OCÉAN
PACIFIQUE

NIGER
TCHAD
SOUDAN
ÉRYTHRÉE
YÉMEN
DJIBOUTI

NIGERIA
RÉP.
CENTRAFRICAINE
SOUDAN
DU SUD
ÉTHIOPIE
CAMEROUN
ORIALE
GABON CONGO
RÉP. DÉM.
DU CONGO
OUGANDA
KENYA
RWANDA
BURUNDI
SOMALIE
TANZANIE

SRI
LANKA
MALDIVES

MARSHALL

PALAU
MICRONÉSIE

BRUNEI
MALAISIE
SINGAPOUR
INDONÉSIE

NAURU

PAPOUASIE-
NOUVELLE-
GUINÉE
TIMOR
ORIENTAL
SALOMON

SEYCHELLES

ANGOLA
ZAMBIE
MALAWI
MOZAMBIQUE
ZIMBABWE
NAMIBIE
BOTSWANA
COMORES
MADAGASCAR
MAURICE
Réunion (F.)

OCÉAN
INDIEN

VANUATU
FIDJI

Nouvelle-
Calédonie (F.)

SWAZILAND
LESOTHO
AFRIQUE
DU SUD

AUSTRALIE

NOUVELLE-
ZÉLANDE

0   2 000 km   4 000 km
à l'équateur

IMPRIM'VERT®

Imprimé en France par SEPEC numérique à Péronnas
Dépôt légal : avril 2012
N° d'édition : 70116228-05/Août2018